HOMÉLIES SUR ÉZÉCHIEL

SOURCES CHRÉTIENNES

N° 352

ORIGÈNE

HOMÉLIES SUR ÉZÉCHIEL

TEXTE LATIN
INTRODUCTION, TRADUCTION ET NOTES

PAR

Marcel BORRET, s.j.

Ouvrage publié
avec le concours du Centre National des Lettres
et de l'Œuvre d'Orient

LES ÉDITIONS DU CERF, 29, Bd de Latour-Maubourg, PARIS
1989

La publication de cet ouvrage a été préparée
avec le concours de l'Institut des Sources Chrétiennes
(U.A. 993 du CNRS)

IMPRIMI POTEST :

Paris, 25 février 1989
Jacques Gellard, s.j.
Provincial de France

IMPRIMATUR :

Lyon, 21 mars 1989
Jean Alberti, p.s.s.
par délég. du Card. A. Decoutray

ISBN 2-204-04000-2
ISSN 0750-1978

INTRODUCTION

I. LA DATE DES HOMÉLIES SUR ÉZÉCHIEL

A. Un témoignage remis en question

On s'accordait à reconnaître que les Homélies d'Origène avaient été prononcées dans la ville de Césarée de Palestine dans la cinquième décennie du troisième siècle. On renvoyait, comme à un témoignage assuré, à quelques lignes de l'historien EUSÈBE, *Histoire ecclésiastique* VI, 36, 1. Or l'interprétation traditionnelle de ce texte a été contredite à deux reprises. Et l'examen de cette double critique ne peut qu'être instructif.

La première critique, de J. Scherer[1], vise l'explication courante du témoignage d'Eusèbe. L'auteur en aborde le texte « prudemment », le cite et le traduit : « Origène, dit-on, âgé de plus de soixante ans et s'étant acquis, par ses longs travaux antérieurs, une très grande maîtrise, permit que l'on notât en sténographie ses *epi tou koinou dialexeis* — chose que jusqu'alors il avait toujours interdite. » Mais que *dialexeis* puisse avoir ici le sens d'*homélies* ne correspondrait guère ni à la chronologie, ni à la

1. J. SCHERER, *Origène : Entretien avec Héraclide, SC* 67, 1960, p. 13-14, à la longue note 3.

vraisemblance, ni à des emplois parallèles du terme. D'abord, « il est patent que certaines homélies sont antérieures à 245 ». Ensuite, ne serait-il pas surprenant qu'une prédication officielle, devant un large public et les autorités ecclésiastiques, sur des textes que la liturgie découpait dans une Écriture qu'Origène étudiait sans relâche, provoque un refus prolongé de comptes rendus sténographiés. Qu'y avait-il donc à craindre ? Enfin, le terme serait plus compréhensible s'il s'agissait « des entretiens », des « conférences » qui eurent lieu plusieurs fois. Alors, la part d'improvisation est inévitable, au gré de questions imprévues et plus ou moins pertinentes. Un examen rigoureux pourrait y trouver à redire, et se comprend la prudence initiale d'Origène avant que l'expérience ne l'ait rassuré. Précisément, poursuit l'auteur, le terme a bien ce sens chez EUSÈBE, *HE* VI, 33, 3, « où il s'agit des *entretiens* qu'Origène eut avec Béryle ». On a montré, ajoute-t-il, « que le dialogue était une des formes de la vie chrétienne aux premiers temps de l'Église, que l'homélie en était issue et l'avait finalement remplacé ». Mais cette « forme d'enseignement qui s'accordait à merveille avec son tempérament de professeur » était encore vivante de son temps. A son premier séjour à Césarée (215), les évêques l'invitèrent à « tenir des conférences (*dialegesthai*) et à expliquer les divines Écritures devant la communauté des fidèles », *HE*, VI, 19, 16. « Les deux genres, conclut-il, sont ici nettement distingués : les *homélies* (le mot *omilein* se lit peu après) et les *entretiens,* plus libres, plus familiers, et aussi plus dangereux ».

La deuxième critique, de P. Nautin[2], est plus radicale. Elle ne conteste pas le sens donné à certains termes. Dans

2. P. NAUTIN, *Origène, sa vie et son œuvre* (Christianisme antique I), t. I, Paris 1977, p. 92-94.

le texte cité, deux acceptions voisinent : *dialegesthai*, désigne des discours ou prédications en général, et la finale est à traduire « expliquer les divines Écritures devant l'assemblée de l'Église », les homélies sur l'Écriture. Plusieurs exemples l'attestent : *HE*, V, 20, 6, sur l'activité du bienheureux Polycarpe ; *HE*, VI, 33, 3, à propos de Bérylle ; *HE* VII, 32, 27, au sujet du prêtre Piérios d'Alexandrie... « Les *dialexeis* dans leur sens le plus large, sont les propos, les discours que tient une personne, mais en fait, dans l'*Histoire Ecclésiastique*, le mot désigne toujours des discours tenus devant l'assemblée de l'Église. » Mais là n'est pas la véritable question. En fait, l'indication de l'âge auquel Origène aurait permis de sténographier ses homélies n'a aucune valeur historique, d'après l'auteur ; Eusèbe s'autorise d'une vague tradition (*phasin*), comme il le fait ailleurs. « Mais nous avons constaté le peu de crédit que méritaient les traditions rencontrées jusqu'ici. Celle-ci n'est pas meilleure, car elle est contredite par les œuvres mêmes d'Origène. » D'une telle rupture avec une explication traditionnelle, le moindre mérite n'est pas qu'elle pique forcément l'attention, et qu'elle oblige à revoir de plus près les textes d'Origène à la manière de l'auteur.

B. Une chronologie relative

Un discours contient normalement des références d'un passage à un autre, expresses ou allusives. Le rappel de lignes qui précèdent et l'annonce de celles qui vont suivre constituent une forme de transition habituelle. On attire l'attention de l'auditeur ou du lecteur sur une articulation du développement, et d'une liaison à l'autre de proche en proche, sur la continuité chronologique ou logique, à laquelle se conforment l'ordre et la suite de l'exposé. Mais le renvoi peut être d'une autre sorte : inspiré non plus par la continuité du texte, mais par une association d'idées. On rapproche des passages disjoints pour y montrer la reprise d'un thème, en vue de le compléter et de l'enrichir. Des deux formes nos Homélies offrent plusieurs exemples. Soit, dans la même homélie, une référence à un paragraphe qui précède ; I, 12, 2 ; IV, 3, 13 et 7, 4 ; VIII, 1 fin. Soit une référence d'une homélie à celle qui précède : VII, 1, 13 ; X, 2, 15 ; cf. XII, 2.

Or ce genre de renvoi, non seulement a lieu au cours d'une même œuvre, mais aussi d'une œuvre à l'autre. Il apporte alors un enseignement nouveau : il ouvre, d'un énoncé du thème à l'autre, sur un contenu modifié, une vue de leur situation réciproque. De l'ancien auquel on se reporte au nouveau qui s'y réfère, il y a succession ; du premier au second, antériorité. Voilà un témoignage à verser au dossier de la chronologie des œuvres. Ce peut être pour la succession d'une même série d'œuvres, ou pour la succession de plusieurs séries. Sur l'un et l'autre point, nos Homélies apportent une contribution.

A l'intérieur d'une même série : la série prophétique à laquelle elles appartiennent. Au passage de *In Ez. hom.* 11, 5, le prédicateur dit que l'allégorie du second aigle désigne Nabuchodonosor, qui est lui-même le symbole d'une puissance contraire. Le passage qu'il évoque est celui de *Jér.* 34, 1-7, où le prophète annonce au roi la prise de sa ville et sa propre captivité : c'est le plan de l'histoire. Mais pour l'interprétation spirituelle, il renvoie à une explication donnée naguère « au temps où nous avons expliqué Jérémie » : explication qui, de fait, se trouve à *In Jer. hom.* 1, 3, 23-29 (*SC* 232, p. 200 s.). Sur Jérémie, sur Ézéchiel : dans la Bible, le livre du premier précède celui du second ; la série prophétique des livres bibliques commande la série prophétique des homélies.

D'une série à une autre : dans notre œuvre de la série prophétique une référence vise une œuvre de la série sapientielle. A *In Ez. hom.* 6, 4, 24 s., le prédicateur cite *Job* 40, 11 (16), comme trait caractéristique du dragon : « Sa vigueur est dans l'ombilic, et sa puissance, dans l'ombilic de son ventre. » Et il poursuit : « Je sais que, lorsque j'exposais le présent passage..., j'ai dit que le dragon est une puissance contraire, ... l'antique Serpent qu'on appelle le diable ou Satan... » Répondrait précisément à ce renvoi, d'après Baehrens, un fragment qu'il cite, p. 382, tiré des Chaînes, de toute façon coordonné aux Homélies, Origène n'ayant pas laissé d'autre ouvrage sur Job. De là, une conclusion analogue à la précédente. Les livres sapientiaux de la Bible se lisent avant les livres prophétiques ; et le même ordre règne entre la série sapientielle et la série prophétique de la prédication. Ces indications de nos Homélies sont limitées et on pourrait craindre qu'on ne se hâte d'extrapoler. Il n'en est rien. Car elles font partie d'un ensemble où le même mouvement se dessine. C'est donc renforcer leur témoignage que d'observer ce milieu où elles s'insèrent.

Une œuvre de la même série prophétique affirme elle aussi l'antériorité de la série sapientielle, et par deux fois. *In Jer. hom.* 8, 3, 2 (*SC* 232, p. 362 s.) rappelle que l'expression : « Et il a fait monter des nuages de l'extrémité de la terre (*Jér.* 10, 3) » s'est présentée naguère dans le Psaume (134, 7), et fut alors interprétée. Et dans *hom.* 18, 10, 6 s., l'expression « ils ont offert de l'encens en vain (*Jér.* 18, 15) » s'explique « si nous reprenons ce qui a été dit sur le Psaume (140, 2) ». Il s'agit là d'un rappel du passé. Ailleurs il s'agit d'une annonce du futur. *In Jer. hom.* 12, 3, 20 s. : « Mais il y a aussi des bénédictions sacerdotales... que nous verrons sous peu quand, après avoir expliqué les paroles prophétiques, nous lirons les

Nombres, car il y sera question de prêtres. » (*SC* 238, p. 20 s.) Ainsi, d'une part, l'ordre de la prédication était connu et annoncé d'avance, et de l'autre, dans cet ordre l'annonce situe en troisième place la série historique. La confirmation de cet ordre est donnée par des œuvres de cette série historique elle-même, puisqu'elles contiennent des références à des œuvres des deux autres séries.

Renvoi à la série sapientielle. D'abord, dans *In Lev. hom.* 13, 3, 37 s., (*SC* 287, p. 202 s.) le prédicateur rappelle qu'il a montré de son mieux la différence qu'il y a entre « la lampe » et « la lumière » en commentant un verset du Psaume (118, 10) : le renvoi est à enregistrer, bien qu'on n'ait pas retrouvé l'explication. Ensuite, dans *In Jos. hom.* 15, 6 (*GCS* 7, p. 391, 17 ; *SC* 71, p. 352 s.), le prédicateur dit avoir donné, sur la destruction matinale des méchants, des explications semblables, quand il exposait un verset du Psaume (100, 8) ; à quoi correspond un passage de *Sel. in Ps.* 100, 8 (*PG* 12, 1557 D), d'après Baehrens.

Renvoi à la série prophétique. Dans *In Jos. hom.* 13, 3 (*GCS* 7, p. 373, 14 s. ; *SC* 71, p. 308 s.), les paroles données au prophète « pour détruire et construire, déraciner et planter » (*Jér.* 1, 9-10) valent non seulement au sens littéral pour le prophète et la destruction des villes, mais encore au sens spirituel, pour toutes les actions du Sauveur, en particulier dans chacune de nos âmes, pour nous permettre de devenir ' le champ de Dieu et l'édifice de Dieu ', « comme nous le disions au moment où nous parlions de Jérémie » ; voir en effet *In Jer. hom.* 1, de 14 à 16 *passim*, *SC* 232, p. 226 s.

Ainsi de précieuses références parsèment les Homélies, véritables points de repère. D'un livre à l'autre, elles avaient été ponctuellement signalées par les éditeurs. Avait-on noté qu'elles évoquent une résille, aux mailles certes peu nombreuses et inégales, mais couvrant tout un ensemble qu'elles font paraître cohérent et organique ? La démonstration est à retenir : série sapientielle, série prophétique, série historique : tel fut l'ordre de la prédication d'Origène. Il correspond à l'ordre des livres de la Bible : à ceci près que la suite origénienne est décalée d'un tiers par rapport à la suite biblique. Le décalage s'explique. Les lectures liturgiques suivaient naturellement l'ordre de l'Écriture, des livres historiques aux sapientiaux, puis aux prophétiques, puis recommençaient en un cycle triennal indéfiniment répété. Que le prédicateur commence son activité après le premier tiers du cycle, et nous avons la triple série que les renvois ont mise en évidence. Dans le déroulement du cycle triennal origénien, nos Homélies sur Ézéchiel occupent donc la deuxième série, et approximativement le centre des trois séries. Peut-être cet ordre relatif donne-t-il une bonne séquence à suivre dans les inévitables accumulations de références que toute étude doit fournir en notes, plutôt que tant de rapprochements pêle-mêle que l'on amasse, voire que l'ordre biblique reconstitué, puisque l'ordre origénien fut historiquement autre. Sans doute n'y a-t-il pas de développement sensible d'une année à l'autre dans la pensée du prédicateur, mais telle est la suite de sa prédication : elle commence par la Sagesse, continue par la Prophétie, s'achève par la Loi et l'Histoire.

C. Vers la chronologie absolue

La chronologie relative des Homélies une fois établie, il reste à découvrir la chronologie absolue : c'est-à-dire à situer l'insertion de cette prédication triennale dans l'activité et la vie d'Origène, et dans les dates de l'histoire. La démonstration est en marche. Avoir mieux perçu l'ensemble organique formé par les Homélies aide à repousser des interprétations de quelques textes, où certains auteurs avaient cru trouver des indications, pour telle ou telle œuvre, d'une autre place et d'une autre date. Parallèlement à sa démonstration positive dans le texte de son édition des *Homélies sur Jérémie*, P. Nautin rejette dans ses notes l'énoncé, l'examen et la brève réfutation de ces propos. Et dans le texte de son grand ouvrage[3], il fait de même pour l'interprétation commune d'un passage des *Homélies sur Josué*, d'après lequel on les datait unanimement du début de la persécution de Dèce, vers 249. De fait, la traductrice de ces dernières, dès la première page de son introduction, invoquait « l'avis d'Harnack, qui fait autorité en la matière », lequel, ajoutait-elle en note, « s'appuie principalement sur l'allusion transparente au décret de Dèce[4] ». Or, y a-t-il une allusion transparente ? Dans ces Homélies, aucune exhortation pressante à la prière et à la préparation à un martyre proche. Dans le contexte, aucune référence explicite à un événement extérieur comme serait l'affichage d'un édit. Le passage est un bref commentaire d'un verset qui dénonce une conjuration de tous les peuples contre Josué et Israël, dans laquelle le prédicateur voit préfigurée la conjuration de toutes les autorités humaines contre le nom de Jésus et le nom des chrétiens[5]. Nulle conjoncture précise n'est visée. C'est l'énoncé d'un thème général sur les persécutions, leur triomphe initial, mais partiel et momentané, inéluctablement suivi par la victoire et l'expansion du christianisme. Les Homélies sur Josué ne fournissent dès lors aucune indication de date. Rien ne prouve qu'elles

---

3. P. NAUTIN, *Origène : Homélies sur Jérémie,* t. I, 1977, *SC* 232, p. 15-21 et *Origène,* p. 401-402.
4. A. JAUBERT, *Origène : Homélies sur Josué,* 1960, *SC* 71, p. 9.
5. Cf. *In Jos. hom.* 9, 10, *SC* 71, p. 266 s.

doivent être situées postérieurement aux autres, en dehors de leur liste suivie d'après l'ordre biblique, antérieurement à la persécution envisagée. Que toute la série des Homélies sur l'histoire ait précédé le règne de Dèce n'est guère contestable. En témoigne une œuvre qu'Origène entreprit d'écrire plusieurs années avant cette persécution, le *Commentaire sur le Cantique,* qui ne renferme pas moins de sept références à la série : autant d'autres points de repère pour notre chronologie.

P. Nautin, rapidement, en note quatre. Mais surtout, chemin faisant[6], il relève à l'intérieur de la série les indices et les allusions ouvrant un jour sur des personnages et des événements de l'histoire, qu'il s'efforce d'identifier. Les Homélies sur Ézéchiel n'offrant rien de ce genre, on laissera aux érudits la tâche de vérifier ces indications. Disons que grâce à elles, l'auteur établit provisoirement une fourchette entre deux dates, celle de l'*Homélie sur le Psaume 36,* et celle du *Commentaire sur le Cantique* (environ 238 et 245). L'examen d'autres homélies et allusions lui permet d'en rapprocher les branches pour arriver à la conclusion : l'ensemble des trois séries d'homélies fut prononcé à Césarée de Palestine entre 239 et 242.

II. D'APRÈS JÉRÔME DANS SA PRÉFACE

A. Le prêtre Vincent et Didyme l'Aveugle

Celui que Jérôme appelle son ami est le prêtre Vincent de Constantinople, lié à lui depuis son séjour dans la ville

6. Cf. P. NAUTIN, *SC* 232, p. 15-21, et *Origène,* p. 401-405 ; et la note complémentaire 1 : « Autres points de repère. »

(379-380). Il est encore l'un des deux dédicataires de la traduction que Jérôme y fit d'EUSÈBE, *Chronique*[7]. Prêtres l'un et l'autre, les deux amis s'abstinrent également d'exercer le sacerdoce : d'abord, loin des villes célèbres où ils avaient été ordonnés, l'un à Athènes, l'autre à Constantinople, qu'ils avaient quittées pour la campagne et le désert, afin d'y pleurer leurs fautes de jeunesse, et d'obtenir la miséricorde de Dieu[8] ; et plus tard, à Bethléem, par esprit d'humilité et de liberté monastique. Car Vincent fut l'un des compagnons de Jérôme dans son voyage pour l'Orient (août 385)[9] ; puis dans son séjour à Bethléem ; et il fut naturellement son allié dans la bataille des controverses[10]. Après un nouveau passage à Rome pour accomplir une mission[11], il revint à Bethléem dans l'été de 400 ; et il n'est plus question de lui.

Didyme, aveugle précoce, n'en était pas moins instruit dans les sciences humaines, tout adonné à l'étude des Écritures et fort réputé. Jérôme eut avec lui des relations d'abord excellentes. Il entreprit de traduire son traité *Sur le Saint-Esprit,* à l'incitation du pape Damase, travail qu'il achèverait à Bethléem ; et il déclarerait plus tard irréprochable l'orthodoxie trinitaire de l'œuvre[12]. Entre-temps, il s'était arrêté à Alexandrie pour se familiariser avec l'exégèse de Didyme. Bref séjour, d'un mois à peine, ironisera Rufin qui l'écouta, lui, à deux époques, dont l'une de six ans. Mais séjour fécond : c'est à sa demande que Didyme aurait dicté trois commentaires sur

7. Cf. *PL* 27, 35 A.
8. Cf. *Contra Jo. hier.* 41 *bis, PL* 23, 393 AB ; et *Lett.* 51, 1.
9. *Apol. cont. Ruf.* 3, 22, 3, *SC* 303, p. 277 s.
10. Cf. *Lett.* 61, 3 ; et pour leur histoire mouvementée, cf. *SC* 303, *Introduction,* p. 30 s.
11. Cf. *Apol.* 3, 24, 15-16, *SC* 303, p. 290 s.
12. Cf. *Apol.* 2, 16, 17, *SC* 303, p. 142 s.

Osée, et cinq sur Zacharie[13]. Et séjour fréquemment rappelé[14]. Il loue Didyme, l'appelle « virum sui temporis erudissimum », « guide » dans les saintes Écritures, lui dit sa dette et sa reconnaissance[15]. Il lui reconnaît une pénétration intellectuelle et spirituelle qui tranche singulièrement avec la cécité physique. D'où les appellations familières et louangeuses : « Didymus meus », prophète-voyant « oculum habens de Cantico canticorum[16] », et le surnom, à lui seul comme ici marque d'estime, renforcé ailleurs par l'affectueux possessif « Didymum videntem meum[17] ». Malheureusement, Didyme allait être victime du discrédit que jeta sur Origène et Rufin la volte-face de Jérôme.

B. Les travaux d'Origène sur l'Écriture

Jérôme déclare à son ami dédicataire que les travaux d'Origène sur l'Écriture furent de trois sortes : *excerpta* ou *scholia, homileticum genus, tomoi* ou *volumina*. La même division est donnée ailleurs dans l'ordre inverse : « volumina, tractatus et excerpta[18] » ; « volumina, homiliae, commaticumque interpretationis genus[19] » ; « volumina, homiliae, et *sèmeiôseis* quas nos excerpta possumus appellare[20] ».

Il s'agit de trois genres littéraires caractérisés. Le sens de deux d'entre eux va de soi. Les Commentaires suivent

13. *De vir. ill.* 109, *PL* 23, 705 A ; *In Os.*, et *In Zach.* : *PL* 23, 705 A, et *PL* 25, 820 et 1418 A.
14. *In Ep. ad Eph., praef., PL* 26, 440 B.
15. *In Os., praef., PL* 25, 819 ; *Lett.* 50, 1 et 84, 3.
16. *De Spir. Sancto, praef., PL* 23, 103-104.
17. *In Ep. ad Gal., prol., PL* 26, 309 A.
18. *In Ep. ad Gal., prol., PL* 26, 308 B s.
19. *In Matth., prol., PL* 26, 20 B.
20. *In Is., prol., PL* 24, 21 A ; *CCSL* 73, p. 3, 87 s.

le texte continu de l'Écriture réparti dans chaque livre de la Bible, l'étudient pour lui-même avec toute la rigueur et l'érudition possibles. Œuvre où l'auteur, note Jérôme, « a déployé aux souffles des vents toutes les voiles de son génie et, s'éloignant de la terre, a fui en haute mer ». — Les Homélies se conforment au découpage des lectures liturgiques. En principe, la totalité de la Bible est parcourue au cours d'un cycle de trois ans. Mais dans les œuvres qui nous sont parvenues manquent nombre de chapitres entiers. Et chaque lecture même est rarement expliquée jusqu'au bout. L'interprétation est plus simple, le ton d'exhortation plus fréquent pour l'édification de la communauté des fidèles. — Extraits est un terme qui peut prêter à équivoque. Il n'est pas à entendre au sens littéraire courant de morceaux choisis ou florilèges, mais au sens technique de notes sur des passages obscurs ou difficiles ; le texte y subit un morcellement plus fragmentaire que dans les homélies ; ce sont plutôt des notes d'exégèse, denses et concises à peu d'exceptions près[21].

Le bref exposé didactique de Jérôme est partout cité. Encore n'en faut-il point majorer la portée. « Les œuvres sur toute l'Écriture », dit Jérôme : l'entendait-il d'une suite habituelle et constante dans l'œuvre origénienne ? Et l'indication serait-elle exacte ? Seul un examen attentif permet de répondre. P. Nautin s'y est attelé. Et au terme de son inventaire, sa conclusion est à retenir pour la précision qu'elle apporte. La coexistence des trois œuvres concerne seulement la Genèse, Isaïe et les Psaumes, et encore d'une façon partielle pour les deux premiers livres. Jérôme a donc généralisé à partir de ces cas particuliers. « Mais si l'on observe de plus près la liste des

21. Par exemple, celles sur l'Exode, citées dans *Philocalie* 27, 9-12, *SC* 226, p. 298-317.

excerpta, on constate qu'en dehors du cas des Psaumes, ils concernent toujours des livres de l'Écriture pour lesquels il n'existe pas de commentaire ou dont le commentaire a été interrompu. Il saute alors aux yeux que les scolies n'avaient qu'un rôle de suppléance pour des commentaires qu'Origène n'avait pas le temps de composer ou de terminer[22]. »

C. Les traductions de Jérôme

Jérôme parle naturellement des traductions d'Origène qu'il a faites et de celles qu'il compte faire. Il a traduit naguère quatorze *Homélies sur Jérémie* — dont douze font partie de celles qui sont conservées en grec : traduction faite en désordre, avoue-t-il[23]. Et voici quatorze *Homélies sur Ézéchiel,* qu'il a voulues fidèles au style de l'auteur, et simples d'expression, pour qu'elles soient utiles aux Églises... Les deux séries furent-elles traduites à Constantinople, de 379 à 381, sous l'influence de Grégoire de Nazianze, admirateur d'Origène et, avec Basile de Césarée, auteur de la *Philocalie,* florilège de textes origéniens[24] ? Mais il a bien l'intention de traduire la majeure partie du reste...

Peu après sans doute, bien que la date soit controversée, fut faite la traduction de neuf *Homélies sur Isaïe* ; enfin, pendant son séjour à Rome (382-385), à la demande du pape Damase et à lui dédiée, la traduction des deux *Homélies sur le Cantique*[25]. Plus tard, entre 388 et 391,

---

22. P. NAUTIN, *Origène,* p. 373.
23. Comme le montre en effet le tableau dressé dans *SC* 232, p. 33.
24. Cf. F. CAVALLERA, *Saint Jérôme, sa vie et son œuvre,* 2 tomes, Louvain et Paris, 1922, t. II, p. 20. Ou « à Antioche avant son départ pour Chalcis », d'après P. NAUTIN, *SC* 232, p. 33.
25. Cf. CAVALLERA, *o. c.,* t. II, p. 20-22, t. I, 82.

ce fut, à Bethléem, la traduction de trente-neuf *Homélies sur l'Évangile de Luc*[26]. S'arrêta-t-il ensuite à la pensée que de telles œuvres n'auraient plus guère de succès, à cause du soupçon qui se répandait sur l'orthodoxie d'Origène et sur les thèses de l'origénisme, et qui l'englobait lui-même ? Enfin, dans l'atmosphère devenue orageuse, en réplique à la traduction que venait d'en donner Rufin, il composa une traduction du *De principiis*, pendant l'hiver de 398-399. L'ouvrage est perdu. Mais, ayant découvert chez Rufin des corrections dans le sens de l'orthodoxie, Jérôme y accentuait les tendances hérétiques, à en juger par quelques passages, insérés avec une intention polémique dans sa *Lettre 124* à Avitus[27]. Mais il faut laisser aux études consacrées à Jérôme le soin de retracer l'histoire des polémiques et des controverses, et d'apprécier la valeur de ces traductions.

De sa fréquentation des œuvres d'Origène, Jérôme a toujours su tirer parti. Au plus fort de la querelle, il en convenait encore tout en se défendant. Il distinguait l'exégète qu'il admire et le théoricien qu'il rejette : « Laudavi interpretem non dogmatisten, ingenium non fidem, philosophum non apostolum[28]. » En fait, l'influence origé-

---

26. Cf. *ibid.*, p. 27-28.

27. Cf. : CAVALLERA, *o. c.*, t. I, p. 244, n. 1 ; p. 314 et n. 1. Voir l'édition de KŒTSCHAU, *GCS* 5, *praef.*, p. LXXXVIII-XCV ; celle de H. CROUZEL et M. SIMONETTI, *SC* 252, *Introd.*, p. 26-29. Tout le dossier est repris par L. LARDET, *Jérôme : Apologie contre Rufin*, *SC* 303, *Introd.*, p. 24-75. Sur Jérôme et Rufin, cf. CAVALLERA, *o. c.*, t. II, p. 37-43, et note S, p. 131-135. Pour l'attitude de Jérôme envers Origène, avant, pendant, et après la controverse origéniste, voir *ibid.*, la longue note érudite Q, p. 115-127, et la note S, p. 131-135.

Sur la fidélité de la traduction par Jérôme des Homélies d'Origène sur Jérémie, Ézéchiel et Isaïe, cf. *ibid.*, note E, p. 78-81 ; sur Jérémie, voir aussi P. NAUTIN, *SC* 232, p. 39-42. Pour les fragments donnés par les Chaînes, cf. E. DEWREESSE, « Chaînes exégétiques grecques, *DBS* I, 1928, col. 1154 s.

28. *Epist. ad Pamm. et Oc.* 84, 2, *PL* 22, 2744.

nienne sur lui fut incessante. On l'a signalé en ce qui concerne nos Homélies et le commentaire de Jérôme sur Ézéchiel. Entre *In Ez. hom.* 6, 1 s. et JÉRÔME, *In Ez.* 6, 2, une dizaine de citations et une huitaine de références sont données par l'éditeur Baehrens ; et en dehors de l'homélie 6, les passages qui sont imités ne sont pas rares ; l'éditeur en cite deux et indique des références à une quinzaine d'autres[29]. On voit dans quel sens on a pu parler de « la lourde dette » que Jérôme a contractée envers Origène[30].

Traduction d'Origène ou œuvre personnelle de Jérôme influencée par lui, la question s'est posée naguère à propos d'un important ouvrage. Aux alentours de 1900, des traités furent découverts par Dom Morin et publiés par lui sous le nom de Jérôme[31]. Or l'attribution fut remise en cause : l'œuvre serait à restituer à Origène, comme des homélies liturgiques à identifier sans doute aux *Excerpta in Psalterium*[32], du catalogue par JÉRÔME, *Let. 33*. Cette thèse fut jugée tour à tour plausible puis irrecevable. D'une part, on a écrit : « En dépit de la marque stylistique et des interventions personnelles de Jérôme comme à l'accoutumée, l'attribution globale et substantielle (à Origène) semble bien assurée[33]. » Et de l'autre : « S'il est vrai qu'on y reconnaît l'influence étroite d'Origène comme dans beaucoup d'autres œuvres de Jérôme, elles contiennent aussi de nombreux traits qui ne

29. *GCS* 8, *Einleitung*, p. XXXV-XL.

30. Cf. P. COURCELLE, « *Les Lettres Grecques en Occident. De Macrobe à Cassiodore* », Paris 1943, p. 88-100.

31. *Tractatus in Psalmos*, Anecd. Mareds., t. 3, vol. 2, Maredsous 1903, *CCSL* 78, p. 1-352 ; *Tractatuum in Psalmos series altera*, Anecd. Mareds. 1913, *CCSL* 78, p. 355-447.

32. V. PERI, *Omilie origeniane sui Salmi, Contributo all'identificatione del testo latino, ST* 289, Città del Vaticano, 1980.

33. Marie-Josèphe RONDEAU, *Les Commentaires patristiques du Psautier* (*III-V*e *siècles*) ; (Orientalis Christiana Analecta 219), vol. I, Roma 1982, p. 157-163.

peuvent être attribués à l'Alexandrin. Jérôme y mentionne par exemple un de ses propres ouvrages et plusieurs hérétiques postérieurs à Origène. Il y cite même des poètes latins : ce n'était pas sa manière d'agir quand il faisait une traduction ; on ne trouve aucun exemple comparable dans sa traduction des Homélies sur Jérémie pour lesquelles nous avons le texte grec d'Origène[34] ».

III. LE TEXTE

En accord avec la direction du Corpus de Berlin, à laquelle nous exprimons une fois de plus notre gratitude et celle de nos lecteurs, nous pouvons reproduire, après celles des Homélies sur la Genèse, sur l'Exode, sur le Lévitique, sur Josué (respectivement *SC* 7, 321, 286-287, 71), la traduction latine des Homélies sur Ézéchiel. Comme pour l'ensemble, le texte a été critiquement établi par W.A. Baehrens ; il figure à la fin du troisième des volumes dus à ce philologue : « *Origenis Homiliae in Ezechiel*, *GCS* 33 (8), Leipzig 1925, p. 318-454. La préface de cet ouvrage faisait suite à des recherches antérieures dont elle résumait les conclusions, publiées aux *Texte und Unters.* 42, 1, Leipzig 1916, p. 207 s. Elle en résume et en complète les conclusions, et fournit tous les renseignements utiles. Soit sur les éditions précédentes, dont la meilleure fut celle des Mauristes, procurée par Ch. Delarue : *Origenis Opera Omnia*, t. III, Paris 1740, laquelle est devenue plus accessible par sa reproduction

---

34. P. Nautin, dans sa recension de l'ouvrage, *Revue des Études Grecques*, 1984, p. 584-585. — Lire, dès maintenant, pour un survol des Homélies, l'avant-dernière note complémentaire, et même la dernière.

dans la Patrologie de J.B. Migne, *PG* 13, 666-768, cf. Baehrens, p. I-LI. Soit sur la liste des manuscrits qui renferment à la fois les Homélies sur Isaïe, sur Jérémie et sur Ézéchiel et se répartissent en deux classes, p. XXVIII-XXXV (présentation abrégée dans *SC* 232, p. 34-35). Soit sur l'histoire du texte, p. XLVI-XLVIII. Soit sur la méthode suivie pour établir le texte, p. LI-LII.

Le texte latin est celui de l'édition allemande, compte tenu des corrections effectuées dans le texte et de celles qu'ajoutent les *errata*. D'une part,
— *hom.* 3, 4, 7 : « Quis autem potest haesitare », et non « ... potest stare » ;
— *hom.* 4, 1, 10 : « ... a poenis ceteris separavit », et non « ... ceteris apparuit (ou apperuit, ou aperuit) ;
— *hom.* 4, 1, 116 : « ... angelus praevaricatur », et non « ... praevaricator » ; cf. p. XXXIV-XXXV.

Les quelques termes en italiques sont ajoutés ou entre crochets droits sont supprimés par Baehrens.

D'autre part, — *hom.* 1, 15, 19 : « ... quae super caelos sunt », au lieu de « ... est » ;
— *hom.* 6, 8, 22 : « ... noli allegorizare », avec Delarue, au lieu de « ... allegorizari » ;
— *hom.* 8, 2, 40 : « ... magister de taberna Marcionis », avec le manuscrit *g*, au lieu de « ... de tabernaculo... » ;
— *hom.* 10, 1, 7 : « ... peccaveris », conjecture, au lieu de « ... peccaverit » ; cf. p. LVI.
— *hom.* 8, 2, 50, d'après l'énumération tripartite qui précède, est proposée par conjecture l'addition <haec Ieremias>.

Dans l'édition de Migne, les *excerpta* font suite aux Homélies, *PG* 13, 768-826 ; les fragments tirés des *Chaînes* figurent dans les notes du texte, *PG* 13, 665, (1), etc. Voir à leur sujet p. XLI.

IV. INDICATIONS BIBLIOGRAPHIQUES

Abréviations d'œuvres fréquemment citées

F. CAVALLERA, *Saint Jérôme* = *Saint Jérôme, sa vie et son œuvre*, 2 tomes, Louvain et Paris 1922.

H. CROUZEL, *Connaissance* = *Origène et la « connaissance mystique »* (*Museum Lessianum*, sect. théol. 56), Desclée de Brouwer, Paris/Bruges 1961.

H. CROUZEL, *Image* =*Théologie de l'Image de Dieu chez Origène* (*Théologie* 34), Paris 1956.

H. CROUZEL, *Origène* = *Origène* (Le Sycomore), Paris/Namur 1985.

H. DE LUBAC, *HE* =*Histoire et Esprit. L'intelligence de l'Écriture d'après Origène* (*Théologie* 16), Paris 1950.

H. DE LUBAC, *EM* = *Exégèse Médiévale. Les quatre sens de l'Écriture* : 1re partie, 2 vol. (*Théologie* 41) Paris 1959 ; 2e partie, 2 vol. (*Théologie* 42 et 59) Paris 1961 et 1964.

P. NAUTIN, *Origène* =*Origène, sa vie et son œuvre* (*Christianisme antique* I), Paris 1977.

Origène : Homélies sur Jérémie, *SC* 232 et 238.

Origène : Homélies sur Samuel, *SC* 328.

WUTZ = F. Wutz, *Onomastica sacra* (*TU* 41, Leipzig 1914-1915).

Autres abréviations

BJ	*Bible de Jérusalem*, nouvelle édition 1981.
CC	ORIGÈNE, *Contre Celse*.
CCSL	*Corpus Christianorum, Series Latina*.
CSEL	*Corpus Scriptorum Ecclesiasticorum Latinorum*.
CRAMPON	*La Bible*, trad. (1928) ; nouv. éd. Desclée et Cie 1960.

DHORME	*La Bible, l'Ancien Testament*, t. II (*NRF*) 1959.
GCS	*Die griechischen christlichen Schrifsteller der ersten drei Jahrhunderte* (:*Corpus de Berlin* ; le chiffre qui suit le sigle indique, non le tome du *Corpus*, mais le volume des *Origenes Werke* qu'édite ce *Corpus*).
SC	*Sources Chrétiennes.*
TOB	*Traduction Œcuménique de la Bible* (1983).
TU	*Texte und Untersuchungen zur Geschichte der altchristlichen Literatur.*

TEXTE
ET
TRADUCTION

VUE D'ENSEMBLE

L'interprétation origénienne du prophète Ézéchiel est très partielle. Le texte prophétique est divisé en quarante-huit chapitres et compte environ douze cent soixante-dix versets. Le prédicateur concentre ses développements sur huit chapitres dont il commente une partie seulement. Bien entendu il cite d'autres versets tirés d'autres chapitres, mais en passant, plutôt pour illustrer ou compléter ses propos que pour traiter d'autres thèmes. Peut-être présente-t-il ainsi au total environ cent cinquante versets. Il est donc hors de question de tenter ici une analyse de tout le texte du prophète. On ne peut que renvoyer aux introductions bibliques et aux études spéciales. Mais le texte réduit que découpe le prédicateur est variable. Au début, principalement une demi-douzaine de versets du premier chapitre pour la longue homélie I. A la fin, d'une part, une douzaine de versets du chapitre 28e, pour l'homélie 13 ; de l'autre, trois versets du chapitre 44e, pour la dernière et courte homélie 14. Au centre, deux groupes plus importants. D'abord, quelques paragraphes des chapitres 13-15, pour quatre homélies, de la 2e à la 5e. Puis, plusieurs paragraphes des chapitres 16-17, pour sept homélies, de la 6e à la 12e. Les attaches au texte et à son sens originel sont indiquées par Origène ou le seront en note. Mais les considérations homilétiques débordent vite largement le contenu du petit nombre de citations d'Ézéchiel. Et un premier aperçu de ces points de départ et de ces parcours n'apparaît guère possible que dans un sommaire un peu fourni qui, à la suite des références aux principaux textes cités sera donné en tête de chaque homélie.

PRAEFATIO

Magnum est quidem, amice, quod postulas, ut Origenem faciam latinum et hominem iuxta Didymi videntis sententiam alterum post Apostolum Ecclesiarum magistrum etiam romanis auribus donem ; sed oculorum, ut ipse
5 nosti, dolore cruciatus, quem nimia impatiens lectione contraxi, et notariorum penuria, quia tenuitas hoc quoque subsidium abstulit, quod recte cupis, tam ardenter ut cupis, implere non valeo. Itaque post quattuordecim homilias in Hieremiam quas iam pridem confuso ordine
10 interpretatus sum, et has quattuordecim in Ezechielem per intervalla dictavi, id magnopere curans ut idioma supradicti viri et simplicitatem sermonis, quae sola Ecclesiis prodest, etiam translatio conservaret omni rhetoricae artis splendore contempto — res quippe volumus,
15 non verba laudari —, et illud breviter admonens, ut scias Origenis opuscula in omnem Scripturam esse triplicia. Primum eius opus Excerpta sunt, quae graece σχόλια

1. Sur les deux personnages, voir l'*Introduction*, p. 15-16.

2. Expressions analogues sous la plume du traducteur Rufin : de nombreux frères, désireux de progresser dans la connaissance des Écritures, avaient demandé aux lettrés « ut Origenem Romanum facerent et latinis auribus eum donarent », *De princ., praef.* 1, 3, *SC* 252, p. 68.

3. Paul se dit « institué héraut et apôtre », et il revendique le titre de « docteur des nations en foi et en vérité », *I Tim.* 2, 7. Origène ajoute celui de « maître de l'Église », *In Ex. hom.* 5, 1, 1 et 43, *SC* 321, p. 148 s.

PRÉFACE

Jérôme traducteur ; trois sortes d'ouvrages d'Origène sur l'Écriture.

C'est une grande chose, mon ami[1], que tu me demandes : latiniser Origène[2], et mettre l'auteur, au jugement de Didyme le Voyant, le second maître des Églises après l'Apôtre[3], encore à la portée des oreilles romaines ! Mais, affligé comme tu sais par ce mal aux yeux[4] que j'ai contracté, pour être incapable de résister à l'excès de lecture, puis faute de secrétaires, car la pauvreté a aussi enlevé cette aide, je ne peux répondre à ton désir légitime, si ardent soit-il. C'est pourquoi, après les quatorze homélies sur Jérémie que j'ai naguère traduites en désordre, j'ai encore dicté par intervalles ces quatorze sur Ézéchiel. J'ai pris grand soin de garder le style particulier de l'auteur susdit et la simplicité d'expression, qui seule est utile aux Églises, jusque dans la traduction, au mépris de tout éclat de la rhétorique : car nous voulons mettre en valeur le fond et non la forme. Je rappelle brièvement pour que tu le saches : les œuvres d'Origène sur toute l'Écriture sont de trois sortes. La première, ce sont les Extraits, qu'on appelle en grec des *scolies*, où il a

---

Selon Rufin, Jérôme aurait déclaré Origène, « à cause de sa science et de sa sagesse..., alterum post apostolos Ecclesiae doctorem », *De princ., praef.* 1, 21, *SC* 252, p. 68 ; en réalité, comme ici : « alterum post apostolos Ecclesiarum magistrum », *Liber de nom. hebr., praef., PL* 23, 772 A.

4. Autre allusion à cette maladie des yeux, *Lett.* 18, 15 fin.

nuncupantur, in quibus ea quae sibi videbantur obscura aut habere aliquid difficultatis, summatim breviterque
20 perstrinxit. Secundum homeliticum genus, de quo et praesens interpretatio est. Tertium quod ipse inscripsit τόμους, nos volumina possumus nuncupare, in quo opere tota ingenii sui vela spirantibus ventis dedit et recedens a terra in medium pelagus aufugit. Scio te cupere ut omne
25 genus transferam dictionis ; praemisi causam cur facere non possim. Hoc tamen spondeo quia, si orante te Iesus reddiderit sanitatem, non dicam cuncta, quia hoc dixisse temerarium est, sed permulta sim translaturus, ea lege qua tibi saepe constitui, ut ego vocem praebeam, tu
30 notarium.

condensé en un bref résumé ce qui lui semblait être obscur ou comporter une difficulté. La seconde est le genre homilétique, dont relève la présente traduction. La troisième, qu'il a lui-même intitulée *tomes*, nous pouvons l'appeler volumes, œuvre où il a déployé aux souffles des vents toutes les voiles de son génie, s'est éloigné de la terre et a fui en haute mer. Je sais ton désir que je traduise chaque genre d'exposé : je viens de dire ce qui m'en empêche. Je promets toutefois que si, à ta prière, Jésus me rend la santé, je vais traduire, je ne dis pas tout — prétention téméraire —, mais une bonne part[5], suivant la règle que je t'ai souvent fixée : de fournir, moi, la parole, toi, le secrétaire.

5. Sur les traductions de Jérôme, voir l'*Introduction*, p. 19-22.

HOMÉLIE I

LA VISION DU PROPHÈTE
(*Ez.* 1, 1-6 ; 2, 1 s.)

1-2. Deux sortes de captifs : une foule de pécheurs, pour qu'ils soient châtiés ; une élite de justes, pour qu'ils soient consolateurs : Dieu, en bon père, associe aux tourments la clémence. Comme dans l'histoire de Joseph, où se manifestent sa providence et sa miséricorde. Comme dans d'autres captivités où des prophètes consolent le peuple, l'exhortent et le préparent au retour. Ce qu'on nomme colère est une méthode indispensable de Dieu, médecin, père et maître, procurant la douceur dans l'amertume.

3-16. La vision céleste ; 3 : une ouverture des cieux, une ressemblance de la gloire de Dieu, quatre êtres vivants, et leur cocher enflammé ; « Dieu est un feu qui consume », ce qu'il consume. La captivité historique figure la captivité spirituelle. Adam, d'abord au paradis, fut expulsé ; est « tombé du ciel » Lucifer, dit le prophète, Satan, dit le Christ.

4-10 : Ézéchiel préfigure Jésus-Christ ; 4 : par les appellations « Fils d'homme », « Ézéchiel, fils de Bouzi » ; par les circonstances de temps et de lieu : trentième année, quatrième mois, cinquième jour du mois ; 5 : d'après l'histoire, c'était le prophète ; d'après l'allégorie, c'est le Christ, venu au milieu de la captivité, près du fleuve Chobar, mot qui veut dire lourdeur, la lourdeur du siècle ; 6-7 : « Les cieux s'ouvrirent », pour que sur le Christ vienne l'Esprit-Saint, et que des anges montent et descendent ; 8 : le cinq du mois, c'est la cinquième année de la captivité du roi Joachim ; le Père très clément ne reste pas sans prévenir le peuple ; 9-10 : « Advint la Parole du Seigneur » à Ézéchiel : celle qui était dans le principe auprès du Père, celle qui fait dieux les croyants ; 10 : celle qui vint à celui qui allait naître de la Vierge ; dans la terre des Chaldéens, ceux qui affirment le destin.

11-16 : *Dans la vision, huit motifs* ; 11-13 : un vent d'orage — ou qui enlève — venait de l'Aquilon ; une nuée ; une clarté ; un feu fulgurant, une vision de vermeil au centre du feu ; un éclat ; quatre vivants, comme des charbons de feu ; « Sur Dieu, même dire la vérité, c'est prendre un grand risque »... ; le vent qui enlève, l'Esprit ; qu'enlève-t-il ? Le mal.

Ainsi, Jérémie reçoit des paroles pour déraciner, détruire et anéantir. La nuée est proche de celle de l'Évangile d'où vint la voix : « Celui-ci est mon Fils... » Le mal enlevé, la nuée amène la pluie sur ta vigne ; le feu : Dieu enlève de nous les maux par l'Esprit et par le feu ; comme au creuset, le feu épure les métaux ; 14 : l'Aquilon, impétueux vent du nord ; du nord, d'où viennent tous les maux ; c'est au sens figuré, la puissance contraire ; 15 : « Comme la ressemblance de quatre vivants » : en eux, une ressemblance d'homme, quatre faces, quatre ailes, des jambes droites, et, aux pieds, des ailes : que veulent dire les faces ? 16 : mais il est d'abord écrit : « entre quatre faces est en relief et proéminente une face humaine : face humaine et face de lion à droite des quatre côtés, face de taureau à gauche des quatre côtés, face d'aigle aux quatre côtés ». Peut-être est-ce une figure de l'âme tripartite, avec une quatrième réalité : le rationnel, l'irascible, le concupiscible, avec l'esprit. Et une roue au milieu d'une roue.

ORIGENIS
HOMILIAE IN EZECHIELEM

HOMILIA I.

1. Non omnis qui captivus est propter peccata sustinet captivitatem. Nam cum multitudo causa peccati derelicta fuerit a Deo, et captivitatem sustinens comprehensa sit a Nabuchodonosor, atque eiecta de terra sancta *in Babyloniam* usque *perducta sit*[a], pauci tamen iusti qui erant in populo, non ob culpam suam sustinuerunt captivitatem, sed ob id ne peccatores qui fuerant iugo captivitatis oppressi omnino subsidium non haberent. Fingamus quippe peccatoribus in Babyloniam abductis iustos in antiquis finibus resedisse ; fiebat ut numquam peccatores remedium consequerentur. Disposuit igitur clemens et benignus et hominum amator Deus inter supplicia quibus peccatores punit, etiam visitationis suae miscere pietatem, nec immoderata poena miseros premere. Semper talis est Deus, excruciat nocentes, sed quasi pius pater tormentis clementiam sociat.

Si autem vis agnoscere vera esse quae dicimus, vide quid acciderit in Aegypto a fame. Si voluisset interficere tantum Aegyptios et punire cruciatos in septennali fame,

1 a. Cf. Jér. 24, 1 //

ORIGÈNE
HOMÉLIES SUR EZÉCHIEL

HOMÉLIE I.

Deux raisons de la captivité

1. Tout captif ne subit pas la captivité en raison de ses péchés. En effet, tandis que la foule, à cause de son péché, a été abandonnée par Dieu, et, subissant la captivité fut faite prisonnière par Nabuchodonosor, puis, expulsée de la terre sainte, « fut déportée jusqu'en Babylonie[a] », cependant, le petit nombre de justes qui étaient parmi le peuple subirent la captivité non pour leur faute, mais pour empêcher que les pécheurs, accablés du joug de la captivité, ne fussent entièrement dépourvus de soutien. Car, imaginons qu'une fois les pécheurs emmenés en Babylonie, les justes soient demeurés sur l'ancien territoire : alors jamais les pécheurs n'auraient obtenu de remède. Aussi Dieu clément, bienveillant et ami des hommes, aux châtiments dont il punit les pécheurs, décida d'entremêler aussi la bonté de sa visite, et de ne point accabler les malheureux d'une peine excessive. Tel est toujours Dieu, il fait souffrir les coupables, mais en bon père il associe la clémence aux tourments.

Veut-on reconnaître la vérité de notre propos ? Qu'on voie ce qui arriva en Égypte par suite d'une famine. Si Dieu avait voulu seulement punir et anéantir les Égyp-

20 fecisset utique quod voluerat et neque *Joseph in Aegyptum* descendisset nec *Pharao vidisset somnium* de his quae Aegypto fuerant eventura, nec regi fuisset ostensum a *principe vinariorum*[b] esse quendam clausum in carcere qui possit regi somnium interpretari. Nunc vero, ut 25 cernis, Deus flagellat quasi pater, parcit autem non solum Istrahel, verum et Aegyptiis, cum alieni sint ab eo, propter propriam mansuetudinem. Et manifestum est quia boni Dei opus super eos exerceatur, dum Ioseph descendit in Aegyptum, dum Pharao somniis admonetur, dum prin 30 ceps vini interpretem indicat, dum interpres disserit visa[c], atque ita ubertatis tempore frugibus congregatis posterioris famis penuria vincitur. E quibus omnibus perspicuum est non esse immoderatam iram, quae ab haereticis in Creatore reprehenditur. Poteramus quidem 35 multas historias retexere ad haec probanda quae dixi, sed ne videar a proposito recedere, compendium facio sermonis. Propositum quippe mihi est explanare de eo quod propter peccata sua captivus adductus sit populus Istrahel.

2. Et ne forte aliquis arbitretur peccatores a Deo traditos ab eo ulterius non gubernari et semel in captivitatem redactos ultra dispensationem eius et misericordiam non mereri, praesentem locum diligentius consideremus. Da- 5 niel non peccavit, Ananias, Azarias, Misael[a] a peccato immunes fuerunt et tamen captivi effecti sunt, ut ibi positi captivum populum consolarentur et per exhorta-

b. Cf. Gen. 39, 1 s. ; 41, 1 s. // c. Cf. Gen. 41, 25 s
2 a. Cf. Dan. 1, 6.19

tiens accablés par une famine de sept ans, il aurait à coup sûr fait ce qu'il voulait ; et ni « Joseph » ne serait descendu « en Égypte », ni « Pharaon n'aurait vu de songe » à propos de ce qui allait survenir à l'Égypte, ni n'aurait eu lieu l'annonce au roi « par le grand échanson[b] » qu'il y avait en prison un détenu capable d'interpréter le songe au roi. En réalité, comme on le voit, Dieu flagelle comme un père, toutefois il épargne non seulement Israël, mais encore les Égyptiens tout étrangers qu'ils lui soient, à cause de sa propre douceur. Et il est manifeste que l'action de Dieu bon s'exerce à leur égard : quand Joseph descend en Égypte, quand Pharaon est averti par des songes, quand le grand échanson désigne l'interprète, quand l'interprète explique les visions[c], et qu'ainsi, engrangées les moissons au temps de l'abondance, la pénurie de la famine postérieure est vaincue. Tous ces faits prouvent l'inexistence de la colère excessive[1] que les hérétiques blâment chez le Créateur. On aurait bien pu rappeler beaucoup d'histoires pour prouver ce que j'ai dit ; mais, crainte de paraître m'écarter du sujet, j'abrège l'exposé. Car mon sujet est d'expliquer que c'est en raison de ses péchés que le peuple d'Israël fut emmené captif.

Providence et miséricorde

2. Pour qu'on ne vienne pas croire que les pécheurs livrés par Dieu cessent d'être gouvernés par lui, et qu'une fois réduits en captivité, ils ne méritent plus sa providence et sa miséricorde, examinons avec plus de soin la question présente. Daniel n'a point péché, Ananias, Azarias, Misaël[a] furent exempts de péché ; néanmoins ils devinrent captifs pour que sur place ils consolent le peuple captif et que, par l'exhortation de leur

1. Voir 2, 34 et la note.

tionem vocis suae paenitentes in Hierusalem restituerent castigatos pro tempore. Septuaginta quippe annis[b] servi-
10 tutis supplicia pependerunt ac sic deinde in sedes proprias reversi sunt, quia sanctus prophetarum sermo deiectos animos sublevaverat. Verum non solum ii quattuor in captivitate prophetae exstiterunt ; et Ezechiel unus ex iis fuit et *Zacharias, filius Barachiae*, captivi-
15 tatis tempore *sub Dario* rege cecinit[c]. Invenimus etiam Aggaeum multosque alios prophetarum hisdem prophetasse temporibus ; ex quibus indicatur Deum non tantummodo punire peccantes, verum et misericordiam miscere suppliciis.

20 Quod si dubitas, audi voces tormenta patientium, quomodo sacratim et in cruciatibus suis clementiam Dei eloquantur : *Cibabis nos pane lacrimarum, et potabis nos in lacrimis in mensuram*[d] ; non ait indifferenter : in lacrimis, sed *in lacrimis in mensuram*. Misericordia
25 quippe Dei in pondere. Si non esset utile conversioni peccantium adhibere tormenta peccantibus, numquam misericors et benignus Deus poenis scelera puniret ; sed quasi indulgentissimus pater ad hoc corripit filium ut erudiat, quasi providentissimus magister severitate fron-
30 tis lascivum discipulum castigat, ne amari se sentiens pereat. Vide Solomonem sapientissimum omnium, quid de Dei correptionibus suspicetur : *Fili, noli esse pusillanimis in disciplina Dei, neque deficias correptus ab eo ; quem enim diligit Dominus, corripit ; flagellat*
35 *autem omnem filium quem recipit*[e]. *Nullus est enim,*

---

b. Cf. Dan. 9, 2 // c. Cf. Zach. 1, 1 // d. Ps. 79, 6 // e. Cf. Prov. 3, 11-12 ; Hébr. 12, 5.6

---

1. « In mensuram » : en hébreu, litt. ‘ au chalich ’, « mesure de capacité de contenance incertaine », note OSTY, qui traduit : « à pleins bords ».

parole, ils ramènent à Jérusalem les pénitents châtiés pour un temps. Car, soixante-dix ans[b] ils subirent les supplices de la servitude, puis revinrent ensuite à leurs demeures, parce que la sainte parole des prophètes avait relevé les esprits abattus. Mais en captivité il n'y eut pas seulement ces quatre prophètes : Ézéchiel aussi en fut un ; et « Zacharie, fils de Barachie » a prédit au temps de la captivité « sous » le roi « Darius[c] ». On trouve en outre qu'Aggée et bien d'autres des prophètes ont prophétisé dans ces mêmes circonstances : c'est l'indication que Dieu non seulement punit les pécheurs mais encore mêle aux supplices la miséricorde.

Si l'on doute, qu'on entende les paroles de ceux qui souffrent les tourments : mystérieusement elles expriment jusqu'au sein de leurs tortures la clémence de Dieu : « Tu nous nourriras d'un pain de larmes, tu nous abreuveras de larmes avec mesure[d]. » Il ne dit pas sans plus « de larmes » : mais « de larmes avec mesure[1] ». Car la miséricorde de Dieu est pondérée. S'il n'était pas utile à la conversion de ceux qui pèchent qu'on leur inflige des tourments, jamais Dieu bienveillant et miséricordieux ne punirait de peines les crimes. Mais comme un père plein d'indulgence, il corrige son fils pour l'instruire ; comme un maître plein de prévoyance, d'un air sévère il réprimande le disciple fripon afin que, sentant qu'il est aimé, il ne périsse. Vois ce que Salomon, le plus sage de tous, pense des corrections de Dieu : « Mon fils, ne te décourage pas sous la correction de Dieu, ne défaille pas s'il te réprimande, car celui qu'aime le Seigneur, il le corrige ; et il châtie tout fils qu'il accueille[e]. » L'Apôtre dit : « Il n'est

Mais Origène pense plutôt à la pondération, la modération : « Nihil Deo sine mensura est, nihil sine pondere, sed omnia ei in numero constant et mensura. » *In Ps. 38, hom.* 1, 9, *PG* 12, 1399 C.

inquit Apostolus, *filius qui*, cum peccaverit, *non flagelletur a patre.* Et ad hoc mirabiliter addidit dicens : *In disciplina perseverate ; tamquam filiis vobis offert se Deus, quis enim filius quem non corripit pater ? Quod*
40 *si extra disciplinam estis cuius participes facti sunt omnes, ergo adulteri et non filii estis*[f].

Sed sit forsitan aliquis qui ipso nomine irae offensus criminetur eam in Deo. Cui respondebimus non tam iram esse iram Dei quam necessariam dispensationem. Audi
45 quod sit opus *irae* Dei : ut *arguat*, ut *corrigat*, ut *emendet* : *Domine, ne in ira tua arguas me, neque in furore tuo corripias me*[g]. Qui haec loquitur scit furorem Dei non esse inutilem ad sanitatem, sed ad hoc adhiberi ut curet aegrotantes, ut emendet eos qui sermonem eius audire
50 contempserint. Et idcirco nunc deprecatur ne talibus remediis emendetur, ne cum poenali medela recipiat pristinam sanitatem, quasi si servus iam inter flagella positus dominum deprecetur repromittens ei se imperata facturum et dicat : *Domine, ne in ira tua arguas me,*
55 *neque in furore tuo corripias me.* Omnia quae Dei sunt bona sunt, et meremur corripi. Ausculta quid dicat : *Ar-*

---

f. Hébr. 12, 7-8 // g. Ps. 6, 1

---

2. *Prov.* 3, 11-12. « Texte capital sur la pédagogie divine, telle que l'entendent les sages, *Job* 5, 17-18 ; 33, 19-30 ; *Ps.* 119, 67.71.75, et les prophètes, *Am.* 4, 6-11 ; *Os.* 5, 14-15 ; *Jér.* 2, 26-37. Cité par *Héb.* 12, 5-6. » OSTY. « L'argumentation repose sur la notion biblique d'éducation *mûsar, paideia,* qui signifie « instruction par la correction », cf. *Job* 5, 17 ; 33, 19 ; *Ps.* 94, 12 ; *Sir.* 1, 27 ; 4, 17 ; 23, 2. L'épreuve est ici regardée comme une correction qui suppose et donc manifeste la paternité de Dieu. » *BJ* (à *Héb.* 12, 7).

3. Bien des choses ont été dites sur les expressions figurées et les anthropomorphismes de la Bible, comme sur les commentaires patristiques et les auteurs qui en présentent les œuvres. On se borne ici à un rappel et à une indication. D'une part on renvoie à la reprise d'une brève étude qui, à partir des Homélies sur Jérémie 19, 15 et 20, 1-4, rapproche

pas de fils », quand il a fauté, « que ne corrige son père[2] ». A quoi il fait cette addition admirable : « Supportez cette correction : c'est en fils que Dieu vous traite ; quel est donc le fils que ne corrige pas son père ? Si vous êtes exempts de cette correction à laquelle tous ont part, c'est que vous êtes des bâtards et non des fils[f]. »

Mais peut-être y a-t-il quelqu'un, choqué par le nom même de colère, pour en faire un crime à Dieu. Nous lui répondrons que la colère de Dieu est moins une colère qu'une indispensable méthode[3]. Écoute quelle est l'action de la colère de Dieu : c'est qu'elle « reprenne », qu'elle « corrige », qu'elle « réforme » : « Seigneur, dans ta colère, ne me punis pas, dans ta fureur ne me corrige pas[g]. » Qui dit cela sait que la fureur de Dieu n'est pas inutile à la santé, mais qu'elle s'applique à guérir ceux qui sont malades, à réformer ceux qui ont négligé d'écouter sa parole. Et il prie instamment ici de n'être pas réformé par de tels remèdes, de ne pas recouvrer par un traitement pénible la santé d'autrefois. C'est comme si un esclave, déjà exposé parmi les fouets, suppliait son maître lui promettant qu'il exécuterait les ordres, et disait : « Maître, dans ta colère ne me punis pas, dans ta fureur ne me corrige pas. » Tout ce qui est de Dieu est bon, et nous

---

de la théorie platonicienne du « mensonge utile » la doctrine origénienne sur « la tromperie divine », sur « le Feu », sur « la Colère », par H. DE LUBAC, « Tu m'as trompé, Seigneur, *Jér.* 20, 7. », dans « *Recherches dans la Foi* », Paris 1979 p. 9-78. Et de l'autre, on signale une brève étude récente, une méditation de plusieurs passages des Homélies sur l'Exode, et sur Jérémie. « Origène est, dans l'histoire de la théologie chrétienne, celui qui a donné... à la pensée de la manifestation oblique de l'amour de Dieu par la colère, sa plus grande ampleur et son plus grand achèvement. » Ainsi prélude à l'analyse pénétrante de l'articulation entre la colère et la parole divines, puis des quatre modèles humains qui reparaissent dans toute l'œuvre : médical et chirurgical, amoureux et conjugal, pédagogique, paternel, avec leurs vertus et leurs limites, leurs tensions réciproques et leurs corrélations, le beau livre de J.L. CHRÉTIEN, *Lueur du secret*, L'Herne, Paris 1985, p. 105-127.

guam eos in auditu angustiae eorum[h]. Ideo audimus ea quae tribulationis sunt, ut emendemur. In maledictis quoque Levitici scribitur : *Si post ista non oboedierint,*
60 *neque conversi fuerint ad me, apponam iis plagas septem super peccata eorum. Si autem post haec conversi non fuerint, emendabo eos*[i]. Omnia Dei quae videntur amara esse ad eruditionem et remedia proficiunt. Medicus est Deus, pater est Deus, dominus est, et
65 non asper, sed lenis est dominus.

Si veneris ad eos qui puniti sunt secundum eloquia Scripturarum, *compone Scripturas Scripturis*[j], ut et te Apostolus docet, et videbis ibi esse dulcissima ubi amarissima aestimantur. Scriptum est in propheta : *Non*
70 *vindicat bis in id ipsum in iudicio*[k]. Vindicavit semel in iudicio per diluvium, vindicavit semel in iudicio super Sodomam et Gomorram[l], vindicavit semel in iudicio super Aegyptum et sescenta milia Istrahelitarum[m]. Noli aestimare quia haec ultio poena tantum fuerit peccatoribus,
75 quasi post mortem et supplicia iterum a supplicio excipiendi sint ; puniti sunt in praesenti ne in futuro iugiter punirentur. Cerne pauperem in Evangelio : squalore et penuria premitur et *postea in Abraham sinu* requiescit. *Recepit mala sua in vita sua*[n]. Unde scis an receperint
80 qui in diluvio sunt necati mala sua in vita sua ? Unde nosti

h. Os. 7, 12 // i. Cf. Lév. 26, 27-28 // j. Cf. I Cor. 2, 13 // k. Nah. 1, 9 // l. Cf. Gen. 7, 10 s. et 19, 24 s. // m. Cf. Ex. 12, 37 // n. Cf. Lc 16, 25

4. Notre texte diffère du texte hébreu : voir les hésitations de la *BJ*, et du texte de la Vulgate : « Caedam eos secundum auditionem coetus eorum. » — Noter le même voisinage ailleurs de la tribulation et de l'angoisse : « tribulationis atque angustiae praedicator », Ps. ORIGÈNE : ANONYMUS, *In Job* 1. *PG* 17, 420 B.

5. Dieu médecin : cf. G. VON RAD, *Théologie de l'Ancien Testament*[2], t. I, tr. E. de Payer, p. 241 s. ; cf. *infra, hom.* 5, 1, 21 ; puis *CC* 2, 24, 32

méritons d'être corrigés. Écoute ce qu'il dit[4] : « Je les punirai suivant l'annonce de leur angoisse[h]. » Nous avons appris ce qui concerne la tribulation pour nous réformer. Dans les malédictions du Lévitique encore il est écrit : « Si après cela ils n'obéissent pas, s'ils ne reviennent pas vers moi, je leur infligerai sept châtiments pour leurs péchés. Et si après cela, ils ne reviennent pas, je les punirai[i]. » Tout ce qui de Dieu semble amer sert à l'instruction et aux remèdes. Dieu est médecin[5], Dieu est père, il est maître, et il est un maître non pas dur mais doux.

En viens-tu à ceux qui furent punis d'après les paroles des Écritures ? « Compare les Écritures aux Écritures[j] », pour que l'Apôtre t'enseigne toi aussi, et tu verras qu'il y a beaucoup de douceur où on voyait beaucoup d'amertume. Il est écrit chez le prophète : « Il ne sévit pas deux fois pour la même faute dans son jugement[k]. » Il a sévi une fois dans son jugement par le déluge, sévi une fois dans son jugement contre Sodome et Gomorrhe[l], sévi une fois dans son jugement contre l'Égypte et six cent mille Israélites[m]. N'imagine pas que cette punition fut une peine seulement pour les pécheurs comme si, après la mort et les supplices, ils devaient de nouveau être accueillis par le supplice : ils furent punis dans le présent afin de ne pas l'être sans interruption dans le futur[6]. Vois le pauvre dans l'Évangile : il est accablé de misère et de crasse, et « ensuite dans le sein d'Abraham » il se repose. « Il a reçu ses maux pendant sa vie[n]. » D'où sais-tu si ceux qui furent mis à mort dans le déluge « ont reçu leur maux pendant

s., *SC* 132, p. 350 s. et la note ; et déjà, *De princ.* II, 7, 3, 62 s. et 10, 6, 186 s. : *SC* 252, p. 330 s. et 386 s. ; *SC* 253, p. 190, n. 12 et p. 235, n. 26. — Le Christ médecin et révélateur, médecin des corps et des âmes : *in Lev. hom.* 8, 1, 1-37, et la note 1.

6. « Si nous avons commis un acte qui mérite le châtiment, nous sommes châtiés de façon à nous acquitter ici-bas, mais ensuite goûter le repos dans le sein d'Abraham. » *Sel. in Ex.* 20, 5-6, *PG* 12, 293 A.

utrumne restituta sint Sodomae et Gomorrae mala sua in vita sua ? Audi testimonium Scripturarum ; vis Testamenti Veteris testimonium discere, vis Novi edoceri ? *Restituetur Sodoma in antiquum*[o] : et adhuc dubitas an 85 bonus sit Dominuus puniens Sodomitas ? *Tolerabilius erit terrae Sodomorum et Gomorraeorum in die iudicii*[p] dicit Dominus miserans Sodomitas ? Benignus ergo est Deus, clemens est Deus ; *Solem suum* vere *oriri facit super bonos et malos et pluit* vere *super iustos et* 90 *iniustos*[q], non solum hunc quem oculis cernimus solem sed et illum solem qui oculis mentis adspicitur. Ego malus eram, et ortus est mihi *Sol iustitiae*[r] ; ego malus eram, et venit super me pluvia iustitiae. Bonitas Dei est etiam in his quae amara aestimantur.

3. Igitur *in captivitate constitutus*[a] est propheta, et cerne quae *videat*, ne dolores sentiat captivitatis ; deorsum videt labores, sed sursum elevans oculos *apertos* suspicit *caelos*, cernit sibi reserata caelestia, videt *simi-* 5 *litudinem gloriae Dei*, videt et *quattuor animalia*[b], de quibus multus sermo et difficilis interpretatio est. Cernit *aurigam quattuor animalium*, cernit *rotas se invicem continentes*[c].

o. Cf. Éz. 16, 55 // p. Matth. 10, 15 // q. Cf. Matth. 5, 45 // r. Cf. Mal. 4, 2.
3 a. Cf. Éz. 1, 1 // b. Cf. Éz. 2, 1 ; 1, 5 // c. Cf. Éz. 1, 5.16

leur vie » ? D'où connais-tu si oui ou non pour Sodome et Gomorrhe ont été réparés « leurs maux pendant leur vie » ? Écoute le témoignage des Écritures : veux-tu apprendre le témoignage de l'Ancien Testament, veux-tu qu'on t'enseigne celui du Nouveau ? « Sodome reviendra à son ancien état[o]. » Et tu doutes encore si Dieu est bon quand il punit Sodome ? « Ce sera plus tolérable pour la terre de Sodome et de Gomorrhe au jour du jugement[p] », dit le Seigneur dans sa pitié pour Sodome. Dieu est donc bienveillant, Dieu est clément. En vérité « il fait lever son soleil sur les bons et les méchants », en vérité « il fait pleuvoir sur les justes et les injustes[q]. » Non seulement ce soleil-ci que nous voyons des yeux, mais encore ce soleil-là qui est perceptible aux yeux de l'intelligence. Moi, j'étais méchant, et pour moi s'est levé « le Soleil de justice[r] » ; moi, j'étais méchant, et vint sur moi la pluie de justice[7]. La bonté de Dieu existe même dans ce qu'on juge amer.

Vision céleste
Le feu

3. Donc, le prophète « se trouva en captivité[a] ». Note ce qu'il voit, pour qu'il n'éprouve pas les souffrances de la captivité. En bas, il voit les travaux ; mais en haut, levant les yeux il perçoit « les cieux ouverts », il discerne les réalités célestes à lui dévoilées, il voit « une ressemblance de la gloire de Dieu », il voit aussi « quatre êtres vivants[b] », matière dont il y a beaucoup à dire et d'une interprétation difficile. Il discerne « le cocher des quatre êtres vivants », il discerne « des roues se croisant l'une l'autre[c] ».

---

7. « Le soleil regarde la moisson..., de la même manière Dieu regarde la moisson de notre âme et nous illumine des rayons de son Logos. » *In Lev. hom.* 16, 7, 50 s. La bénédiction de la pluie est commentée plus haut, § 2, *SC* 287 p. 296 s. et 268 s.

Auriga quattuor animalium non totus est igneus, sed
10 pube tenus a pedibus et exinde usque ad summum *electri*
fulgore rutilat[d] ; non enim solum tormenta habet Deus,
sunt in eo etiam refrigeria. Punit peccatores, sed per ea
ministeria quae deorsum sunt ; neque enim propheta
ignem vidit in capite, aut in his membris quae a lumborum
15 confinio ad summa consurgunt. *Igneus* est Deus, sed *a*
renibus usque ad pedes, ut demonstret eos qui in generatione versantur *igne* indigere ; *renis* quippe coitus signi-
ficatio est. *Adhuc in lumbis* Abraham *patris erat* Levi,
quando occurrit ei Melchisedech[e] ; et in psalmo dicitur :
20 *De fructu lumbi tui ponam super sedem meam*[f]. *Igneus*
est *a renibus usque deorsum* Deus ; generationis enim et
libidinis opera gehennae suppliciis corripiuntur. Igneus
est Deus, sed non totus est igneus ; superiora eius *elec-*
trum sunt. Electrum non solum argento, verum et auro
25 pretiosius est. Electrum autem pro exemplo fulgoris
Scriptura posuit, non quod Deus vere electrum sit. Et
quomodo non est tale electrum Deus quale videbatur, sic
non est talis ignis qualis a renibus usque ad pedum finem
apparuit. Ignis iste consumit, et non est appositum quid
30 consumat, ut tu quaerens reperias quid sit illud quod a
Dei igne consumitur.

Deus noster ignis consumens est[g]. Quid consumit
ignis iste ? Non ligna quae cernimus, non sensibile fenum,
non stipulam quae videtur, sed *si superaedificaveris*
35 *fundamento Christi Iesu* opera peccati *ligna*, opera

d. Cf. Éz. 1, 27 // e. Cf. Hebr. 7, 10 // f. Ps. 131, 11 // g. Hébr. 12, 29

1. Pour les six lignes qui viennent, voir *Sel. in Ez.* 1, 26, *PG* 13, 769 D.
2. « Tout ce qui est dans le monde de la génération a besoin de la purification par le feu, ... a besoin de châtiment. » *In Jer. hom.* 11, 5, 26 s., *SC* 232, p. 246 s. Cf. *In Matth.* 15, 23, *GCS* 10, p. 426, 30 s. — Les reins du jeune taureau livrés au feu « signifient l'absence dans le Christ de tout

Le cocher des quatre êtres vivants est enflammé[1], non pas tout entier mais des pieds jusqu'au pubis, et de là jusqu'en haut il brille d'un éclat « de vermeil[d] ». Car Dieu n'a pas que du tourment, il y a encore en lui du rafraîchissement. Il punit les pécheurs, mais par ces fonctions qui sont en bas. Car le prophète n'a point vu de feu à la tête, ni aux organes qui s'élèvent du voisinage des reins au sommet. Dieu est « enflammé », mais « des reins jusqu'aux » pieds, pour montrer que ceux qui s'occupent de génération ont besoin « de feu » ; car « rein » veut dire coït[2]. Lévi « était encore dans les reins de son aïeul » Abraham, « quand Melchisédech vint à sa rencontre[e] ». Et dans le psaume il est dit : « C'est du fruit de tes reins que je mettrai sur mon trône[f]. » Dieu est « enflammé des reins jusqu'en bas ». Car les œuvres de la génération et du plaisir sont châtiées par les supplices de la géhenne. Dieu est enflammé, mais il n'est pas enflammé tout entier, sa partie supérieure est en vermeil. Le vermeil est plus précieux non seulement que l'argent, mais aussi que l'or. D'ailleurs l'Écriture a donné le vermeil comme une image de l'éclat : ce n'est pas que Dieu soit en réalité vermeil. Et de même que Dieu n'est pas le vermeil tel qu'il était vu, ainsi n'est-il pas le feu tel qu'il apparut des reins jusqu'au bout des pieds. Ce feu consume, et on n'ajoute pas ce qu'il consume, pour que toi, en cherchant, tu trouves qu'est-ce qui est consumé par le feu de Dieu.

« Notre Dieu est un feu[3] qui consume[g]. » Qu'est-ce que ce feu consume ? Pas le bois que nous voyons, pas le foin sensible, pas la paille qui est visible ; mais « si on bâtit sur le fondement du Christ Jésus » des œuvres du péché « en

---

trouble charnel..., nullos in Christo fuisse... genitalium partium motus », *In Lev. hom.* 3, 5, 19 s., *SC* 286, p. 142 s.

3. « Feu dévorant », voir à *In Ex. hom.* 6, 3, 30, à la note 2, *SC* 321, p. 178 s., la liste de références, longue bien que non exhaustive.

peccati *fenum*, opera peccati inferiora *stipulam*[h], venit hic *ignis* et universa ista *examinat*. Quis est iste ignis quem lex praedicat et Evangelium non tacet ? *Uniuscuiusque opus quale sit, ignis probabit*[i]. Quis est, o
40 Apostole, ignis iste qui probat opera nostra ? Quis est ignis iste sic sapiens ut custodiat aurum meum aut argentum meum splendidius ostendat, ut illaesum relinquat eum, qui in me est, lapidem pretiosum, ut mala tantum consumat quae feci, quae superaedificavi ligna, fenum,
45 stipulam ? Quis est iste ignis ? *Ignem veni mittere super terram, et quam volo ut accendatur*[j]. Iesus Christus dicit : *Quam volo ut iam accendatur !*. Bonus enim est et novit quia si ignis iste fuerit accensus, malitia consummabitur.

50 Scriptum est in prophetis : *Sanctificavit eum in igni ardente, et voravit tamquam fenum silvam*[k] et rursum : *Emittet Dominus Sabaoth in tuum honorem contumeliam, et in tuam gloriam ignis ardens accendetur*[l], id est, ut tu glorificeris, emittitur ignis in opera peccatorum
55 tuorum. Vis adhuc a prophetis discere quia tormenta boni Dei sint ad utilitatem eorum qui ea sustinent constituta ? Ausculta eundem prophetam dicentem : *Habes carbones ignis, sedebis super eos, hi erunt tibi adiutorio*[m].

Haec oportebat abscondere et in medium non proferre
60 — sed haeretici nos impellunt ut celanda efferamus in

---

h. Cf. I Cor. 3, 12 // i. I Cor. 3, 13 // j. Lc 12, 49 // k. Is. 10, 17 // l. Is. 10, 16 // m. Cf. Is. 47, 14-15

---

4. Expression philosophique. « Ce feu intelligent (sapiens) brûle les membres et les reconstitue, les ronge et les nourrit. » Minucius FELIX, *Octavius* 35, 3. « Même les philosophes connaissent la différence d'un feu mystérieux d'avec le feu ordinaire (arcani, publici ignis). Ainsi autre est le feu qui sert à l'usage des hommes, autre est le feu qui sert à l'exécution du jugement de Dieu. » TERTULLIEN, *Apologétique* 48, 94 ; voir J.P. WALTZING, ... *Commentaire*... (*CUF*), Paris 1931, p. 314, § 14.

bois », des œuvres du péché « en foin », des œuvres moindres du péché « en paille[h] », ce feu vient et il éprouve tout cela. Quel est ce feu que la Loi annonce, que l'Évangile ne tait pas ? « Le feu éprouvera ce que vaut l'œuvre de chacun[i]. » Quel est, ô Apôtre, ce feu qui éprouve nos œuvres ? Quel est ce feu assez conscient[4] pour conserver mon or, ou faire mieux briller mon argent, pour laisser intacte la pierre précieuse qui est en moi, pour consumer seulement « ce que j'ai bâti au-dessus, en bois, en foin, en paille » ? Quel est ce feu ? « Je suis venu jeter un feu sur la terre, et comme je voudrais qu'il flambe[j] ! » Jésus-Christ déclare : « Comme je voudrais que déjà il flambe ! » Car il est bon, et il sait que si ce feu flambe, la malice sera consumée.

Il est écrit chez les prophètes : « Il le sanctifia dans un feu ardent, il dévora sa forêt comme du foin[k]. » Et encore : « Le Seigneur des armées enverra pour ton honneur l'opprobre, et pour[5] ta gloire un feu ardent s'embrasera[l] », c'est-à-dire : pour que tu sois glorifié un feu est envoyé contre les œuvres de tes péchés. Veux-tu encore apprendre des prophètes que les tourments du Dieu bon existent pour l'utilité de ceux qui en supportent l'institution ? Écoute bien le même prophète : « Tu as des braises, tu t'assoieras sur elles, elles te porteront secours[m]. »

Il aurait fallu cacher cet aspect et non le divulguer — mais les hérétiques nous forcent à produire en public

---

Cf. Clément d'ALEX., *Pédagogue* 3, 8, 44, 2 : *SC* 158, p. 96 s. ; en note : Cf. *Strom.* VII, 34, 4 ; *Eclog. proph.* 25, 4 : cette notion vient d'Héraclite à travers les Stoïciens, voir le dossier rassemblé par M. PELLEGRINO, *Octavius*, (Scrittori Latini 173), Torino 1947, p. 252 s., n. 3.

5. « Pour », comme l'entend Origène. Le vrai sens du passage prophétique, contenant une menace sans promesse, serait rendu par « contre » : « ... et sous sa gloire un brasier s'embrasera comme s'embrase le feu », traduit *BJ*. Mais Origène associe les deux sens : « pour ta gloire..., contre les œuvres de tes péchés ».

publicum —, quia tecta sunt utiliter apud eos qui adhuc *parvuli*[n] iuxta animae aetatem sunt, qui metu indigent magistrorum, qui minis et terroribus corripiendi sunt, ut possint consequi sanitatem, ut per amara remedia a
65 vulneribus peccatorum aliquando desistant. Semper enim sacramenta Dei propter parvulos auditores velaminibus quibusdam operiuntur. *Quam magna multitudo dulcedinis tuae, Domine, quam abscondisti timentibus te*[o] !. Legis et prophetarum Deus abscondit multitudinem
70 bonitatis suae non diligentibus, sed timentibus se. Parvuli quippe sunt nec possunt cum emolumento suo discere quod amentur a Patre, ne dissolvantur, ne despiciant bonitatem Dei.

Quapropter cum audieris de populi captivitate, crede
75 quidem vere accidisse eam iuxta historiae fidem, sed in signum rei alterius praecessisse et subsequens significasse mysterium. Nam et tu, qui vocaris fidelis, qui conspicis pacem — Christus quippe *pax nostra est*[p] —, in Hierusalem commoraris ; si autem peccaveris, derelin-
80 quet te visitatio Dei et traderis captivus Nabuchodonosor et traditus duceris in Babylonem. Cum enim confusa fuerit anima tua a vitiis et perturbationibus, abduceris in

n. Cf. I Cor. 3, 1... // o. Ps. 30, 20 // p. Cf. Ephes. 2, 14

6. L'interprétation est à corriger. « Cette exégèse... repose sur un double contresens. Un datif d'intérêt est transformé en datif d'attribution, ce qui donne au verset une signification opposée à celle qu'elle a : ‘ que tu as cachée (pour la réserver) à ceux qui te craignent ’. La crainte servile, opposée à l'amour, est vue à la place de la crainte de Dieu qui est dans l'Ancien Testament la vertu la plus haute, contenant l'amour. La douceur de Dieu se manifeste donc à qui est capable de goûter ses paroles. Le croyant le perçoit d'autant plus qu'il mêle à la douceur des pensées celle de sa vie, que le péché transformerait en amertume, cf. *In Éz. hom.* 12, 1, 11 s. » H. CROUZEL, *Connaissance*, p. 195 s.

ce qu'on devrait tenir secret —, car cela est voilé pour le bien de ceux qui sont encore « tout-petits[n] » selon l'âge de l'âme, qui ont besoin de la crainte des maîtres, qui sont à corriger par la menace et l'effroi ; pour qu'ils puissent obtenir la santé, pour que, moyennant des remèdes amers, ils se refusent enfin aux blessures des péchés. Toujours en effet les mystères de Dieu, à cause des auditeurs tout-petits, sont couverts de certains voiles. « Qu'elle est grande, Seigneur, l'abondance de ta douceur que tu as cachée à ceux qui te craignent[o] ! » Le Dieu de la Loi et des prophètes a caché l'abondance de sa bonté à ceux qui ne l'aiment pas mais le craignent[6]. Car ils sont tout-petits et ne peuvent apprendre à leur profit qu'ils sont aimés du Père, de peur qu'ils ne se relâchent, qu'ils ne méprisent la bonté de Dieu.

C'est pourquoi, quand tu entendras parler de la captivité du peuple, crois bien qu'elle est vraiment arrivée, sur la foi de l'histoire, mais qu'elle s'est produite d'avance en signe d'une autre réalité et qu'elle a présagé un mystère qui allait suivre. Car toi aussi, qui es appelé fidèle, qui contemples la paix — car le Christ « est notre paix[p] » —, tu séjournes à Jérusalem[7] ; mais si tu pèches, la visite de Dieu t'abandonnera, tu seras livré captif à Nabuchodonosor[8], et livré, tu seras conduit à Babylone. Quand ton âme sera troublée par les désordres et les vices, tu seras

7. Selon l'interprétation reçue, Jérusalem signifie « vision de paix », cf. *hom.* 12, 2 fin, etc. Déjà PHILON, *De somn.* II, 250, etc.

8. « Si nous péchons, nous devons nous aussi devenir captifs, car livrer un tel homme à Satan (*I Cor.* 5, 5) ne diffère en rien de livrer les habitants de Jérusalem à Nabuchodonosor : de même qu'ils étaient livrés à ce dernier à cause de leurs péchés, de même nous sommes livrés à cause de nos péchés à Satan qui est Nabuchodonosor. » *In Jer. hom.* 1, 3, 22-27, *SC* 232, p. 200 s. tr. P. Nautin. Identification répétée : « Le roi de Babylone, selon l'histoire est Nabuchodonosor, et selon le sens spirituel (kata tèn anagôgèn) le Malin. » *Id., hom.* 19, 4, 32-34, *SC* 238, p. 232 s.

Babylonem, quoniam Babylon confusio interpretatur. Et si rursum paenitentiam egeris et per conversionem veri
85 cordis misericordiam a Deo impetraveris, mittitur tibi Esdras qui te reducat et aedificare faciat Hierusalem, — Esdras quippe interpretatur adiutor — et mittitur tibi verbum iuvans, ut revertaris ad patriam tuam.

Sacramentum est et id quod in aenigmate a Daniele
90 dicitur. Et ab Apostolo abscondente pariter et revelante narratur : *In Adam omnes morimur, et in Christo omnes vivificamur*[q]. Fuit quippe Adam in paradiso, sed serpens captivitatis eius causa exstitit et fecit ut eiceretur sive de Hierusalem sive de paradiso[r] et veniret in
95 *locum* hunc *lacrimarum*[s]. Serpens hostis est contrarius veritati. Contrarius autem non a principio creatus est neque statim super pectus et ventrem suum ambulavit nec fuit ab initio maledictus ; sicuti Adam et Eva non statim ut facti sunt peccaverunt, ita et serpens fuit
100 aliquando non serpens, cum in *paradiso deliciarum*[t] moraretur. Unde postea corruens ob peccata meruit audire : *Tu es resignaculum similitudinis, corona decoris in paradiso Dei natus es ; donec inventa est iniquitas in te, ambulasti immaculatus in omnibus*
105 *viis tuis*[u]. De quo etiam Iob memorat quia in *conspectu* omnipotentis *Dei* superbierit[v]. *Cecidit quippe de caelo Lucifer, qui mane oriebatur, contritus est super terram*[w].

Vide consonantiam prophetici evangelicique sermonis ;
110 prophetes dicit : *Cecidit de caelo Lucifer, qui mane oriebatur, contritus est super terram,* Iesus loquitur : *Videbam Satanam quasi fulgur de caelo cadentem*[x]. In

q. Cf. I Cor. 15, 22 // r. Cf. Gen. 3, 1 s. // s. Cf. Jug. 2, 5 // t. Cf. Gen. 2, 8 // u. Éz. 28, 12.13.15 // v. Cf. Job 1, 6 s. // w. Is. 14, 12 // x. Lc 10, 18

emmené à Babylone, car Babylone veut dire confusion[9]. Si en revanche tu fais pénitence et, par la conversion d'un cœur sincère, obtiens de Dieu miséricorde, il t'est envoyé Esdras pour qu'il te ramène et te fasse construire Jérusalem — car Esdras veut dire aide[10] —, et il t'est envoyé une parole d'assistance pour que tu reviennes à ta patrie.

Mystère est encore ce qui est dit en énigme par Daniel. Et par l'Apôtre qui à la fois cache et dévoile, il est déclaré : « En Adam, tous nous mourons, dans le Christ tous nous reprenons vie[q]. » Car Adam a été au paradis ; mais le serpent fut cause de sa captivité, il fit en sorte qu'il soit expulsé soit de Jérusalem, soit du paradis[r], et qu'il vienne dans ce « lieu de larmes[s] ». Le serpent est l'ennemi contraire à la vérité. Or il ne fut pas créé contraire au début, il ne rampa point d'emblée sur sa poitrine et son ventre, et il ne fut pas maudit dès l'origine. Comme Adam et Ève ne péchèrent pas sitôt qu'ils furent créés, de même aussi le serpent jadis ne fut pas serpent tant qu'il demeurait au « paradis[11] de délices[t] ». Tombant de là ensuite à cause de ses péchés, il mérita d'entendre : « Tu es le sceau de la ressemblance, couronne de gloire tu naquis au paradis de Dieu ; jusqu'à ce que l'injustice se trouvât en toi, tu avanças immaculé dans toutes tes voies[u]. » De lui, Job aussi rappelle qu'il s'enorgueillit « en présence de Dieu[v] » tout-puissant. « Car il est tombé du ciel Lucifer, fils de l'aurore, il fut jeté sur la terre[w]. »

Vois l'accord des paroles prophétique et évangélique. Le prophète dit : « Il est tombé du ciel Lucifer, fils de l'aurore, il fut jeté sur la terre. » Jésus dit : « Je voyais Satan tombant du ciel comme la foudre[x]. » Quelle diffé-

9. « Trouble ; ou confusion », cf. *In Jer. hom. lat.* 2, 1, 10, *SC* 238, p. 336 s. *In Jos. hom.* 15, 3, *GCS* 7, p. 387, 2 s. ; *SC* 71, p. 343 fin. *CC* 7, 22, 24, *SC* 150, p. 64 s., etc. Voir WUTZ, 153.206.

10. Cf. WUTZ, 293.

11. Cf. *hom.* 13, 2, 177, et la note.

quo differt dicere fulgur et Luciferum de caelo ruentem ? Quod ad rem pertinet omnis consonantia de cadente est.
115 *Deus quippe mortem non fecit*[y] nec malitiam operatus est ; liberum arbitrium et homini et angelo ad universa permisit. Hic iam intelligendum est quomodo per arbitrii libertatem alii ad bonorum conscenderint summitatem, alii corruerint in malitiae profundum. Tu vero, homo,
120 quare non vis arbitrio te tuo derelictum ? Quare aegre fers niti, laborare, contendere et per bona opera te ipsum causam tuae fieri salutis ? An magis te delectabit dormientem et in otio constitutum aeterna prosperitate requiescere ? *Pater meus,* inquit, *usque modo operatur,*
125 *et ego operor*[z], et tibi displicet operari qui ad opera creatus es ? Non vis tuum opus fieri iustitiam, sapientiam, castitatem, non vis tuum opus esse fortitudinem aliasque virtutes ?

Igitur in captivitatem ducuntur qui propter peccata
130 sua servitutis meruere supplicia. Et venit Iesus Christus *praedicare captivis remissionem et caecis visum*[aa] ; iste clamat *iis qui sunt in vinculis : egredimini, et iis qui versantur in tenebris : videte*[ab]. Et nos fuimus in

y. Cf. Sag. 1, 13 // z. Jn 5, 17 // aa. Cf. Lc 4, 19 // ab. Cf. Is. 49, 9 ; Lc 8, 29 et 1, 79 ; Matth. 9, 30

12. « Dieu n'a pas fait la malice ». Il la permet pour éprouver, aguerrir la vertu et la rendre plus éclatante. Elle a son rôle dans l'exécution du plan divin. Ailleurs le prédicateur le montre, à partir de la malice des frères de Joseph, par un survol de l'histoire sainte plus développé que celui de notre *homélie* 1, 1, 13 s. Il poursuivra : « Tout le contenu de l'Exode, du Lévitique, des Nombres même et du Deutéronome ne serait pas venu à la connaissance des hommes. » Pas d'héritage paternel ni de la terre promise. Pas de prophéties. Dans le Nouveau Testament, la malice de Juda rend possibles la passion et la croix du Christ, sa victoire sur les principautés, sa résurrection gage de la nôtre. Enfin le péché du diable et sa volonté de faire le mal permet le combat contre ses assauts,

rence à dire « la foudre » et « Lucifer » « tombant du ciel » ? Ce qui importe, c'est l'accord total sur « tombant ». « Car Dieu n'a pas fait la mort[y] », ni produit la malice[12]. A l'ange et à l'homme il a pour tout remis le libre arbitre. Ici même on doit comprendre que, par le libre arbitre, les uns se sont élevés à la cime des biens, les autres ravalés jusqu'à l'abîme de la malice[13]. Mais toi, homme, pourquoi ne pas vouloir te livrer à ton libre arbitre ? Pourquoi cette peine à supporter de faire effort, de travailler, de tendre ton énergie, et par les bonnes œuvres devenir toi-même la cause de ton salut ? Auras-tu plus de plaisir à te reposer somnolent, établi dans l'oisiveté pour un éternel bien-être ? « Mon Père travaille jusqu'à présent, et moi aussi je travaille[z] », et il te déplaît de travailler, à toi qui es créé pour les œuvres ? Tu ne veux pas que deviennent ton œuvre la justice, la sagesse, la chasteté, tu ne veux pas que soient ton œuvre la force et les autres vertus ?

On emmène donc en captivité ceux qui en raison de leurs péchés méritèrent les supplices de l'esclavage. Et Jésus-Christ vint « proclamer aux captifs la délivrance et aux aveugles la vue[aa]. » Il crie « à ceux qui sont dans les fers : Sortez !, et à ceux qui se trouvent dans les ténèbres : Voyez ![ab] » Nous aussi avons été dans les fers des

---

et la récompense de la vie future. « Concluons que Dieu ne se sert pas seulement du bien pour faire œuvre bonne, mais aussi du mal. » Suivra un développement assez habituel sur la responsabilité de notre libre-arbitre, *In Num. hom.* 14, 2, *GCS* 7, p. 121, 23 s. ; *SC* 29, p. 282 s. Et déjà dans *hom.* 9, 1, l'utilité des hérésies, et 2, l'utilité des persécutions. Voir dans *SC* 29, p. 162 et 168, les notes du traducteur A. Méhat, et ses références à Origène, à Plotin, aux Stoïciens.

13. Même expression dans *De or.* 29, 13, *GCS* 1, p. 387, 26 s. Pour le passage, voir surtout « le traité sur le libre-arbitre », dans *De princ.*, 1 de 1 à 24, *SC* 268, p. 16-151 analysé dans *SC* 269, p. 9-14 (bibliographie). Sur l'endurcissement de Pharaon (envisagé à 1, 8 s.) voir *SC* 269, p. 23, n. 38. Cf. *Philocalie* 27, dans *SC* 226, par É. Junod, *Introd.*, p. 103-120 ; texte, traduction et notes, p. 266-315.

vinculis peccatorum, et nos aliquando versabamur in
135 tenebris *adversum rectores tenebrarum mundi istius*[ac]
concertantes ; venit Iesus omnium prophetarum vocibus
praedicatus dicens ligatis : *Exite*, et constitutis in tenebris : *Adspicite*.

4. Si autem vis audire Ezechiel *Filium hominis*[a] in
captivitate praedicantem, et iste typus erat Christi. *Et
factum est,* ait, *in tricesimo anno, in quarto mense, in
quinta mensis, et ego eram in medio captivitatis secus
5 flumen Chobar, et aperti sunt caeli*[b]. Secus flumen ergo
Chobar Ezechiel cum triginta esset annorum, apertos
vidit caelos. Et Dominus *Iesus* Christus *incipiens erat
quasi triginta annorum* secus flumen Iordanem, et
aperti sunt ei caeli[c]. Et per omnem prophetiam Ezechieli
10 dicitur : *fili hominis.*

Quis autem sic *Filius hominis,* ut Dominus meus Iesus
Christus ? Respondeant mihi haeretici qui nativitatem
illius in phantasmate eludunt : quare Christus *Filius
hominis* appellatur ? Ego affirmo *Filium* eum *hominis*
15 fuisse. Nam qui passiones assumpsit humanas, necesse
est ut ante passionem susceperit nativitatem. Neque enim
potuit humanos affectus, verba, consuetudines, crucem,
mortem recipere, si non reciperet humanitatis exordium.
Et consequens erat nativitatem eius auferentes auferre

---

ac. Cf. Ephés. 6, 12.
4 a. Cf. Éz. 2, 1 // b. Éz. 1, 1 // c. Lc 3, 21 et 23

---

1. Voir, correspondant à ce paragraphe, *Sel. in Éz.* 1, 1, *PG* 13, 768 D-769 A.
2. Cf. la note complémentaire 2 : « Le Fils de l'homme ».

péchés, nous aussi jadis nous nous trouvions dans les ténèbres à lutter « contre les régisseurs de ce monde de ténèbres[ac] ». Vint Jésus, prédit par les paroles de tous les prophètes, dire aux enchaînés : « Sortez », à ceux qui croupissent dans les ténèbres : « Regardez ! »

Ézéchiel préfigure Jésus-Christ

4. Mais veux-tu entendre Ézéchiel, « fils d'homme[a] », prêcher en captivité — et c'était la figure[1] du Christ ? « Or il advint que la trentième année, le quatrième mois, le cinquième jour du mois, alors que j'étais au milieu des captifs près du fleuve Chobar, les cieux s'ouvrirent[b]. » Donc près du fleuve Chobar, Ézéchiel, alors qu'il était dans sa trentième année, vit les cieux ouverts. Et le Seigneur « Jésus »-Christ, avait environ trente ans, près du fleuve du Jourdain, et « les cieux lui furent ouverts[c] ». Et à travers toute la prophétie, il est dit à Ézéchiel : « Fils d'homme ».

Fils de l'homme

Mais qui donc est le Fils de l'homme[2], comme mon Seigneur Jésus-Christ ? Que les hérétiques me répondent, eux qui réduisent sa naissance à une représentation imaginaire[3] ! Pourquoi le Christ est-il appelé « le Fils de l'homme » ? Moi, j'affirme qu'il a été « le Fils de l'homme ». Car celui qui a pris sur lui les passions humaines devait nécessairement avoir assumé la naissance avant la passion. De fait, il n'aurait pu accepter sentiments, paroles, habitudes, croix et mort d'homme, s'il n'avait accepté l'origine d'une nature humaine. Et il était logique pour ceux qui suppriment la naissance de sup-

---

3. Contre le docétisme des Valentiniens et surtout des Marcionites, cf. : « Marcionitae aiunt penitus eum de muliere non esse generatum », *In Luc. hom.* 17, 4, *SC* 87, p. 254 s.

20 etiam passionem et simpliciter dicere : non est crucifixus Iesus. Nunc vero crucem confiteris et non erubescis *Iudaeis scandalum praedicans crucifixum et gentibus stultitiam*[d] et minus scandalum passione vel morte erubescis nativitatem eius confiteri ? Nimirum plus scandali 25 est Iesum natum fuisse quam mortuum. Aut si scandalum christiana fides non veretur, cur times dicere minora, qui maiora confessus es ? Praesertim cum nativitas illius non *ex semine viri et mulieris somno convenientis*[e] esse credatur, sed iuxta prophetae eloquium dicentis : *Ecce,* 30 *Virgo in utero concipiet et pariet Filium, et vocabis nomen eius Emmanuel*[f]. Hoc quod dicitur Emmanuel, non vanum nomen sonat, sed rem significat ; adveniente quippe Iesu dicimus : *Nobiscum Deus*[g].

Non frustra ergo *in tricesimo anno* prophetat Eze- 35 chiel, nam et nomen eius figura Christi est. Interpretatur quippe Ezechiel ' imperium Dei ' ; imperium autem Dei nullus est nisi Christus Dominus. *Filius* quoque *Buzi*[h] scribitur, quod interpretatur ' contemptus '. Si venias ad haereticos, et audias eos spernentes et pro nihilo ducentes 40 Creatorem et insuper etiam criminantes, videbis iuxta illos contemptissimi Creatoris Filium Iesum Christum Dominum nostrum. Quod si quis reluctatur, et non vult haec quae exponimus quasi prophetiam recipere, quaeram ab eo cur scriptum sit in tricesimo anno vitae 45 Ezechielis apertos fuisse caelos, et vidisse eum eas visio-

d. Cf. I Cor. 1, 23 // e. Cf. Sag. 7, 2 // f. Is. 7, 14 // g. Cf. Matth. 1, 23 // h. Cf. Éz. 1, 2

4. « ... semence d'homme et du plaisir, compagnon du sommeil », dit le texte grec.

primer aussi la passion et de dire de bonne foi : Jésus ne fut pas crucifié. Or, tu avoues la croix, tu ne rougis pas « de prêcher le crucifié, scandale pour les Juifs, folie pour les Gentils[d] », et tu rougis d'avouer sa naissance, moindre scandale que la passion ou la mort ? Sans doute y a-t-il plus de scandale au fait que Jésus soit né qu'au fait qu'il soit mort ! Ou alors si la foi chrétienne ne redoute pas le scandale, pourquoi crains-tu d'affirmer moins, toi qui as avoué plus ? Surtout quand on ne croit point sa naissance due « à la semence d'un homme et d'une femme[4] compagne de sommeil[e] », mais conforme à l'oracle du prophète : « Voici, la Vierge concevra dans son sein et enfantera un fils, et tu lui donneras le nom d'Emmanuel[f]. » Dire Emmanuel n'est pas prononcer un nom vide, mais signifier une réalité : de fait, quand Jésus arrive, nous disons : « Dieu avec nous[g] ».

Noms et dates

Ce n'est donc pas en vain qu'Ézéchiel prophétise « la trentième année », vu que son nom aussi figure le Christ. Car Ézéchiel veut dire : pouvoir suprême de Dieu[5]. Or nul n'est pouvoir de Dieu sinon le Christ Seigneur. Il est encore écrit : « le fils de Bouzi[h] », mot qui veut dire : le mépris[6]. Si tu en viens aux hérétiques et les entends mépriser, compter pour rien, voire même accuser le Créateur, tu verras en notre Seigneur Jésus-Christ le Fils du Créateur d'après eux très méprisable. Que si l'on résiste et refuse d'accepter comme prophétie ce qu'on a exposé, je demanderai pourquoi il est écrit qu'à la trentième année d'Ézéchiel les cieux furent ouverts et qu'il

5. Cf. Wutz, 807.829.959.1009.
6. Cf. Wutz, 145.611.

nes[i] quae in libro eius continentur. Quid mihi prodest annorum numerus nisi hoc, ut discam tricesimo anno et Salvatori et prophetae caelos fuisse reseratos, et *spiritalibus spiritalia comparans*[j], cognoscam universa quae
50 scripta sunt eiusdem esse Dei sermones ? Quippe *verba sapientium ut stimuli et quasi clavi in altum confixi, qui a componentibus dati sunt a pastore uno*[k].

Ego et hoc quod dicitur : *In quarto mense quinta mensis*[l], iuxta possibilitatem sensus mei investigans
55 precor a Deo ut id possim intelligere quod Scripturarum eius congruit voluntati. Novus annus imminet iam Iudaeis et primus mensis apud eos a novi anni numeratur exordio[m] (alter autem Pascha de numero novus annus ; *Principium mensium iste vobis erit in mensibus anni*[n].) Ab
60 hoc anno numera mihi quartum mensem et intellige baptizatum Iesum in quarto mense novi anni. Eo enim mense qui apud Romanos Ianuarius nuncupatur, baptismum Domini factum esse cognoscimus, qui est mensis quartus ab anno novo iuxta supputationem Hebraeorum. Et quia
65 de quattuor elementis mundi subsistens corpus assumpserat recipiens etiam sensus humanos, ideo forsitan et in quarto mense et in quinta die mensis est intuitus visionem.

i. Cf. Éz. 1, 1 // j. Cf. I Cor. 2, 13 // k. Cf. Eccl. 12, 11 // l. Éz. 1, 1 // m. Cf. Nombr. 28, 16 // n. Cf. Ex. 12, 2.

7. Le texte original est difficile, note OSTY qui, outre sa traduction « ... et les recueils de sentences comme des clous bien plantés, don d'un berger unique », en cite quatre autres. Déjà les manuscrits divergeaient, cf. Baehrens, apparat. On s'inspire de la *TOB* : voir sa note éclairante.

« vit les visions[i] » contenues dans son livre. A quoi me sert le nombre des années, sinon à ce que j'apprenne que la trentième année et au prophète et au Sauveur les cieux furent ouverts, et que je sache, « comparant les réalités spirituelles aux spirituelles[j] », que tout ce qui est écrit est parole du même Dieu ? Car « les dits des sages sont comme des aiguillons et comme des jalons bien plantés par les auteurs des recueils[7] : ils sont donnés par l'unique pasteur[k]. »

Et moi, scrutant avec la capacité de mon intelligence ce qui est dit encore : « le quatrième mois, le cinquième jour du mois[l] », je demande à Dieu de pouvoir comprendre ce qui répond à l'intention des Écritures. La nouvelle année est déjà toute proche pour les Juifs, et le premier mois se compte chez eux à partir du début de la nouvelle année[m] (mais Pâque est numériquement une autre nouvelle année : « Ce mois sera pour vous en tête des mois de l'année[n]. ») A partir de cette année compte le quatrième mois et comprends que Jésus fut baptisé au quatrième mois de la nouvelle année. Car nous savons que le baptême du Seigneur eut lieu au mois qu'on appelle Janvier chez les Romains[8], le quatrième mois de l'année nouvelle d'après le calcul des Hébreux. Et comme il avait pris un corps formé des quatre éléments du monde[9], recevant aussi les sens humains, pour cette raison peut-être est-ce au quatrième mois et au cinquième jour du mois qu'il contempla une vision.

---

8. « Il faut comprendre que le Seigneur est venu au baptême ' la trentième année ' de son âge, ' le quatrième mois ' qu'on appelle chez nous Janvier ; et le premier est au début de l'année, après Nizan le mois des nouvelles récoltes, où on célèbre la Pâque..., Octobre. » JÉRÔME, *In Éz.* 1, 3, *PL* 25, 18 C ; *CCSL* 75, p. 6, 52 s.

9. Voir la note complémentaire 3, « Les quatre éléments ».

5. *Et ego eram in medio captivitatis*[a]. Videtur mihi ironicos dictum : *Et ego eram in medio captivitatis. Et ego,* quasi si dicat iuxta historiam quidem propheta : et ego, qui non detinebar in peccatis populi, eram in medio
5 captivitatis ; iuxta allegoriam autem Christus : et ego veni in locum captivitatis, veni ad eos fines ubi servitia, ubi captivi detinebantur. Habes istiusmodi Salvatoris nostri voces in prophetis indignantis quia non faciamus homines digna dispensatione eius et maxime nos qui in eum puta-
10 mur credere. Dicit quippe ad Patrem suum : *Quae utilitas in sanguine meo, dum descendo in corruptionem ? Numquid confitebitur tibi pulvis, aut adnuntiabit veritatem tuam*[b] ? Invenio quoque et aliam istiusmodi vocem, quae ex Salvatoris nostri persona dicitur per
15 prophetam, quaerentis animas plenas iustitiae, plenas sensuum divinorum, plenas sanctorum fructuum, et quaerentis *verae vitis*[c] veros *botros,* sed invenientis plurimos peccatores et inferaces bonorum, et idcirco dicentis : *Heu mihi, quia factus sum sicut qui colligit*
20 *stipulam in messe et sicut racemos in vindemia eo quod non supersit botrus ad manducandum primitiva*[d]. Heu mihi ! Quod dicitur : Heu mihi !, non *primogeniti totius creaturae*[e], non est divinitatis vox, sed humanae animae quam suscepit. Unde infert : *Heu mihi*

5 a. Éz. 1, 1 // b. Ps. 29, 10 // c. Cf. Jn 15, 1 // d. Mich. 7, 1 // e. Cf. Col. 1, 15

Présence du Christ

5. « Et moi, j'étais au milieu des captifs[a]. » Ironique me semble la parole : « Et moi, j'étais au milieu des captifs. » — « Et moi » : comme si d'après l'histoire, le prophète disait : « Et moi », qui n'étais pas retenu dans les péchés du peuple[1], « j'étais au milieu des captifs ». Mais d'après l'allégorie, c'est le Christ (qui disait) : Et moi, je suis venu au milieu de la captivité, je suis venu à ce territoire où les esclaves, où les captifs étaient retenus. On a chez les prophètes de ces paroles de notre Sauveur qui s'indigne de ce que nous n'avons pas, nous les hommes, une conduite digne de son entreprise, nous surtout qui passons pour croire en lui. Car il dit à son Père : « A quoi sert mon sang, alors que je descends vers la corruption ? Est-ce que la poussière va te célébrer, ou annoncer la vérité[b] ? » Je trouve encore une autre parole de ce genre, dite par le prophète au nom de notre Sauveur qui, en quête d'âmes pleines de justice, pleines de pensées divines, pleines de saints fruits, en quête de véritables « grappes de la véritable vigne[c] », mais trouvant bien des pécheurs ne produisant pas de bons fruits, pour cette raison déclare : « Malheur à moi ! Me voilà devenu comme un ramasseur de chaume à la moisson, et de grapillons à la vendange car il n'est plus de grappe pour un festin de prémices[d]. » — « Malheur à moi » : l'expression « malheur à moi » n'est pas du « Premier-né de toute créature[e] », n'est point parole de la divinité, mais de l'âme humaine

1. Pour ce début, voir aussi *Sel. in Éz.* 1, 1, PG 13, 768 D-769 B.

25 *anima, quia periit reverens a terra, et qui corrigat inter homines non est ! Omnes in sanguine iudicantur, unusquisque proximum suum tribulat tribulatione*[f].

Haec idcirco memorata sunt, quia ait prophetes : *Et ego* 30 *eram in medio captivitatis iuxta flumen Chobar*[g], quod interpretatur ‘ gravitudo ’. Gravis est autem huius saeculi fluvius, sicut et alibi sacrate dicitur (et iuxta simplices quosque historiam replicat ; iuxta eos vero qui spiritaliter Scripturas audiunt de anima significat, quae in 35 vitae istius inciderit turbines) : *Super flumina Babylonis ibi sedimus et flevimus, dum recordaremur Sion ;*

---

f. Mich. 7, 2 // g. Éz. 1, 1

---

2. Aux yeux d'Origène, Ézéchiel figure le Christ à plusieurs titres : appellation « fils d'homme », interprétation du nom « puissance de Dieu » ; et surtout, analogie de la situation : — de temps : âge et date (suggérés par la mention de l'année, du mois et du jour) ; — lieu, au bord du fleuve ; — d'événement, vision des cieux ouverts ; — de condition, la captivité : physique pour le prophète parmi les captifs ; « allégorique » pour le Christ venu parmi les captifs et esclaves spirituels. D'où l'explication des passages anthropomorphiques.

Ce sont ici les plaintes du *Ps.* 29, 10 et de *Mich.* 7, 1-2 ; elle ne peuvent être de la divinité mais seulement de l'âme humaine. Or les mêmes citations prennent place dans un autre développement, encadrées entre deux évocations évangéliques : d'une part, les pleurs de Jésus sur Jérusalem (*Lc* 19, 41 ; *Matth.* 23, 37) ; de l'autre, « le trouble » (*Jn* 12, 27), et « la tristesse » (*Matth.* 26, 38), qui ne peuvent convenir, non plus que « la mort » (*Matth.* 26, 38) au « Verbe qui était au commencement auprès de Dieu » (*Jn* 1, 1.2), mais seulement à la nature humaine (to anthrôpinon), comme nous l'avons souvent montré ». *In Jer.* 14, 6, *SC* 238, p. 76-81.

Autre ensemble où il étoffe la liste de notations humaines : entre deux mentions de la joie divine et angélique pour un pécheur qui fait pénitence (*Lc* 15, 7) : la parole du Sauveur sur Jérusalem (*Matth.* 23, 37) et encore celle qu'il fait dire par *Michée* 7, 1-2 : (paroles) de Dieu qui « gémit », « du Seigneur qui pleure sur le genre humain » — ; et par *Isaïe* 1, 14 : « Mon âme hait vos nouvelles lunes, vos sabbats et vos fêtes. » Et ici

qu'il a prise[2]. Aussi ajoute-t-il : « Malheur à moi, mon âme, le fidèle a disparu de la terre, le réformateur n'est plus parmi les hommes ! Tous sont jugés pour le sang, chacun traque son prochain[f]. »

Le fleuve Chobar

On a fait ce rappel, parce que le prophète a dit : « Et moi, j'étais au milieu des captifs, près du fleuve Chobar[g] », mot qui veut dire : lourdeur[3]. Or lourd est le fleuve de ce siècle[4], comme il est dit ailleurs au sens mystérieux (pour tous les simples, un récit de l'histoire ; pour ceux qui entendent spirituellement les Écritures, allusion à l'âme qui est tombée dans les tourbillons de cette vie[5]) : « Au bord des fleuves de Babylone, là-bas

---

Origène conclut avec vigueur et généralise : « Mais tous ces termes : Dieu pleure ou se réjouit, hait ou exulte sont à prendre au sens figuré et anthropomorphique (tropice et humano modo). Car la nature divine n'est jamais affectée par le changement et la passion ; elle demeure toujours ferme et inébranlable à la sublime cime de la béatitude. » *In Num. hom.* 23, 2, *GCS* 7, p. 212-214.

3. Cf. WUTZ, 479.

4. « Ce siècle », ou ce monde, est figuré non seulement par le fleuve Chobar (cf. § 6, 1), mais encore par la ville de Babylone, cf. JÉRÔME, *Tract. de Ps.* 136 (Anecd. Mareds. 3, 2, 263) : « Super flumina Babylonis illic sedimus ... Babylon hic mundus est. » note Baehrens dans ses *addenda*, p. LVI.

5. « De même que notre corps réside dans un lieu de la terre, de même notre âme se trouve, selon son état, dans un lieu qui porte le même nom qu'un pays... Et ainsi, mystiquement, selon la manière dont s'expriment les Écritures, les âmes se distinguent par des lieux différents selon leur qualité de vie. L'âme est à Babylone quand elle est troublée, perturbée, quand, la paix disparue, elle soutient les luttes des passions, quand le tumulte de la malice gronde autour d'elle... Et, parce qu'il est impossible, quand on est à Babylone, de louer Dieu avec des instruments de musique..., il est dit par le prophète : ' Au bord des fleuves de Babylone, etc. '. ' *In Jer. hom. lat.* 2, 1 s. Et encore : « Qui est détenu dans ' le trouble ' meurt à Babylone, et qui répugne à être enseveli avec le Christ est enseveli à Babylone. » *Id. hom.* 19, 44, 95 s. *SC* 238, p. 336 s., et encore p. 238 s.

in salicibus in medio eius suspendimus organa nostra, quia illic interrogaverunt nos qui captivos duxerunt nos verba canticorum[h]. Ista sunt flumina Babylonis, iuxta quae sedentes et reminiscentes pratriae caelestis, lugent atque deplorant, ubi suspendunt organa sua in salicibus, in salicibus legis et mysteriorum Dei. Scriptum est enim in quodam libro, quia *salignam omnes credentes accipiant coronam.* Et in Isaia dicitur : *Orientur quasi in medio aquae fenum et salix super aquam fluentem*[i]. Et in sollemnitate Dei, quando tabernacula componuntur, *salignos ramos* in tabernaculorum fixione constituunt[j].

6. *Secus flumen Chobar.* Secus flumen istud gravissimum saeculi. *Et aperti sunt caeli*[a]. Clausi erant caeli et ad adventum Christi aperti sunt, ut reseratis illis veniret super eum *Spiritus* sanctus in specie *columbae*[b]. Neque enim poterat ad nos commeare, nisi primum ad suae naturae consortem descendisset. *Adscendit* Iesus *in altum, captivam duxit captivitatem, accepit dona in hominibus. Qui descendit, ipse est et qui adscendit super omnes caelos, ut impleret omnia. Et ipse dedit alios apostolos, alios prophetas, alios evangelistas, alios pastores et magistros, in perfectionem sanctorum*[c].

h. Ps. 136, 1-3 // i. Is. 44, 4 // j. Cf. Lév. 23, 40.
6 a. Éz. 1, 1 // b. Cf. Matth. 3, 16 // c. Cf. Éphés. 4, 8.10-12.

6. Cf. Hermas, *Le Pasteur* mentionne la branche de saule que l'ange coupe et remet à tous les appelés au nom du Seigneur qui sont à l'abri du grand saule,... des couronnes qui semblaient faites de palmes, *Sim.* 8, 2, 1-3.

nous nous sommes assis et nous avons pleuré, nous souvenant de Sion ; aux saules qui s'y trouvent nous avons pendu nos harpes ; car ceux qui nous emmenèrent captifs nous ont demandé des paroles de cantiques[h]. » Voilà les fleuves de Babylone près desquels, assis et se souvenant de la patrie céleste, ils pleurent et se lamentent, où ils pendent leurs harpes aux saules, aux saules de la Loi et des mystères de Dieu. Car il est écrit dans un certain livre[6] : « Tous les croyants reçoivent une couronne de saule. » Et dans Isaïe il est dit : « Ils croîtront comme l'herbe entourée d'eau, et le saule au bord de l'eau courante[i]. » Et à la fête solennelle de Dieu, quand on construit des huttes, on dresse des branches de saule à l'armature des huttes[j]. »

« Les cieux s'ouvrirent »

6. « Au bord du fleuve Chobar. » Au bord de ce fleuve très lourd du siècle. « Et les cieux s'ouvrirent[a]. » Les cieux étaient fermés, et pour l'avènement du Christ ils s'ouvrirent afin que, eux ouverts, sur lui vienne l'Esprit Saint sous la forme d'une « colombe[b] ». Car il n'aurait pu se rendre chez nous, s'il n'était d'abord descendu à l'associé à sa nature. Jésus « est monté dans la hauteur, il a fait captive la captivité, il a reçu des dons[1] parmi les hommes. Celui qui est descendu est le même qui est monté au-dessus de tous les cieux, pour remplir toutes choses. Et c'est lui qui a donné aux uns d'être apôtres, à d'autres prophètes, à d'autres évangélistes, à d'autres pasteurs et maîtres, pour la perfection des saints[c]. »

---

1. « ... accepit dona », leçon de la LXX au *Ps.* 67, 19, où on représente Yahvé qui s'achemine en vainqueur ; « ... dedit dona », écrit *Éph.* 4, 8, ce qui permet d'évoquer après l'Ascension, la Pentecôte et l'effusion de l'Esprit qui donne aux uns d'être apôtres, à d'autres, d'être prophètes, etc.

7. *Aperti sunt caeli*[a]. Non sufficit unum caelum aperiri, aperiuntur plurimi, ut descendant non ab uno, sed ab omnibus caelis angeli ad eos qui salvandi sunt, *angeli, qui adscendebant et descendebant super Filium hominis*[b] et *accesserunt ad eum et ministrabant ei*[c]. Descenderunt autem angeli, quia prior descenderat Christus, metuentes ante descendere quam *Dominus virtutum*[d] omnium rerumque praeciperet. Quando autem viderunt principem *militiae caelestis*[e] in terrestribus locis commorari, tunc per apertam viam egressi sunt sequentes dominum suum, et parentes voluntati eius qui distribuit eos custodes credentium nomini suo. Tu heri sub daemonio eras, hodie sub angelo. *Nolite,* inquit Dominus, *contemnere unum de minimis istis* qui sunt in Ecclesia. *Amen enim dico vobis quia angeli eorum per omnia vident faciem Patris mei qui est in caelis*[f]. Obsequuntur saluti tuae angeli, confessi sunt ad ministerium *Filii Dei,* et dicunt inter se : si ille descendit et descendit in corpus, si mortali indutus est carne et sustinuit crucem et pro hominibus mortuus est, quid nos quiescimus, quid parcimus nobis ? Eia omnes angeli descendamus e caelo ! Ideo et *multitudo militiae caelestis erat laudantium et glorificantium Deum*[g], quando natus est Christus.

Omnia angelis plena sunt, veni angele, suscipe senem conversum ab errore pristino, a doctrina daemoniorum, ab *iniquitate in altum loquente*[h] et suscipiens eum quasi medicus bonus confove atque institue ; *parvulus*[i] est, hodie nascitur senex, novellus senex repuerascens ; et, cum susceperis, tribue ei *baptisma secundae generationis*[j] et advoca tibi alios socios ministerii tui, ut cuncti

7 a. Éz. 1, 1 // b. Cf. Jn 1, 52 // c. Cf. Matth. 4, 11 // d. Cf. Ps. 47, 9... // e. Cf. Lc. 2, 13 // f. Cf. Matth. 18, 10 // g. Cf. Lc. 2, 13 // h. Cf. Ps. 72, 8 // i. Cf. I Cor. 3, 1... // j. Cf. Tite 3, 5

7. « Les cieux s'ouvrirent[a]. » Il ne suffit pas qu'un ciel s'ouvre, un grand nombre s'ouvre, afin que non pas d'un mais de tous les cieux descendent les anges vers ceux qui sont à sauver : « Les anges qui montaient et descendaient au-dessus du Fils de l'homme[b] », et « ils s'approchèrent de lui et ils le servaient[c]. » Or les anges descendirent, parce que le Christ était descendu le premier, craignant de descendre avant que l'eût ordonné « le Seigneur des puissances[d] » et de toutes choses. Mais quand ils virent le prince « de la milice céleste[e] » demeurer dans les lieux terrestres, alors par la voie ouverte ils sortirent à la suite de leur Seigneur, obéissant à la volonté de celui qui les répartit comme gardiens de ceux qui croient en son nom. Toi, tu étais hier sous la dépendance d'un démon, tu es aujourd'hui sous celle d'un ange. « Gardez-vous », dit le Seigneur, « de mépriser aucun de ces tout-petits » qui sont dans l'Église. « Car, en vérité je vous le dis, leurs anges voient constamment la face de mon Père qui est dans les cieux[f]. » Les anges s'emploient à ton salut, ils se sont déclarés au service du « Fils de Dieu », et ils disent entre eux : si Lui est descendu, et descendu dans un corps, s'il s'est revêtu d'une chair mortelle, s'il a supporté la croix, s'il est mort pour tous les hommes, pourquoi nous reposer, nous, pourquoi nous épargner ? Allons, tous les anges, descendons du ciel ! Aussi bien « y avait-il une multitude de la milice céleste d'anges louant et glorifiant Dieu[g] », quand est né le Christ.

Tout est plein d'anges ; viens, ange, reçois un vieillard converti de l'ancienne erreur, de la doctrine des démons, de « l'iniquité au verbe hautain[h] » ; et le recevant comme un bon médecin, réchauffe-le et forme-le ; il est « tout-petit[i] », aujourd'hui naît un vieillard, un vieillard redevenu jeune enfant. Et l'ayant reçu, accorde-lui « le baptême de la seconde naissance[j] », et appelle à toi les autres

pariter eos qui aliquando decepti sunt erudiatis ad fidem. *Gaudium enim est magis in caelis super uno peccatore paenitentiam agente quam supra nonaginta novem iustis quibus non est opus paenitentia*[k]. Exultat omnis
35 creatura, collaetatur et applaudit his qui salvandi sunt ; nam *Exspectatio creaturae revelationem filiorum Dei exspectat*[l]. Et licet nolint hi qui Scripturas apostolicas interpolaverunt istiusmodi sermones inesse libris eorum quibus possit Creator Iesus Christus probari, exspectat
40 ibi tamen omnis creatura filios Dei, quando liberentur a delicto, quando auferantur de Zabuli manu, quando regenerentur a Christo. Verum iam tempus est ut et de praesenti loco aliqua tangamus. Vidit propheta non visionem, sed visiones Dei. Quare non vidit unam, sed plurimas
45 visiones ? Audi Deum pollicentem atque dicentem : *Ego visiones multiplicavi*[m].

8. *Quinta mensis, hic annus quintus captivitatis regis Ioachim*[a]. *Tricesimo anno* aetatis Ezechielis et *quinto captivitatis Ioachim* propheta mittitur ad Iudaeos. Non despexit clementissimus Pater nec longo tem-
5 pore incommonitum populum dereliquit. Quintus est annus. Quantum temporis intercessit ? Quinque anni interfluxerunt ex quo captivi serviunt. Statim descendit Spiritus sanctus, aperuit caelos, ut hi qui captivitatis iugo premebantur viderent ea quae videbantur a propheta.
10 Dicente quippe eo : *Et aperti sunt caeli*[b], quodam modo

k. Cf. Lc 15, 7 // l. Rom. 8, 19 // m. Os. 12, 10.
8 a. Éz. 1, 2 // b. Éz. 1, 1.

1. « Interpolare » ne veut pas dire « interpoler », mais « abréger », cf. Baehrens, dans ses *addenda,* p. LIV ; et P. NAUTIN, *Origène,* p. 243, n. 68, et leur référence bibliographique.

1. « La trentième année », commence le texte. S'agit-il de l'âge du prophète ? Ou bien d'un événement qui, en 593-592, cinquième année de la déportation du roi Joïakin (v. 2), remonterait à une trentaine d'an-

compagnons de ton ministère, afin que tous ensemble vous formiez à la foi ceux qui furent trompés un jour. « Car il y a plus de joie dans les cieux pour un seul pécheur qui fait pénitence, que pour quatre-vingt-dix neuf justes qui n'ont pas besoin de pénitence[k]. » Toute la création exulte, se réjouit en chœur et applaudit à ceux qui doivent être sauvés ; car « la création en attente aspire à la révélation des fils de Dieu[l] ». Bien que ceux qui ont abrégé[1] les Écritures apostoliques ne veuillent pas que des paroles de ce genre soient dans les livres de ceux par qui le Christ Jésus peut être prouvé Créateur, ici pourtant toute la création attend l'époque où les fils de Dieu seront délivrés de leur faute, où ils seront arrachés à la main de Zabulon, où ils seront régénérés par le Christ. Mais voici le moment de toucher quelques points du présent passage. Le prophète vit, non pas une vision, mais des visions de Dieu. Pourquoi ne vit-il pas une seule mais plusieurs visions ? Écoute la promesse de Dieu : « J'ai multiplié les visions[m]. »

8. « Le cinq du mois, c'était la cinquième année de la captivité du roi Joachim[a]. » La trentième année[1] d'âge d'Ézéchiel, « la cinquième de la captivité de Joachim », le prophète est envoyé aux Juifs. Le Père très clément n'a pas dédaigné ni laissé longtemps le peuple non averti. C'est « la cinquième année ». Combien de temps y eut-il dans l'intervalle ? Cinq ans s'écoulèrent depuis que les captifs sont esclaves. Aussitôt l'Esprit-Saint descendit, il ouvrit les cieux, afin que ceux qui étaient accablés du joug de la captivité voient ce qui était vu par le prophète. Car lorsqu'il disait : « Et les cieux s'ouvrirent[b] », d'une cer-

---

nées : réforme religieuse du roi Josias (622) ?, fondation de l'empire néo-babylonien par Nabuchodonosor ? « Ou faut-il corriger le texte ?... » OSTY.

et ipsi intuebantur cordis oculis quae ille etiam oculis carnis adspexerat.

9. *Et factus est Sermo Domini ad Ezechiel, filium Buzi, sacerdotem, Sermo Domini*[a], qui *in principio erat apud Patrem Deus Verbum*[b], Sermo qui credentes efficit deos. *Si* enim *illos dixit deos, ad quos Sermo Dei factus est, et non potest solvi Scriptura*[c] et ad quoscumque Sermo Dei factus est facti sunt dii, Ezechiel quoque Deus fuit, quia factus est Sermo Dei ad eum. *Ego dixi : dii estis et filii Altissimi omnes ; vos vero ut homines moriemini, et quasi unus ex principibus cadetis*[d]. Ubi habes in Novo Testamento istiusmodi repromissionem ? Si oportet instrumenta distinguere, et dicere inter se dissidentes Deos — quod quidem nefas est etiam suspicari, sed iuxta abusionem dicimus —, audacter profecto dicam multo maiorem in Veteri Testamento ostendi humanitatem quam in Novo. *Ego dixi : dii estis et filii Altissimi omnes.* Non ait : quidam dii estis et quidam non estis, verum omnes dii estis. Si autem peccaveritis, ausculta quid sequitur : *Vos vero ut homines moriemini.* Non est hic culpa vocantis ad salutem, non ipse est causa mortis qui invitat ad divinitatem et ad caelestis naturae adoptionem, sed in nostro peccato et in

9 a. Éz. 1, 3 // b. Cf. Jn 1, 1 // c. Cf. Jn 10, 35 // d. Ps. 81, 6.7

1. « Advint la Parole de Dieu à Ézéchiel, ‘ Parole qui était dans le Principe la Parole de Dieu ’, *Jn* 1, 1 ; ‘ Moi j'ai dit : vous êtes des dieux, des fils du Très-Haut, vous tous ’, *Ps.* 81, 6. L'Esprit appelle dieux ceux à qui advint la Parole de Dieu, la Parole-Dieu. Car si grande est sa puissance qu'elle déifie. » *Sel. in Éz.* 1, 1, *PG* 13, 769 BC. Voir la note complémentaire 4, « Sermo, Verbum ».

2. « Les hérétiques ne font pas ‘ un pain de deux dixièmes ’, car ils nient que Dieu Créateur soit le Père du Christ, ne font pas de l'Ancien

taine manière eux aussi regardaient par les yeux du cœur ce qu'il avait aussi aperçu des yeux de chair.

La Parole du Seigneur

9. « Et advint la Parole du Seigneur à Ézéchiel, fils de Bouzi, le prêtre[a] » : « la Parole du Seigneur » qui « était dans le Principe auprès du Père le Verbe Dieu[b] », la Parole qui des croyants fait des dieux[1]. En effet, « s'il a nommé dieux ceux auxquels advint la Parole de Dieu — et l'Écriture ne peut être abolie[c] » —, ceux auxquels advint la Parole de Dieu ont été faits Dieu, Ézéchiel aussi fut dieu, car lui advint la Parole de Dieu. « Moi j'ai dit : Vous êtes des dieux, des fils du Très-Haut, vous tous ; eh bien vous, comme des hommes vous mourrez, comme l'un des chefs vous tomberez[d]. » Où a-t-on dans le Nouveau Testament, une promesse de ce genre ? S'il fallait distinguer les Documents[2], et dire les dieux divisés entre eux — et même le soupçonner est un sacrilège, mais nous le disons par catachrèse[3] —, avec audace assurément je dirais que l'humanité est montrée bien plus grande dans l'Ancien Testament que dans le Nouveau. « Moi, j'ai dit : Vous êtes des dieux, des fils du Très-Haut, vous tous. » Il ne dit pas : certains, vous êtes des dieux, et certains, vous ne l'êtes pas, mais tous vous êtes des dieux. Mais si vous péchez, écoute la suite : « Eh bien vous, comme des hommes vous mourrez. » Il n'y a pas ici une faute de celui qui appelle au salut, la cause de la mort n'est pas celui qui invite à la divinité et à l'adoption d'une nature céleste :

---

et du Nouveau Testament un seul pain, et ne reconnaissent pas un seul Esprit dans l'un et l'autre Testament. » *In Lev. hom.* 13, 4, 22 s., cf. *hom.* 14, 2, 54 s. : *SC* 287, p. 212 s., et p. 232 s.

3. Sur l'emploi de figures de style par « l'ancien grammairien » que fut Origène, voir une liste donnée par P. NAUTIN, *Origène, Homélies sur Jérémie,* t. I, *Introd., SC* 232, p. 135 s.

nostro scelere consistit quod dicitur : *Vos autem ut homines moriemini, et quasi unus de principibus cadetis.* Multi principes erant, et unus ex iis corruit, de
25 quo et in Genesi scribitur : *Ecce, Adam factus est,* non quasi nos, sed *quasi unus ex nobis*[e]. Ergo quando peccavit Adam, tunc factus est quasi unus cadens.

10. *Et factus est Sermo Domini ad Ezechiel, filium Buzi*[a]. Etiamsi de Salvatore haec dicta volueris intelligere, ne timeas ; habet et sic allegoria intellectum suum : venit Sermo Dei ad eum qui de Virgine nascebatur, id est
5 hominem, Sermo semper in Patre manens[b], ut fierent utraque unum, et consociaretur homo, quem ob sacramentum et salutem universae humanitatis induerat, divinitati eius et naturae Unigeniti Dei.

Factus est Sermo Domini ad Ezechiel, filium Buzi,
10 *sacerdotem in terra Chaldaeorum*[c]. Chaldaei de caelestibus disputant, Chaldaei nativitates hominum ratiocinantur. *In terra Chaldaeorum,* quasi si dicat : eorum qui asserunt fatum, eorum qui causas universitatis astrorum cursui vindicant. Iste ergo nunc error et ista mentis
15 perversitas figuraliter in Chaldaeorum terra significatur.

In terra Chaldaeorum, secus flumen Chobar. Et facta est illic super me manus Domini[d]. Et Sermo Domini factus est ad prophetam et manus, ut et factis ornaretur et verbis. *Et vidi visiones*[e]. Aliqua perstringam, et licet

e. Gen. 3, 22.

10 a. Éz. 1, 3 // b. Cf. Jn 1, 1 // c. Éz. 1, 3 // d. Éz. 1, 2.3 // e. Éz. 1, 1.

1. Sur « la terre des Chaldéens », cf. *Sel. in Éz.* 1, 3, *PG* 13, 769-770 C ; et surtout le développement de *In Jer. hom. lat.* I (III), de 4, 27 à 5 fin, *SC* 238, p. 328-333. L'Astrologie des Chaldéens vient de la sagesse des princes de ce monde, *De princ.* 3, 3, 2, 59 s., *SC* 268, p. 186 s. ; cf. *SC* 269, p. 72, les notes 9 et 10. Pour la polémique antiastrologique d'Ori-

c'est par notre péché et par notre crime que se réalise la parole : « Eh bien, vous, comme des hommes vous mourrez, comme l'un des chefs vous tomberez. » Il y avait bien des chefs, et l'un d'eux tomba, dont il est encore écrit dans la Genèse : « Voici qu'Adam est devenu », non comme nous, mais « comme l'un de nous[e] ». Quand donc il a péché, Adam est devenu comme un chef qui tombe.

10. « Et advint la Parole du Seigneur à Ézéchiel, fils de Bouzi[a] ». Même si tu veux comprendre que cette parole est dite au sujet du Sauveur, n'hésite pas. L'allégorie également a son sens que voici : la Parole de Dieu vint à celui qui naissait de la Vierge, à savoir l'homme ; la Parole qui demeure toujours dans le Père[b], pour qu'ils deviennent l'un et l'autre un seul, et que l'homme, qu'il avait revêtu pour le mystère et le salut de l'humanité tout entière, soit associé à sa divinité et à sa nature de Fils unique de Dieu.

« Advint la Parole du Seigneur à Ézéchiel, fils de Bouzi, dans la terre des Chaldéens[c]. » Les Chaldéens discutent des choses du ciel, les Chaldéens calculent les heures de la naissance des hommes. « Dans la terre des Chaldéens[1] », comme s'il disait : de ceux qui affirment le destin, de ceux qui au cours des astres prétendent connaître les causes de l'univers. Ici donc cette erreur et cette perversité de l'intelligence sont désignées au sens figuré par « la terre des Chaldéens ».

« Dans la terre des Chaldéens, au bord du fleuve Chobar. Là fut sur moi la main du Seigneur[d]. » Et advint la Parole du Seigneur au prophète et la main... » : pour qu'il soit orné et de paroles et d'actions. « Et j'ai vu des visions[e]. » J'effleurerai quelques points et bien que, vu le

---

gène, voir le long chapitre de *Philocalie* 21-27, *SC* 226, et la richesse de documentation et d'analyse par É. Junod, soit dans son *Introd.*, p. 47 s., soit aux notes de la traduction, p. 130 s.

20 pro angustia temporis ea quae dixi possint sufficere, tamen etiam de toto corpore visionis summa quaeque libado.

11. *Et vidi, et ecce, spiritus surgens veniebat ab Aquilone*[a]. Diligenter considera rerum numerum quae dicuntur : *Spiritus surgens* — sive *auferens* — *veniebat ab Aquilone,* ecce, una res. *Et nubes magna erat in*
5 *eo,* ecce duae. *Et splendor in circuitu eius,* ecce tres? *Et ignis refulgens,* quattuor. *Et in medio eius sicut visio electri in medio ignis,* quinque. *Et lumen in eo*[b], sex. Post haec *similitudo quattuor animalium,* et *visio eorum*[c], et narratio *visionis,* septem. *Et in medio ani-*
10 *malium quasi carbones ignis*[d], octo.

Quis potest ista minutatim exponere ? Quis ita est capax Spiritus Dei, ut haec sacramenta dilucidet ? Oportebat accusatores Creatoris et Dei prophetarum primum intelligere quae dicuntur a prophetis, et postea criminari.
15 Qui enim vere accusat, ea debet accusare quae novit. Si vero haeretici nec prope quidem sunt intellectui divino, quomodo rationabiliter accusant quod eos nescire convincimus ? Discant quis in hac visione sit sensus. Primum apparet spiritus auferens, secundo nubes magna
20 in spiritu auferente, tertio splendor in circuitu spiritus auferentis, quarto ignis refulgens, quinto in medio eius sicut visio electri, haud dubium quin in medio ignis ; sexto splendor in eodem electro.

11 a. Éz. 1, 4 // b. Éz. 1, 4 // c. Éz. 1, 5 s. // d. Éz. 1, 13

1. « Qui enlève » : la traduction par un adjectif comme impétueux, etc. serait meilleure, et s'imposerait... si elle ne retirait toute force aux correspondances néotestamentaires qu'Origène va découvrir.

2. Le latin suit la Septante, qui place la clarté avant le feu, contrairement à l'hébreu.

3. Vermeil : alliage d'argent et d'or d'un blanc éclatant. « Comme » : « L'emploi fréquent de ce terme met en lumière le caractère approxima-

temps limité, ce que j'ai dit pourrait suffire, néanmoins je toucherai aussi tous les principaux aspects de l'ensemble de la vision.

Ensemble de la vision

11. « Je regardai, et voici : un vent d'orage venait de l'Aquilon[a]. » Considère avec attention le nombre de thèmes qu'on mentionne. « Un vent d'orage — ou : qui enlève[1] — venait de l'Aquilon », en voilà un. « Une grande nuée qu'il enveloppait », voilà deux. « Une clarté l'environnait[2] », voilà trois. « Un feu fulgurant », quatre. « A son centre, comme une vision de vermeil, au centre du feu[3] », cinq. « En lui, un éclat[b] », six. Puis « une ressemblance de quatre êtres vivants », et « leur vision[c] », et le récit de la « vision », sept. « Et au milieu des vivants, comme des charbons de feu[d] », huit.

Qui peut les exposer en détail ? Qui est assez capable de (recevoir) l'Esprit de Dieu pour élucider ces mystères ? Il aurait fallu que les accusateurs du Créateur et du Dieu des prophètes d'abord comprennent ce qui est dit par les prophètes, et ensuite critiquent. En effet, quand on accuse vraiment, on doit accuser ce que l'on sait. Mais si les hérétiques n'approchent même pas le sens divin, comment accuseraient-ils raisonnablement ce que nous prouvons qu'ils ignorent ? Qu'ils apprennent quel est le sens de cette vision. En premier apparaît un vent qui enlève, en second une grande nuée qu'enveloppe le vent qui enlève, en troisième une clarté qui environne le vent qui enlève, en quatrième un feu fulgurant, en cinquième à son centre comme une vision de vermeil, sans nul doute au centre du feu ; en sixième un scintillement dans le même vermeil.

---

tif de la description : il deviendra presque de règle dans les descriptions apocalyptiques. Même remarque au sujet des termes (ressemblance de, forme de, aspect de), si fréquents dans les versets qui suivent. » OSTY.

Confiteor libenter a sapiente et fideli viro dictam sen-
25 tentiam, quam saepe suscipio : de Deo et vere dicere periculum est. Neque enim ea tantum periculosa sunt quae falsa de eo dicuntur, sed etiam quae vera sunt et non opportune proferuntur dicenti periculum generant. *Margarita* vera est, sed si *porcis proiciatur,* discrimen eius
30 est qui eam *subicit pedibus eorum*[e]. Sed iuxta nos aliquod ponamus exemplum : collectiones istae non solum in Aelia, non tantum Romae, non in Alexandria, sed in universo simul orbe similitudinem referunt *sagenae,* quae omne genus piscium capit[f]. Non possunt universa bona
35 esse quae incidunt in eam ; ait quippe Salvator : *Cum extraxerint eam et secus litus sederint, eligent bona quidem in vasculis, mala vero foris proicient*[g]. Oportet ergo in sagena totius Ecclesiae esse et bona et mala. Si iam universa munda sunt, quid derelinquimus iudicio
40 Dei ?

Et iuxta aliam parabolam et *frumentum* et *paleae* in *area* continentur, cum *frumentum* tantum *in* Christi *horreis congregandum sit* et discernantur *paleae* ab eo *cuius ventilabrum in manu eius est, et mundabit*
45 *aream suam, et congregabit frumentum in horreum, paleas vero consumet igni inexstinguibili*[h]. Neque vero ego nunc assero aream totum esse mundum, sed

e. Cf. Matth. 7, 6 // f. Cf. Matth. 13, 47 // g. Cf. Matth. 13, 48 // h. Cf. Lc 3, 17

4. Dès le prologue de son premier commentaire sur les Psaumes, son premier ouvrage sur l'Écriture (le « Commentaire Alexandrin des Psaumes 1-25 » d'après P. NAUTIN, *Origène,* p. 262 s.), Origène disait combien il est téméraire de parler de Dieu, et citait deux maximes, celle-ci, et juste avant : « Lorsqu'on parle de Dieu, on sera jugé par Dieu » (voir la traduction, *ibid.,* p. 265). Les maximes proviennent d'un recueil nommé ailleurs, pour la première fois semble-t-il, par Origène qui cite : « la très belle maxime que la plupart des chrétiens lisent dans

Il y a risque à parler de Dieu

J'admets volontiers la maxime d'un auteur sage et fidèle, et souvent je l'invoque : « Sur Dieu même à dire la vérité on court un risque »[4], car non seulement fait courir un risque ce que l'on dit de faux sur lui ; mais même ce qui est vrai, et qu'on expose mal à propos, fait courir un risque à qui l'exprime. « La perle » est vraie, mais si « on la jette aux porcs », elle juge celui qui la « lance sous leurs pattes[e] ». Pour notre part, donnons un exemple : voici des rassemblements non seulement à Aelia, non seulement à Rome, non à Alexandrie, mais simultanément par tout le globe, qui rappellent la comparaison du « filet » qui ramène toute espèce de poissons[f]. Ne peut être bon tout ce qu'on y capture. Car le Sauveur dit : « Lorsqu'on le tire et qu'on s'assied au bord du rivage, on recueille ce qu'il y a de bon dans des paniers, et ce qu'il y a de mauvais on le rejette[g]. » Il doit donc y avoir, dans le filet de l'Église tout entière, du bon et du mauvais. Si déjà tout est pur, que laissons-nous au jugement de Dieu ?

Et selon une autre parabole, « blé » et « bales » sont réunis sur « l'aire », tandis que « le blé » seul « doit être rassemblé dans les greniers » du Christ, et « les bales » sont séparées par « celui qui tient le van à la main ; il nettoyera son aire et rassemblera le blé au grenier, mais brûlera les bales au feu inextinguible[h]. » Mais pourtant moi ici, je n'affirme pas que l'aire soit le monde entier,

---

Les Sentences de Sextus : ' manger la chair des animaux est chose indifférente ; s'en abstenir est préférable ' », *CC* 8, 30, 12 s., *SC* 150, p. 238 s., et la note. Cf. H. CHADWICK, *The Sentences of Sextus. A contribution to the history of Early Christian Ethics* (Textes and Studies, 2e série, 5), Cambridge 1959 ; les deux premières aux numéros 22 et 352, p. 14 s. et 52 s. ; celle du *CC*, au numéro 109, p. 115. Voir maintenant : *The Sentences of Sextus* (S. S. L. Texts and Translations 22, Early Christian Literature Series Number 5), éd. et tr. par Richard A. Edwards and Robert A. Wild, Scholars Press, Chico, C. A. 1981.

aream intelligo coetum populi christiani. Quomodo enim unaquaeque area circumscribitur et est plena frumento
50 vel paleis nec totum frumentum est nec totum rursum paleae, sic in Ecclesiis terrestribus est frumentum alius, alius paleae. Verum ibi non sui causa nec per voluntatem paleae paleae sunt, neque ex proprio arbitrio frumentum frumentum est ; hic vero in tua potestate positum est ut
55 sis palea vel frumentum.

Haec docere nos debent ut, si quando aliquis in congregationibus nostris viderit peccatorem, non scandalizetur neque dicat : ecce peccator in coetu sanctorum est ; si hoc licet, si hoc conceditur, quare et ego non peccem ? Dum in
60 praesenti saeculo sumus, id est in area et in sagena, et bona et mala in eo continentur. Quando autem venerit Christus, fiet discretio, et implebitur illud quod ab Apostolo dicitur : *Omnes nos assistere oportet ante tribunal Christi, ut reportet unusquisque propria corporis sui*
65 *quae gessit, sive bona, sive mala*[i]. Haec in prooemio de interpretationibus visionum aestuans animus est locutus et ambigens quae sileat, quae proferat, quae leviter tacta dimittat, quae ex his manifestius, quae obscurius exponenda sint, si tamen potuerimus implere quod cupimus.

12. Primum ergo videtur *spiritus auferens*[a]. Id quod paulo ante diximus, quia *Deus noster ignis consumens sit*[b], etiam nunc repetimus et dicimus huic testimonio congruere. Quomodo ponitur spiritus auferens ? *Deus*
5 *Spiritus est*[c] et spiritus auferens cernitur. Quid a me

---

i. II Cor. 5, 10.
12 a. Éz. 1, 4 // b. Cf. Hébr. 12, 29 // c. Cf. Jn 4, 24

mais je comprends l'aire comme l'assemblée du peuple chrétien[5]. De fait, comme chaque aire est circonscrite, qu'elle est remplie de blé ou de bales sans que le tout soit du blé, ni à l'inverse que le tout soit des bales, ainsi dans les Églises terrestres, l'un est blé, l'autre bales. Mais là, ce n'est pas d'elles-mêmes ni volontairement que les bales sont bales, ni de sa décision propre que le blé est blé ; ici au contraire il est remis à ton pouvoir d'être bale ou blé.

Cela doit nous enseigner que, si jamais quelqu'un voit un pécheur dans nos réunions, il ne se scandalise pas et ne dise : voici qu'un pécheur est dans l'assemblée des saints ; si cela est permis, si cela est accordé, pourquoi moi aussi je ne pècherais pas ? Tant que nous sommes au siècle présent, autrement dit sur l'aire et dans le filet, et bien et mal y coexistent. Mais quand viendra le Christ, sera faite la séparation, et s'accomplira ce qui est dit par l'Apôtre : « Tous il nous faut comparaître devant le tribunal du Christ, pour que chacun recouvre ce qu'il aura fait, étant dans son corps, soit en bien soit en mal[i]. » Voilà ce qu'en prélude à l'interprétation des visions a dit la pensée en effervescence, incertaine entre quoi taire, qui exposer, quoi abandonner à peine touché, quoi en expliquer plus clairement, quoi plus obscurément, si toutefois nous pourrons accomplir ce que nous désirons.

Le vent

12. D'abord donc, on voit « un vent qui enlève[a] ». Ce qu'on a dit peu auparavant[1], que « notre Dieu est un feu qui consume[b] », nous le répétons encore ici et disons que cela concorde avec ce témoignage. Comment se présente « le vent qui enlève » ? « Dieu est Esprit[c] », et il est compris comme « le

5. « Le Christ rassemble son peuple sur l'aire », *In Jud. hom.* 8, 5, *GCS* 7, p. 514, 3.

1. Cf. *supra,* § 3, 25 s.

aufert et ab anima mea, ut merito auferens praedicetur ? Utique mala ; et tunc sentio bonitatem eius, si a me pessima quaeque sustulerit. Neque vero putandum est finem esse beatitudinis, si a malis liberemur : initium
10 felicitatis est carere peccato.

Et in Hieremia scribitur — omnia quippe quae in prophetis scripta sunt clementissimi Dei vindico — : *Ecce, dedi sermones meos in os tuum ; ecce, constitui te hodie super gentes et regna, eradicare et suffodere et*
15 *disperdere et aedificare et plantare*[d]. Benignus est Deus, dans sermones ad eradicandum. Verum quid est quod eradicari debeat et subverti ? Si qua plantatio in animo mala est, si qua secta nequam, hanc eradicat, hanc subvertit sermo propheticus. Utinam autem contingat ut
20 et mihi talis sermo donetur qui eradicet haereticorum semina et doctrinam ex Zabuli fonte manantem, qui de eius anima qui nunc primum Ecclesiam ingreditur, idolatriae auferat plantationem !

Dedi sermones meos in os tuum ; ecce, constitui te
25 *eradicare et suffodere* ; scilicet ut, si qua aedificatio pessima est, destruatur. Quam velim et ego suffodere quidquid Marcion in auribus deceptorum aedificavit, eradicare et subvertere et disperdere, ut Iacob *disperdidit* idola[e]. Usque ad hodiernum diem est disperdere et aedifi-
30 care. Haeretici disperdere et subvertere tantum audierunt, in aedificationis autem plantationisque sermone surdas aures averterunt. Neque enim volunt inspicere

d. Jér. 1, 9-10 // e. Cf. Gen. 35, 4

2. Origène passe d'une signification à l'autre de « pneuma », écrivant : « L'Esprit qui enlève, c'est Dieu ; car Dieu est Esprit et il enlève la malice. » *Sel. in Éz.* 1, 4, *PG* 13, 769 C. L'expression peut être prise en

vent qui enlève[2] ». Qu'enlève-t-il de moi et de mon âme, pour qu'on proclame avec raison qu'il enlève ? Les maux, bien sûr. Dès lors j'en ressens la bonté s'il enlève de moi tout ce qu'il y a de pire. Mais il ne faut pas croire que la fin de la béatitude soit d'être délivré des maux : être exempt du péché est le commencement du bonheur.

Dans Jérémie il est écrit — et tout ce qui est écrit chez les prophètes, je l'affirme parole du Dieu très clément — : « Voici que j'ai mis mes paroles dans ta bouche ; voici que je t'ai établi en ce jour sur des nations et des royaumes pour déraciner, détruire et anéantir, pour bâtir et planter[d]. » Dieu est bienveillant, quand il donne des paroles pour déraciner. Mais qu'est-ce qui doit être déraciné et démoli ? Toute plantation mauvaise dans le cœur, toute secte perverse, voilà ce que déracine, ce que démolit la parole prophétique. Puisse-t-il arriver qu'à moi aussi soit donnée une parole telle qu'elle déracine les semences des hérétiques et la doctrine qui émane de la source de Zabulon, qu'elle enlève de l'âme de celui qui vient d'entrer dans l'Église la plantation de l'idolâtrie !

« J'ai mis mes paroles dans ta bouche ; voici que je t'ai établi pour déraciner et pour détruire » : c'est-à-dire pour que tout bâtiment défectueux soit rasé. Que je voudrais moi aussi détruire, déraciner, démolir et anéantir tout ce que Marcion[3] a bâti dans les oreilles des dupes, comme Jacob « anéantit » les idoles[e]. Jusqu'à présent il s'agit d'anéantir et de bâtir. Les hérétiques ont entendu seulement démolir et anéantir, mais à l'expression d'édification et de plantation, ils ont fait la sourde oreille. Car ils ne veulent pas remarquer que toutes les premières paro-

---

bonne et en mauvaise part, et le terme hébreu « ruha » signifie ou esprit, ou âme, ou vent, note JÉRÔME, *In Éz.* 1, 4, *PL* 25, 19 C s. ou *CCSL* 75, p. 8.

3. Pour Marcion, voir *hom.* 2, 2, 31 et la note.

quia tristia quaeque prima dicuntur et secunda quae laeta sunt. Quare nunc ista memoramus ? Videlicet ut manifes-
35 tetur Dei sermonem subvertere mala et aedificare optima, eradicare vitia quasi agricolam bonum, ut in purgato campo uberrima virtutum messis oriatur. Haec propter spiritum auferentem.

Videt enim primum *spiritum auferentem*, deinde *ne-*
40 *bulam magnam in eo*[f]. Quando purgatus fueris ab auferente spiritu in tantum ut auferatur a te omne malum, et omne quod in tua anima nequitiae versatur, tunc incipies etiam magna nebula frui quae in spiritu auferente consistit. Quae nebula proxima est ei nebulae quam in Evangelio
45 legimus, de qua venit vox : *Hic est Filius meus, in quo bene complacui*[g]. Spiritus ergo auferens, deinde nebula magna in eo, postea splendidissimum lumen in circuitu eius. Ablatum est a te malum ; data est tibi nebula magna, ut pluat imbrem super vineam tuam, secundum illud quod
50 alibi dicitur : *Mandabo nubibus ne pluant super eam imbrem*[h], super pessimam scilicet vineam. Si autem hoc de mala iubetur, haud dubium est quin e contrario, si bona vinea feris, pluat super te nebula.

13. *Et splendor in circuitu eius ; deinde ignis fulgens, et in medio eius quasi visio electri*[a]. Dupliciter

---

f. Cf. Éz. 1, 4 // g. Matth. 17, 5 // h. Is. 5, 6.
13 a. Éz. 1, 4

---

4. Le reproche est fréquent : *CC* 2, 24, 24 s., *SC* 132, p. 150 s. ; *In Jer. hom.* 1, 16, 18 s., *SC* 232, p. 232 s. ; *In Luc. hom.* 16, 4, *SC* 87, p. 240 s. ; *In Matth.* 15, 11, *GCS* 10, p. 378, 23. — Pour l'interprétation

les sont tristes, et les secondes joyeuses[4]. Pourquoi le rappeler ici ? Évidemment pour qu'il soit manifeste que la parole de Dieu démolit le mal, bâtit le mieux, déracine le vice comme un bon agriculteur, afin que dans le champ déblayé se lève une très riche moisson de vertus. Voilà pour « le vent qui enlève ».

La nuée En fait, le prophète « voit » d'abord « le vent qui enlève », puis « la grande nuée qu'il enveloppe[f] ». Quand tu seras purifié par le vent qui enlève, au point que soit enlevé de toi tout mal, et tout ce qui se trouve de mauvaise qualité dans ton âme, alors tu commenceras aussi à tirer profit de la grande nuée qu'enveloppe le vent qui enlève. Cette nuée est bien proche de celle de l'Évangile d'où vint la voix : « Celui-ci est mon Fils en qui je me suis complu[g]. » Donc, le vent qui enlève, puis la grande nuée qu'il enveloppe, ensuite la lumière resplendissante qui l'environne. Le mal a été enlevé de toi ; la grande nuée t'a été donnée pour qu'elle pleuve sur ta vigne, d'après ce qui est dit ailleurs : « J'ordonnerai aux nuages de ne pas pleuvoir sur elle[h] », à savoir sur une vigne très mauvaise. Mais si cet ordre concerne une mauvaise vigne, il n'est pas douteux qu'au contraire, si tu es une bonne vigne, la nuée ne pleuve sur toi[5].

Le feu **13.** « Et une clarté l'environne ; puis un feu fulgurant, et à son milieu comme une vision de vermeil[a]. » Dieu enlève de nous les

d'Origène, voir encore *CC* 4, 1, 6-29, *SC* 136, p. 186 s. ; *In Jos. hom.* 13, 3-4, *SC* 71, p. 308-313.

5. Voir par exemple la bénédiction du Lévitique 26, 4, et le symbolisme de la pluie dans le commentaire du prédicateur, *In Lev. hom.* 16, 2, 16-112, *SC* 287, p. 268-277.

aufert a nobis mala Deus, Spiritu et igne. Si boni et intenti ad praecepta eius sumus, et sermonibus eius erudimur, Spiritu mala nostra aufert, secundum illud quod scriptum est : *Si autem Spiritu opera carnis mortificatis, vivetis*[b]. Si vero Spiritus mala non abstulerit a nobis, purgatione ignis indigemus. Idcirco diligenter observa coniunctiones singulas. Prima coniunctio est spiritus et nebulae, secunda ignis et luminis, tertia electri et splendoris, ac singula quaeque, quasi si tristia videntur, iucundiorum vicinitate pensantur ; sive enim spiritus oritur, statim sequitur nebula, sive ignis apparet, adiunctum est ei lumen, sive electrum praecedit, splendor in circuitu eius est. Oportet quippe nos *quasi aurum in fornace*[c] et electrum vehementissimo *igne conflari*. Et in hoc propheta quem nunc exponimus, habes sedentem *Dominum in medio Hierusalem et conflantem eos qui commixti sunt argento et stanno et aeramento et plumbo* et querula voce causantem de his qui habeant in se commixtionem materiae vilioris. *Argentum,* inquit, *commixtum facti estis, et tamquam granum de uva reprobum argentum facti estis*[d]. Quando enim creaturae Dei, quae ab initio bona est, superinducimus de malitiis nostris vitia ac passiones, tunc auro et argento aes, stannum plumbumque miscemus et necessarius est ignis ad purgandum. Ideoque sollicite providendum est ut, cum venerimus ad *ignem* istum, securi transeamus per eum et ad instar *auri et argenti et lapidis pretiosi*[e], quae sine fuco adulterii sunt, non tam uramur incendio quam probemur.

b. Rom. 8, 13 // c. Cf. Sag. 3, 6 // d. Cf. Éz. 22, 18 s. // e. Cf. I Cor. 3,12.

maux de deux manières : par l'Esprit et par le feu. Sommes-nous bons, attentifs à ses préceptes et instruits de ses paroles, il enlève nos maux par l'Esprit, selon ce qui est écrit : « Mais si par l'Esprit vous faites mourir les œuvres de votre chair, vous vivrez[b]. » Mais si l'Esprit n'a pas enlevé de nous les maux, nous avons besoin de la purification du feu. C'est pourquoi, observe avec attention chaque liaison une à une. La première liaison est entre le vent et la nuée, la seconde entre le feu et la lumière, la troisième entre le vermeil et l'éclat, et chaque élément, comme s'il paraissait triste, est contrebalancé par le voisinage d'un autre plus joyeux : le vent se lève, sur-le-champ suit la nuée ; apparaît le feu, la lumière lui est jointe ; le vermeil avance, la clarté l'environne. De fait, « comme au creuset l'or[c] » et le vermeil, il nous faut « être fondus à un feu » très intense. Et chez ce prophète que nous expliquons ici, on a « le Seigneur » qui siège « au milieu de Jérusalem et fait fondre ceux qui sont mêlés d'argent, d'étain, de bronze et de plomb », et qui d'une voix plaintive gémit sur ceux qui ont en eux un mélange d'une matière plus vulgaire : « Vous êtes devenus de l'argent mélangé, comme un pépin de raisin vous êtes devenus de l'argent de mauvais aloi[d]. » En effet, quand sur la créature de Dieu, bonne à l'origine, nous apportons les vices et les passions venant de nos malices, alors nous mélangeons à l'or et à l'argent du bronze, de l'étain et du plomb, et le feu est nécessaire pour purifier. C'est pourquoi il faut prévoir avec soin que, lorsque nous viendrons à ce feu, nous passions en sécurité à travers lui, et de même que « l'or, l'argent, la pierre précieuse[e] » sans trace d'altération, nous soyons moins brûlés par l'incendie que mis à l'épreuve.

14. *Ecce, spiritus auferens veniebat ab aquilone*[a]. Et hoc quod ab aquilone veniebat spiritus auferens et postea redit, habet rationem. Ab aquilone quippe exardescent mala super habitantes terram. Aquilo violentissimus 5 ventus, quem alio *nomine Dextrum vocamus*[b], qui in quattuor cardinibus caeli, de quibus venti spirare dicuntur, frigidior est atque vehementior. Nec non et illud quod de ordine castrorum apud Istrahel in Numeris scribitur, huius rei obtinet figuram. Novissima enim *castra ad* 10 *aquilonem* ponuntur *Dan*. Prima *castra Iuda contra orientem*, deinde pone eum *Ruben*, postea *secundum mare Effrem*, in extremo, ut diximus, *ad aquilonem Dan*[c]. Et *olla* quae *succensa* describitur, *a facie aquilonis accenditur*[d]. *Aquilo* quippe figuraliter dicitur 15 contraria fortitudo, id est Zabulus, qui est vere *durissimus ventus*[e]. Venit ergo ab aquilone spiritus iste auferens, unde scriptum est : *Spiritus auferens veniebat ab aquilone et nubes magna in eo*, ut iam exposuimus. *Et splendor in circuitu eius et ignis fulgens*[f]. Potuit 20 dicere ignis exurens, verum piguit Scripturam tristitiam nominare et opus eius adscribere ideoque pro poenali visu splendorem tantum ignis apposuit.

15. *Et in medio ignis quasi similitudo quattuor animalium ; ista visio eorum : similitudo hominis in illis ; et quattuor facies uni, et quattuor pennae uni,*

---

14 a. Éz. 1, 4 // b. Cf. Prov. 27, 16 // c. Cf. Nombr. 2, 3 s. 25 // d. Cf. Jér. 1, 13 // e. Cf. Sir. 43, 20 // f. Éz. 1, 4.

---

1. « Que les trois dernières (tribus aient été placées) vers l'Aquilon qui est un vent froid..., je ne le crois pas négligeable. » *In Num. hom.* 1,

L'Aquilon 14. « Voici, le vent qui enlève venait de l'Aquilon[a]. » Ce fait que le vent qui enlève venait de l'Aquilon, et revint ensuite, a sa raison. Car c'est de l'Aquilon que s'allument les maux contre les habitants de la terre. L'Aquilon, vent fort impétueux, que d'un autre « nom nous appelons Favorable[b] », qui, aux quatre coins du ciel d'où les vents soufflent, dit-on, est très froid et très violent. En est aussi une figure dans le passage des Nombres sur la disposition des camps chez Israël[1]. « Vers l'Aquilon » est établi « Dan », le dernier camp. Le premier « camp de Juda est vers l'Orient » ; derrière lui « Ruben » ; puis « le long de la mer, Effrem » ; en dernier, comme on l'a dit, « vers l'Aquilon, Dan[c] ». Et « le chaudron », décrit bouillonnant, « bouillonne du côté de l'Aquilon[d] ». En effet, Aquilon, c'est au sens figuré la puissance contraire[2], c'est-à-dire Zabulon, qui est en vérité « un vent très rigoureux[e] ». Donc, de l'Aquilon vint ce vent qui enlève, d'où le texte : « Le vent qui enlève venait de l'Aquilon, et une grande nuée qu'il enveloppait », comme on l'a déjà expliqué. « Et une clarté l'environnait ; puis, un feu fulgurant[f]. » Il aurait pu dire : un feu brûlant ; mais il en coûte à l'Écriture de mentionner la tristesse et d'en décrire l'œuvre, et donc, au lieu d'une vue pénible, elle ne présente que la clarté du feu.

Les vivants et leur symbolisme 15. « Et au centre du feu, comme la ressemblance de quatre vivants ; voici leur aspect : en eux, une ressemblance d'homme ; à chacun quatre faces, à chacun quatre ailes ; leurs jambes étaient

---

3 *GCS* 7, p. 7, 8 s., voir *SC* 29, p. 78, la note 1. ; *CC* 6, 23, 12 s., *SC* 147, p. 236 s. et la n. 1.

2. « ... La puissance contraire est dite au sens figuré Aquilon. » *Sel. in Éz., Cat., PG* 13, 680 (4).

et crura eorum recta, et pennati pedes eorum[a]. Vides
5 qualia sint quae regantur a Deo, ut ibi : *Qui sedes,* ait, *super Cherubin, appare*[b]. Cherubin interpretatur plenitudo cognitionis, et quicumque scientia plenus est efficitur Cherubin quae regit Deus. Quid sibi autem volunt quattuor facies ? Quae salvanda sunt genu flectunt Do-
10 mino Iesu et ab Apostolo tripliciter nominantur : *Ut in nomine Iesu omne genu flectatur, caelestium et terrestrium et infernorum*[c]. Quae autem genu flectunt Domino Iesu subiecta sunt ei. Et quae subiecta sunt dicunt : *Nonne Deo subdita est anima mea ? Apud eum enim*
15 *salutare meum*[d] et : *Oportet eum regnare donec ponat omnes inimicos suos sub pedibus eius*[e]. Quid est ergo quartum ? Caelestia, terrena et inferna tria tantum sunt. Nempe illud : *Laudate Dominum, caeli caelorum, et aquae quae super caelos sunt, laudent nomen Domini*[f].
20 Omnia ista reguntur a Deo et ducuntur a maiestate eius.

16. *Quocumque spiritus ibat, ibant et animalia*[a]. Haec ipsa animalia habent *similitudinem super se hominis,* cum sint *quattuor facierum*[b]. Nec est dictum in principio quia facierum quattuor sint, sed quia inter
5 quattuor facies emineat et principatum teneat facies humana, describitur, quae et dicitur *facies humana et facies leonis a dextris quattuor partium, et facies*

15 a. Éz. 1, 5-7 // b. Ps. 79, 2 // c. Phil. 2, 10 // d. Ps. 61, 2 // e. I Cor. 15, 25 // f. Ps. 147, 4.
16 a. Éz. 1, 12 // b. Éz. 1, 5 //

droites, leurs pieds avaient des ailes[a]. » On voit quels sont les êtres conduits par Dieu, comme ici : « Toi qui sièges sur les Chérubins, resplendis[b]. » Chérubin se traduit plénitude de la connaissance, et quiconque est rempli de science devient un Chérubin que Dieu conduit[1]. Mais que veulent dire les quatre faces ? Ceux qui doivent être sauvés fléchissent le genou devant le Seigneur Jésus, et reçoivent de l'Apôtre une triple appellation : « Afin qu'au nom de Jésus fléchisse tout genou des êtres célestes, terrestres et infernaux[c]. » Or ceux qui fléchissent le genou devant le Seigneur Jésus lui sont soumis. Et ceux qui sont soumis disent : « Mon âme n'est-elle pas soumise à Dieu ? Car auprès de lui est mon salut[d]. » Et : « Il faut qu'il règne jusqu'à ce qu'il ait mis tous ses ennemis sous ses pieds[e]. » Quel est donc le quatrième ? Célestes, terrestres, infernaux ne font que trois. Mais voici : « Louez le Seigneur, cieux des cieux et les eaux qui sont au-dessus[2] des cieux ! Qu'ils louent le nom du Seigneur[f] ! » Tous ceux-là sont gouvernés par Dieu et conduits par sa majesté.

16. « Là où le vent allait, allaient aussi les vivants[a]. » Ces vivants eux-mêmes ont « sur eux une ressemblance d'homme », alors qu'ils ont « quatre faces[b]. » Il n'est pas dit au début qu'ils ont quatre faces, mais il est écrit qu'entre quatre faces est en relief et proéminente une face humaine, et on la dit : « face humaine et face de lion à droite des quatre côtés, et face de taureau à gauche des

1. « Les Chérubins : connaissance complète et science abondante », PHILON, *De vita Mos.* II, 97, tr. R. Arnaldez, etc. Cf. WUTZ, 158.742.
2. Pour l'identification des eaux célestes avec les anges, voir par exemple *CC* 5, 44, 18 s. *SC*, p. 128 s. et la note 1.

vituli a sinistris quattuor, et facies aquilae a quattuor partibus[c]. Videamus ergo an tripertitam animam
10 significet, de qua etiam aliorum opinionibus disputatum est, et animae tripertitae alia quarta fortitudo praesideat. Quae est tripertitio animae ? Per *hominem* rationabile eius indicatur, per *leonen* iracundia, per *vitulum* concupiscentia. *Spiritus* vero, qui praesidet ad auxiliandum,
15 non est *a dextris*, ut *homo* vel *leo*, non est *a sinistris*, ut *vitulus*, sed *super* omnes tres *facies* consistit. *Aquila* quippe in loco alio nuncupatur[d], ut per aquilam spiritum praesidentem animae significet, spiritum autem hominis dico, qui in eo est. Atque ita omnia ducuntur nutu Dei
20 *caelestia et terrestria et inferna*[e] et ea quae super caelos sunt, et efficimur nos omnes *Cherubin*, quae sub pedibus Dei sunt, quibus coniunctae sunt *rotae* mundi et subsequuntur ea[f]. Non enim iam sub rota neque sub

c. Cf. Éz. 1, 5.10 // d. Cf. Éz. 1, 4.10 // e. Cf. Phil. 2, 10 // f. Cf. Éz. 10, 9

1. « Ézéchiel avait vu sur la terre de sa déportation des statues d'animaux : lions, taureaux, placées devant les temples dont elles assuraient la garde et manifestaient la dignité. C'est ce même bestiaire, symbole mythique de toutes les forces de l'univers, qu'il se plaît à entrevoir autour du Seigneur et qui en proclame la sublime grandeur. » *TOB*. — « En dépit d'un certain embarras dans la construction, il est facile de se représenter la disposition de cette tête tétramorphe : la face d'homme vers le spectateur, la face du lion à droite du Vivant, la face du taureau à gauche du Vivant, la face d'aigle par-derrière ; symboles de tous les aspects de la force. Ces quatre faces deviendront dans l'Apocalypse johannique, les formes des quatre Vivants (*Ap.* 4, 7-8, etc.). Osty.

La tradition chrétienne veut préciser ce que les animaux figurent : « Quatre Évangiles, comme il y avait quatre régions du monde, quatre vents des quatre points cardinaux..., quatre alliances. » Mais surtout « l'Évangile sous quatre formes... (Ils) figurent l'activité du Fils de Dieu :

quatre[1], et face d'aigle aux quatre côtés[c]. » Voyons donc si cela n'indique pas l'âme tripartite[2], encore objet de discussion pour les doctrines d'autres auteurs, et si, à l'âme tripartite, ne préside pas une autre quatrième partie, la force. Quelle est la tripartition de l'âme ? Par « homme » est indiqué ce qui d'elle est rationnel[3], par « lion » l'irascible, par « taureau » le concupiscible. Mais « l'esprit », qui préside pour assister, n'est pas à droite comme l'homme ou le lion, n'est pas à gauche comme « le taureau », mais il se tient « au-dessus » de toutes les trois « faces ». Car « l'aigle » est nommé dans un autre passage[d], pour indiquer par le mot aigle l'esprit qui préside l'âme, je veux dire l'esprit de l'homme qui est en lui. C'est ainsi que, par la volonté de Dieu, sont conduits tous les êtres « célestes, terrestres et infernaux[e] », et ceux qui sont au-dessus des cieux, et que nous tous, nous devenons des Chérubins : eux qui sont sous les pieds de Dieu, auxquels sont unies « les roues » du monde, et elles les accompagnent[f]. Car nous ne nous trouvons plus sous la roue, ni

---

activité souveraine, royale (lion, Jean), sacerdotale et sacrificielle (jeune taureau, Luc), humaine (Matthieu), « pneumatique » (aigle, Marc) : de la longue note érudite, dans l'ancienne édition, par F. SAGNARD, *SC* 34, p. 193-205. On établira trois listes. La première : lion, Jean ; jeune taureau, Luc ; homme, Matthieu ; aigle, Marc, suivant *Iren.*, *Adv haer.* III, 11, 8, *SC* 211, p. 160-170 ; APPONIUS, *In Cant.* VII (IV, 10), 28, *CCSL* 19, p. 166 s. — La seconde : aigle, Jean ; jeune taureau, Luc ; homme, Matthieu ; lion, Marc, suivant HIER., *In Mat.*, *Praef.*, etc., *CCSL* 77, p. 3 — La troisième : lion, Matthieu ; homme, Marc ; jeune taureau, Luc ; aigle Jean, celle que, bien qu'il indique la première, lui préfère AUGUSTIN, *De cons. evangelist.* I, 6, *CSEL* 43, p. 9. Autres références notées dans *CCSL* 19, p. 166.

2. Cf. la note complémentaire 5, « L'âme tripartite ».

3. « A mon avis, par homme on doit entendre celui qui, fait ' à l'image et à la ressemblance de Dieu ', vit spirituellement (rationabiliter vivit). Il présente à Dieu un jeune taureau quand il vainc l'orgueil de la chair... » *In Lev. hom.* 2, 5 s., *SC* 286, p. 94 s. — Sur l'homme et l'âme humaine, voir aussi *SC* 286 et 287, les notes complémentaires 13 et 24.

saeculi ditione rebusque versamur, cum iam per passionem Christi sumus a mundi negotiis liberati.

25

Et rota in medio rotae[g]. Si consideres quomodo per contrarios eventus volvatur universitas rerum, sive in his qui putantur errare, sive in his qui ab errore dicuntur alieni, videbis quomodo rota in medio rotae sit. Haec autem omnia regit, et quocumque vult, torquet totius universitatis Deus, in Christo Iesu, *cui est gloria et imperium in saecula saeculorum. Amen*[h].

30

g. Cf. Éz. 1, 16 // h. Cf. I Pierre 4, 11.

sous la domination et les affaires du siècle, puisque déjà nous sommes, par la passion du Christ, libérés des occupations du siècle.

« Et une roue au milieu[4] d'une roue[g]. » A observer la manière dont l'univers évolue en divers événements contraires, soit pour ceux qu'on juge être dans l'erreur, soit pour ceux qu'on dit en être exempts, on verra dans quel sens « une roue est au milieu d'une roue ». Mais tout cela, le Dieu de tout l'univers le dirige et le fait tourner où il veut, dans le Christ Jésus, « à qui sont gloire et puissance pour les siècles des siècles. Amen[h] ».

4. « Il s'agit probablement de deux roues à angle droit, ce qui leur permet d'avancer dans toutes les directions sans avoir à ' se tourner '. » OSTY.

HOMÉLIE II

CONTRE LES FAUX PROPHÈTES
(*Ez.* 13, 1-19)

1-3 : Sur les faux et les vrais prophètes ; 1 : Il faut que la Parole de Dieu, envoyée pour la guérison de tous, aborde toute espèce de péchés, afin d'offrir des remèdes à chaque catégorie d'auditeurs ; d'où l'enseignement divin sur les prophètes ; 2 : « Prophétise contre les prophètes d'*Israël* ». En Israël, il y eut des prophètes de nom plutôt qu'en vérité ; dans le véritable Israël, l'Église, il y a certains pseudo-prophètes et faux maîtres. Qu'en est-il de moi ? « ... qui prophétisent *d'après leur cœur* ». Les uns, parlant d'après l'Esprit-Saint, ont parlé, non d'après leur cœur, mais d'après la volonté de Dieu ; d'autres ont fait le contraire. Dans l'Église, enseigner d'après l'Esprit-Saint ce que le Sauveur a conçu et dit, être d'accord avec l'intention du Saint-Esprit qui a parlé par les apôtres, c'est parler non de son propre cœur, mais d'après le cœur de l'Esprit-Saint. Mais appliquer son sens propre à l'Évangile, c'est être un faux prophète, parlant d'après son propre cœur. Ainsi font les hérétiques ; 3 : A moi de voir, car toutes mes explications seront soumises au jugement, soit pour la justification, soit pour la condamnation. Malheur à ceux qui prophétisent d'après leur cœur, suivant leur esprit : ils ne voient absolument pas. Mais si je suis juste, je reçois la grâce de Dieu, et de moi, on dit : « le Voyant », c'est-à-dire le vrai prophète.

4 : « *Comme des renards* sont tes prophètes... » Le renard, animal bon à rien, rusé, sauvage, féroce. De cette espèce sont les faux maîtres, faibles et instables, qui ne se tiennent pas fermement debout, laissent glisser les pieds. Heureux qui est solidement fixé, à qui il fut accordé d'avoir fermes les pieds de l'âme et d'entendre : « Mais toi, tiens-toi debout près de moi. »

5 : « *Ils rassemblent des troupeaux* contre la maison d'Israël », des troupeaux de schismes contre l'Église de Dieu. Ils ne sont pas ressuscités, mais les justes ressuscitant disent : « Nous sommes ensevelis avec le Christ par le baptême, et nous sommes ressuscités avec lui. » Du moins avons-nous les arrhes de l'Esprit et de la résurrection. Eux ont des visions et des divinations fausses, à l'inverse des justes... Ils resteront hors de la terre promise.

HOMILIA II.

1. Nullam speciem peccatorum Scriptura reticet, de qua non doceat legentes. Oportuit enim Verbum Dei missum ad sanandos eos qui audiebant, omnem speciem peccatorum perstringere et universis hominibus loqui, ut nemo fraudaretur remediis salutaribus et his medelis quae vulneribus possint prodesse curandis. Quomodo
5 igitur dicuntur alia de populo et alia de sacerdotibus magnis et quaedam de presbyteris, ac nonnulla de dispensatoribus, et bonis quidem dispensatoribus laus, malis vero culpa adscribitur, ut alii exhortationem accipiant ad meliora, alii vero in peiora non corruant, sic oportet de
10 falsis ac veris prophetis divinam edicere disciplinam, ut prophetae quidem accipiantur in eam partem qua verbis Dei ministrant, pseudo vero prophetae dicantur quidam Ecclesiarum magistri qui non recte seu sermone seu vita congruant ei quam praedicant disciplinae. Quapropter
15 laeti sumus, si nos Scriptura commoneat dicens ut recedamus a vitiis, magis autem si ordinis nostri aliquos Dei Sermo perstringat, volentes sanari et converti a peccatis nostris.

20

1. « Les prophètes sont ceux qui correctement administrent la parole

HOMÉLIE II

Pour l'universelle guérison

1. Il n'est aucune espèce de péchés que taise l'Écriture, dont elle n'instruise les lecteurs. Il fallut en effet que la Parole de Dieu, envoyée pour guérir les auditeurs, aborde toute espèce de péchés, et parle à tous les hommes, afin que personne ne soit frustré de remèdes salutaires et des médicaments qui peuvent être utiles pour guérir les blessures. Donc, de même qu'il y a des paroles concernant le peuple, d'autres les grands prêtres, certaines les prêtres, et quelques-unes les administrateurs, et qu'on y joint, pour les bons administrateurs la louange, et pour les mauvais le blâme, afin que les uns reçoivent une exhortation au mieux, et que les autres ne tombent pas dans le pire : ainsi doit-on expliquer l'enseignement divin sur les faux et les vrais prophètes, pour qu'on les accueille comme prophètes dans la mesure où ils servent les paroles de Dieu[1], mais qu'on traite de faux prophètes certains maîtres des Églises qui ne sont pas en strict accord, soit dans leur parole, soit dans leur conduite, avec la doctrine qu'ils prêchent. C'est pourquoi nous sommes joyeux quand l'Écriture nous exhorte à nous écarter des vices, et plus encore quand la parole de Dieu touche certains de notre ordre, nous qui voulons la conversion et la guérison de nos péchés.

---

de l'enseignement et annoncent les desseins de Dieu. » *Sel. in Éz.* 13, 2, *PG* 13, 804 C.

2. *Factus est Sermo Domini ad prophetam Ezechiel dicens ei : fili hominis, propheta mihi super prophetas Istrahel*[a]. Fuerunt quidem et alii prophetae Istrahel nomine potius quam veritate, sunt autem et hodie in vero
5 Istrahel, id est in Ecclesia, quidam pseudoprophetae et falsi magistri quibus haec Sermo praenuntiat. Si me arguit Dei Sermo, temptabo converti nec, quia adversum me aliqua dicuntur, qui videor doctor Ecclesiae, debeo tacere, verum mihimet ipsi non parcens cuncta revelabo
10 quae dicta sunt, ut convertar a vitiis, ut fiam non ex his quos Scriptura nunc corripit, sed ex his qui Sermonem Dei verissime praedicantes in Ecclesia exstiterunt magistri.

Propheta super prophetas Istrahel qui prophetant de corde suo, et dices prophetis[b]. Quomodo habebat
15 opus Spiritu sancto qui haec dicere iubebatur, sic eodem Spiritu opus est ei qui exponere cupit ea quae sunt latenter significata, ut monstret nunc ad eum fieri prophetiam qui contra Dei doceat voluntatem, qui prophetant de corde suo. Iuxta simplicem quidem intellectum quidam
20 prophetarum de divino Spiritu loquentes non de suo corde locuti sunt, sed de sensu Dei, quidam vero simulantes se prophetas atque *dicentes : Haec dicit Dominus*[c] Domino non loquente in iis, pseudoprophetae exstiterunt.

Potest autem et super eos qui docent in Ecclesiis, si
25 aliter quam poscit veritas docent, praesens sermo congruere. Si quis enim ea quae Iesus Christus Dominus

---

2 a. Cf. Éz. 13, 1-2 // b. Cf. Éz. 13, 2 // c. Cf. Éz. 13, 6 //

---

1. L'Esprit qui inspire les auteurs et les livres de l'Écriture en éclaire aussi les lecteurs et les auditeurs. Sur l'Esprit et l'Écriture, voir par exemple *In Lev. hom.* 4, 3, *SC* 286, p. 162-165, et n. 1 ; *Introd.*, p. 17-19 ; note complémentaire 3.

En Israël, dans l'Église

2. Advint la Parole du Seigneur au prophète Ézéchiel lui disant : Fils d'homme, prophétise contre les prophètes d'Israël[a]. » Il y eut bien aussi d'autres prophètes d'Israël de nom plutôt qu'en vérité, mais il y a aujourd'hui encore dans l'Israël véritable, c'est-à-dire dans l'Église, certains pseudo-prophètes et faux maîtres à qui la Parole fait cette prophétie. Si la Parole de Dieu m'accuse, je tâcherai de me convertir ; mais, pour certains propos contre moi qui parais docteur de l'Église, je ne dois pas me taire. Au contraire, sans m'épargner moi-même, je dévoilerai tout ce qui est dit, pour que je me convertisse des vices, pour que je sois non pas de ceux que l'Écriture ici admoneste, mais de ceux qui furent des maîtres dans l'Église, prêchant la parole de Dieu en toute vérité.

« Prophétise contre les prophètes d'Israël qui prophétisent d'après leur cœur, et dis-leur[b]. » Autant avait besoin du Saint-Esprit celui qui recevait l'ordre de dire cela, autant a besoin du même Esprit celui qui désire expliquer les significations cachées[1], pour faire voir qu'il y a ici une prophétie pour qui enseigne contre la volonté de Dieu, « ceux qui prophétisent d'après leur cœur. » Au sens simple, certains des prophètes, parlant d'après l'Esprit divin ont parlé, non d'après leur cœur mais d'après la pensée de Dieu ; mais certains, feignant d'être prophètes et « disant : Voici ce que dit le Seigneur[c] », alors que le Seigneur ne parle point en eux, furent des pseudo-prophètes[2].

Or la parole présente peut aussi viser ceux qui enseignent dans les Églises, s'ils enseignent autrement que n'exige la vérité. Ce que le Seigneur a conçu et dit, si on

2. « Celui qui parle de son propre cœur sans l'inspiration de l'Esprit est un faux prophète. » *Sel. in Éz.* 13, 2, *PG* 13, 804 C.

locutus est et intellexit in eo loco loquitur quo locutus est ipse qui docuit, non de corde suo, sed de Spiritu sancto loquitur sermones Filii Dei Iesu. Si consentit sancti Spiri-
30 tus voluntati, eius qui in Apostolis locutus est, non de corde proprio loquitur, sed de corde Spiritus sancti, qui est locutus in Paulo, qui est locutus in Petro, qui et in ceteris Apostolis est locutus. Si quis vero legens Evangelium proprium sensum aptat Evangelio non ita intelligens
35 ut Dominus locutus est, iste falsus propheta est loquens de corde proprio in Evangelio. Et de haereticis quidem nihil absurdum est haec dicta intelligere ; disserunt quippe, quasi de Evangeliis et quasi de Apostolis, αἰώνων suorum fabulas proprium cor exponentes, non cor Spiri-
40 tus sancti ; neque enim possunt dicere : *Nos autem sensum Christi habemus, ut videamus ea quae a Deo donata sunt nobis*[d].

Cum autem et super me venerit, qui dicor ecclesiasticus, qui accipio librum sanctum et nitor eum interpretari,
45 hoc quod de haereticis intelligi potest, quaeso audientes ut diligenter attendant, et accipiant gratiam Spiritus, de quo dictum est : *Discretiones spirituum*[e], ut probati trapezitae facti diligenter observent quando falsus magister sim, quando vere praedicem quae sunt pietatis ac
50 veritatis. Si itaque invenio in Moyse et in prophetis sensum Christi, non de corde proprio, sed de sancto Spiritu loquor ; si autem nihil congruum inveniens, mihimet ipse

---

d. I Cor. 2, 16 et 12 // e. I Cor. 12, 9.10.

---

3. « Les fables de Valentin... sur les éons masculins et féminins... qu'est-ce d'autre que la peste ? » *In Matth. ser.* 38, *GCS* 11, p. 73, 4 s.

le dit au passage où il a parlé lui-même, lui qui enseigna, on dit non d'après son cœur, mais d'après l'Esprit-Saint, les paroles de Jésus Fils de Dieu. Être d'accord avec l'intention du Saint-Esprit, lui qui a parlé dans les apôtres, c'est parler non d'après son propre cœur, mais d'après le cœur de l'Esprit-Saint qui a parlé en Paul, parlé en Pierre, parlé encore dans tous les autres apôtres. Mais si, lisant l'Évangile, on applique son sens propre à l'Évangile sans comprendre comme le Seigneur a parlé, on est un faux prophète parlant d'après son propre cœur dans l'Évangile. Et au sujet des hérétiques, il n'y a certes rien d'absurde à comprendre le propos : ils développent les fables de leurs éons[3], comme d'après les Évangiles et comme d'après les apôtres, expliquant leur propre cœur, non le cœur de l'Esprit-Saint. En effet, ils ne peuvent dire : « Mais nous, nous avons la pensée du Christ, pour connaître les dons que Dieu nous a faits[d]. »

Mais quand me vient à moi aussi, que l'on dit homme d'Église, qui reçois le livre saint et m'efforce de l'interpréter, une idée qui peut être comprise d'après les hérétiques, je demande que les auditeurs prêtent une attention soutenue, qu'ils reçoivent « la grâce de l'Esprit », à propos de qui on a parlé de « discernements des esprits[e] », afin que, devenus « changeurs éprouvés[4] », ils observent avec attention quand je serais un faux maître, quand je prêcherais vraiment ce qui relève de la piété et de la vérité. C'est pourquoi, si je trouve chez Moïse et chez les prophètes la pensée du Christ, je parle non d'après mon propre cœur, mais d'après l'Esprit-Saint. Mais si, ne trouvant rien qui s'y accorde, je me forge à moi-même ce que je vais

---

Mais voir, avec ses références textuelles et bibliographiques, la note complémentaire 6, « Hérétiques ».

4. Sur le logion « des changeurs éprouvés », voir *In Lev. hom.* 3, 8, 84 s., *SC* 286, p. 156 s., et la note 1.

confingo quae loquar, fluctuans in sermonibus qui sunt alieni a Deo, de meo potius corde quam de Dei sensibus
55 loquor.

3. *Propheta, et dices prophetis qui prophetant*, non ait simpliciter de corde, sed *de corde suo. Et prophetabis et dices ad eos : Audite verbum Domini*[a]. Haec ad me, haec ad eum dicuntur qui doctorem se esse promittit, ut
5 timor Dei in nobis maior oriatur, ut periclitemur quasi sub commentario scripto non ab hominibus, sed ab angelis Dei, sic proferre sermonem. Novi quippe quia, cum in *iudicio* ille ordo *consederit*, de quo prophetavit Daniel, *et libri fuerint aperti*[b], omnes mei conatus, omnes meae
10 expositiones proferentur in medium, sive in iustificationem sive in condemnationem meam. In iustificationem quidem mihi erunt quae bene dicta sunt, in condemnationem vero, ea quae secus quam veritas poscit sunt explanata. *Ex sermonibus*, inquit, *tuis iustificaberis, et ex*
15 *sermonibus tuis condemnaberis*[c], quasi non omnes habenti sermones de quibus iustificaretur, neque rursum omnes sermones de quibus condemnaretur. Si aliquis fuerit a sermonibus purus alienis et iis qui sunt postea reprehendendi, ex sermonibus suis iustificabitur et non
20 condemnabitur ; si autem numquam recte locutus est, sed semper protulit prava, ex sermonibus suis condemnabitur et non iustificabitur. Verum quia nos, qui non sumus *ex omni parte perfecti*[d], neque sic dicimus ut semper iustificemur, neque sic e contrario sumus peccatores ut
25 semper condemnemur, et habemus alia verba ex quibus iustificemur, et alia ex quibus condemnemur, Deus super

---

3 a. Cf. Éz. 13, 2 // b. Cf. Dan. 7, 10 // c. Matth. 12, 37 // d. Ephés. 6, 13

dire, ballotté entre des paroles qui sont étrangères à Dieu, je parle plutôt d'après mon cœur que d'après les pensées de Dieu.

A mon adresse

3. « Prophétise, et tu diras aux prophètes qui prophétisent », il ne dit pas sans plus : d'après le cœur, mais, « d'après leur cœur. » « Tu prophétiseras et leur diras : Écoutez la parole du Seigneur[a]. » Voilà une parole pour moi, voilà pour qui assure être docteur, afin que naisse en nous une plus grande crainte de Dieu, afin que nous tentions de présenter l'homélie comme pour un commentaire écrit non par des hommes, mais par des anges de Dieu. Car je le sais : quand cet ordre « siègera au tribunal » dont a prophétisé Daniel, et que « des livres seront ouverts[b] », toutes mes tentatives, toutes mes explications seront produites en public, soit pour ma justification, soit pour ma condamnation. Sera pour ma justification ce qui a été bien dit, mais pour ma condamnation, ce qui fut expliqué autrement que n'exige la vérité. « C'est d'après tes paroles que tu seras justifié, d'après tes paroles que tu seras condamné[c] » est-il dit : comme à quelqu'un dont toutes les paroles ne méritent pas la justification, ni non plus toutes les paroles ne méritent la condamnation. Si quelqu'un a été pur de paroles infidèles, et de celles qui sont ensuite à reprendre, pour ses paroles il sera justifié et ne sera pas condamné. Si au contraire il n'a jamais parlé correctement, mais a toujours avancé des opinions perverses, pour ses paroles il sera condamné, et ne sera pas justifié. Mais parce que nous, qui ne sommes pas « de tout point parfaits[d] », nous ne parlons pas de telle sorte que nous soyons toujours justifié, ni non plus ne sommes au contraire pécheur de telle sorte que nous soyons toujours condamné, nous avons aussi des paroles d'après lesquelles nous sommes justifié, et d'autres d'après lesquelles

stateram suam utraque ponens expendit diligenter, et iudicat in quibus iustus sim et in quibus sermonibus condemnandus.

30 Quod autem in sermonibus facit, hoc idem faciet in gestis ; necesse est enim ut sint alia facta in quibus iustificemur, et alia in quibus condemnemur. Neque enim sic perfectus sum ut omnia facta habeam in quibus iustus exsistam, neque sic peccator ut talia cuncta fecerim quae 35 me omni ex parte condemnent. Esse autem et alia facta istiusmodi et alia istiusmodi, ex hoc manifestum est quod dicitur : *Quorundam hominum peccata manifesta sunt praecedentia ad iudicium, quorundam autem et subsequuntur ; similiter autem et bona facta manifesta* 40 *sunt, et quae se aliter habent latere non possunt*[e]. Aeque de intellectibus. Propter quod et *inter se invicem cogitationum accusantium sive satisfacientiun*[f] iudicium me exspectat de omnibus quae facio, quae intelligo, quae loquor, et incertus opperior quidnam mihi in illo 45 iudicio sit futurum ; quantoque magis timor Dei mihi incutitur ad recipienda cuncta quae feci, tanto magis custodire me debeo, utinam quidem ab omnibus peccatis, sin autem hoc non possum, saltem a maximis.

Haec de eo quod proposuimus : *Qui prophetant de* 50 *corde suo,* ad quos dicitur : *Audite sermonem Domini, haec dicit Adonai Dominus : Vae iis qui prophetant de corde suo, qui ambulant post spiritum suum*[g]. Duo peccata sunt, unum cordis et aliud spiritus. Primum de meliori parte videamus, ut possimus etiam ea quae 55 contraria sunt considerare. Apostolus loquitur : *Orabo*

e. I Tim. 5, 24.25 // f. Cf. Rom. 2, 15 // g. Cf. Éz. 13, 2.3

1. Sur action, parole, pensée, cf. *hom.* 10, 1, 22 et la note.

nous sommes condamné : Dieu, plaçant les unes et les autres sur sa balance, pèse avec soin et juge pour quelles paroles je suis juste, et pour quelles paroles je dois être condamné.

Or ce qu'il fait pour les paroles, il le fera de même pour les actes. Car nécessairement il y a des actions pour lesquelles nous sommes justifié, et d'autres pour lesquelles nous sommes condamné. Car je ne suis point si parfait que dans tous mes actes je sois juste, ni si pécheur que toutes mes actions soient telles qu'en tout point elles me condamnent. Qu'il y ait des actes de cet ordre-ci et d'autres de cet ordre-là, c'est bien clair d'après le passage : « Il est des hommes dont les péchés sont manifestes dès avant le jugement ; pour d'autres, ils ne le sont qu'ensuite. Pareillement les bonnes actions sont manifestes ; même celles qui ne le sont pas ne peuvent être cachées[e]. » Ainsi en est-il des pensées. Et parce que « les pensées tour à tour accusent ou défendent[f] », m'attend un jugement sur tout ce que je fais, ce que je comprends, ce que je dis[1], et j'attends sans savoir ce qui va m'advenir à ce jugement ; et plus la crainte de Dieu m'est inspirée pour recevoir la sanction de tout ce que j'ai fait, plus je dois me garder, plaise au ciel de tous les péchés, mais si je ne le puis, au moins des très grands.

Le cœur, l'esprit

Voilà pour ce que nous avons exposé : « ceux qui prophétisent d'après leur cœur », à l'adresse desquels il est dit : « Écoutez la parole du Seigneur ; ainsi parle le Seigneur Adonaï : Malheur à ceux qui prophétisent d'après leur cœur, qui suivent leur esprit[g]. » Il y a deux péchés, l'un du cœur, l'autre de l'esprit. Voyons d'abord le meilleur aspect, afin de pouvoir examiner aussi le point de vue contraire. L'Apôtre dit : « Je prierai avec l'esprit, je prierai aussi avec l'intelligence » — laquelle

spiritu, orabo et sensu — qui sensus habet in corde habitaculum — *psallam spiritu, psallam et sensu*[h]. Igitur et spiritus est et sensus in nobis. Et quomodo sanctus orat spiritu, orat et sensu, psallit spiritu, psallit
60 et sensu, sic iste qui est falsus prophetes de corde proprio prophetat, et ambulat non post Spiritum Dei sed post spiritum suum. Est quippe quidam spiritus hominis, qui versatur in eo, post quem procul absit ut ego ambulem, sed intelligens sanctum Spiritum Dei post Dominum Deum
65 meum ambulabo. Hi itaque prophetae qui prophetant de corde, et ambulant post spiritum non tam Dei quam suum, *omnino* quod graece dicitur καθόλου — *non vident*[i]. Et est ambigua ex sermone sententia : sive enim ea quae sunt generalia, id est καθολιχά, non vident, licet
70 quadam *ex parte*[j] conspiciant ; sive, quod ego melius reor, omnino non vident, licet sibi videantur ex parte quadam videre. Alii quippe in nobis oculi sunt meliores his quos habemus in corpore. Qui oculi aut Iesum Dominum vident qui eos ad se intuendum creavit, aut certe
75 omnino caeci sunt. Si peccator sum, nihil video nec possum veritatis lumen adspicere ; *In iudicium* quippe, ait, *in mundum istum veni, ut non videntes videant et videntes caeci fiant*[k] ; sin autem iustus, accipio gratiam a Deo et de me quoque dicitur videns ; *Prophetae* enim
80 *vocabantur ante videntes*[l]. *Et qui vides,* ait, *vade, descende in terram Iuda, et ibi commorare, et ibi*

h. I Cor. 14, 15 // i. Cf. Éz. 13, 3 // j. I Cor. 13, 9 // k. Jn 9, 39 // l. Cf. I Sam. 9, 9

2. « Qui suit son esprit suit les vouloirs de son âme, qui suit l'Esprit-Saint suit le Seigneur Dieu et accomplit ses volontés. » *Sel. in Éz.* 13, 3, *PG* 13, 804 CD

3. « C'est pour un jugement que moi je suis venu en ce monde : afin que ceux qui ne voient pas voient, que ceux qui voient deviennent aveugles (*Jn* 9, 39) ; car chez les pécheurs, ne voient pas les yeux qui

intelligence a son siège dans le cœur —, « je chanterai avec l'esprit, je chanterai aussi avec l'intelligence[h]. » Il y a donc en nous l'esprit et l'intelligence. Et de même que le saint prie avec l'esprit et prie avec l'intelligence, chante avec l'esprit et chante avec l'intelligence, ainsi, celui qui est faux prophète prophétise d'après son propre cœur, et suit non pas l'Esprit de Dieu mais son esprit[2]. Car il y a un certain esprit de l'homme qui demeure en lui : loin de moi que je le suive, mais, comprenant le Saint-Esprit de Dieu, je suivrai le Seigneur mon Dieu. Et ainsi, ces prophètes qui prophétisent d'après le cœur et suivent moins l'Esprit de Dieu que le leur, « ne voient absolument pas[i] », — en grec *katholou*. D'après l'expression, la formule est ambiguë. Soit ils n'ont pas de vue d'ensemble — *katholika* — bien qu'ils aient une vue « partielle[j] » ; soit, ce que je crois préférable, ils ne voient absolument pas, bien qu'il leur semble voir en partie. Car il y a d'autres yeux en nous, meilleurs que ceux que nous avons dans le corps. Ces yeux ou bien voient le Seigneur Jésus qui les a créés pour qu'ils le contemplent, ou peut-être sont absolument aveugles. Si je suis pécheur, je ne vois rien et ne peux apercevoir la lumière de la vérité ; car il a dit : « C'est pour un jugement que je suis venu dans ce monde[3] ; pour que ceux qui ne voient pas voient, et que ceux qui voient deviennent aveugles[k]. » Si au contraire je suis juste, je reçois de Dieu la grâce, et de moi aussi on dit : le voyant[4] ; car « les prophètes étaient jadis appelés voyants[l]. Voyant, va-t-en, descends au pays de Juda, reste là-bas,

---

sont de la meilleure qualité, mais ceux qu'on appelle ' les sens de la chair (*Col.* 2, 18) ', et qui se sont ouverts sur le conseil du serpent (cf. *Gen.* 3, 7). » *In Num. hom.* 17, 3, *GCS* 7, p. 157, 25 s., *SC* 29, p. 342 s. : une illustration de la doctrine des « sens spirituels » de l'homme.

4. Cf. *Amos* 7, 12 ; *I Sam.* 9, 9... « Car nos ancêtres appelaient les prophètes tantôt des hommes de Dieu, tantôt des voyants... » PHILON, *Quod Deus immut.* 39.

prophetabis. In Bethel autem iam non adicies ut prophetizes[m] ; et rursum alibi : *Visio, quam vidit Isaias filius Amos*[n]. Beatus cui revelabit Dominus oculos ad
85 videnda mirabilia de lege Dei, iuxta obsecrationem prophetae dicentis : *Revela oculos meos, et considerabo mirabilia de lege tua*[o].

4. Videamus autem et alium sermonem, per quem pseudoprophetae et falsi magistri corripiuntur, a quo quaeso ut orantibus vobis ego purus inveniar. Quae est igitur correptio ? *Sicut vulpes in deserto prophetae tui,*
5 *Istrahel*[a]. Vulpes animal nequam est, versutum est, indomabile est, ferum est. *Dicite,* ait Salvator, *vulpi isti : Ecce sanationes perficio, hodie et cras, et tertia die consummor*[b]. Has vulpes necessarias habuit adversum alienigenas Sampson, quarum caudis cum igne vinctis
10 — trecentas enim ceperat —, in perditionem eas frugum misit hostilium[c]. Istiusmodi sunt falsi magistri, versuti, maligni et bestiis similes. Si talis sum, vulpes sum, sed non simpliciter vulpes, verum vulpes in desertis, vulpes in parietinis, vulpes in rupibus ; haec enim in diversis edi-
15 tionibus continentur. Versipelles isti et nequam semper in desertis, semper in solitudinibus morantur. Ubicumque enim anima habitatur a Deo et Spiritu sancto plena est, non potest haereticorum doctrina penetrare, non valet eorum sermo prorumpere. Ubi autem solitudo Christi est,

m. Amos 7, 12.13 // n. Is. 1, 1 // o. Ps. 118, 18.
4 a. Éz. 13, 4 // b. Cf. Lc 13, 32 // c. Cf. Jug. 15, 4.5

1. « Cette espèce ou plutôt cet animal est rusé, sauvage et féroce », figure des hommes et des esprits pervers, *Sel. in Éz.* 13, 4, *PG* 13, 804 D.
2. « Mot riche de sens, qui inclut tout ensemble la fin et l'achèvement de Jésus, rendu ' parfait ' par ses souffrances et sa mort (*Héb.* 2, 10 ; 5, 5 ; cf. *Jn* 19, 30). » *BJ.*

et là-bas tu prophétiseras. Mais à Béthel, tu ne continueras plus de prophétiser[m]. » Et encore ailleurs : « Vision qu'a vue Isaïe, fils d'Amos[n]. » Heureux celui à qui Dieu dévoilera les yeux pour voir les merveilles de la Loi de Dieu, suivant la prière du prophète : « Dévoile mes yeux, et je contemplerai les merveilles de ta Loi[o]. »

Comme des renards dans le désert

4. Mais voyons encore une autre parole, par laquelle pseudo-prophètes et faux maîtres sont blâmés : ce dont je demande, grâce à vos prières, d'être préservé. Quel est donc ce blâme ? « Comme des renards dans le désert sont tes prophètes, Israël[a]. » Le renard est un animal bon à rien, est rusé, est sauvage, est féroce[1]. « Dites à ce renard », dit le Sauveur : « Voici que j'opère des guérisons aujourd'hui et demain, et le troisième jour[b] je suis consommé[2]. » Contre « les étrangers, Samson » eut besoin de ces « renards » ; leurs « queues attachées à une torche » — car « il en avait capturé trois cents » —, « il les lâcha » pour la perte « des moissons » de l'ennemi[c]. De cette espèce sont les faux maîtres[3], rusés, méchants et semblables aux bêtes. Si je suis tel, je suis un renard, non renard sans plus, mais renard dans les déserts, renard dans les ruines, renard dans les rochers ; expressions des différentes versions. Ces hypocrites et vauriens demeurent toujours dans les déserts, toujours dans les lieux solitaires. Partout en effet où l'âme est habitée de Dieu, et remplie de l'Esprit-Saint, ne peut pénétrer la doctrine des hérétiques, ne peut faire irruption leur parole. Mais où est l'absence du Christ, où le

3. « On peut voir dans ' les renards ' les docteurs pervers des opinions hérétiques qui par l'habileté de leurs arguments séduisent les cœurs des innocents et ' ravagent la vigne ' du Seigneur, pour qu'elle ne fleurisse pas dans la foi droite. » *In Cant.* IV, 3, 8, *GCS* 8, p. 236, 29 s.

20 ubi desertum iustitiae, ibi nequissimae disciplinae venena versantur. Idcirco *Sicut vulpes*, ait, *in desertis prophetae tui Istrahel.*

Non steterunt in firmamento[d]. Si considerare volueris falsos magistros, videbis eos infirmos, instabiles, non 25 valentes dicere : *Statuit supra petram pedes meos, et direxit gressus meos*[e]. Et quia non sunt tales ut steterint robusta radice fundati, ideo non steterunt in firmamento, sed dilexerunt movere pedes suos. Est autem et hoc grande peccatum, saltem paululum pedes movere, ut 30 David psalmista canit : *Quam bonus Istrahel Deus rectis corde. Mei vero paene moti sunt pedes*[f]. Beatus ille multumque felix, cui robustissime consistenti firmos animae pedes habere concessum est, qui audire a Deo dignus est : *Tu vero ipse sta mecum*[g]. Verum non tales pseudo-35 prophetae, non tales falsi magistri ; neque enim steterunt in firmamento.

5. *Et congregabant greges super domum Istrahel*[a]. Quos docent, quos instituunt sive haeretici dogma impium praedicantes, sive falsi magistri decipientes eos quorum aures proriunt, colligunt greges schismatum adversum 5 Ecclesiam Dei, adversum domum Istrahel. *Non surrexerunt qui dicerent : In die Domini videntes falsa*[b]. Hi

d. Éz. 13, 4.5 // e. Ps 39, 3 // f. Ps. 72, 1.2 // g. Deut. 5, 31.
5 a. Éz. 13, 5 // b. Éz. 13, 5.6

1. « Ils rassemblèrent les troupeaux : les hérétiques, contre l'Église, les doctrines sauvages contre la vérité. » *Sel. in Éz.* 13, 5, *PG* 13, 805 A.

2. Le jour du Seigneur, c'est celui de son intervention dans le monde pour exercer sa justice. « Par ce terme, il faut entendre le moment où

désert de justice, là se trouvent les poisons du pire enseignement. D'où la parole : « Comme des renards dans les déserts, tels sont tes prophètes, Israël. »

« Ils ne se tinrent pas fermement debout[d]. » Si l'on veut examiner les faux maîtres, on les verra faibles et instables, ne pouvant dire : « Il dressa mes pieds sur le roc, il affermit mes pas[e]. » Et parce qu'ils ne sont pas de nature à se tenir debout fondés sur une racine robuste, ils ne se tinrent pas fermement debout mais préférèrent laisser glisser leurs pieds. Or c'est là un grand péché que, même un peu, laisser glisser les pieds, au dire du psalmiste David : « Que Dieu est bon pour Israël, pour les hommes au cœur pur. Mais pour un peu mes pieds glissaient[f]. » Bienheureux et très heureux celui, très solidement fixé, à qui il fut accordé d'avoir fermes les pieds de l'âme, qui mérita d'entendre de Dieu : « Mais toi, tiens-toi debout près de moi[g]. » Tel n'est pas le cas des pseudo-prophètes et des faux maîtres ; car « ils ne se tinrent pas fermement debout ».

Visions fausses

5. « Et ils rassemblaient des troupeaux contre la maison d'Israël[a]. » Ceux qu'enseignent, ceux qu'établissent soit les hérétiques prêchant une doctrine impie, soit les faux maîtres trompant ceux à qui les oreilles démangent, ils les rassemblent en troupeaux de schismes contre l'Église de Dieu[1], contre la maison d'Israël. « Ils ne sont pas ressuscités, ceux qui disaient : au jour du Seigneur[2], ayant des

Yahvé manifeste sa puissance et sa gloire en châtiant ses ennemis ; l'action de Yahvé se déploie la plupart du temps au milieu de bouleversements cosmiques. L'expression qui apparaît avec *Amos* 5, 18-20, se rencontre en *Is.* 2, 12-21 ; 13, 9 ; *Joël* 1, 15 ; 2, 1 s. ; *Sophonie* 1, 14-18 ; *Michée* 5, 9-14 ; *Ézéchiel* 7, 10..., et passe dans le Nouveau Testament : *I Cor.* 1, 8 ; 5, 5 ; *II Cor.* 1, 14 ; *Phil.* 1, 6.10, etc. » OSTY, à *Is.* 2, 12.

non surexerunt ; iusti vero surgentes dicunt : *Consepulti sumus Christo per baptisma, et consurreximus ei*[c]. Habemus quippe ut *pignus Spiritus*[d] sancti, quem accipiemus ad plenum, *postquam venerit quod perfectum est*[e], sic pignus resurrectionis, quia in resurrectione perfecta nemo adhuc resurrexit e nobis. Verum tamen resurreximus Paulo dicente : *Consepulti sumus Christo per baptisma, et consurreximus ei*[f]. Non ergo resurrexerunt, hoc est necdum resurrectionis baptisma consecuti sunt falsi prophetae et falsi magistri qui *dicerent, in die Domini videntes falsa*[g] ; cuncta quae vident falsa sunt, neque aliquando possunt conspicere veritatem. Accipe exemplum. Qui Scripturam legit, et aliter eam quam scripta est accipit, Scripturam mendaciter videt ; qui vero audit Scripturam et, ut se veritatis intellectus habet, sic eam interpretatur, videt veritatem.

Et sancti quidem non divinant ; *Non est enim divinatio in Iacob*[h]. Peccatores vero divinant falsa dicentes : *Haec dicit Dominus, et Dominus non misit eos*[i]. Audi haereticos, quomodo traditionem Apostolorum habere se dicant. Audi falsos magistros, quomodo affirmant doctrinam suam Domini esse doctrinam, sensum suum sensui congruere prophetarum et dicunt : *Haec dicit Dominus, et Dominus non misit eos, et coeperunt suscitare*

c. Cf. Rom. 6, 4 // d. Cf. II Cor. 1, 22 // e. I Cor. 13, 10 // f. Cf. Rom. 6, 4 // g. Cf. Éz. 13, 5.6 // h. Nombr. 23, 23 // i. Éz. 13, 6

3. « Ils ne ressuscitèrent pas avec le Christ, parce qu'ils ne furent point ensevelis avec lui, ceux qui voient et déclarent faux le Jour du Seigneur. » *Sel. in Éz.* 13, 5, *PG* 13, 805 A. — Ainsi Origène, appliquant aux hérétiques la prophétie contre les faux prophètes, recourt au thème des deux résurrections, la partielle et la parfaite. La première, inchoative, à partir du « baptême vécu dans la foi », « progressive... à mesure de l'ascension spirituelle et morale. » La seconde qui coïncide avec la fin des temps, la venue du Christ dans la gloire, ... le jugement final »,

visions fausses...[b] ». Eux ne sont pas ressuscités[3] ; mais les justes ressuscitant disent : « Nous sommes ensevelis avec le Christ par le baptême, et nous sommes ressuscités avec lui[c]. » Car de même que nous avons « les arrhes de l'Esprit[d] » - Saint que nous recevrons en plénitude « lorsque viendra ce qui est parfait[e] », ainsi avons-nous les arrhes de la résurrection, car personne d'entre nous n'est encore ressuscité d'une résurrection parfaite. Mais pourtant nous sommes ressuscités, au dire de Paul : « Nous sommes ensevelis avec le Christ par le baptême, et nous sommes ressuscités avec lui[f]. » Donc ils ne sont pas ressuscités, c'est-à-dire, ils n'ont pas encore reçu le baptême de la résurrection, les faux prophètes et les faux maîtres « qui disaient : au jour du Seigneur, ayant des visions fausses[g] ». Tout ce qu'ils voient est faux et ils ne peuvent jamais apercevoir la vérité. Prends un exemple. Lire l'Écriture et l'entendre autrement qu'elle n'est écrite, c'est avoir une vision mensongère de l'Écriture ; mais entendre l'Écriture et l'interpréter conformément au sens de la vérité, c'est voir la vérité.

Certes les saints ne se livrent pas à la divination[4] : « Car il n'y a pas de divination en Jacob[h]. » Mais les pécheurs ont des divinations fausses, déclarant : « Voici ce que dit le Seigneur, alors que le Seigneur ne les a pas envoyés[i]. » Écoute les hérétiques se dire en possession de la tradition des apôtres. Écoute les faux maîtres affirmer que leur doctrine est la doctrine du Seigneur, que leur pensée s'accorde avec la pensée des prophètes, et ils déclarent : « Voici ce que dit le Seigneur, alors que le Seigneur ne les a pas envoyés, ils se mirent à proférer une parole.

« parfaite et totale ». Cf. H. CROUZEL, « La ' première ' et la ' seconde ' résurrection des hommes », dans *Disakalia* III, 1973, p. 3-19. *Origène,* p. 319 s.

4. Voir la note complémentaire 7 : « Divination... ».

sermonem. Non visionem falsam vidistis[j]. Et hi enim volunt in defensionem sui quendam pro se suscitare sermonem, sed redarguit eos Dominus et dicit : *Non visionem falsam vidistis, et divinationes vanas locuti*
35 *estis, et dixistis : Haec dicit Dominus, et ego non sum locutus ? Propterea dic : Haec dicit Dominus ; pro eo quod sermones vestri mendaces sunt*[k].

Orate pro nobis ut sermones nostri non sint falsi. Licet quidam homines ignoratione iudicii eos asserant falsos,
40 Dominus non dicat, et recte nobiscum agetur. Si vero milia hominum eos dixerint veros, iudicio porro Dei fuerint falsi, quid mihi proderit ? dicunt et Marcionitae magistri sui veros esse sermones, dicunt et Valentini robustissimam sectam, qui fabularum eius commenta
45 suscipiunt. Quae utilitas quia plurimae Ecclesiae haeretica pravitate deceptae in eorum conspiravere sententiam ? Hoc est quod quaeritur, ut Dominus sermonum meorum testis adsistat, ut ipse comprobet quae dicuntur sanctarum testimonio Scripturarum.

50 *Propter hoc ecce ego ad vos, dicit Adonai Dominus, et extendam manum meam ad prophetas qui vident mendacia*[l]. Hae comminationes sunt adversum falsos magistros, et eos qui loquuntur mendacia. Videamus autem quid de eis comminetur : *In disciplina populi mei*
55 *non erunt*[m]. Non uno modo a Domino peccatores corripiuntur ; aliter arguitur populus Dei, aliter alienus ab eo :

---

j. Éz. 13, 6.7 // k. Éz. 13, 7.8 // l. Éz. 13, 8.9 // m. Éz. 13, 9

---

5. Cf. *Hom.* 2, 2, 31 et la note 3.

N'est-ce pas une vision fausse que vous avez vue[j] ? » Ceux-là veulent en effet proférer une parole en leur faveur pour leur défense, mais le Seigneur les réfute et dit : « N'est-ce pas une vision fausse que vous avez vue, et des divinations vaines que vous avez prononcées quand vous avez dit : Voici ce que dit le Seigneur, alors que moi je n'ai point parlé ? C'est pourquoi, dis : Voici ce que dit le Seigneur : parce que vos paroles sont mensongères...[k] »

Priez pour nous afin que nos paroles ne soient pas fausses. Bien que certains hommes par ignorance du jugement assurent qu'elles sont fausses, que le Seigneur ne le dise pas, et il en ira bien pour nous. Mais si un millier d'hommes les disaient vraies, et que néanmoins au jugement de Dieu elles aient été fausses, à quoi cela me servira-t-il ? Les Marcionites[5] aussi disent que sont vraies les paroles de leur maître, et ceux qui admettent les fictions de ses fables disent très vigoureuse la secte de Valentin. Quelle utilité, parce que plusieurs églises, trompées par la dépravation hérétique, ont partagé leur opinion ? Voici ce que l'on cherche : que le Seigneur se dresse en témoin de mes paroles, que lui-même confirme ce qui est dit par le témoignage des saintes Écritures.

Menace divine « C'est pourquoi me voici contre vous, dit le Seigneur Adonaï ; j'étendrai ma main contre les prophètes aux visions mensongères[l]. » Ces menaces s'adressent aux faux maîtres, et à ceux qui disent des mensonges. Mais voyons de quoi on les menace. « Ils ne seront pas dans le conseil de mon peuple[m]. » Ce n'est pas d'une seule manière que les pécheurs sont corrigés par le Seigneur[6] ; d'une façon est blâmé le

6. « Les corrections (disciplinae) du Seigneur sont diverses. Il y a la correction dite ' avec justice ', il y a la correction dite ' avec colère ' ! *Sel. in Éz.* 13, 9, *PG* 13, 805 AB.

Fili, ne neglexeris disciplinam Domini, neque fatigeris dum ab eo argueris ; quem enim diligit Dominus castigat, flagellat autem omnem filium quem recipit[n].
60 *Argue* nos, *Domine,* verum *in iudicio*[o], et non in furore ; ista correptio populi Dei est. Correptio vero peccatoris et alieni illa est quam iustus rennuit dicens : *Domine, ne in ira tua arguas me, neque in furore tuo corripias me*[p].
De falsis itaque magistris et pseudoprophetis dicitur : *In*
65 *disciplina populi mei non erunt, neque in Scriptura domus Istrahel scribentur*[q]. Sicut et alibi : *Deleantur de libro viventium, et cum iustis non scribantur*[r], et nunc *In Scriptura*, ait, *domus Istrahel non scribentur, et in terram Istrahel non intrabunt*[s]. Extra repromissionis
70 terram haeretici morabuntur quae est *terra valde bona*[t], et in quam ut introducamur oramus in libro viventium[u] ante conscripti a Christo Iesu, *cui est gloria et imperium in saecula saeculorum. Amen*[v].

n. Prov. 3, 11.12 // o. Ps. 71, 2 // p. Ps. 6, 2 // q. Éz. 13, 9 // r. Ps. 68, 29 // s. Éz. 13, 9 // t. Nombr. 14, 7 // u. Ps. 68, 29 // v. I Pierre 4, 11.

peuple de Dieu, d'une autre, le peuple qui lui est étranger : « Mon fils, ne méprise pas la correction[7] du Seigneur, ne sois point accablé pendant qu'il te blâme ; car celui qu'aime le Seigneur, il le châtie, et il flagelle tout fils qu'il accueille[n]. » « Seigneur, blâme-nous, mais avec justice[o], non avec fureur ; telle est la correction du peuple de Dieu. Mais la correction du pécheur et de l'étranger est celle que le juste repousse, disant : « Seigneur ne me reprends pas dans ta colère, et dans ta fureur ne me corrige pas[p]. » C'est pourquoi des faux maîtres et des pseudo-prophètes il est dit : « Ils ne seront pas dans le conseil de mon peuple, ni inscrits dans le livre[8] de la maison d'Israël[q]. » Comme ailleurs aussi : « Qu'ils soient effacés du livre des vivants, et qu'ils ne soient pas inscrits avec les justes[r]. » Et ici : « Ils ne seront pas inscrits dans le livre de la maison d'Israël, ils n'entreront pas en terre d'Israël[s]. » Les hérétiques resteront hors de la terre de la promesse qui est « une terre très bonne[t] », et nous prions pour y être introduits, inscrits auparavant dans le livre des vivants[u], par le Christ Jésus, « à qui sont gloire et puissance pour les siècles des siècles. Amen[v] ».

---

7. Cf. *hom.* 1, 2, 29, la note 2.

8. « Ils ne seront pas sur le registre de la maison d'Israël. Car ils seront effacés du livre des vivants. » *Sel. in Éz.* 13, 9, *PG* 13, 805 B.

HOMÉLIE III

CONTRE LES FAUSSES PROPHÉTESSES ET LES PRESBYTRES (*Éz.* 13, l. 17-22 ; 14, 1-8)

1-6 Contre les fausses prophétesses ; 1 : « *Fixe ton visage* », non au sens extérieur, mais au sens intérieur de l'Apôtre : « Le visage dévoilé, contemplons la gloire du Seigneur ; c'est la faculté maîtresse de notre cœur ; on doit le fixer sur l'Évangile, vers le Christ, vers Dieu ; 2 : « *vers les filles du peuple* » ; pour comprendre il faut, s'écartant de la lettre, s'éloignant de ses formes, chercher l'intention de l'Écriture... ; 3 : « Malheur à celles qui cousent des bandelettes pour tout poignet de mains », c'est-à-dire pour le plaisir charnel ; « ... qui font des tissus pour voiler les têtes de tout âge », enseignant ce qui charme et flatte ; elles cousent paroles aux paroles, font des bandelettes pour que le poignet s'y repose, que leurs mains soient inactives ; 4-6 : Dieu va déchirer les bandelettes, renvoyer les âmes séduites par les paroles des hérétiques. « Il va déchirer les voiles » pour que, non seulement le visage dévoilé, mais aussi la tête, l'homme d'Église prie avec assurance. Plus de visions fausses, de divinations, « je délivrerai mon peuple de vos mains.

7-8 : *Contre des Anciens d'Israël,* des presbytres dans l'Église... Ils ont placé leurs pensées dans leurs cœurs, et non dans la parole de Dieu et ont mis la peine de leurs iniquités devant leur face » : comme si des tortures nous étaient infligées par un autre que nous. « Dieu ne crée pas les peines, c'est nous qui nous préparons ce que nous souffrons ; 8 : « Ainsi parle le Seigneur Adonaï : *L'homme homme* de la maison d'Israël... » Tous nés hommes, nous ne sommes pas tous hommes hommes. L'un est homme cheval, l'autre, homme vipère... « C'est moi qui répondrai », dit le Seigneur par l'invitation au retour grâce à la pénitence, ou la menace de l'expulsion définitive.

HOMILIA III

1. Primum de eo, quod dicitur : *Obfirma faciem tuam*, requirendum est ; deinde, si Dominus dederit, investigare debemus *filias populi prophetantes de corde suo*[a], et facientes ea in quibus eas *Dei Sermo*[b] corripiat. Et quia sit alia facies praeter hanc corporis nostri faciem, licet ex multis manifestum sit, attamen et ex his quae Apostolus memorat indicatur : *Nos vero omnes revelata facie gloriam Domini speculantes, in eandem imaginem transformamur a gloria in gloriam, quasi a Domini Spiritu*[c]. Hanc faciem corporalem omnes homines habemus revelatam, nisi forte calamitatibus et angustiis premimur. Vultus autem ille de quo sermo Apostoli est, in multis tectus est et in paucis revelatus. Qui enim fiduciam habet in vita immaculata, in sensu sano, in fide vera, iste tantummodo non habet confusionis fraudulentae peccatique *velamen*, sed propter puram conscientiam *revelata facie gloriam Domini contemplatur*[d]. Procul autem absit a nobis ut velatam habeamus hanc faciem[e].

1 a. Cf. Éz. 13, 17 // b. Cf. Éz. 13, 1 // c. II Cor. 3, 18 // d. Cf. II Cor. 3, 16.18 // e. Cf. I Cor. 11, 4 // f. Éz. 13, 17

1. « Paul use ici d'un mot rare auquel deux sens assez différents ont été donnés. Les uns proposent de comprendre ' contempler comme dans un miroir ' et se réfèrent à *I Cor.* 13, 12. D'autres lisent ' réfléchir ', refléter à l'instar d'un miroir. Or le verbe employé par Paul est en grec à la voix moyenne. Il exprime la participation du sujet comme intéressé personnellement à l'action et transforme la réceptivité passive en réceptivité active. Une traduction complète serait : « Nous contemplons et nous reflètons. Ce qui était impossible au temps de Moïse devient possible en Christ. Ce que l'homme contemple, il le reflète. » *TOB*.

HOMÉLIE III

« Fixe ton visage »

1. Il faut d'abord chercher le sens de l'expression : « Fixe ton visage » puis, si Dieu l'accorde, nous devons considérer « les filles du peuple qui prophétisent d'après leur cœur[a] », faisant ce dont les blâme « la parole de Dieu[b] ».

Et qu'il y ait un autre visage que ce visage de notre corps, bien que plusieurs passages le révèle, néanmoins l'indique également ce que rappelle l'Apôtre : « Et nous tous qui, le visage dévoilé, contemplons[1] la gloire du Seigneur, nous sommes transformés de gloire en gloire, comme de par l'Esprit du Seigneur[c]. » Ce visage corporel, tous les hommes nous l'avons dévoilé, à moins d'être par harsard marqués par le malheur et l'angoisse. Mais ce visage dont parle l'Apôtre, chez beaucoup est couvert, chez peu, dévoilé. Qui en effet a confiance dans une vie sans tache, une pensée saine, une foi véritable, celui-là non seulement n'a pas le voile du péché et d'une confusion hypocrite, mais à cause d'une conscience pure, « le visage dévoilé, il contemple la gloire du Seigneur[d]. » Mais Dieu nous garde d'avoir ce visage voilé ![e]

« Admirable texte sur la divinisation progressive de l'âme chrétienne par la contemplation ». Osty.

Origène cite Paul et dit : « Donc il y a deux visages, celui qui voile et celui qui est voilé (to kalupton kai to kaluptomenon), l'extérieur et l'intérieur. Or nous appelons le visage la vue (opsin), et la vue les visions (oraseis). Nous avons donc la vue, qui nous est extérieure et la vue intérieure. La vision intérieure, c'est l'intelligence (noûs). Mais le visage spirituel, c'est l'intelligence qu'il faut fixer, pour qu'elle puisse administrer la parole. » *Sel. in Éz. Cat.*, *PG* 13, 687-688 (6).

Haec pauca de facie, ut possimus intelligere quid sit
20 quod sequitur : *Obfirma faciem tuam super filias populi tui*[f]. Ista facies, id est principale cordis nostri, nisi obfirmata fuerit super eo quod intelligendum est, ut, quomodo videt, sic adnuntiet audientibus, illud quod adspicitur non videtur. Impossibile quippe est ut aliquis
25 sine obfirmatione vultus, vagus et fluctuabundus et *circumlatus omni vento doctrinae*[g], videat quod debet, videat ut debet. Oportet ergo volentem intelligere habere faciem in eo quod intelligere nititur obfirmatam et ob hanc semper causam prophetaturis primum iubetur ut
30 faciem suam obfirment ; ut nostram autem et nos possimus obfirmare faciem in Evangelio, in lege, in prophetis, in Apostolis, obfirma eam super Christo et non super saeculi negotiis. Sed cum in mundialibus curis anima nostra versetur, cum semper habendi ardeat fame, non
35 obfirmamus faciem nostram super ea quae imperavit Deus, sed super ea quae Dei sunt adversa praeceptis. Quis putas in nobis mundus est ab obfirmatione faciei super his quae interdicta sunt, quis in tantum sollicitus et cautus, ut diebus ac noctibus in ea obfirmet cordis sui faciem
40 quae iubentur ?

2. Nunc quoque si intellecturi sumus praesentem Scripturam quomodo prophetae dicatur : *Obfirma faciem tuam super filias populi tui*[a], ut videat ea quae dicturus est, debemus obfirmare intelligentiam, et plenum in inten-
5 tatione cordis habere tractatum quid sit hoc quod significetur, ut tandem ratione superati recedamus a littera. Ac secundum communem quidem intellectum videntur quaedam *filiae populi* prophetantes hoc quod sequitur admisisse peccatum ; *Adsumentes cervicalia, consue-*
10 *bant, et consuentes* non ponebant ea sub capite, sed *sub*

g. Ephés. 4, 14.

2 a. Éz. 13, 17

Voilà quelques mots sur le visage afin de pouvoir comprendre la suite : « Fixe ton visage vers les filles de ton peuple[f]. » Ce visage, c'est-à-dire la faculté maîtresse de notre cœur, s'il n'est pas fixé vers ce qu'il faut comprendre pour que, de la manière dont il voit, il l'annonce aux auditeurs ; ce qu'on regarde n'est pas vu. Car il est impossible qu'un visage sans fixité, mobile, agité, « ballotté à tout vent de doctrine[g] », voit ce qu'il doit, voit comme il doit. Donc il faut que celui qui veut comprendre ait le visage fixé vers ce qu'il s'efforce de comprendre, et pour cette raison, toujours l'ordre est d'abord donné à ceux qui vont prophétiser de fixer leur visage. Or, afin de pouvoir nous aussi fixer notre visage sur l'Évangile, sur la Loi, sur les prophètes, sur les apôtres, fixe-le vers le Christ et non vers les affaires du siècle. Mais comme notre âme s'occupe de soucis mondains, que toujours elle brûle de la passion d'avoir, nous ne fixons pas notre visage vers ce que Dieu a commandé, mais vers ce qui est contraire aux préceptes de Dieu. Lequel parmi nous, crois-tu, n'est pas sujet à cette fixation du visage vers ce qui est interdit, lequel est assez prudent et attentif pour fixer jour et nuit le visage de son cœur sur les ordres donnés ?

« Vers les filles de ton peuple »

2. Et maintenant, si nous voulons aussi comprendre le présent passage, dans quel sens il est dit au prophète : « Fixe ton visage vers les filles de ton peuple[a] », pour qu'il voie ce qu'il va dire, nous devons fixer l'intelligence et avoir dans l'attention du cœur tout un développement sur la question du sens, pour qu'élevés enfin par la raison, nous nous écartions de la lettre. Au sens commun, certaines « filles du peuple » en prophétisant ce qui suit semblent avoir commis un péché : « Prenant des bandelettes, elles cousaient », et ce faisant, elles ne les plaçaient pas sous la tête, mais « sous le poignet » des auditeurs, et de

cubitu audientium, et *velaminibus* quibusdam *tegebant capita universae aetatis*[b]. Haec sunt quae prophetantibus filiabus populi reputantur quasi magna peccata. Quis autem potest in verbo consistens dicere quia, si quis
15 cervicalia consuat et consuta sub cubito ponat alterius, delinquat et a Deo corripiatur ? Quis potest adserere quia, si quis velamina faciat ad tegendum caput universae aetatis, impie agat ? Invitis nobis ab ipsa Scriptura necessitas imponitur, ut ab apicibus litterae recedentes, ver-
20 bum et sapientiam et voluntatem eius requiramus ad aperienda quae clausa sunt, ad illuminanda quae caligant, ut possimus a maledicto extranei fieri, dum agnoscimus quid sit cui maledicitur.

3. *Vae* quippe, ait, *his qui adsuunt cervicalia sub omni cubito manuum* — sive — *manus*[a]. Qui in victu corporis occupati sunt et ne per somnium quidem spiritales vident delicias quas nos habere vult sermo dicens :
5 *Delectare in Domino, et dabit tibi petitiones cordis tui*[b], qui non noverunt voluptatem beatorum, de qua scribitur : *Torrente voluptatis tuae potabis illos*[c], requirunt quasi amatores luxuriae et non amatores Dei semper in corporalibus esse deliciis. Signum autem mihi
10 videtur voluptatis carneae sub cubito manuum cervical adsutum. Quia enim in tempore discumbendi ad reficienda corpuscula videmur uti consutis quibusdam et acu pictis sub cubito manuum nostrarum, forsitan Sermo divinus per istiusmodi figuram et argumentum eos culpet magis-

---

b. Éz. 13, 18.
3 a. Éz. 13, 18 // b. Ps. 36, 4 // c. Ps. 35, 9

---

1. Litt. : « pour toute jointure des mains ou de la main » ; « bandelettes » et « voiles » (cf. 21) : « Deux pratiques de la magie sympathique : maléfices qui lient ou délient ; celui qui reçoit les bandelettes au poignet est envoûté, on conjure l'envoûtement en lui mettant un voile sur la tête (?). » OSTY.

certains « voiles, elles couvraient les têtes de tout âge[b] ». Voilà ce qui, pour les filles du peuple qui prophétisaient est regardé comme des grands péchés. Or qui peut, s'en tenant à la lettre, dire qu'à coudre des bandelettes, et à placer ce qui est cousu sous le coude d'un autre, on fait une faute et on est blâmé par Dieu ? Qui peut soutenir que faire des voiles pour couvrir la tête de tout âge, c'est commettre un acte impie ? Nous sommes malgré nous contraints par l'Écriture elle-même, de nous éloigner des formes de la lettre, d'en rechercher l'acception, la sagesse et l'intention, pour ouvrir ce qui est fermé, pour illuminer ce qui est obscur, afin de pouvoir être hors de la malédiction, tout en connaissant à quoi elle s'applique.

« Elles cousent des bandelettes »

3. « Malheur à celles qui cousent des bandelettes pour tout poignet des mains[1] ou de la main[a]. » Ceux qui sont absorbés par la nourriture du corps, et ne voient pas même en songe les délices spirituelles que la parole veut que nous ayons, quand elle dit : « Mets tes délices dans le Seigneur, il te donnera ce que ton cœur demande[b] », ceux qui ne connaissent pas les délices des bienheureux, dont il est écrit : « Au torrent de tes délices tu les feras boire[c] », ceux-là cherchent, en gens qui aiment la luxure et non qui aiment Dieu, à être toujours dans les délices corporelles. Or c'est un signe, me semble-t-il, du plaisir charnel[2] que « la bandelette cousue sous le poignet des mains ». Parce qu'en effet, au moment de nous mettre à table pour refaire nos corps chétifs, nous semblons user de certaines étoffes cousues et brodées à l'aiguille pour le poignet de nos mains, peut-être la Parole divine accuse-t-elle, par une figure et un signe de ce genre, les maîtres dont la

2. « La bandelette pour le poignet est la vie de délices et de débauches. » *Sel. in Éz., Cat., PG* 13, 689-690 (7).

15 tros qui per vaniloquentiam et beatas quasque repromissiones multitudinem audientium libidini, vitiis, voluptatique permittunt. Debet enim Dei Verbum et Deus homo ea proferre quae saluti sunt audienti, quae illum hortentur ad continentiam, ad conversationem sanorum actuum, ad
20 cuncta in quae homo studiosus laborum et non libidinum debet incumbere, ut possit ea consequi quae a Deo sunt repromissa. Cum ergo aliquis aptus moribus populi, ut placeat iis quibus aures pruriunt, loquitur quae gratanter accipiant, loquitur quae vicina sunt voluptati, talis ma-
25 gister *consuit cervicalia sub omni cubito manus*[d].

Sequitur hoc peccatum habentem ut faciat etiam *amictus ad velandum caput omnis aetatis*[e]. Cuius autem rei figura sit etiam velamen, cautius consideremus. Qui fiduciam habet et vere vir est, velamen non habet super caput
30 suum, sed intecto capite orat Deum, intecto capite prophetat, per signum corporalis rei etiam spiritalem latenter ostendens, ut quomodo non habet *velamen* super *caput* carnis suae, ita non habeat velamen super principale cordis sui. Si quis vero confusionis opera gerit et
35 peccati, iste quasi muliebria velamina habet super caput suum. Itaque cum aliquis docuerit ea quae aurem populi mulceant, et strepitum potius laudatorum quam gemitum moveant, si blandus inimicus palpaverit potius quam secaverit vulnera, talis homo amictus contexit in capite.
40 Cum autem in luxuriosam orationem dicentis se sermo fuderit, et in lascivum persultaverit eloquium, contexit velamen super caput omnis aetatis, non modo puerorum et iuvenum, verum et senum. Quomodo enim *faciet signa et portenta ad decipiendos, si fieri potest, etiam elec-*

d. Cf. Éz. 13, 17 // e. Cf. Éz. 13, 18

jactance et toutes les promesses de bonheur portent la foule des auditeurs à la passion, aux vices et au plaisir. Car le Verbe de Dieu, l'Homme Dieu doit proclamer ce qui est pour le salut de l'auditeur, ce qui l'exhorte à la continence, à la pratique des actions saines, à toutes choses auxquelles l'homme assidu aux travaux et non aux plaisirs doit s'appliquer afin de pouvoir obtenir ce que Dieu a promis. Quand donc un homme, adapté aux mœurs du peuple, pour plaire à ceux à qui les oreilles démangent, dit ce qu'ils sont joyeux d'accueillir, dit ce qui a trait au plaisir, un tel maître « coud des bandelettes pour tout poignet de la main[d] ».

Voiles

Il s'ensuit que celui qui a ce péché fait encore « des tissus pour voiler la tête de tout âge[e] ». Mais de quoi le voile aussi est la figure, examinons-le avec soin. Qui a de l'assurance, et véritablement est un homme, n'a point de voile sur la tête, mais tête découverte il prie Dieu, tête découverte il prophétise, par le signe d'une chose corporelle, il montre aussi sans rien dire une réalité spirituelle : comme il n'a pas de voile sur la tête de sa chair, il n'a pas non plus de voile sur la faculté maîtresse de son cœur. Mais si on fait des œuvres de confusion et de péché, on a comme des voiles de femmes sur la tête. Aussi bien, quelqu'un enseigne-t-il ce qui charme l'oreille du peuple, et provoque l'approbation plutôt que le gémissement des louangeurs, un ennemi flatteur caresse-t-il plutôt qu'il n'opère les blessures, un tel homme a tissé des voiles sur la tête. Mais quand la parole de l'orateur se déploie en discours licencieux, et s'ébat en propos folâtres, on tisse un voile sur la tête de tout âge, non seulement des enfants et des jeunes gens, mais encore des vieillards. Car, de même que « le faux christ et le faux prophète feront des signes et des prodi-

45 *tos falsus Christus et falsus propheta*[f], similiter et hi qui ad voluptatem meditata deportant, et ista semper inquirunt quae delectent potius audientes quam convertant a vitiis, faciunt velamina super caput non modo puerorum et iuvenum, sed, si fieri potest, senum quoque 50 et patrum, in tantum ut etiam eos decipiant qui iuxta laborem animae in spiritali aetate et senio processerunt.

Et potuit quidem dicere propheta : super filios populi tui qui prophetant, sed quasi omnes qui velamina contexant et cervicalia consuant sub omni cubito manus, 55 mulieres sint et nullus inter eos viri nomine dignus habeatur, ait propheta : *In filias populi tui quae prophetant de corde suo*[g], et ea faciunt quae sequuntur. Effeminatae quippe sunt eorum magistrorum et animae et voluntates, qui semper sonantia, semper canora componunt ; et, ut 60 quod verum est dicam, nihil virile, nihil forte, nihil Deo dignum est in his qui iuxta gratiam et voluntatem audientium praedicant ; idcirco omnes filias potius quam filios dixit adsuentes cervicalia. Et observa proprietatem verbi : Adsuentes ait, non contexentes. An ignoras quod 65 tunica Domini tui Iesu nihil in se habeat consutile, sed *ex omni parte contexta*[h] sit ? Istae ergo consuunt dicta dictis fraudulenter et callide adsuentes potius quam contexentes ; et faciunt cervicalia, non in quibus capita reclinent, sed in quibus cubitum, id est ut manus eorum 70 non sint in labore, non in opere lassescant, sed sint in requie, sint in otio, sint in his gestis quae voluptatibus serviunt.

f. Mc 13, 22 // g. Éz. 13, 17 // h. Cf. Jn 19, 23.

ges pour séduire, si possible, jusqu'aux élus[f] », de la même manière ceux qui détournent les pensées vers le plaisir, et cherchent toujours de quoi flatter les auditeurs plutôt que les convertir des vices, font des voiles sur la tête non seulement des enfants et des jeunes gens mais encore, si possible, des vieillards et des anciens, au point de séduire même ceux qui, selon le travail de l'âme, ont progressé en âge et en grand âge spirituels.

Le prophète aurait bien pu dire : vers les fils de ton peuple qui prophétisent ; mais comme si tous ceux qui tissent des voiles et cousent des bandelettes pour tout poignet de la main étaient des femmes[3], et que nul d'entre eux n'était digne du nom d'homme, le prophète dit : « Contre les filles de ton peuple qui prophétisent d'après leur cœur[g] », et font ce qui est noté ensuite. Car efféminées sont les âmes et les intentions de ces maîtres, aux compositions toujours chantantes, toujours harmonieuses ; et à vrai dire, rien de viril, rien de fort, rien de digne de Dieu n'est en ceux qui prêchent au gré et au goût des auditeurs. C'est pourquoi on a dit que toutes « les filles — plutôt que les fils — cousent des bandelettes ». Et note la propriété du terme : « cousent », et non pas tissent. Ignores-tu que la tunique de ton Seigneur Jésus n'a en elle rien de cousu, mais qu'elle est « tissée en entier[h] » ? Donc elles cousent les paroles aux paroles, avec mauvaise foi et ruse, cousant plutôt que tissant ; et elles font des bandelettes, non pour que s'y reposent les têtes, mais le poignet : c'est-à-dire pour que leurs mains ne soient pas au travail, ne se fatiguent point à l'œuvre, mais soient au repos, soient dans l'inaction, soient aux actes qui servent aux plaisirs.

3. Sur l'inégale dignité entre l'homme et la femme, voir *In Ex. hom.* 10, 3, 40, *SC* 321, p. 316 s., le dossier en note.

4. Haec autem quae dicimus ita se habere ut a nobis intellecta sunt, sequens sermo prophetae lucidius ostendit dicens : *Haec dicit Adonai Dominus : Ecce ego ad cervicalia vestra in quibus vos convertitis illic animas*
5 *in dissolutionem*[a]. Aperuit aenigma quod latebat perspicue ostendens consuta cervicalia in dissolutionem animarum fieri. Quis autem potest *haesi*tare super sermonem qui legitur, audiens Deum comminantem quia ipse disrumpat talem sutelam et talia cervicalia ? ait enim : *Ecce*
10 *ego* — non iubeo, sed — *ipse disrumpo cervicalia consuta sub omni cubito manus*[b]. Dei opus est omnem arguere texturam et dissolvere universam sutionem pessimam quae nocet his qui nolunt manibus operari, sed otiosis iis uti. *Et disrumpam illa a bracchiis vestris,* id
15 est cervicalia. Comminatur autem Deus quasi clemens ut disrumpat a bracchiis cervicalia, ne ulterius ea cubitis nostris subiecta habeamus. *Et emittam animas, quas vos subvertitis animas eorum*[c]. Quae ergo subversio est consuere cervicalia et subicere cubitis ? Sed ut sacramen-
20 tum sermonis intelligas, videbis grandem subversionem esse delicatum hominem iuxta corpus efficere. Talia autem sunt verba haereticorum, ubi non est conversatio rigida. Invenies Valentini discipulos moribus dissolutos, ad nihil forte, ad nihil virile tendentes, similiter et secta-
25 tores Basilidis ; docet insuper et negare inverecunde quasi praecepto quod de martyrio est. Non id docent quod ostendunt ecclesiastici, *parati tollere crucem et sequi*[d] Salvatorem. Disrumpit ergo qui haec comminatur Sermo,

4 a. Éz. 13, 20 // b. Cf. Éz. 13, 20 et 18 // c. Éz. 13, 20 // d. Cf. Matth. 16, 24.

1. Basilide dénigre « ceux qui luttent jusqu'à la mort pour la vérité », *In Matth. ser.* 38, *GCS* 11, p. 73, 8. « D'après vous, les exemples des martyrs empêcheront les hommes d'accéder à la foi, etc. » *In Epist. ad Rom.* 2, 13, *PG* 14, 912 A. Cf. *hom.* 2, 2, 38, et la note.

Le Seigneur déchirera les bandelettes

4. Or, que ce que l'on dit soit comme on l'a compris, la parole suivante du prophète le montre plus clairement : « Ainsi parle le Seigneur Adonaï : Me voici contre vos bandelettes avec lesquelles vous détournez d'ici les âmes vers la ruine[a]. » Il a ouvert l'énigme qui était cachée, montrant nettement que les bandelettes étaient pour la ruine des âmes. Qui donc peut hésiter sur la parole qui est lue, apprenant que Dieu menace de déchirer lui-même une telle couture et de telles bandelettes ? Car il dit : « Voici que moi — non pas j'ordonne mais — je déchirerai moi-même toutes les bandelettes cousues sous tout poignet de la main[b]. » C'est l'œuvre de Dieu de mettre à l'épreuve tout tissu, et de détruire toute couture très mauvaise qui nuit à ceux qui veulent ne pas travailler de leurs mains mais les garder oisives. « Et je les arracherai de vos bras », à savoir les bandelettes. Et Dieu, comme par clémence, menace d'arracher des bras les bandelettes, pour que nous ne les ayons plus attachées sous nos poignets. « Et je renverrai les âmes, leurs âmes que vous avez séduites[c]. » Quelle séduction est-ce donc de coudre des bandelettes et de les attacher sous des poignets ? Mais pour comprendre le sens mystérieux de la parole, tu verras que c'est une grande séduction que de rendre un homme mou de corps. Or telles sont les paroles des hérétiques chez qui il n'est pas de conduite ferme. Tu trouveras les disciples de Valentin aux mœurs dissolues, ne visant rien de fort, rien de viril. De même aussi les sectateurs de Basilide : il enseigne en outre même à nier sans pudeur comme par ordre ce qui concerne le martyre[1]. Ils n'enseignent pas ce que montrent les hommes d'Église : « être prêts à prendre la croix et à suivre[d] » le Sauveur. La Parole qui fait ces menaces, le Fils de Dieu,

Filius Dei, consutiones nequissimas. Praesta mihi,
30 Christe, ut disrumpam omnia cervicalia in animarum consuta luxuriam.

5. Sed quid aliud sequitur ? *Et velamina disrumpam*[a]. Quae se disrupturum esse testatur ? Non solum cervicalia, verum et velamina. Ideo autem disrupturum, ut caput nudum fiat, ut accepta fiducia, et *revelata* non solum
5 *facie*[b] sed etiam capite, constanter vir ecclesiasticus possit orare. *Disrumpam velamina vestra, et liberabo populum meum de manu vestra*[c]. Licet vos subvertatis animas per cervicalia et velamina, ego ista disrumpens liberabo populum meum. Liberat autem populum Deus
10 per conversationem austeram et a voluptatibus recedentem. *Et ultra non erunt in manibus vestris in subversionem*[d]. In manibus vestris, qui decipitis audientes, iam non erunt ista cervicalia. *Et cognoscetis quia ego Dominus*[e]. Si non conscissa fuerint cervicalia, si non velamina
15 disrupero, non cognoscetis quia ego Dominus ; deliciae quippe, et otium, et resolutio non sinunt cognosci eum qui dicit : *Ego sum Dominus. Pro eo quod evertitis cor iusti inique*[f]. Quomodo in loco signorum dictum est quia decipiant etiam electos Dei[g], sic evenit saepe ut iustos quoque
20 haeretici supplantent. Amant enim homines voluptatem quia, statim ut apparuerit, tranquilla est et lasciva et delectans sensum et provocans nos ad usum sui. Fugimus amara licet salutaria sint, et nolumus laborare voluptatibus deliniti, nescientes quia impossibile est eundem esse
25 amatorem voluptatis et amatorem Dei. Propter quod Apostolus ait de pessimis quia sint *amatores voluptatis magis quam amatores Dei*[h].

---

5 a. Éz. 13, 21 // b. Cf. II Cor. 3, 18 // c. Éz. 13, 21 // d. Éz. 13, 21 // e. Éz. 13, 21 // f. Éz. 13, 21.22 // g. Cf. Matth. 24, 24 // h. II Tim. 3, 4.

déchire donc les coutures très viles. Accorde moi, ô Christ, de déchirer toutes les bandelettes cousues pour la luxure des âmes.

et les voiles

5. Mais que s'ensuit-il d'autre ? « Je déchirerai vos voiles[a]. » Que déclare-t-il vouloir déchirer ? Non seulement les bandelettes, mais encore les voiles. Aussi va-t-il déchirer, pour que la tête devienne nue, pour que, l'assurance reçue, et non seulement « le visage dévoilé[b] » mais aussi la tête, l'homme d'Église puisse prier avec constance. « Je déchirerai vos voiles et je délivrerai mon peuple de vos mains[c]. » Bien que vous séduisiez les âmes grâce aux bandelettes et aux voiles, moi, en les déchirant, je délivrerai mon peuple. Or Dieu délivre son peuple par un genre de vie austère et qui s'écarte des plaisirs. « Et elles ne seront plus dans vos mains pour la séduction[d]. » Dans vos mains, vous qui trompez les auditeurs, ne seront plus ces bandelettes. « Et vous saurez que je suis le Seigneur[e]. » Si les bandelettes ne sont pas mises en pièces, si je ne déchire pas les voiles, vous ne saurez pas que c'est moi, le Seigneur ; car, délices, oisiveté, relâchement ne permettent pas de connaître celui qui dit : « Moi, je suis le Seigneur. Parce que vous découragez à tort le cœur du juste...[f] » Comme il est dit au passage sur les miracles qu'ils séduiraient même les élus de Dieu[g], ainsi arrive-t-il souvent que les hérétiques aussi trompent les auditeurs. En effet, les hommes aiment le plaisir, car dès qu'il apparaît, il est calme, enjoué, il charme la sensibilité et nous incite à user de lui. Nous fuyons ce qui est amer, bien que ce soit salutaire, nous ne voulons pas nous donner de la peine, amollis par les plaisirs, ne sachant pas qu'il est impossible que le même soit ami du plaisir et ami de Dieu. C'est pourquoi l'Apôtre dit des méchants : « Ils sont amis du plaisir plutôt qu'amis de Dieu[h]. »

6. *Et ego non avertebam ad confortandas manus iniquorum*[a]. Ego non avertebam, sed omnia quae erant aedificationis dispensabam. Istae vero prophetissae effeminatae animae avertebant ad confortandas manus iniqui, hoc est, ut fortior manus in iniquitate fieret. *Ne omnino averteretur de via sua mala et vivificaretur*[b], id est nullus penitus converteretur a via sua pessima, et vivificaretur. *Propterea falsa non videbitis.* Qui docetis falsa, iam vos ultra non faciam conatu prospero pergere, ut possitis insinuare quae dicitis. *Et divinationes non divinabitis amplius, et liberabo populum meum de manu vestra.* Oramus ut et nos liberet Deus de manu talium magistrorum qui, ubicumque fuerint, ad voluptates audientium loquentes, scindunt ac dividunt Ecclesiam, quia plures sunt magis amatores voluptatum quam amatores Dei. *Et scietis quia ego Dominus*[c]. Si convertero divinationes vestras, si fecero silere mendacia, tunc scietis quia ego Dominus. Haec prior prophetia.

7. Sequitur et alia, quae ita contexitur : *Et venerunt ad me viri seniorum Istrahel, et sederunt ante faciem meam*[a]. Omnia Dei Sermo perstringit, et nullam speciem ordinum qui in Ecclesia constituti sunt, dimittit intactam, verum universa percurrens omnes sanare desiderat, veluti nunc quaedam ad presbyteros loquitur. Ea enim quae

---

6 a. Éz. 13, 22 // b. Cf. Éz. 13, 22 // c. Éz. 13, 23.
7 a. Éz. 14, 1

Il délivrera son peuple

6. « Et moi, je ne me détournais pas pour fortifier les mains des méchants[a]. » Moi, je ne me détournais pas, mais j'accordais tout ce qui était du domaine de l'édification. Mais ces prophétesses, âmes efféminées, se détournaient pour fortifier les mains du méchant, c'est-à-dire pour que sa main devienne plus forte dans la méchanceté. « Pour éviter absolument qu'il revienne de sa voie mauvaise et reste en vie[b] », c'est-à-dire pour qu'absolument personne ne revienne de sa mauvaise voie et reste en vie. « A cause de cela, vous n'aurez plus de visions fausses[1]. » Vous qui enseignez des choses fausses, je ferai désormais que vous ne progressiez plus dans un heureux effort pour pouvoir insinuer ce que vous dites. « Vous ne ferez plus de prédictions, et je délivrerai mon peuple de vos mains. » Prions pour que Dieu nous délivre nous aussi de la main de tels maîtres qui, où qu'ils soient, parlant pour plaire aux auditeurs, partagent et divisent l'Église, parce que beaucoup sont plus amis des plaisirs qu'amis de Dieu. « Et vous saurez que je suis le Seigneur[c]. » Si je détourne vos prédictions, si je fais taire vos mensonges, alors vous saurez que je suis le Seigneur. Voilà une première prophétie.

Contre les presbytres

7. Suit une seconde, ainsi composée : « Vinrent à moi des hommes d'entre les anciens d'Israël, et ils s'assirent devant moi[a]. » La Parole de Dieu aborde tout et n'épargne aucune espèce des ordres établis dans l'Église, mais passant tout en revue, désire les guérir tous : ici, par exemple, elle parle pour les presbytres. En effet, ce qui

1. « A cause de cela vous n'aurez plus de visions fausses. C'est-à-dire je ne permettrai pas que se réalise pour vous l'accomplissement de ce qui suit. » *Sel. in Éz.* 13, 23, *PG* 13, 805 B.

praecesserunt dicta sunt de magistris. Idcirco consideremus et de presbyteris quid dicatur, excutientes nosmet ipsos, ne quis nostrum presbyter talis sit qualis infra
10 exponitur. *Et venerunt ad me viri seniorum Istrahel, et sederunt ante faciem meam. Et factus est Sermo Domini ad me dicens : Fili hominis*[b]. Videamus accusationem, ut scire possimus utrumne eam in nobis deprehendamus. *An non viri isti posuerunt cogitationes*
15 *suas in cordibus suis, et poenam iniquitatum suarum posuerunt ante faciem suam ? Numquid respondens respondebo iis*[c]. *Beati qui mundo sunt corde*[d]. Qui enim mundum habent cor cogitationes suas non ponunt in cordibus suis, sed magis habent in Sermone Dei. Qui
20 autem laborant in saecularibus curis, et nihil aliud requirunt nisi quomodo praesentem transigant vitam, hi cogitationes suas ponunt in cordibus suis ; ut puta, si videris hominem nihil aliud cogitantem nisi mundi negotia et lucra corporalia et ciborum abundantiam, ex his quae
25 indiguerit, in quibus sollicitus est, in quibus suspirat futuram tantum alimoniam cum dolore conquirens, poenam cogitationum suarum posuit in corde suo. Arguens igitur quosdam presbyteros istiusmodi, ait ad prophetam Sermo divinus : *Viri isti* — id est supradicti *presby-*
30 *teri* — *posuerunt cogitationes suas in cordibus suis, et poenam iniquitatum suarum posuerunt ante faciem suam*[e]. Nemo nostrum existimet cruciatus nobis ab alio quam a nobis irrogari ; Deus non facit poenas, sed ea quae patimur ipsi nobis praeparamus. Itaque testimonio
35 quo frequenter usi sumus, etiam nunc opportune utemur : *Ambulate in lumine ignis vestri et in flamma quam accendistis*[f]. Non est *ignis* alterius nisi *vester*, qui *ligna,*

---

b. Éz. 14, 1-3 // c. Éz. 14, 3 // d. Cf. Matth. 5, 8 // e. Éz. 14, 3 // f. Is. 50, 11

précède concerne les maîtres. C'est pourquoi voyons aussi ce qui est dit des presbytres, nous scrutant nous-mêmes, pour qu'aucun de nous ne soit un prêtre tel qu'il est ci-dessous présenté « Vinrent à moi des hommes d'entre les anciens d'Israël, et ils s'assirent devant moi. Et m'advint la Parole du Seigneur : Fils d'homme[b]. » Voyons l'accusation pour être à même de savoir si nous la découvrons ou non contre nous. « Ces hommes n'ont-ils point placé leurs pensées dans leurs cœurs, et mis le châtiment de leurs iniquités devant leur face ? Vais-je leur répondre[c] ? ». « Heureux les purs de cœur[d]. » Car ceux qui ont le cœur pur ne placent pas leurs pensées dans leurs cœurs, mais les ont plutôt dans la Parole de Dieu. Mais ceux qui peinent dans les soucis du siècle, et ne cherchent rien d'autre que la manière de passer la vie présente, placent leurs pensées dans leurs cœurs ; comme par exemple, si l'on voit un homme qui ne songe à rien d'autre qu'aux affaires du monde, aux avantages corporels, à l'abondance des aliments, à ce dont il manque, dont il s'inquiète, après quoi il soupire étant à la seule quête pénible de la nourriture à venir, il a placé la peine de ses pensées dans son cœur. Blâmant donc certains presbytres de ce genre, la Parole divine dit au prophète : « Ces hommes » — les presbytres susdits — ont placé leurs pensées dans leurs cœurs et ont mis la peine de leurs iniquités devant leur face[e]. » Personne d'entre nous ne juge que des tortures nous soient infligées par un autre que nous. Dieu ne crée pas les peines, c'est nous-mêmes qui nous préparons ce que nous souffrons. Voilà pourquoi, du témoignage dont nous avons souvent usé[1], nous userons ici encore à propos : « Marchez dans la lumière de votre feu, dans la flamme que vous avez allumée[f]. » Il n'est

1. Cf. *De princ.* 2, 10, 4, 126 s., *SC* 252, p. 382 s. ; voir *SC* 253, p. 233 ; notes 18 et 19.

qui *stipulam*[g], qui materiam futuro incendio coacervastis.

8. Dicit ergo de presbyteris — procul autem absit a nobis — : *Viri isti posuerunt cogitationes suas in cordibus suis, et poenam iniquitatum suarum posuerunt ante faciem suam ; si respondens respondebo iis*[a] ? Numquidnam dignum est istis me respondere qui venerunt ad te prophetam volentes discere sermones meos ? *Propter hoc loquere ad eos, et dic iis : Haec dicit Adonai Dominus : Homo homo ex domo Istrahel*[b]. Omnes homines nati sumus homines, sed non omnes homines homines sumus, sicut saepissime notavi id quod in Levitico scriptum est : *Homo homo filiorum Istrahel aut advenarum qui appositi sunt in vobis*[c]. Estote homines homines, scilicet quia non omnes homines homines sunt. Ostendamus de Scripturis quomodo quidam homines non sint homines. *Homo in honore positus non intellexit ; comparatus est iumentis insipientibus et assimilatus est iis*[d] ; iste non est homo homo, sed homo iumentum. *Generatio viperarum, quis ostendit vobis fugere ab ira ventura*[e] ? ; talis non est homo homo, sed serpens homo. *Equi in feminas insanientes facti sunt, unusquisque super uxorem proximi sui hinniebat*[f] ; et iste non est homo homo, sed homo equus. Absit igitur a nobis ut tales simus qui mereamur audire non esse nos homines, sed aliud quid praeter homines. Si enim boni et mansueti sumus, duplicamus hominis nomen, ut sit in nobis non simpliciter homo, sed homo homo. Considera an

g. Cf. I Cor. 3, 12.

8 a. Éz. 14, 3 // b. Éz. 14, 4 // c. Lév. 17, 8 // d. Ps. 48, 13 // e. Matth. 3, 7 // f. Jér. 5, 8

pas de feu d'un autre, à part le vôtre, à vous qui avez accumulé, qui « le bois », qui « la paille[g] », qui la matière pour l'incendie futur.

Homme homme 8. Donc, il dit des prophètes — fasse le ciel que ce ne soit pas de nous ! — : « Ces hommes placèrent leurs pensées dans leurs cœurs et mirent la peine de leurs iniquités devant leur face. Vais-je leur répondre[a] ? Convient-il vraiment que je réponde à ces hommes « qui sont venus à toi, prophète », voulant apprendre mes paroles ? « C'est pourquoi parle-leur et dis-leur : Ainsi parle le Seigneur Adonaï : L'homme homme de la maison d'Israël[b]. » Tous les hommes, nous sommes nés hommes, mais nous ne sommes pas tous « hommes hommes[1] », comme très souvent j'ai noté ce qui est écrit dans le Lévitique : « L'homme homme des fils d'Israël, ou des étrangers qui séjournent parmi vous[c]. » Soyez hommes hommes, car il va de soi que tous ne sont pas hommes hommes. Montrons par les Écritures que certains hommes ne sont pas « des hommes » : « L'homme dans sa splendeur ne comprend pas ; il ressemble aux chevaux sans raison, il s'assimile à eux[d]. » Il ne s'agit pas d'un homme homme, mais d'un homme cheval. « Race de vipères, qui vous a appris à fuir la colère à venir[e] ? » Il ne s'agit pas d'un homme homme, mais d'un homme serpent. « C'étaient des chevaux en folie après les femelles, chacun hennissait après la femme du voisin[f]. » Il s'agit encore non d'un homme homme, mais d'un homme cheval. Donc, loin de nous d'être tels que nous méritions d'entendre que nous ne sommes pas des hommes, mais autre chose que des hommes. Car si nous sommes bons et doux, nous avons en double le nom d'homme, si bien qu'il y a en nous, non un homme simplement, mais un homme

1. Cf. la note complémentaire 8, « Homme homme ».

invenire valeamus, quid sit illud quod nomen hominis duplicet. Quando iste *homo* qui est *exterior* homo fuerit, eo qui est *interior*[g] homine serpente, non est in nobis
30 homo homo, sed tantum homo. Quando vero et interior homo iuxta imaginem perseveraverit Conditoris, tunc nascitur homo, et fit istiusmodi secundum exteriorem et interiorem hominem bis homo homo. Porro, si quis in hoc vocatus ut fiat homo homo, posuerit cogitationes suas in
35 corde suo et poenam suam ante faciem suam et venerit ad prophetam, *Ego*, inquit, *Dominus respondebo ei in his quibus detinetur mens eius*[h].

Docet nos sermo praesens quomodo oporteat singulis respondere, nec importuna admovere medicamina, sed
40 pro qualitate morborum congrua quaeque proferre. Animadverte quod dicimus. Ad medicum decem vadunt decem habentes species infirmitatum. Non omnes eodem modo curat, sed alium illo et illo, ut puta, sanat emplastro, alii aliud tribuit medicamentum, nonnullis quod cau-
45 terium nuncupatur imponit, alium amara alium dulci temperat potione, cuiusdam vero vulnera crassiore unguine delinit. Sic et Sermo Dei pro qualitatibus hominum loquitur, nec passim sapientiae suae ingerit sacramenta. Ait itaque : *Ego respondebo ei in quibus detinetur*
50 *mens eius*, ut ista videlicet curem *in quibus mens eius detinetur, ut non faciat declinare domum Istrahel*[i]. Quicumque se ipsum non praebet exemplum bonae vitae, sed *perversus incedit*[j], iste per suam pravitatem, dum ad haec quae non debet inclinatur, facit quodammodo

g. II Cor. 4, 16 // h. Éz. 14, 4 // i. Cf. Éz. 14, 5 // j. Cf. Lév. 26, 40

homme. Examine si nous pouvons découvrir ce qui rend double le nom d'homme. Quand cet homme qui est « extérieur » est un homme, cet homme qui est « intérieur[g] » devenant serpent, il n'y a pas en nous d'homme homme, mais seulement un homme. Mais quand l'homme intérieur persévère selon l'image du Créateur, alors naît un homme, et deux fois selon l'homme extérieur et l'homme intérieur de cet ordre, il devient homme homme. Or si quelqu'un, appelé à devenir homme homme, a mis ses pensées dans son cœur, et sa peine devant sa face, et vient au prophète, il est dit : « C'est moi, le Seigneur, qui lui répondrai, à cause de ce dont est éprise son intelligence[h]. »

Remèdes appropriés

La parole présente nous enseigne qu'on doit répondre à chacun, et ne pas employer de remèdes contre-indiqués, mais présenter tout ce qui convient à la nature des maladies. Attention à ce que nous disons. Au médecin vont dix hommes, ayant dix espèces de maladies. Il ne les soigne pas tous de la même façon, mais par exemple il guérit l'un par tel ou tel emplâtre, à un autre il prescrit un autre traitement, à quelques-uns il applique ce qu'on appelle un cautère, il apaise un autre avec une potion amère, un autre avec une potion douce, mais il enduit les blessures de quelqu'un d'un liniment onctueux. De même aussi la Parole de Dieu s'exprime en fonction des aptitudes des hommes et ne jette point çà et là les sens mystérieux de sa sagesse. C'est pourquoi elle dit : « C'est moi qui lui répondrai, à cause de ce dont est éprise son intelligence », à savoir pour soigner « ce dont est éprise son intelligence, afin qu'il ne fasse pas dévier la maison d'Israël[i]. » Quiconque ne se présente pas comme un exemple de bonne vie, mais « avance de travers[j] », celui-là par sa déviance, alors qu'il penche vers ce qu'il ne doit pas,

55 etiam Dei populum *declinare secundum corda eorum quae abalienata sunt a me*[k], et qui hoc facit *secundum alienatum cor* a Deo, in *cogitationibus suis* facit. Propter quod respondetur iis in his in quibus detinetur cor eorum, et dicitur : *Dic ad domum Istrahel : Haec dicit* 60 *Adonai Dominus : convertimini et avertite vos a studiis vestris.* Quia pollicitus est locuturum se iis ea in quibus detinetur cor eorum, ideo nunc quasi peccatoribus loquitur dicens : *Convertimini et avertite vos a studiis vestris, et avertite facies vestras*[l]. Nonne tibi videtur 65 hoc facere ? Facies vestrae obfirmatae sunt super ea quae non debent, convertite eas et obfirmate in haec quae vestro sint emolumento.

Propter quod homo homo de domo Istrahel et de proselytis qui adveniunt in Istrahel, quicumque aba- 70 *lienatus fuerit*[m]. Potest fieri et hominem hominem, sive creatum hominem hominem, seu per profectum sui hominem hominem effectum, abalienari, siquidem et iustus secundum eundem Ezechielem *convertitur* aliquando *a iustitiis suis et peccat*[n]. Si ergo istiusmodi homo *posue-* 75 *rit cogitationes suas in corde suo et poenam iniquitatis suae ante faciem suam, et venerit ad propheten ut interroget eum in me, Ego,* inquit, *Dominus respondebo ei in ipso in quo detinetur, et obfirmabo faciem meam in hominem illum*[o]. Considera quomodo in principio 80 spoponderit clementer se responsurum, ac deinde quomodo, si rursus venerit necdum curatus prioribus verbis, *Obfirmabo,* dixit, *faciem meam super hominem illum, et ponam eum in desertum.* Si enim non oboedierit sermonibus commonitionis, sed in delicto perseveraverit, 85 *ponam eum in desertum et in exterminium, et tollam illum de medio populi mei*[p]. Ne auferas nos, Deus

---

k. Cf. Éz. 14, 5 // l. Éz. 14, 6 // m. Éz. 14, 7 // n. Cf. Éz. 3, 20 // o. Éz. 14, 7.8 // p. Éz. 14, 8

fait en quelque sorte « dévier » aussi le peuple de Dieu « selon leurs cœurs qui se sont éloignés de moi[k] », et qui le fait « selon son cœur éloigné » de Dieu, le fait dans « ses pensées ». Aussi leur est-il répondu, à cause de ce dont est épris leur cœur : « Dis à la maison d'Israël : Ainsi parle le Seigneur Adonaï : Revenez et détournez-vous de vos passions. » Parce qu'il a promis de leur parler de ce dont est épris leur cœur, maintenant il leur parle comme à des pécheurs : « Revenez et détournez-vous de vos passions, et détournez vos visages[l]. » N'est-ce pas ce qu'il te semble faire ? Vos visages sont fixés vers ce qu'ils ne doivent pas fixer, détournez-les et fixez-les vers ce qui est à votre profit.

« C'est pourquoi l'homme homme de la maison d'Israël et des prosélytes qui viennent en Israël, quiconque s'est éloigné...[m] » Il peut arriver que même l'homme homme, qu'il soit créé homme homme ou devenu homme homme par son progrès, s'éloigne, puisque le juste aussi, d'après le même Ézéchiel, parfois « se détourne de ses justices et pèche[n] ». Si donc un homme de ce genre « met ses pensées dans son cœur, et la peine de son iniquité devant son visage, et vient vers le prophète pour l'interroger sur moi, c'est moi, dit le Seigneur, qui lui répondrai sur ce dont il est épris, et je fixerai mon visage contre cet homme[o]. » Note qu'au début, il a promis de répondre avec clémence, puis que, s'il revient sans plus se soucier des premières paroles, il a dit : « Je fixerai mon visage vers cet homme, et je le placerai dans le désert. » De fait, s'il n'a pas obéi aux paroles d'avertissement, mais a persévéré dans sa faute, « Je le placerai dans le désert, pour sa ruine, et je le retrancherai du milieu de mon peuple[p]. » Ne

omnipotens, de medio populi tui, verum conserva nos in populo tuo. Iuste autem proicitur qui digna facit abiectione ut auferatur a populo Dei et eradicetur ab eo et
90 *tradatur Satanae*[q].

Et in praesenti quidem potest quis egrediens de populo Dei rursum per paenitentiam reverti ; si vero eradicatus fuerit illo ex populo, de quo in quadam parabola dicitur venisse et introisse et recubuisse quendam qui non habe-
95 bat vestimentum nuptiale, dicente ad eum patrefamilias : *Amice, quomodo huc introisti non habens vestimentum nuptialem ?* atque ita praecipiente *ministris* ut *vincientes eum manibus et pedibus mitterent in tenebras exteriores*[r], difficillime in locum pristinum re-
100 verte[re]tur. Sed nos non eradicabimur, verum et in praesenti et in futuro saeculo in Domino nostro Iesu Christo plantabimur et in eo fructus uberrimos afferemus, *cui est gloria et imperium in saecula saeculorum. Amen*[s] !

---

q. Cf. I Cor. 5, 5 // r. Cf. Matth. 22, 11 // s. Cf. Pierre 4, 11.

nous enlève pas, Dieu tout-puissant, du milieu de ton peuple, mais garde-nous dans ton peuple. Mais il est juste que soit chassé celui qui a fait des choses dignes d'abjection, pour qu'il soit enlevé du peuple de Dieu, qu'il soit déraciné de lui, « qu'il soit livré à Satan[q] ».

Et à présent certes, sortant du peuple de Dieu, on peut de nouveau revenir par la pénitence. Mais a-t-on été déraciné de ce peuple ? — Comme il est dit dans une parabole qu'est venu, est entré et s'est mis à table un homme qui n'avait pas un habit de noces, et le père de famille lui dit : « Mon ami, comment es-tu entré ici sans avoir un habit de noces ? », et il donna l'ordre aux serviteurs de lui lier les pieds et les mains et de le jeter dans les ténèbres de dehors[r] » — il est alors très difficile de revenir au premier état. Mais nous, nous ne serons pas déracinés, au contraire et dans le siècle présent et dans le siècle à venir nous serons plantés dans notre Seigneur Jésus-Christ, et nous porterons des fruits à profusion en lui, « à qui sont gloire et puissance pour les siècles des siècles. Amen[s] ».

HOMÉLIE IV

LA FAMINE, LES BÊTES FÉROCES
(*Éz.* 14, 12-22)

1. Menace de quatre fléaux : contre la terre pécheresse ; non ses habitants, mais *elle-même* ; profanée par ses sabbats, elle sera comme toute la création jugée avec les anges. Comme notre mère, elle se réjouit de porter un fils juste, Abraham, etc., et à la venue du Seigneur, d'être le support du Fils de Dieu. Elle se réjouit tout entière, grâce aux églises qui atteignent les limites du monde. Mais comme un vivant, capable d'actes soit bons soit mauvais, par lesquels elle mérite ou la louange ou la peine, si elle pèche jusqu'à commettre l'infidélité, Dieu étendra sa main contre elle. De même pour *notre âme* qui, dans la parabole, est dite « pierre », « terre bonne et fertile ».

2-6 : La famine. Est-elle envoyée à cause des hommes et de la malice des âmes, ou de certains ministres de l'économie céleste ? 3 : à la joie d'être remplie d'habitants, succèdera la tristesse de voir leur nombre diminuer ; 4 : « *Ces trois hommes au milieu d'elle* » ? Comme si Noé, Job et Daniel coexistaient ! Matériellement c'est faux. Mais un ancêtre engendre un peuple, et ce peuple et ses membres portent le même nom. Ainsi pour les douze tribus d'Israël : l'identification est fondée par la descendance charnelle. Mais il y a une descendance spirituelle : l'imitation crée une filiation d'un autre ordre ; le vrai fils d'Abraham est celui qui en a la foi et en fait les œuvres. Cette relation d'imitation et de ressemblance crée une coexistence, une contemporanéité spirituelles ; 5 : peut être uni aux autres Daniel : bien qu'eunuque, son âme fut sainte et féconde, et par des paroles divines et prophétiques, il procrée beaucoup d'enfants. De cette manière, nous pouvons devenir Daniel, être Paul, le fils de Paul, le fils du Christ, le fils du Père ; 6 : trois hommes ? L'homélie en nomme davantage. Mais toute multitude d'êtres semblables ne fait qu'un seul... Tous les Noé, Daniel et Job se réduisent à un seul Noé, Daniel et Job.

7-8 : Les bêtes féroces ; 7 : l'histoire le rapporte : des lions, des ours furent envoyés contre le genre humain, cela est vrai selon la lettre. En un sens supérieur, le diable notre adversaire est comme un lion ; ours et autres bêtes sont des bêtes spirituelles et invisibles ; 8 : noter la différence dans les menaces ; à la première, il s'agit de trois hommes ; à la seconde, de fils et de filles ; mais cette pluralité n'implique pas de solidarité, c'est l'individu qui est responsable : « La justice du juste sera sur lui, et la méchanceté du méchant sur lui... » Rien ne me sert d'avoir un père martyr, si je ne donne le même témoignage ; rien ne sert aux Juifs d'avoir Abraham pour père, s'ils n'ont sa foi... Et pourquoi les *trois* personnages envisagés ? Parce qu'il y eut pour chacun trois étapes de vie : joyeuse, triste, de nouveau joyeuse.

HOMILIA IV.

1. *Sermo Domini*, qui factus est ad prophetam, de *peccatrice terra* loquitur[a], quomodo propter delicta sua variis sit excruciata suppliciis, *fame, bestiis malis, gladio, morte*[b], morte autem repentina, quae aut ex corrupti aëris vitio sit creata, aut ex quocumque acciderit eventu, et dicitur : *Quodsi etiam quattuor ultiones meas misero in terram peccatricem, fuerint autem isti tres viri, Noe, Daniel et Iob in terra peccatrice, ipsi soli salvi erunt*[c]. In comminatione prima, in qua poenam famis a poenis ceteris separavit, filiorum et filiarum nomina tacuit ; in eo vero sermone, in quo bestias malas minatus est terrae[d], ait : *Si filii et filiae eorum salvi fient, sed ipsi soli salvabuntur, terra autem* — et cum paululum reticuisset, adiecit : *et erit in interitu*[e]. Rursum in comminatione gladii : *Non liberabunt*, ait, *filios aut filias*[f]. Et in morte similiter est locutus : *Non derelinquentur filii aut filiae eorum, sed ipsi soli Noe et Daniel et Iob liberabunt animas suas*[g].

1 a. Cf. Éz. 14, 12.13 // b. Cf. Éz. 14, 21 // c. Cf. Éz. 14, 21 et 16 s. // d. Cf. Éz. 14, 15 // e. Cf. Éz. 14, 16 // f. Cf. Éz. 14, 18 // g. Cf. Éz. 14, 19.20

HOMÉLIE IV

Menaces

1. « La Parole du Seigneur » qui advint au prophète dit « d'une terre pécheresse[a] » que, pour ses fautes, elle a été frappée par divers fléaux : « famine, bêtes féroces, glaive, mort[b] » ; et mort subite ou bien causée par la nuisance d'un air vicié, ou bien résultant d'un accident quelconque. Et il est dit : « Même si j'envoie mes quatre fléaux contre la terre pécheresse, et que se trouvent ces trois hommes Noé, Daniel et Job[1] sur la terre pécheresse, eux seuls seront sauvés[c]. » A la première menace, où il a séparé la peine de la famine des autres peines, il a tu les noms des fils et des filles : mais dans cette parole où il a menacé de bêtes féroces la terre[d], il dit « ... leurs fils et leurs filles seront-ils saufs ? mais eux seuls seront sauvés, et la terre » — après quelque réticence, il ajouta[2] — « et la terre sera détruite[e]. » De nouveau, dans la menace du glaive, il dit : « Ils ne sauveront ni fils ni filles[f] » Et à propos de la mort, il dit de même : « Leurs fils et leurs filles ne seront pas laissés de côté, mais eux seuls, Noé, Daniel et Job sauveront leurs âmes[g]. »

---

1. Cf. la note complémentaire 9, « Trois hommes justes ».
2. A la place de la leçon des manuscrits « introitu », et à la suite de Lommatzsch, Baehrens écrit « interitu » et conjecture « interitum ».

Ingens igitur nobis cura expositionis incumbit, et ob id
20 diligenter debemus attendere, et obsecramus auditores ut quasi ad aliquod grande spectaculum confluentes aciem mentis intendant, ne obscuritas relaxatis sensibus elabatur. Non dixit in praesenti : Si peccaverint civitatis aut loci alicuius accolae, sed : *Si terra peccaverit.* Et scio
25 quia simplicior quisque, cum audierit : *Si terra peccaverit,* statim ad proclivem feratur intelligentiam, ut terram dicat nominatam pro his qui morentur in terra ; verum sequentia Scripturae istam statim eximent expositionem. *Cum* enim *peccaverit terra* et in sua peccata corruerit,
30 *extenditur manus* non super habitantes terram sed *super* ipsam *terram,* et prima correptione conteritur, ut *auferatur ab ea firmamentum panis*[h], videlicet quasi poena sit terrae, si fames in ea obtineat, ut fruges semini denegentur. Nam quomodo homo peccator sine prole et
35 sterilis inter maledictos punitur, iuxta id quod in quodam loco scriptum est — ex contrariis enim contraria intelliguntur — et de iusto dicitur : *Non erit sine prole neque sterilis in vobis*[i], et peccatores sine liberis et posteritate sui aeterna infertilitate damnantur, ut *in domo Abime-*
40 *lech* factum est, et eorum quorum *conclusit Deus vulvam*[j] propter peccatum quod in Isaac commissum est, sic

h. Cf. Éz. 14, 13 // i. Cf. Ex. 23, 26 // j. Cf. Gen. 20, 18

3. Origène lui-même ailleurs : « La terre, c'est-à-dire ceux qui habitent la terre. » *In Jud. hom.* 7, 1, *GCS* 7, p. 504, 18.

4. « J'imagine que c'est à cause de cela qu'il y a une malédiction pour le célibataire et pour l'homme stérile. Il est dit en effet : ' Maudit soit celui qui n'aura pas laissé de descendance en Israël (*Deut.* 7, 14 ; 25, 5-10) ' » Si l'on entend ces mots de la descendance charnelle, toutes les vierges de l'Église paraîtront englobées dans la malédiction. Et que dis-je, les vierges de l'Église ? Jean lui-même, ' le plus grand parmi les

Terre pécheresse

Nous incombe dès lors un grand soin d'expliquer ce qui requiert de nous une attention minutieuse ; et nous supplions les auditeurs comme s'ils confluaient à un vaste spectacle, d'appliquer l'acuité de leur intelligence, pour qu'une obscurité n'échappe point à des pensées distraites. A présent, il n'a pas dit : si les habitants d'une ville ou de quelque localité pèchent, mais « si la terre pèche ». Je sais bien que chaque personne simple[3], à entendre « si la terre pèche », est portée d'emblée au sens facile pour dire qu'on emploie le nom de la terre pour ceux qui demeurent sur la terre ; mais la suite de l'Écriture ruine aussitôt cette explication. En effet, « quand la terre pèche » et sombre dans ses péchés, « sa main s'étend », non pas contre ceux qui habitent la terre, mais « contre la terre » elle-même, et elle est accablée d'un premier châtiment : « lui est enlevée sa réserve de pain[h] », évidemment comme si c'était un châtiment de la terre, si la famine durait sur elle, en sorte que les moissons ne répondent point à la semence. Car de la même manière qu'un homme pécheur stérile et sans descendance est puni parmi les maudits[4], d'après le texte d'un passage, — car on comprend les contraires par les contraires —, il est dit aussi du juste : « Il n'y aura personne qui soit stérile et sans descendance chez vous[i] » ; et les pécheurs sans postérité à eux ni enfants seront condamnés à une stérilité éternelle, comme il advint « pour la maison d'Abimélech », et de celles dont « Dieu ferma la matrice[j] », à cause du péché commis contre Isaac ; de même aussi la

---

enfants des femmes (cf. *Matth.* 11, 11) et d'autres saints nombreux n'ont pas laissé de descendance charnelle, puisqu'on ne rapporte pas qu'ils se soient mariés. » *In Gen. hom.* 11, 1, 36 s., *SC* 7 *bis,* p. 278 s. tr. L. Doutreleau, qui note : « La citation est un logion dont on ne trouve que l'idée dans l'Écriture, voir *Appendice,* p. 395. »

et terra quodammodo sine prole et sterilis relinquitur fame missa in eam.

Putas verum est hoc quod asserere Sermo praeludit, 45 non de habitatoribus terrae, sed de ipsa terra dici ? Possum paulisper ad altiora conscendens Scripturarum testimoniis approbare quomodo peccator terra dicatur ; dicitur enim ad Adam : *Terra es et in terram ibis*[k]. Possumus dicere quia et nunc delinquens terra peccator 50 sit. Sed e contrario latissimam Scripturae silvam recensens coarctor ad suspicandum quia animalis sit terra ista quam cernimus. Si enim hoc quod scriptum est : *Qui adspicit super terram et facit eam tremere*[l], iuxta id quod scriptum est volumus accipere, intelligimus ad 55 adspectum Dei terrae motus concitari, non quos Iudaei suspicantur ; nam illi adserunt tremorem terrae commotionem eius esse, quod longe a veritate diversum est. Et nos quippe solliciti et trementes propter peccata nostra in terra sumus, nec tamen tremor noster corpus concutit 60 ad tremendum, sicuti et in alio loco dicitur : *Super quem respiciam,* ait Dominus, *nisi super humilem et quietum et trementem sermones meos*[m] ? Ex quo manifestum est mansuete et humiliter Deo servientem ad sermones eius mente potius tremere quam corpore. Et haec quidem 65 in medio dicta sint satisfactione eius testimonii quod intulimus : *Qui adspicit terram et facit eam tremere*[n]. Accipe autem et alia dicta de terra : *Offenditur terra ab his qui insident in ea*[o]. Quomodo offenditur terra, et quando aversatur ab his qui in se commorantur ? Quando 70 fuerint peccatores.

k. Gen. 3, 19 // l. Ps. 103, 22 // m. Is. 66, 2 // n. Ps. 103, 32 // o. Cf. Is. 24, 5

terre, une fois la famine envoyée contre elle, est en quelque sorte laissée stérile et sans descendance.

Crois-tu vrai que ce que la Parole commence par affirmer est dit non des habitants de la terre, mais de la terre elle-même ? Je puis, remontant un peu plus haut, prouver par les témoignages des Écritures que le pécheur est dit « terre » ; car il est dit à Adam : « Terre tu es et en terre tu iras[k]. » Nous pouvons dire que maintenant aussi, commettant une faute, le pécheur est terre. Par contre, passant en revue la vaste forêt de l'Écriture, je suis forcé de conjecturer qu'est vivante cette terre que nous voyons. Si en effet, ce qui est écrit : « Il jette un regard sur la terre et la fait trembler[l] », nous voulons l'interpréter d'après ce qui est écrit, nous comprenons qu'à la vue de Dieu s'ébranlent des tremblements de terre, non pas ceux que les Juifs conjecturent : car eux affirment que le tremblement de la terre est sa secousse, ce qui est bien éloigné de la vérité. Car nous aussi nous sommes sur terre anxieux et tremblants à cause de nos péchés, sans que notre tremblement fasse trembler le corps, comme il est dit encore ailleurs : « Vers qui est-ce que je regarde », dit le Seigneur, « sinon vers celui qui est humble, paisible, qui tremble à mes paroles[m] ? » Ce qui fait bien voir que celui qui sert Dieu avec douceur et humilité tremble à ses paroles plutôt de la pensée que du corps. Cela soit dit au grand jour pour justifier le témoignage que nous produisons : « Il regarde la terre et la fait trembler[n]. » Écoute ce qui est encore dit d'autre de la terre : « La terre est profanée par ceux qui l'habitent[o]. » Comment la terre est-elle profanée, et quand se détourne-t-il de ceux qui l'occupent ? Quand il y a eu des pécheurs.

Accipe et aliud exemplum : *Complacebit sibi terra in sabbatis suis*[p] ; e contrario enim quaedam terrae sabbata nuncupantur in quibus sibi complaceat et laetetur. Nec-dum dico : *Attende, caelum, et loquar ; et audiat terra*
75 *verba oris mei*[q] ; neque illud : *Audi, caelum, et auribus percipe, terra*[r] ; sed nec Hieremiae prophetiam : *Terra, terra, audi sermonem Domini : Scribe virum istum abdicatum*[s]. Multa nos latent propter paupertatem memoriae, ingenii tarditatem. Multa sunt quae condidit Deus
80 rationabilia et sunt capacia, non solum *principatus et potestates, et rectores tenebrarum istarum*[t], verum etiam et in meliore parte *thronos, dominationes*[u], et cetera quae nostro intellectui Apostolus reliquit dicens : *Et super omne nomen quod nominatur, non solum in*
85 *saeculo isto verum et in futuro*[v]. Aër quoque animalibus plenus est, secundum eiusdem Apostoli testimonium praedicantis : *In quibus aliquando ambulastis secundum saeculum mundi huius, secundum principem potestatis et aëris spiritus, qui nunc operatur in*
90 *filiis diffidentiae*[w]. Est ergo terra et universa animalia et per partes animalium varietates ; quando enim offenditur terra et rursum complacet sibi in sabbatis suis, non omnis offenditur, non omnis exsultat. Quodammodo enim erudita est cum habitatoribus suis, et didicit sabbata sive
95 in umbra sive in veritate iuxta naturae suae agere qualitatem. Unde sacratiore quadam intelligentia *sabbatismus* exercetur post *septem annos terrae* sanctae, donec complaceat Deo in ea habitare ; si vero peccatores in ea

p. Lév. 26, 43 // q. Deut. 32, 1 // r. Is. 1, 2 // s. Jér. 22, 29.30 // t. Cf. Ephés. 6, 12 // u. Cf. Col. 1, 16 // v. Ephés. 1, 21 // w. Ephés. 2, 2

5. « Sur les registres généalogiques des rois » ; cf. *Is.* 4, 3 : « ... car nul de sa descendance ne réussira à siéger sur le trône de David... » poursuit le verset : de fait, aucun descendant de Joakim ne devint roi, et Zoroba-

Sabbats Prends aussi un autre exemple : « La terre se complaira dans ses sabbats[p]. » A l'inverse, on parle de « sabbats de la terre » dans lesquels elle met sa complaisance et sa joie. Je ne cite pas encore : « Prête l'oreille, ciel, je vais parler ; que la terre écoute les paroles de ma bouche[q] » ; ni ceci : « Écoute ciel, et terre prête l'oreille[r] » ; ni non plus la prophétie de Jérémie : « Terre, terre, écoute la parole du Seigneur : Inscris[5] cet homme ' destitué '[s]. » Bien des choses nous échappent par pauvreté de mémoire et lenteur d'intelligence. Il y a bien des êtres que Dieu a créés raisonnables et qui sont doués de facultés, non seulement « les principautés, les puissances, les régisseurs de ces ténèbres[t] », mais encore et de meilleure espèce, « les trônes, les dominations[u] », et les autres que l'Apôtre nous laisse à comprendre en disant : « et au-dessus de tout nom qui puisse être nommé non seulement dans ce siècle, mais encore dans le futur[v] ». L'air encore est plein d'être vivants, au témoignage du même Apôtre : « (Vos péchés) où jadis vous avez marché selon le cours de ce monde, selon le prince de l'empire et de l'esprit de l'air, qui agit maintenant dans les fils de la rébellion[w]. » Donc il y a la terre, et tous les vivants, et des variétés par espèces de vivants ; en effet, quand la terre est profanée, et de nouveau se complaît dans ses sabbats, elle n'est pas profanée tout entière, elle n'exulte pas tout entière. Car d'une certaine manière, elle a été instruite avec ses habitants, elle a appris à célébrer les sabbats, soit en ombre, soit en vérité, d'après la qualité de sa nature. D'où, en un sens plus mystérieux, le sabbat est pratiqué après sept années de la terre sainte, jusqu'à ce qu'il plaise à Dieu d'y habiter ; si toutefois il y a des pécheurs, elle ne célèbre

---

bel, son petit-fils, « ne fut que gouverneur de Juda au retour de l'exil. » *BJ*.

fuerint, iam non ultra per septem [milia] annos, sed per
100 septuaginta terra sabbatum gerit. Habemus sermonem de septuaginta annis, tam apud Hieremiam, quam apud Danielem sanctis litteris consignatum[x].

Et futurum est ut in iudicii die non solum homo, sed etiam universa conditio iudicetur ; *Omnis* quippe *crea-*
105 *tura congemiscit et condolet*[y]. Si omnis creatura congemiscit et condolet, est autem creaturarum pars terra et caelum et aethera quaeque sub caelos sunt et quae super caelos et *liberabitur omnis creatura a servitute corruptionis in libertatem gloriae filiorum Dei*[z], qui scit
110 et de terra, an secundum naturam suam in aliquo peccato teneatur obnoxia ? Si enim animal est, si rationabilis est, si indiget auditione sermonis prophetici dicentis : *Attende, caelum, et loquar ; et audiat terra verba oris mei*[aa] et : *Audi, caelum, et auribus percipe, terra*[ab], cur
115 non dicamus quia, ut inter homines est homo audiens et faciens verba quae iussus est facere, et alius est qui audit et non implet quod praecipitur, sicut et angelus praevaricatur — *Angelos* enim *non custodientes principatum suum, sed deserentes proprium habitaculum in iudi-*
120 *cio magnae diei vinculis sempiternis sub tenebris servabit*[ac] — quomodo ergo et angeli praevaricantur, et alii sunt qui Dei praecepta custodiunt, et iudicium praestolantur non solum homines, verum etiam angeli Dei, ut frequenter diximus tam de his quae in Apocalypsi
125 conscripta sunt, quam et ex aliis innumerabilibus, quare, inquam, non terrae et aëris iudicium sit futurum ? Si autem non putas huic disputationi consentiendum, per

x. Cf. Lév. 25, 4 ; cf. Jér. 25, 11. Dan. 9, 2 // y. Rom. 8, 22 // z. Rom. 8, 21 // aa. Deut. 32, 1 // ab. Is. 1, 2 // ac. Jude 6

plus le sabbat tous les sept, mais tous les soixante-dix ans. Nous avons une parole au sujet des soixante-dix ans consignée dans les saintes lettres tant chez Jérémie que chez Daniel[x].

Au jour du jugement

Et il se fera qu'au jour du jugement, non seulement l'homme, mais encore toute créature sera jugée : car « toute la création ensemble souffre et gémit[y] ». Si toute la création ensemble souffre et gémit, il y a pourtant une partie des créatures, terre, ciel, air, tout ce qui est au-dessous des cieux et qui est au-dessus des cieux, et « toute la création sera libérée de l'esclavage de la corruption, pour entrer dans la liberté de la gloire des enfants de Dieu[z] », qui sait même pour la terre, si d'après sa nature elle est assujettie à quelque péché ? En effet, si elle est un être vivant, si elle est douée de raison, si elle a besoin d'entendre la parole prophétique : « Prête l'oreille, ciel, je vais parler, et que la terre écoute les paroles de ma bouche[aa] ! », et : « Écoute ciel, prête l'oreille terre[ab] », pourquoi ne pas dire que, comme parmi les hommes, il y en a un qui écoute et exécute ce qu'il a ordre de faire, et un autre qui entend et n'accomplit pas ce qui est ordonné, de même aussi un ange a prévariqué — car « les anges qui n'ont pas gardé leur primauté, mais ont quitté leur demeure, il les gardera pour le jugement du grand jour dans des liens éternels au fond des ténèbres[ac] — donc, de même que des anges aussi prévariquent et qu'il y en a d'autres qui gardent les préceptes de Dieu, et qu'attendent le jugement non seulement les hommes mais encore les anges de Dieu, comme on l'a souvent dit, tant de ceux qui sont inscrits dans l'Apocalypse que d'autres sans nombre, pourquoi, dis-je, n'y aura-t-il pas un jugement de la terre et de l'air ? Que si tu ne crois pas devoir être d'accord avec cette argumentation par laquelle nous

quam asserimus omnen creaturam iudicandam, audi et aliud testimonium de terra. Interrogat Deus Cain, quis
130 occiderit Abel fratrem eius, et post multos sermones quos in Genesi legimus, ad extremum de terra dicit : *Maledicta terra quae aperuit os suum ad excipiendum sanguinem fratris tui de manu tua*[ad]. Ego nec illud praetereo : *Maledicta terra in operibus tuis*[ae] et e contrario si
135 quando benedicitur, legimus quippe et *maledictam* et *benedictam* Dei vocibus *terram*[af]. Vides ergo quia merito dicitur : *Congemiscit omnis creatura*[ag].

Et ut praecedens revertar ad exemplum : *Offenditur terra in insidentibus sibi*[ah], puto quia terra nos ut
140 mater sustinens, et laetetur super bonis filiis et doleat super peccatoribus. *Ira* quippe *patri[s] filius insipiens et dolor est ei quae genuit eum*[ai], non solum huic patri et matri, de quorum semine orimur, sed et illi matri quae vere mater nostra est. Accepitque *Deus humum de terra*
145 et *plasmavit hominem*[aj] ; igitur terra mater nostra est. Laetatur, quando iustum filium sustinet. Laetabatur terra ferens Abraham, Isaac et Iacob, laetabatur terra in adventu Domini mei Iesu Christi dignam se cernens Filii Dei sustentatu. Quid necesse est dicere de Apostolis et pro-
150 phetis, cum de Domini adventu scriptum sit : *Omnis terra clamat cum laetitia*[ak] ? Confitentur et miserabiles Iudaei haec de Christi praesentia praedicari, sed stulte ignorant personam, cum videant impleta quae dicta sunt. Quando enim terra Britanniae ante adventum Christi in
155 unius Dei consensit religionem, quando terra Maurorum,

---

ad. Gen. 4, 9.11 // ae. Gen. 3, 17 // af. Cf. Gen. 27, 27... // ag. Rom. 8, 22 // ah. Is. 24, 5 // ai. Prov. 17, 25 // aj. Cf. Gen. 2, 7 // ak. Cf. Is. 24, 14

affirmons que toute la création doit être jugée, écoute encore un autre témoignage au sujet de la terre. Dieu demande à Caïn qui a tué son frère Abel, et après bien des paroles que nous lisons dans la Genèse, à la fin il dit au sujet de la terre : « Maudite soit la terre qui a ouvert sa bouche pour recevoir de ta main le sang de ton frère[ad]. » Et moi je n'oublie pas non plus ceci : « Maudite soit la terre dans tes travaux[ae] », ni inversement si parfois elle est bénie, car nous lisons que la terre est soit maudite soit bénie par les paroles de Dieu[af]. Tu le vois : c'est à juste titre qu'il est dit : « Toute la création ensemble gémit[ag]. »

Comme une mère

Pour en revenir à l'exemple qui précède : « La terre est profanée sous ses habitants[ah] », je pense que la terre, nous soutenant comme une mère, se réjouit de ses bons fils et s'afflige des pécheurs. De fait, « colère pour son père qu'un fils insensé, et douleur pour celle qui l'a enfanté[ai] », non seulement pour ce père et cette mère, de la semence desquels nous tirons notre origine, mais encore de cette mère qui est véritablement notre mère. Et « Dieu » prit « du limon de la terre » et « il façonna l'homme[aj] » ; donc la terre est notre mère. Elle se réjouit quand elle porte un fils juste. Elle se réjouissait la terre, portant Abraham, Isaac et Jacob, elle se réjouissait la terre, à la venue de mon Seigneur Jésus-Christ, se voyant digne d'être le support du Fils de Dieu. Quel besoin de parler des apôtres et des prophètes, quand il est écrit de la venue du Seigneur : « Toute la terre crie de joie[ak]. » Même les malheureux Juifs avouent que c'est une prédiction de la présence du Christ, mais ils ignorent sottement sa personne, bien qu'ils voient accompli ce qui fut dit. En effet, quand la terre de la Bretagne, avant la venue du Christ, fut-elle unanime pour la religion du Dieu unique, quand la

quando totus semel orbis ? Nunc vero propter Ecclesias, quae mundi limites tenent, universa terra cum laetitia clamat ad Deum Istrahel et capax est bonorum secundum fines suos. *Statuitque fines gentium iuxta numerum* 160 *filiorum Istrahel, et facta est pars Domini populus eius Iacob, funiculus haereditatis eius Istrahel*[al].

Capax est, inquam, ut animal iuxta partium qualitates, et bonorum actuum et malorum, in quibus aut laudem mereatur aut poenam. Cum igitur dicitur : *Terra quae* 165 *peccaverit mihi ut delinquat delictum*[am], mysterium quoddam significatur ; aliter quippe de habitatoribus, aliter de ea dicitur quae inhabitatur. *Caelum et terra pertransibunt*[an]. Cur caelum praetergreditur, cur terra pertransit, nisi quia transitus sui quaedam digna fece- 170 runt ? Et alio loco : *Corrupta est,* ait, *omnis terra*[ao]. Quando corrupta est ? Ante dilivium, non quo per inundationem diluvii sit corrupta. Ait ergo : *Terra quae peccaverit mihi ut delinquat delictum, extendam manum meam et teram eius firmamentum panis*[ap]. *Extendens* 175 Deus *manum suam* super *peccatricem terram, famem immittit in eam*[aq].

Possum et aliter interpretari, quia *terra* aliquando *delinquat*. *Terra* quippe est anima nostra, ut in parabola

al. Deut. 32, 8 // am. Éz. 14, 13 // an. Matth. 24, 35 // ao. Gen. 6, 11 // ap. Gen. 6, 11 // aq. Éz. 14, 13

6. Cf. *In Ex. hom.* 1, 4, 38-47 et la note, *SC* 321, p. 54-57. Pour l'argument apologétique de la rapide diffusion des églises, cf. *SC* 227, p. 208 s. L'amplification oratoire ne vise cependant que « la terre habitée », cf. *SC* 7 *bis*, p. 246, note 1.

terre des Maures, quand tout l'ensemble du globe ? Mais maintenant, grâce aux églises qui atteignent les limites du monde[6], la terre entière crie de joie vers le Dieu d'Israël, et elle est capable d'actes bons dans ses bornes. « Il établit les bornes des nations d'après le nombre des fils d'Israël[7], et la part du Seigneur fut son peuple Jacob, le lot de son héritage, Israël[al]. »

Coupable Elle est, dis-je, suivant les qualités de ses parts, capable comme un vivant d'actes soit bons soit mauvais, pour lesquels elle mérite ou la louange ou la peine. Quand donc il est dit : « La terre qui péchera contre moi jusqu'à commettre l'infidélité[am] », on indique un mystère ; car on parle autrement des habitants et autrement de celle qui est habitée. « Le ciel et la terre passeront[an]. » Pourquoi le ciel passe-t-il, pourquoi la terre passe-t-elle, sinon qu'ils ont commis des actes méritant qu'ils passent ? Et à un autre endroit : « Toute la terre fut pervertie[ao]. » Quand fut-elle pervertie ? Avant le déluge, non qu'elle fût pervertie durant l'inondation du déluge. Donc il dit : « La terre qui pèchera contre moi jusqu'à commettre l'infidélité, j'étendrai ma main, et je détruirai sa réserve[8] de pain[ap]. Dieu « étend sa main » sur « la terre pécheresse », « il envoie contre elle la famine[aq]. »

Notre âme Je peux aussi expliquer autrement que la terre parfois pèche. Car la terre, c'est notre âme[9], comme dans la parabole de

7. Sur le texte, voir *hom.* 13, 1, 40 et la note.
8. Litt. : « son bâton de pains » ; bâton enfilé dans des pains en forme d'anneaux, nos « couronnes ».
9. « L'âme de chacun de nous aussi est dite ' terre ' ; l'une a un paradis, l'autre des épines, l'une est dite bonne, l'autre mauvaise. La parabole du Seigneur le montre. » *Sel. in Éz.* 14, 13, *PG* 13, 808 A.

Evangelii significatur anima *petra*, anima *terra bona* et
180 *fertilis* per multam patientiam[ar]. Ista igitur terra saepe peccat, saepe non peccat. Et si quidem peccaverit, extendit Deus manum super eam, et conterit omne firmamentum panis eius. Ne conteras, omnipotens Deus, firmamentum panis ab ista terra, id est anima nostra, quin potius
185 largire nobis semen tuum, ut faciat in nobis *fructum centuplum*[as].

2. *Et emittam in eam famem, et tollam de ea hominem et pecus*[a]. Quomodo possum tam reconditas res in publicum proferre ? Unde mihi, ut exponere valeam cur fames, cur fertilitas, cur abundantia, cur egestas terrae
5 accidant ? *O profundum divitiarum sapientiae et scientiae Dei*[b] ! Utrum propter homines et animarum malitiam immittatur fames, an propter angelos quibus sunt commissa terrena, si peccaverint, in ea accidant quae videmus accidere ? Si autem sunt quidam caelestis
10 dispensationis ministri qui fructibus praesunt, forte et propter illos infertilitas terrae eveniat. *Plurima* enim operum *eius in absconsis sunt*[c] ; non possumus magnitudinem sapientiae effari. *Arenam maris et stillas pluviae et dies saeculi quis dinumerabit ? Altitudi-*
15 *nem caeli, et latitudinem terrae, et profundum sa-*

---

ar. Cf. Matth. 13, 3 s. // as. Cf. Matth. 13, 8.
2 a. Éz. 14, 13 // b. Rom. 11, 33 // c. Sir. 16, 21

---

1. A ces « ministres de l'économie céleste » une place est faite par Origène dans sa prédication et sa doctrine : cf. *infra, hom.* 13, 1, 40, note 3 ; *In Jos. hom.* 23, 3 fin : *SC* 71, p. 458 s., *GCS* 7, p. 4 ; dans son apologie contre Celse, en réponse aux couplets satiriques, alertes, illustrés de détails concrets, perfides, *CC*, 8, 24-32. Toutes les œuvres bonnes sont celles de Dieu et de ses anges. Aucune n'est celle des démons « dont la race entière est perverse » Mais les autres ? Certaines sont peut-être

l'Évangile est désignée l'âme comme « une pierre », l'âme comme « une terre bonne » et « fertile », moyennant beaucoup de patience[ar]. Cette terre donc, souvent pèche, souvent ne pèche pas. Et si elle pèche, Dieu étend sa main sur elle, et détruit toute sa réserve de pain. Ne détruis pas, Dieu tout-puissant, la réserve de pain de cette terre : notre âme ; bien plutôt accorde-nous ta semence, pour qu'elle produise en nous « du fruit au centuple[as] ».

Famine

2. « J'enverrai contre elle la famine, je retrancherai d'elle homme et bétail[a]. » Comment pourrais-je exposer en public des matières si secrètes ? D'où me viendrait le pouvoir d'expliquer pourquoi la famine, pourquoi la fertilité, pourquoi l'abondance, pourquoi la disette arrivent à la terre ? « Ô abîme des richesses de la sagesse et de la science de Dieu[b] ! » Est-ce à cause des hommes et de la malice des âmes qu'est envoyée la famine, ou à cause des anges auxquels sont confiées les choses terrestres, s'ils pèchent, qu'arrive sur elle ce que nous voyons arriver ? Mais s'il y a certains ministres de l'économie céleste qui président aux fruits[1], peut-être est-ce aussi à cause d'eux que l'infertilité arrive à la terre. « La plupart de ses » œuvres en effet « sont cachées[c]. » Nous ne pouvons exprimer la grandeur de sa sagesse. « Sable de la mer, gouttes de pluie, jours de l'éternité, qui les dénombrera ? Hauteur du ciel, étendue sur la terre, abîme de la sagesse, qui les explore-

---

directement les leurs : « *famines,* stérilités de la vigne ou des arbres, et même la corruption de l'air, cause de dommage pour les fruits, parfois de mort pour *les animaux* et de peste pour les hommes. Tout cela, les démons l'exécutent d'eux-mêmes ; sorte de bourreaux, ils ont reçu par quelque décision divine le pouvoir, dans certaines occasions de produire ces fléaux pour convertir les hommes abandonnés à la dérive du flot du vice ou pour exercer la race des êtres raisonnables... » A leur insu, ils servent encore un dessein divin. Cf. *CC* 8, 31, 19.28-36.

pientiae quis investigabit[d] ? Varie ergo mittitur fames super peccatricem terram.

3. *Et auferam* inquit *ex ea hominem et pecus*[a]. Aliud est terra, aliud homo (nam habitatores terrae, ut quidam putant, nunc pro terra non nominat). Si enim habitatores terrae pro terra accipi velit, superfluum fuerat dicere : *Auferam ex ea hominem et pecus.* Gaudet enim terra quando plena est accolis, maeret cum id quod dicitur acciderit. *Auferam ab ea hominem et pecus.* De quibus, si Dominus orantibus vobis ministraverit sensum — si tamen sensus Domini capaces fuerimus effecti —, volumus pauca disserere. Quomodo poena matris est in exilium destinatae privari filiis aut certe filios suos ad aliam videre provinciam destinari, sic quodammodo mater nostra terra flagellatur pro peccatis suis a Deo, quando aufertur ab ea homo et pecus, laetatur, quando homines habet, magis autem quando habet homines optimos et in Dei studiis viventes, sicut supra exposuimus. Dicitur ergo : *Quando terra peccaverit,* quasi dicatur : si, quando peccaverit mater, auferam de domo eius filium, sic et nunc *auferam de ea hominem*[b]. Laetatur quippe terra non super bestiis rabidis et feris, sed super pecudibus, quia placida et mansueta animalia diligit.

d. Sir. 1, 2.3.
3 a. Éz. 14, 13 // b. Éz. 14, 13.

ra[d] ? » A divers titres donc, la famine est envoyée contre la terre pécheresse.

Homme et bétail

3. « Je retrancherai d'elle homme et bétail[a]. » Autre chose est la terre, autre chose l'homme (car on ne nomme pas ici, comme certains le pensent, les habitants de la terre au lieu de la terre). En effet s'il voulait que l'on comprenne les habitants de la terre au lieu de la terre, il eût été superflu de dire : « Je retrancherai d'elle homme et bétail. » Car la terre se réjouit lorsqu'elle est remplie d'habitants, elle s'attriste quand arrive ce qui est dit. « Je retrancherai d'elle homme et bétail. » De quoi, si à vos prières le Seigneur m'accorde le sens — si toutefois nous sommes rendu capable du sens du Seigneur —, nous voulons dire quelques mots. Tout comme c'est une peine de la mère envoyée en exil que d'être privée de ses fils, ou du moins de voir ses fils être affectés à une autre province, de même en quelque sorte notre mère la terre est châtiée pour ses péchés par Dieu quand sont retranchés d'elle homme et bétail, elle se réjouit quand elle a des hommes, mais davantage quand elle a des hommes accomplis passant leur vie dans le zèle pour Dieu, comme on l'a expliqué plus haut[1]. Donc il est dit : « Quand la terre pèchera », comme on dirait : si quand la mère pèchera, je retrancherai son fils de sa maison, de même encore ici : « Je retrancherai d'elle[2] l'homme[b] ». Car la terre se réjouit, non point des bêtes fauves et féroces, mais du petit bétail, parce qu'elle aime les animaux paisibles et doux.

1. Cf. *supra*, § 1, 110 s.
2. Ailleurs : « seront retranchés d'elle homme et bétail : l'homme bête et l'homme raisonnable... » *Sel. in Éz.* 14, 14, *PG* 13, 805 D.

4. *Et auferam de ea hominem et pecus. Et si fuerint isti tres viri in medio eius*[a]. Quomodo potest in terra peccatrice trium istorum pariter numerus commorari ? Quomodo tam diversis temporibus viventium potest inter se vita coniungi ? In praesenti legimus in peccatrice terra eos pariter consistere, id est Noe, qui in diluvio fuit, et Danielem, qui in captivitate Babylonis commoratus est, et Iob[b], qui temporibus patriarcharum et Moysi vixisse perhibetur. Hoc enim tempus invenimus vitae Iob. Quid ergo possumus dicere ? Meminisse debemus, ut saepe iam diximus, quia, ut homo hominem generat, et Istrahel generat Istrahel ; Istrahel quippe cum esset Iacob[c], generavit populum Istrahel. Et invenimus in Scripturis Istrahel nomen tam in uno homine quam in universo populo dici. Sic non solum Istrahel Istrahel, verum et Ruben generat Ruben, et Simeon Simeon, et Levi Levi, et Iudas Iudam, et reliqui omnes qui in tribu Iuda sunt ab illius stirpe venientes Iudas nuncupantur, et replicatae sunt Scripturae in tribu Iuda nominibus Iuda. Ea quae in benedictionibus Iacob Moysi de Ruben et Simeon et Levi et Iuda dicuntur[d], et ceteris non sic conveniunt patriarchis ut his qui cognomines eorum propter familiae radicem exstiterunt.

Beniamin lupus rapax ; ad matutinum comedit, et ad vesperum dabit escam[e]. Beniamin ille numquam fuit lupus rapax, Beniamin ille numquam in vesperam dedit escam ; sed is qui natus est *ex tribu Beniamin, Hebraeus ex Hebraeis, iuxta legem Pharisaeus, circum-*

4 a. Éz. 14, 13.14 // b. Cf. Éz. 14, 14 // c. Cf. Gen. 32, 28 // d. Cf. Gen. 49, 3-12 // e. Gen. 49, 27

Trois hommes 4. « Je retrancherai d'elle homme et bétail et qu'il y ait ces trois hommes au milieu d'elle...[a] ». Comment le nombre de ces trois peut-il séjourner en même temps dans une terre pécheresse ? Comment la vie de gens qui vivent à des époques si diverses peut-elle coexister entre eux ? A présent, nous lisons que dans la terre pécheresse ils ont séjourné en même temps : Noé qui fut au déluge, Daniel qui demeura parmi les captifs de Babylone, et Job[b] qui, rapporte-t-on, vécut au temps des patriarches et de Moïse. Car nous trouvons ce temps de la vie de Job. Que pouvons-nous donc dire ? Nous devons nous souvenir, comme on l'a dit souvent, que, de même qu'un homme engendre un homme, Israël aussi engendre Israël ; car Israël, quand il était Jacob[c], engendra le peuple d'Israël. Et nous trouvons dans les Écritures le nom d'Israël employé tant pour un seul homme que pour l'ensemble du peuple. Ainsi, non seulement Israël engendre Israël, mais encore Ruben Ruben, Siméon Siméon, Lévi Lévi, Juda Juda, et tous les autres qui sont dans la tribu de Juda venant de sa descendance sont appelés Juda, et les Écritures sont parsemées des appellations de Juda pour la tribu de Juda. Et ce qui, dans les bénédictions de Jacob, est dit à Moïse de Ruben, Siméon, Lévi et Juda[d], ne convient pas aux autres patriarches comme à ceux qui portèrent le même nom qu'eux à cause de la souche familiale.

Descendance spirituelle « Benjamin est un loup rapace. Le matin il dévore, le soir il donnera de la nourriture[e]. » Ce Benjamin-là ne fut jamais un loup rapace, ce Benjamin-là n'a jamais donné de la nourriture le soir ; mais ce Benjamin-ci qui est né « de la tribu de Benjamin, Hébreu issu d'Hébreux, pour la Loi Pharisien, circoncis le huitième jour[f] » était pro-

cisus octavo die[f], Beniamin praedicabatur lupus rapax
30 ad matutinum comedens, quando iuvenis fuit, et in vesperam dans escam, quando credens spiritalem praebuit cibum a se Ecclesiis institutis. Igitur Beniamin Beniamin generat. Quomodo ergo homo ex homine, Beniamin ex Beniamin, sic Iuda ex Iuda, Ruben ex Ruben nascitur.
35 *Ruben* quippe *vivat et non moriatur, et sit multus in numero*[g]. In tantum non erat de patriarcha sermo, sed de populo qui de patriarcha descensurus erat.

Cur haec dicta sunt ? Videlicet ut praesentem locum exponerem de Noë et de Daniel et Iob. Quomodo enim
40 Istrahel Istrahel generat, et Iacob Iacob, et Ruben Ruben, reliqui reliquos, sic Noë Noë. Et dicam quia de filiis Noë, Seth Noë fuerit, Cham vero non fuerit Noë[h] ; neque enim habuit similitudinem patris sui. Et ut non omnes qui ex Abraham, filii Abraham, licet sint de semine eius, non
45 sunt filii ipsius, quoniam peccatores sunt, sic hi qui habent similitudinem factorum Daniel, Daniel sunt, qui imitantur patientiam Iob, Iob fiunt. Noli ergo dicere : beatus Noë quoniam dignus effectus est ut in diluvio solus eligeretur a Domino et ceteris inundatione pereuntibus
50 cum suis servaretur incolumis ; sed considera quia et tu, si feceris ea quae fecit Noë, eris Noë. Audi Salvatorem

f. Cf. Phil. 3, 5 // g. Cf. Deut. 33, 6 // h. Cf. Gen. 4, 25 ; 5, 31

1. Après une énumération des bénédictions du Lévitique, des Nombres et de la Genèse, Origène poursuit : « Il y a donc beaucoup de bénédictions dans les saintes Écritures : elles semblent adressées à chacun des saints, par exemple à Sem ou Japhet ou Joseph, non pourtant qu'elles soient adressées, comme il semble à certains, à eux seuls, au point qu'un autre ne puisse y avoir part : pour cette raison, l'Apôtre les a nommées spirituelles (*Éph.* 1, 3), afin que quiconque a pu être établi dans la puissance et l'esprit, par exemple Sem ou Japhet ou Joseph ou Isaac ou Jacob, comme aussi Jean fut ' dans l'esprit et la puissance d'Élie (*Lc* 1, 17) ', puisse lui aussi avoir part à la bénédiction de celui dont il exerce la puissance et l'esprit. » *In Lev. hom.* 16, 1 fin, *SC* 287, p. 264 s.

clamé loup dévorant le matin quand il fut jeune et donnant de la nourriture le soir lorsque, croyant, il fournit de la nourriture spirituelle aux églises instituées par lui. Donc Benjamin engendre Benjamin. Dès lors, de même qu'un homme d'un homme, que Benjamin de Benjamin, ainsi Juda naît de Juda, Ruben de Ruben. Car « que vive Ruben et qu'il ne meure pas, et qu'il soit grand par le nombre[g]. » Pour autant, il n'était pas question du patriarche, mais du peuple qui allait descendre du patriarche.

Pourquoi ces remarques ? Évidemment pour que j'explique le présent passage sur Noé, Daniel et Job. En effet, comme Israël engendre Israël, Jacob Jacob, Ruben Ruben, les autres les autres, ainsi Noé engendre Noé. Et je dirai que des fils de Noé, Seth fut de Noé, mais Cham ne fut pas de Noé[h] ; car il n'eut pas la ressemblance de son père. Et comme ceux qui sont d'Abraham ne sont pas tous fils d'Abraham, bien qu'ils soient de sa semence, ils ne sont pas de ses fils, parce qu'ils sont pécheurs, de même ceux qui ont la ressemblance des actions d'éclat de Daniel sont Daniel, ceux qui imitent la patience de Job deviennent Job. Ne viens donc pas dire : heureux Noé[1] parce qu'il est devenu digne d'être au déluge seul choisi par le Seigneur, et quand les autres périssent par l'inondation, d'être avec les siens conservé sain et sauf ; mais considère que toi aussi, si tu fais ce que fit Noé, tu seras Noé[2]. Écoute le

---

2. L'imitation des vertus d'un saint produit une sorte d'identification avec lui : « Ne pas corrompre sa vie sur la terre..., mais ' briller comme un flambeau dans le monde (*Phil.* 2, 15) ', maintenant la parole de vie au milieu d'une génération perverse et dépravée, c'est être Noé... ; ' avoir résolu dans son cœur (*Dan.* 1, 8) ' de ne pas se souiller par les aliments et les boissons du Nabuchodonosor spirituel (= le diable), mais affliger son âme de jeûnes dans cette Babylone, à cause de la connaissance de la vérité, c'est être Daniel..., être irréprochable dans la vie... au point de susciter la jalousie du diable contre soi..., sans pourtant ' faire la moindre offense d'une parole de ses lèvres (cf. *Job.* 2, 10) ', c'est être Job. » *Sel. in Éz.* 14, 14, *PG* 13, 808 BC.

dicentem : *Si essetis filii Abraham, opera Abrahae faceretis*[i]. Igitur si quis filius est Abraham, facit gesta Abraham, si quis filius est Noë, facit opus Noë, si quis
55 filius est Danielis, facit id quod fecit Daniel. Si quis sequitur per quod *Iob* gloriosus effectus est[j], ut puta omnis qui substantiam suam perdit, et sustinens patienter tam iacturas rerum familiarum quam mortes filiorum dicit : *Dominus dedit, Dominus abstulit, ut Domino visum*
60 *est, ita factum est, sit nomen Domini benedictum in saecula*[k], qui incenditur corporis malis et flagellatur vario malorum suorum dolore et nihilominus in ipsis suppliciis glorificat Deum, qui potest respondere divina et inter cruciatus propheticam vocem emittere qualem emi-
65 sit Iob, imitator est Iob. Atque ita et in hunc modum et Noë et Daniel et Iob in eodem possunt tempore repperiri.

5. Quia autem nunc Ezechiel non de his dixerit, quos in Scripturis lectitamus, videlicet quos aut translatio[a] aut mors de praesenti vita subtraxerit, de alio quoque loco approbare conabimur. Daniel, qui traditus est *principi*
5 *eunuchorum* cum *Anania, Azaria, Misaël*[b], eunuchus fuit, et est in praesenti dictum : *Noë et Daniel et Iob filios et filias non liberabunt*[c] et reliqua. Fingamus quippe, filios habuerit Noë, quomodo filii Daniel docebuntur, quem eunuchum fuisse Iudaei tradunt ? Verum quia
10 fertilis et sancta fuit anima illius et propheticis divinisque sermonibus multos liberos procreavit, idcirco dicitur : *Si fuerint in tempore isto vel illo ut Noë et Daniel et Iob,*

---

i. Jn 8, 39 // j. Cf. Job 40, 5 (10) // k. Job 1, 21.
5 a. Cf. Sir. 44, 16 // b. Cf. Dan. 1, 3.6 // c. Cf. Éz. 14, 14.18

Sauveur : « Si vous étiez fils d'Abraham, vous feriez les œuvres d'Abraham[i]. » Donc être fils d'Abraham c'est faire les actions d'Abraham ; être fils de Noé c'est faire l'œuvre de Noé ; être fils de Daniel c'est faire ce que fit Daniel. Suivre ce par quoi Job est devenu glorieux[j], par exemple avoir perdu son bien, et, supporter avec patience tant les pertes des biens familiaux que les morts de ses fils, et dire : « Le Seigneur a donné, le Seigneur a repris, comme il a plu au Seigneur, ainsi en fut-il, que le nom du Seigneur soit béni pour les siècles[k] ! » ; être brûlé des maux du corps et frappé de la douleur variée de ses maux, et néanmoins dans les supplices mêmes glorifier Dieu, pouvoir faire des réponses divines, et au milieu des tortures proférer une parole prophétique telle que la proféra Job, c'est être l'imitateur de Job. Et en outre, de cette manière aussi, Noé, Daniel et Job peuvent se trouver dans le même temps.

5. Or, parce qu'Ézéchiel ici n'a point parlé de ceux que nous lisons souvent dans les Écritures, à savoir ceux qu'un transfert[a] ou la mort a soustraits de la vie présente, nous tenterons la démonstration par un autre passage encore. Daniel, qui fut livré « au chef des eunuques » avec « Ananias, Azarias, Misaël[b] », fut eunuque, et il est dit à présent : « Noé, Daniel, et Job ne sauveront ni fils ni filles[c] », etc. Car imaginons, — Noé eut des fils —, comment seront enseignés les fils de Daniel dont les Juifs rapportent qu'il fut eunuque[1] ? Mais parce que son âme fut sainte et féconde, et que par des paroles divines et prophétiques il procréa beaucoup d'enfants, il est dit : « Qu'il y ait en ce temps ou cet autre des hommes comme

1. « Selon la même génération spirituelle Daniel a des fils que sa prophétie a engendrés. Car il n'eut pas de fils charnels : il était eunuque, dit-on. » *Sel. in Éz.* 14, 20, *PG* 13, 808 D.

ipsi soli salvabuntur[d]. Et nos ergo possumus fieri Daniel et, ut non enumerem omnes sanctos, possum esse Paulus,
15 si fuero imitator eius dicentis : *Imitatores mei estote*[e], si cauterium quo signatus est Paulus habuero, si eandem figuram qua ille figuratus est in Christo possedero, per quam ut bonus pater aiebat : *Filioli mei quos iterum parturio donec Christus formetur in vobis*[f]. Si vero ex
20 dissimilitudine signaculi coarguor quia aliam formam habuerit Paulus quam ego in anima habeam, me ipsum decipio dicens : filius eius es, semen Pauli. Noli mirari quod filius Apostoli fias ; habeto virtutes et eris filius Christi. *Filioli*, inquit, *adhuc pusillum vobiscum sum*[g].
25 Cum autem fueris Christi, eris et omnipotentis Patris, quia unius sunt iunctaeque naturae. Ad hoc laborat iustus, in hoc studium suum omne convertit, ut Danielis et Iob et Noë et Abrahae filius ascendat ad adoptionem Dei, et iam non vocetur hominum nominibus, sed vocabu-
30 lis filiorum Dei. *Si ergo fuerint tres viri isti*[h]. Non indiget Spiritus sanctus, ut etiam nunc Noë et Daniel et Iob ostendat.

6. *Tres viri isti in medio eius*[a]. Dicit mihi eruditus auditor : tres in praesenti nominantur, sermo vero tuus plurimos adfirmat, et Daniel et Iob et Noë. Cui sic respondebimus. Omnis multitudo similium unus est, et non sunt
5 plures qui similes sunt plurima corpora, sed unum corpus omnes, iuxta id quod scriptum est : *Vos autem estis corpus Christi et membra ex parte*[b]. Et Salvator noster

---

d. Cf. Éz. 14, 14.18 // e. I Cor. 11, 1 // f. Gal. 4, 19. // g. Jn 13, 33 // h. Cf. Éz. 14, 14.

Noé, Daniel et Job, eux seuls seront sauvés[d]. » Nous aussi donc nous pouvons devenir Daniel et, pour ne pas énumérer tous les saints, je peux être Paul, si je suis l'imitateur de celui qui déclare : « Soyez mes imitateurs[e] », si j'ai le cautère dont fut marqué Paul, si je possède la même forme que celle dont il fut formé dans le Christ, laquelle lui permettait de dire comme un bon père : « Mes petits enfants que j'enfante à nouveau jusqu'à ce que le Christ soit formé en vous[f]. » Mais si je suis démasqué par la dissemblance du sceau parce que Paul eut une autre forme que celle que moi j'ai dans l'âme, je m'abuse moi-même en disant : Tu es son fils, la semence de Paul. Ne t'étonne pas de devenir le fils de l'Apôtre : aie des vertus et tu seras fils du Christ : « Mes petits enfants », dit-il, « pour peu encore je suis avec vous[g]. » Or quand tu le seras du Fils, tu le seras aussi du Père tout-puissant, parce qu'ils sont d'une seule et unique nature. A cela travaille le juste, à cela il fait tourner tout son zèle : comme fils de Daniel, de Job, de Noé, d'Abraham, s'élever jusqu'à l'adoption de Dieu, et n'être plus appelé des noms d'hommes, mais des titres des fils de Dieu. « Si donc il y avait ces trois hommes[h]. » L'Esprit-Saint n'a pas besoin de montrer encore ici Noé, Daniel et Job.

6. « Ces trois hommes au milieu d'elle[a]. » Un auditeur instruit m'objecte : trois sont nommés au texte présent, mais ton homélie allègue nombre de Daniel, de Job et de Noé. A cela, voici notre réponse. Toute multitude d'êtres semblables ne fait qu'un seul, et plusieurs hommes qui sont semblables ne sont pas un grand nombre de corps, mais tous un seul corps, d'après ce qui est écrit : « Or vous êtes, vous, le corps du Christ, et membres chacun pour sa part[b]. » Et notre Sauveur est venu chercher et sauver ce

6 a. Éz. 14, 14 // b. I Cor. 12, 27

venit quaerere et salvare quod perierat, in sacramento *nonaginta et novem ovium non errantium* et *unius*
10 *perditae*[c]. *Venit quippe Filius hominis quaerere et salvare quod perierat*[d]. Quomodo enim unum corpus plura sunt corpora, et una ovis plures sunt oves quae perierant, hoc pacto omnes Noë, Daniel et Iob in unum Noë, Daniel et Iob rediguntur.

7. *Ipsi in iustitia sua salvabuntur, dicit Adonai Dominus*[a]. Prius nomen Dei quattuor litterarum est, quod interpretatur naturaliter Deus. Ergo *emittitur propter peccata terrae fames*[b], terra vero secundum
5 omnes sensus quos superius diximus et quoscumque intelligentiae auditorum reliquimus, ut ex nostris dictis ipsi sibi alias intelligentias repperirent.

Videamus autem et aliud opus irae divinae *emittentis in terram peccatricem bestias pessimas*[c]. Aiunt etiam
10 Iudaei, si quando lupi homines devoraverint impetum facientes in domos, et ceterae bestiae — ut historia refert *leones* quondam in humanum genus *immissos*[d], et alio tempore *ursos*[e] —, istiusmodi devorationes ex Dei indignatione descendere. Et hunc interim sensum, ut sequa-
15 mur litteram ab altiori intellectu recedentes, nunc sequi videmus prophetam. Qui autem *spiritalis est omnia iudicans et a nullo diiudicatur*[f], confidenter dicit multas esse bestias quas emittit Deus in peccatricem

c. Cf. Lc 15, 4 s. ; Matth. 18, 12 s. // d. Lc 19, 10. 7 a. Éz. 14, 14 // b. Cf. Éz. 14, 13 // c. Cf. Éz. 14, 13.15 // d. Cf. IV Rois 17, 25 // e. Cf. IV Rois 2, 24 // f. Cf. I Cor. 2, 15

qui était perdu, au sens mystérieux « des quatre-vingt-dix neuf brebis qui n'étaient pas errantes » et « d'une qui était perdue[c] ». « Car le Fils de l'homme est venu chercher et sauver ce qui était perdu[d]. » En effet, comme plusieurs corps sont un seul corps, et plusieurs brebis qui étaient perdues sont une seule brebis, de cette manière tous les Noé, Daniel et Job se réduisent à un seul Noé, Daniel et Job.

7. « Eux, à cause de leur justice, seront sauvés, dit le Seigneur Adonaï[a]. » Le nom de Dieu[1] est d'abord de quatre lettres, ce qu'on traduit naturellement Dieu. Donc « la famine est envoyée à cause des péchés de la terre[b] » : mais de la terre à tous les sens que nous avons dits plus haut[2], et à tous ceux que nous avons laissés à l'intelligence des auditeurs, pour qu'à partir de nos paroles eux-mêmes découvrent pour eux d'autres significations.

Bêtes féroces Mais voyons encore une autre action de la colère divine « envoyant contre la terre pécheresse les pires bêtes[c] ». Au dire même des Juifs, si parfois des loups s'élançant contre les maisons dévoraient des hommes et toutes les autres bêtes comme l'histoire rapporte qu'autrefois « des lions furent envoyés[d] » contre le genre humain, et à une autre époque « des ours[e] » —, les actions dévoratrices de ce genre provenaient de l'indignation de Dieu. Voilà ce sens provisoirement, pour suivre la lettre en nous écartant d'un sens plus élevé ; maintenant nous voyons à suivre le prophète. Or celui qui « est spirituel jugeant tout et qui n'est jugé par personne[f] » déclare hautement que nombreuses sont les bêtes que Dieu envoya contre la terre pécheresse, si du

1. Cf. la note complémentaire 10, « Le nom de Dieu ».
2. Cf. *hom.* 4, 1, 24 s.

terram, si tamen terra nostra peccaverit : *Adversarius*
20 *noster diabolus ut leo rugiens ambulat, quaerens quem devoret*[g]. Illa quoque historia, quae Scripturas diligenter observantibus in planum se praebet intellectum, istiusmodi habet significationem, quando *duo ursi* ad *parvulos* missi sunt, qui *contumelias faciebant* pro-
25 phetae, *dicentes : Adscende, calve, adscende calve*[h]. Ursi namque illi in signo erant aliarum bestiarum, quae vere ferae, vere sunt rabidae, quae mittuntur in hanc peccatricem terram. Procul autem absit a nobis ut bestiae ad nos pro Dei ultione mittantur, quin potius in oratione
30 dicamus : *Ne tradideris bestiis animam confitentem tibi*[i]. Ego novi perseverantes in fide iustos feris traditos, et laceratos ab iis consummasse martyrium, nec tamen beatos esse desisse ; non enim bestiis fuerant traditi spiritalibus et invisibilibus, quae lacerant animas pecca-
35 torum et dentes suos in impiorum corda defigunt. *Quemadmodum* enim *si pastor ex ore leonum evellat duo crura vel extremum auriculae, ita evellentur filii Istrahel*[j]. Traditur ergo aliquando *terra bestiis* ad eversionem, *ut auferatur ab ea homo et pecus*[k].

8. Et observa diligenter differentias comminationum. In prima comminatione *famis* ait : *Ipsi soli salvabuntur Noë, Daniel et Iob*[a]. In secunda vero, ubi *bestias immissurum* se esse testatur, *filii* et *filiae* nuncupatae sunt[b] :
5 *verumtamen ipsi soli salvi erunt, dicit Adonai Dominus*[c]. Qui locus dupliciter intelligitur. Ac primum secundum communem sensum exponamus, ob nonnullorum insipientiam qui sensum animi sui Dei esse adserunt

g. I Pierre 5, 8 // h. IV Rois 2, 23.24 // i. Ps. 73, 19 // j. Amos 3, 12 // k. Cf. Éz. 14, 13.

8 a. Cf. Éz. 14, 14 // b. Cf. Éz. 14, 15 // c. Cf. Éz. 14, 16

moins notre terre a péché. « Notre adversaire le diable, comme un lion rugissant rôde, cherchant qui dévorer[g]. » De même cette histoire, qui aux observateurs attentifs des Écritures se prête à une interprétation claire, a une signification de cet ordre : celle où « deux ours » furent envoyés à « des enfants » qui « bafouaient » le prophète « en disant : Monte chauve, monte chauve[h] ! » Ces ours en effet signifiaient les autres bêtes vraiment sauvages et vraiment féroces, qui sont envoyées contre cette terre pécheresse. Or Dieu nous préserve que des bêtes nous soient envoyées pour la vengeance divine ! Bien plutôt, disons dans la prière : « Ne livre pas aux bêtes l'âme qui te loue[i] ! » Pour moi, je sais que des justes, persévérants dans la foi, livrés aux bêtes et déchirés par elles, ont consommé le martyre, et n'ont pourtant pas cessé d'être heureux ; c'est qu'ils n'avaient pas été livrés aux bêtes spirituelles et invisibles qui déchirent les âmes des pécheurs et enfoncent leurs crocs dans les cœurs des impies. En effet, « comme le berger sauve de la bouche du lion deux pattes et un bout d'oreille, ainsi seront sauvés les fils d'Israël[j]. » La terre est donc parfois livrée aux bêtes pour la destruction, au point que « sont retranchés d'elle homme et bétail[k]. »

Différences des menaces

8. Note avec soin les différences des menaces. Dans la première menace de la famine, Dieu dit : « Eux seuls seront sauvés, Noé, Daniel et Job[a]. » Mais dans la seconde, où il atteste qu'il « va envoyer des bêtes », « fils et filles[b] » sont mentionnés : « Cependant eux seuls seront sauvés, dit le Seigneur Adonaï[c]. » Passage qui s'entend de deux façons. Et d'abord, expliquons, suivant le sens commun, à cause de la sottise de certains qui affirment que la pensée de leur intelligence est la vérité de Dieu, et disent fréquemment : Il arrivera que chacun de nous par

veritatem, et frequenter dicunt ‘ futurum est ut unus-
10 quisque nostrum precibus suis eripiat quoscumque voluerit de gehenna ’, et iniquitatem introducunt ad Dominum non videntes quoniam *iustitia iusti super eum erit et iniquitas iniqui super eum*, et unusquisque *in proprio peccato morietur* et *in propria iustitia vivet*[d]. Nihil
15 mihi conducit martyr pater, si non bene vixero et ornavero nobilitatem generis mei, hoc est testimonium eius et confessionem qua illustratus est in Christo. Nihil prodest Iudaeis dicentibus : *Nos de fornicatione nati non sumus, unum patrem habemus, Deum*[e] et post modicum :
20 *Abraham pater noster est*[f]. Quaecumque dixerint, quaecumque adsumere sibi voluerint, si non habuerint fidem Abraham, incassum gloriantur ; neque enim ideo salvabuntur quia sunt filii Abraham. Quoniam ergo quidam non recte opinantur, necessario interposuimus etiam sensum
25 litterae dicentis : *Filios et filias non liberabunt Noë, Daniel et Iob, sed ipsi soli salvi erunt*[g]. Nemo nostrum confidat in iusto patre, in matre sancta, in fratribus castis. *Beatus homo qui spem habet in semet ipso*[h], et in vita recta. Ad eos autem qui in sanctis fiduciam habent,
30 non incongrue proferimus exemplum : *Maledictus homo qui spem habet in homine*[i] et illud : *Nolite confidere in hominibus*[j], sed et aliud : *Bonum est confidere in Domino, quam confidere in principibus*[k]. Quod si necesse est in aliquo sperare, omnibus derelictis speremus
35 in Domino, dicentes : *Si constiterint adversum me castra, non timebit cor meum*[l].

Cum haec se ita habeant, etiam alia nobis quaestio oboritur quam diligenter debemus excutere ut Scriptura-

---

d. Cf. Éz. 18, 20.22.24. // e. Jn 8, 41 // f. Jn 8, 39 // g. Éz. 14, 18 et 14 // h. Ps. 33, 9 // i. Jér. 17, 5 // j. Ps. 145, 3 // k. Ps. 117, 8 (9) // l. Ps. 26, 3

ses prières arrachera tous ceux qu'il voudra de la géhenne ; ils introduisent l'iniquité près du Seigneur, sans voir que « la justice du juste sera sur lui, et la méchanceté du méchant sur lui », et que chacun « mourra dans son propre péché » et « vivra dans sa propre justice[d] ». Nul avantage ne m'offre un père martyr, si je ne vis vertueusement, ni n'honore la noblesse de ma race, c'est-à-dire son témoignage et la confession par laquelle il s'est illustré dans le Christ[1]. Rien ne sert aux Juifs de dire : « Nous ne sommes pas nés, nous, d'une fornication, nous avons un seul père, Dieu[e] », et peu après : « Abraham est notre père[f]. » Quoi qu'ils disent, quoi qu'ils veuillent s'attribuer, s'ils n'ont pas la foi d'Abraham, c'est en vain qu'ils se glorifient ; car ils ne seront pas sauvés parce qu'ils sont fils d'Abraham. Donc, puisque certains n'ont pas une opinion droite, force nous est d'intercaler encore le sens de la lettre disant : « Noé, Daniel et Job ne sauveront ni fils ni filles, mais eux seuls seront sauvés[g] ». Qu'aucun de nous ne mette sa confiance dans un père juste, dans une mère sainte, dans des frères chastes : « Heureux l'homme qui met son espoir en lui-même[h] » et dans une vie droite. Mais à ceux qui font confiance aux saints, avec pertinence nous citons : « Maudit soit l'homme qui a son espoir dans l'homme[i] » ; et : « Ne vous fiez pas aux hommes[j] ; et encore : « Mieux vaut se fier au Seigneur que se fier aux princes[k]. » Que s'il est nécessaire d'espérer en quelqu'un, tous laissés de côté, espérons en Dieu, disant : « Qu'une armée campe contre moi, mon cœur sera sans crainte[l]. »

Pourquoi trois ?

Puisqu'il en est ainsi, se pose encore à nous une autre question que nous devons scruter avec attention pour que brille la vérité des Écritures : pourquoi, alors

1. Cf. la note complémentaire 11, « Le martyre ».

rum veritas elucescat, quare, cum tanti sint iusti, nunc
40 tantummodo tres nominentur, Noë et Daniel et Iob.
Audivi quondam a quodam Hebraeo hunc locum expo-
nente atque dicente ideo hos nominatos, quia unusquisque
eorum tria tempora viderit, laetum, triste et rursum
laetum.

45 Vide Noë ante diluvium, considera mundum integrum,
et eundem post Noë in totius orbis naufragio solum cum
filiis suis et aimalibus in arca servatum, considera quomodo post diluvium egressus sit et plantaverit vineam[m]
quodammodo secundi rursus orbis creator exsistens.
50 Talis est iustus, vidit mundum ante diluvium, hoc est ante
consummationem, vidit mundum in diluvio, id est in
corruptione et in interitu peccatorum, quae in die sunt
eventura iudicii ; rursum videbit mundum in resurrectione omnium peccatorum.

55 Dicat mihi aliquis : concedo de Noë ut tria tempora
viderit ; quid respondebis de Daniele ? Et hic ante captivitatem in patriae floruit nobilitate et deinceps in Babylonem translatus eunuchus effectus est, ut manifeste ex
libro ipsius intelligi potest ; vidit et reversionem in Hieru-
60 salem[n]. Ut autem probetur quia ante captivitatem in
Hierusalem fuerit et post captivitatem eunuchus effectus
sit, adsumanus id quod ad Ezechiam dictum est : *Accipient de filiis tuis et facient spadones in domo regis*[o].
Deinde post *septuaginta annos* invenitur *deprecans*
65 *Deum*[p], ut completo iam tempore captivitatis rursum
ingrediatur Hierusalem. Habemus orationem eius in vo-
lumine proprio conscriptam[q], nec tamen possumus invenire ubi sit mortuus. Vidit ergo tria tempora, ante captivitatem, in captivitate, post captivitatem. Talis iustus
70 est.

---

m. Cf. Gen. 7, 13 s. ; 8, 18 ; 9, 20 // n. Cf. Dan. 1, 3 s. // o. Cf. Is. 39, 7 // p. Cf. Dan. 9, 2 s. // q. Cf. Dan. 9, 4 s.

qu'il est tant de justes, en nommer ici seulement trois, Noé, Daniel et Job ? J'ai appris autrefois d'un certain Hébreu[2] expliquant ce passage que ceux-là sont nommés pour la raison que chacun d'eux verra trois époques, joyeuse, triste, de nouveau joyeuse.

Vois Noé avant le déluge, considère le monde intact, et puis le même Noé dans le naufrage du globe entier seul préservé dans l'arche avec ses fils et les animaux, considère qu'après le déluge « il est sorti » et « a planté la vigne[m] », étant d'une certaine manière de nouveau créateur d'un deuxième globe. Tel est le juste, il voit le monde avant le déluge, c'est-à-dire avant la destruction ; il voit le monde dans le déluge, c'est-à-dire dans la corruption et dans la mort des pécheurs, ce qui va survenir au jour du jugement ; il verra de nouveau le monde à la résurrection de tous les pécheurs.

Qu'on me dise : je concède pour Noé qu'il a vu trois époques ; que répondras-tu pour Daniel ? Lui aussi avant la captivité brilla dans la noblesse de sa patrie, et transféré ensuite en Babylonie il fut fait eunuque, comme on peut clairement le comprendre d'après son livre ; et il vit le retour à Jérusalem[n]. Mais pour prouver qu'avant la captivité il fut à Jérusalem, et qu'après la captivité il fut fait eunuque, prenons ce qui est dit à Ézéchias : « On prendra de tes fils, on en fera des eunuques dans le palais du roi[o]. » Ensuite, après « soixante-dix ans » il se trouve « suppliant Dieu[p] » que, le temps de captivité alors achevé, il revienne à Jérusalem. Nous avons une prière transcrite dans son livre[q], sans pouvoir cependant trouver où il est mort. Il a donc vu trois époques : avant la captivité, en captivité, après la captivité. Tel est le juste.

---

2. Sur ce personnage dit l'Hébreu, voir *In Ex. hom.* 11, 4, 39, *SC* 321 p. 336 s., n. 1.

Videamus autem an et Iob tria tempora habuerit. Fuit quidem locuples, erant quippe ei *oves septem milia, cameli tria milia, iuga boum quingenta et suppellex multa valde, filii septem filiae tres*[r]. Deinde accepit
75 Diabolus potestatem adversus eum ; vide tempora commutata. Dives in liberis pater repente orbus efficitur, dives in censu dominus ad ultimam deducitur egestatem[s]. Ecce duo tempora. Post haec apparet ei *Dominus,* et *loquitur* ei *de nube,* et ipse Iob ea quae sunt in libro eius
80 scripta respondit[t]. Igitur in primo tempore Dei laudibus praedicatur, in secundo tentationi traditur et *saevissimo ulcere percussus a pedibus usque ad caput*[u] tristia et dura perpetitur. Ad extremum factae sunt ei *oves quattuordecim milia, cameli sex milia, iuga boum mille,*
85 *asinae pascentes mille et nascuntur ei filii septem et filiae tres*[v]. Atque ita et in Iob tria tempora deprehendimus quae in iustis hominibus repperimus. Tria vident iusti tempora, praesens, et commutationis quando iudicaturus est Deus, et futurum post resurrectionem mortuo-
90 rum, id est vitae caelestis perpetuitatem in Christo Iesu, *cui est gloria et imperium in saecula saeculorum. Amen*[w] !

r. Cf. Job 1, 3.2 // s. Cf. Job 2, 12 s. // t. Cf. Job 38, 1 // u. Cf. Job 2, 7 // v. Cf. Job 42, 13 // w. Cf. I Pierre 4, 11.

Mais voyons si Job aussi eut trois époques. Certes il fut riche, car étaient à lui « sept mille brebis, trois mille chameaux, cinq cents paires de bœufs et du mobilier en abondance, sept fils, trois filles[r]. » Ensuite le diable reçut pouvoir contre lui ; vois les époques changées. Père riche en enfants, il en est soudain privé, propriétaire riche en fortune, il est réduit à l'extrême pauvreté[s]. Voilà deux époques. Après quoi, « le Seigneur » lui apparaît et « de la nuée » lui « parle », et Job répondit ce qui est écrit dans son livre[t]. Donc à la première époque il est l'objet des louanges de Dieu ; à la seconde il est livré à la tentation et « frappé d'un ulcère malin des pieds à la tête[u] », il endure des souffrances graves et cruelles. A la fin lui sont venus « quatorze mille brebis, six mille chameaux, mille paires de bœufs, mille ânesses de pâturage, et lui naissent sept fils et trois filles[v] ». Dès lors nous trouvons aussi chez Job les trois époques que l'on découvre chez les hommes justes. Les justes voient trois époques, la présente, celle du changement quand Dieu va juger, la future après la résurrection des morts, à savoir la perpétuité de la vie céleste dans le Christ Jésus, « à qui sont gloire et puissance pour les siècles des siècles. Amen[w] ».

HOMÉLIE V

LE GLAIVE, LA MORT, LA VIGNE
(*Éz.* 14, 13-21 ; 15, 1-4)

1-4 : Le glaive, la mort ; 1 : *Le glaive* est celui par lequel tombent ceux qui méritent le massacre, mais celui qui est à redouter est figuré par le glaive de feu des Chérubins. Comme l'épée chauffée à blanc, il coupe et brûle : double effet nécessaire pour certaines opérations chirurgicales. Le Sauveur est venu apporter « l'épée » et « le feu ». Mais les grâces enveloppent les peines. Il n'est pas vrai que les médecins appliquent raisonnablement leurs opérations, mais que le Seigneur punisse sans une sagesse raisonnable digne de lui. Comme un père, il sait tous les aspects de nos maux ; 2-4 : *les peines* sont échelonnées, proportionnées à la gravité des fautes, et, dans l'Église, au degré où chacun se trouve ; comme elles l'étaient à Jérusalem au rang de chacun : peuple, lévite, prêtre ou prince des prêtres.

5 : *Parabole du bois de la vigne,* par le prophète. Les bois sont plus utiles que la vigne stérile..., que la vigne du Seigneur devenue vigne étrangère ; et l'Apôtre parle des « vases de bois » qui sont dans la maison alors que le sarment de ma vigne peut être inutile et jeté au feu. Mais le Sauveur en donne le sens véritable dans la parabole : « *La Vigne et les sarments* »... Comme le vigneron coupe les sarments secs qui empêchent la vigne de porter des sarments verts et féconds, ainsi fera Dieu.

HOMILIA V.

1. *Fames* quae propter *peccatricem* inducitur *terram* iuxta possibilitatem nostrarum virium discussa est, et post *famem* de *bestiis pessimis* diximus quas *immittet* Deus *super* peccatores. Quattuor enim ultiones in principio proposuimus, e quibus reliquae duae sunt de *romphaea* et de *morte*. Et in prima quidem *filiorum* et *filiarum* nomen tacitum est, in secunda vero et tertia, quam nunc conamur exponere, *filiorum* et *filiarum* nomen adnexum est, id est in *romphaea*, qua corruunt qui caede eius digna fecerunt[a]. Quis est ergo iste gladius, id est romphaea, quam nos formidare debemus, ne quando mittatur super terram nostram, super terram quam figuraliter exposuimus, ne et nobis necesse sit transire per gladium, sed per gladium duplex aliquid habentem in poena ? Habitus quippe ipsius gladii dividit et secat eum in quem infertur ; si vero ad acumen aciei eius etiam tactus ipse poenalis est, dupliciter torquetur qui hoc gladio puniendus est ; scriptum est enim : *Statuit igneam romphaeam et Cherubin custodire viam ligni vitae*[b]. Et quomodo, si gladius acutus et candens inferatur in corpus, duplicem tribuit cruciatum, adustionis et caedis, sic et romphaea, quae ad custodiam paradisi statuta memoratur, quam nunc ob expositionem gladii praesentis assumpsimus, duplicia infert tormenta, dum adurit et dividit.

1 a. Cf. Éz. 14, 17.18.19 // b. Cf. Gen. 3, 24

1. Cf. *hom.* 4, 7, 8 s.
2. Cf. *hom.* 4, 2, 4 s.

HOMÉLIE V

Le glaive 1. « La famine », envoyée à cause de « la terre pécheresse », a été interprétée dans la mesure de nos forces[1], et après la famine, nous avons parlé « des bêtes féroces » que Dieu « enverra contre » les pécheurs[2]. Car au début nous avons présenté quatre fléaux[3], dont les deux qui restent sont par « le glaive » et par « la mort ». A la première on tait les noms de fils et de filles ; mais à la seconde et à la troisième que nous tentons maintenant d'expliquer, on ajoute les noms de fils et de filles : il s'agit du glaive par lequel tombent ceux qui ont commis des actes méritant le massacre[a]. Quelle est donc cette épée, ce « glaive » que nous devons redouter, pour qu'il ne soit jamais envoyé contre notre terre, contre la terre que nous avons expliquée au sens figuré, pour qu'à nous aussi il ne soit pas nécessaire de passer par l'épée, mais par l'épée qui est à double effet pour punir. Car le propre de l'épée est qu'elle coupe et divise celui contre qui elle est portée : mais si est douloureux même le simple toucher du tranchant de la lame, est deux fois torturé celui qui est à punir par cette épée. En effet, il est écrit : « Il plaça le glaive de feu et les Chérubins pour garder le chemin de l'arbre de vie[b]. » Et comme l'épée tranchante et chauffée à blanc, si elle est portée contre un corps, lui cause une torture double de brûlure et de coupure, de même aussi le glaive, qu'on dit placé à la garde du paradis, que nous avons joint ici pour l'explication de l'épée en question, cause deux tourments, puisqu'il brûle et coupe.

3. Cf. *hom.* 4, 3 s.

Ut autem necessarium aliquid ex quibus Deus sensum nostrum illuminat in loco praesenti interponamus, accipe exemplum. Aiunt studiosi medicinalis disciplinae ad quasdam corporum curationes necessarium esse non so-
30 lum sectionem ferri, verum etiam adustionem. Nam ad eos qui canceris veterno computrescunt, candentem sive novaculae laminam sive quodcumque acutissimi ferri genus adhibent, ut per ignem radices canceris evellantur, per incisionem autem et putrida caro truncetur et via
35 pateat medicaminibus iniciendis. Quis, putas, nostrum canceris, ut ita dicam, habet simile peccatum, ut non ei sufficiat aut simplex acumen ferri aut sola ignis exustio, sed utraque adhibeantur, quo uratur et secetur ? Audi Salvatorem rationem ignis et ferri in duobus locis signifi-
40 cantem. In alio loco ait : *Non veni mittere pacem super terram, sed gladium*[c] ; in alio vero : *Ignem veni mittere super terram, et utinam iam ardeat*[d] ! Igitur defert utrumque Salvator, gladium et ignem, et baptizat te gladio et igne. Eos enim qui non sunt curati baptismo
45 Spiritus sancti igne baptizat, quia non potuerunt Spiritus sancti purificatione purgari.

Sacramenta divina sunt et ineffabilia et soli Deo cognita, plus tamen in gratiarum donatione quam in tormentorum varietatibus constituta. Neque enim medici ex

c. Matth. 10, 34 // d. Lc. 12, 49

4. Voir *hom.* 1, 2, 34 et 50, et *hom.* 10, 4, 8 ; et les notes. Et le fragment *In Ex.* 10, 27 dans *Philocalie* 27, 4-9, *SC* 226, p. 278 s. : en particulier la note 4, où sont données par É. Junod, des références à l'utilisation du thème dans la sagesse grecque (Platon, Philon, Plutarque), puis chez Origène après l'observation suivante : « Les développements sur Dieu médecin ou pédagogue et sur la valeur thérapeutique ou

Le fer et le feu Mais pour intercaler dans le passage présent une observation indispensable parmi celles dont Dieu illumine notre pensée, prends un exemple. Au dire des experts dans l'art médical, pour certaines guérisons des corps, il est nécessaire d'infliger non seulement une coupure, mais encore une brûlure[4]. Car à ceux qu'infecte un cancer invétéré, ils appliquent soit la lame chauffée à blanc d'un couteau, soit une sorte de fer très pointu, pour enlever par le feu les racines du cancer, et par l'incision amputer la chair gangrenée et ouvrir la voie à l'application des remèdes. Qui d'entre nous, penses-tu, a un péché semblable pour ainsi dire à un cancer, pour que ne lui suffise pas ou le simple tranchant du fer ou la seule brûlure du feu, mais qu'on applique l'un et l'autre afin qu'il soit brûlé et coupé ? Écoute le Sauveur donner la raison du fer et du feu en deux passages. A l'un, il dit : « Je ne suis pas venu apporter la paix sur la terre, mais l'épée[c]. » ? Et à l'autre : « Je suis venu jeter un feu sur la terre, et puisse-t-il déjà flamber[d] ! ». Le Sauveur apporte donc l'un et l'autre, l'épée et le feu, et il te baptise par l'épée et par le feu. Car ceux qui ne sont pas guéris par le baptême de l'Esprit-Saint, il les baptise par le feu, parce qu'ils n'ont pu être purifiés par la purification du Saint-Esprit.

Mystères divins Les mystères divins sont connus de Dieu seul et ineffables, toutefois ils consistent davantage dans l'octroi de grâces que dans les variétés des tourments. Car il n'est

---

éducative de ses châtiments sont si nombreux dans l'œuvre d'Origène qu'on doit les considérer comme des éléments fondamentaux de la conception origénienne de l'économie divine. » Cf. *De princ.* I, 6, 3, 134 s. ; II, 5, 3, 127 s. et 10, 6, 186 s. ; et III, 1, 13, 350 s. : *SC*, 252, p. 202 s. ; p. 298 s. et 386 s. ; et *SC* 268, p. 76 s. — *De or.* 29, 13 et 16, *GCS* 2, p. 388,4 et 391,7 s. — *CC* 2, 24, 24 s., *SC* 132, p. 350 s. et la note.

50 disciplina artis suae rationabiliter eos quibus medentur secant, urunt, dantque poculum amarissimi temperamenti multaque alia, prout causa postulat, faciunt, Deus autem universitatis Dominus sine rationabili quadam sapientia, et sine dispensatione digna maiestatis suae 55 poenas tantum infert peccatoribus. Neque enim, ut existimant, ad hoc tantum adhibet supplicia ut torqueat, sed quasi pater scit vulnera omnium nostrum, scit qua ex causa quod ulcus natum sit, quae putredo infelicis animae ex quo ducatur exordio, qualis specis doloris ex quo 60 peccato veniat ; scit et formas et modos et numeros peccatorum, qui semel, bis terque peccaverit, qui in una specie delictorum saepe ruit, qui in diversis vitiorum speciebus singulis tantum vicibus erraverit. Haec omnia nos iuxta sapientiam Dei quaerere, secundum illud quod 65 scriptum est : *Scrutans corda et renes Deus*[e], et supplicia quae ab eo irrogantur, sic intelligere quasi digna Deo et convenientia dispensationi eius, nos vult, non tantummodo cruciari. *Omnia quippe ad hoc condidit ut essent, et salutares fecit generationes mundi, et non est in iis* 70 *medicamentum perditionis*[f]. Sed quia quod ille voluit nos contemnendo non fecimus, et ille quod cupierat non exercuit in nobis. Disputatio nos coëgit ut aliquid de poenarum specie diceremus quae inferuntur ad terram.

2. Debemus autem nosse quia non statim, ubi fames fuerit, sequatur et mors. Potest quippe fieri ut aliquis famem sustinens perseveret in vita, licet inedia et squa-

---

e. Ps. 7, 10 // f. Sag. 1, 14

---

5. Baehrens note que *Neque enim* (49) commande toute la phrase, ce

pas vrai[5] que les médecins, par la pratique de leur art, raisonnablement coupent, brûlent ceux qu'ils soignent, donnent une coupe d'une potion très amère, et font bien d'autres choses selon que le cas l'exige, mais que le Seigneur Dieu de l'univers, sans une sagesse raisonnable et sans un dessein digne de sa majesté, inflige seulement des peines aux pécheurs. Il n'est pas vrai, comme on pense, qu'il emploie seulement des supplices pour torturer ; mais comme un père, il sait les blessures de nous tous ; il sait de quelle cause est né tel ulcère, quelle pourriture de l'âme infortunée provient de telle origine, de quel péché vient telle sorte de douleur. Il sait les espèces, les genres, les nombres des péchés, qui a péché une fois, deux fois, trois fois, qui tombe souvent dans une seule espèce de fautes, qui s'égare dans différentes sortes de vices seulement à tour de rôle. Que nous examinions tout cela d'après la sagesse de Dieu, selon ce qui est écrit : « Dieu scrute les reins et les cœurs[e] », que nous comprenions les supplices infligés par lui comme dignes de Dieu et en harmonie avec son dessein, il le veut, et pas seulement que nous soyons tourmentés. « Car il a créé toutes choses pour qu'elles soient, il a fait salutaires les créatures du monde, il n'est pas en elles de poison de mort[f]. » Mais parce que, ce que lui a voulu, nous par mépris ne le faisons pas, lui, ce qu'il désirait, il ne l'a pas réalisé en nous. La discussion nous force à dire quelque chose sur l'espèce de peines qui sont infligées à la terre.

Sursis

2. Mais nous devons le savoir : il n'est pas vrai que sitôt qu'a eu lieu la famine, suive aussi la mort. Car il peut se faire que, supportant la famine, on persiste à vivre, bien qu'en proie

---

qui rend inutile l'addition d'un *non* après *Dominus* (53), d'après un manuscrit.

lore et macie discrucietur ; potest fieri ut immissis bestiis
5 malis statim non omnes pereant fugae auxilio reservati ;
potest evenire ut, caedente romphaea, cesset interitus.
Modo vulnerantur quidam et secantur et, ut ita dicam,
crebris ictibus confodiuntur nec tamen pereunt. Idcirco
nunc poena novissima in enumeratione poenarum mortis
10 infertur. Istiusmodi quiddam et sacratissimus Apostolus
sentiens loquebatur : *Novissimus inimicus destruetur*
mors[a]. Audebo dicere : si novissimus inimicus destruetur
mors, fuit quidam ante mortem inimicus, id est romphaea ; fuit quidam ante mortem inimicus, bestiae pessi-
15 mae ; fuit quidam ante bestias pessimas inimicus, fames.
Haec omnia inimica sunt religionis inimicis. Si enim non
vis amicus fieri Deo invitanti te ad reconciliationem et
dicenti per Apostolum : *Obsecro vos per Christum re-*
conciliari Deo[b], quid de Deo causaris, cum tui causa sis
20 qui sub inimicorum imperio esse voluisti ? An ignoras
idcirco Deum in Aegypto immisisse *furorem et iram*[c] et
angustiam, immissionem per angelos pessimos, quia inimici illius erant et ab eius adversario regebantur ? Procul
autem absint a nobis quattuor istarum supplicia poena-
25 rum, fames, bestiae pessimae, gladius, mors. Quidquid
enim horum fuerit illatum, ad eos venit qui inimici Dei
sunt ; amicos eius praeterit, neque ausum est eos contin-
gere qui de eius necessitudine gloriantur. Et quomodo de
igne bene creditum est, Scripturis testantibus, quia tran-
30 seant per eum iusti et non comburantur — *Uniuscuius-*
que enim opus quale sit, ignis probabit[d] —, sic et in his
suppliciis inveniatur aliquis Daniel, Noë et Iob, et nihil
poenarum sustinebit.

2 a. I Cor. 15, 26 // b. Cf. II Cor. 5, 20 // c. Cf. Ex. 15, 7 s. // d. I Cor. 3, 13.

à la privation, la misère et la crasse ; il peut se faire qu'après l'envoi des bêtes sauvages, tous d'emblée ne périssent pas, sauvés par le secours de la fuite ; il peut arriver, quand frappe le glaive, que tarde la mort. Certains ne sont que blessés et mutilés, pour ainsi dire percés de coups, sans toutefois périr. C'est alors que, dernière dans l'énumération des peines, est infligée la peine de mort. Avec une pensée de ce genre le très saint Apôtre disait : « Le dernier ennemi est détruit, la mort[a]. » J'oserai dire : si le dernier ennemi est détruit, la mort, il y eut avant la mort un ennemi, le glaive ; il y eut avant la mort un ennemi, les bêtes féroces ; il y eut avant les bêtes féroces un ennemi, la famine. Voilà autant d'ennemis des ennemis de la religion. Car si tu ne veux pas devenir ami de Dieu, qui t'invite à la réconciliation et dit par l'Apôtre : « Je vous supplie de vous réconcilier à Dieu par le Christ[b] », qu'as-tu à te plaindre de Dieu, quand c'est ton affaire à toi d'avoir voulu être au pouvoir des ennemis ? Ignores-tu que Dieu a envoyé en Égypte « sa colère et sa fureur[c] », la gêne, mal envoyé par les anges les pires, parce qu'ils étaient ses ennemis et dirigés par son adversaire ? Or, loin de nous, les quatre supplices de ces peines, famine, bêtes féroces, glaive, mort ! Quel que soit celui d'entre eux qui fut envoyé, il vint sur ceux qui sont ennemis de Dieu ; il laissa de côté ses amis, il n'osa pas toucher ceux qui se glorifient de ses liens d'amitié. Et comme au sujet du feu, il est bien de croire, au témoignage des Écritures, que les justes passent à travers lui et ne sont pas brûlés — « Ce que vaut l'œuvre de chacun, le feu l'éprouvera[d] » —, ainsi, même dans ces supplices, se trouve quelque Daniel, Noé ou Job, et il ne subira rien des peines.

3. Haec specialiter per singula supplicia exposuimus, quae in extrema parte in unum propheta consocians, ait : *Haec dicit Adonai Dominus : Si autem et quattuor vindictas meas pessimas, romphaeam et famem et* 5 *bestias pessimas et mortem immisero.* Quo ? Non super terram, sed *super Hierusalem*[a]. Terra enim si puniatur, sufficit ei una correptio. Si autem corripiatur Hierusalem, super quam invocatum est nomem Dei, quattuor ei cruciatus pariter inferuntur. Multo nobis utilius fuerat divino 10 non credidisse sermoni quam post credulitatem ad haec rursum peccata converti quae ante commisimus[b]. Considera enim quomodo Scriptura super terram singillatim supplicia dicat inferri et non apponat quam terram ; quando vero ad Hierusalem veniat : *Si autem et quattuor* 15 *vindictas meas pessimas, romphaeam et famem et bestias pessimas et mortem immisero in Hierusalem*[c], nos indicans Hierusalem, quia peccantes quidem nos Hierusalem sumus quae destruitur, in praeceptis vero permanentes Hierusalem dicimur quae salvatur. Omnes 20 lamentationes quas legimus in Hierusalem, omnes querimoniae quibus eam plangit Deus, ad nos pertinent *qui gustavimus sermonem Dei*[d] et postea mandatis eius contraria fecimus. Non sic plectitur Solomonis iura contemnens, non sic punitur Lycurgi scita destituens. 25 Aliud supplicium est eius qui legem Dei per Moysen traditam conculcat et despicit ; maxima omnium eius est poena qui praecepta Filii Dei pro nihilo duxerit. *Irritam* enim *quis faciens legem Moysi sine ulla miseratione duobus vel tribus testibus moritur ; quanto magis*

---

3 a. Éz. 14, 21 // b. Cf. II Pierre 2, 21 // c. Éz. 14, 21 // d. Cf. Hébr. 6, 5

---

1. « C'eût été une faute plus tolérable pour une âme, une fois qu'elle s'est prostituée, de ne pas revenir à son premier mari plutôt que, de

Contre Jérusalem et nous

3. Nous avons fait cet exposé particulier pour chacun des supplices que le prophète rassemble dans la dernière partie : « Ainsi parle le Seigneur Adonaï : Même si j'envoie mes quatre châtiments funestes, glaive, famine, bêtes féroces et mort ». Où ? Non pas contre la terre, mais « contre Jérusalem[a] ». Car si la terre est punie, un châtiment lui suffit. Mais si est châtiée Jérusalem sur laquelle est invoqué le nom de Dieu, quatre tortures sont envoyées ensemble. Il nous aurait bien mieux valu n'avoir pas cru à la parole divine, plutôt que revenir, après avoir adhéré à la foi[1], aux péchés que jadis nous avons commis[b]. En effet, note-le : l'Écriture dit que des supplices fondent un à un sur la terre, et il n'ajoute pas quelle terre. Mais quand elle vient à Jérusalem : « Bien que j'ai envoyé mes quatre châtiments funestes, glaive, famine, bêtes féroces et mort contre Jérusalem[c] », Jérusalem nous désigne, parce que, quand nous péchons, nous sommes la Jérusalem qui est détruite, quand nous persévérons dans les préceptes, on nous dit la Jérusalem qui est sauvée. Toutes les complaintes que nous lisons sur Jérusalem, toutes les plaintes dont Dieu la pleure nous concernent, « nous qui avons goûté la parole de Dieu[d] », et avons fait ensuite des actes contraires à ses commandements. On n'est pas ainsi frappé quand on méprise les lois de Salomon, on n'est pas ainsi puni quand on abandonne les décrets de Lycurgue. Autre est le supplice de qui méprise et piétine la Loi de Dieu transmise par Moïse ; la plus grande de toutes est la peine de qui compte pour rien les préceptes du Fils de Dieu : « Quelqu'un viole-t-il la Loi de Moïse ? Sans pitié, sur la déposition de deux ou trois témoins, c'est pour lui la mort. Quel châtiment combien

---

retour après sa confession, devenir de nouveau infidèle à son mari. » *In Ex. hom.* 8, 4, 63, *SC* 321, p. 258 s.

putatis deteriora mereri supplicia, qui Filium Dei conculcaverit[e] ? Hi ergo, quos enumeravimus, *Filium Dei* non conculcaverunt, sed tantum legem Dei praetergressi sunt, maximeque hi qui ante adventum Domini fuerunt. Sed neque hi qui crucifixerunt Salvatorem meum rei sunt ingentis pœnae, sicut hi quibus Apostolus dicit : *Filium Dei conculcans, Spiritui gratiae contumeliam faciens*[f] et si quid aliud significat in eo loco in quo eorum peccata replicat, qui post fidem in Deum peccaverunt[g].

4. Haec propter *quattuor ultiones pessimas* quae inducuntur *super Hierusalem*[a]. Et omnes quidem qui didicimus divinas Scripturas, sive bene sive male vivamus, Hierusalem sumus ; si male vivimus, illa Hierusalem quae cruciatibus punitur et sustinet quattuor ultiones, si bene, illa Hierusalem quae in Dei sinu requiescit[b]. Et est magna distantia, ut in reliqua terra, sic et in ipsa Hierusalem. Omnes enim qui in Ecclesia peccatores sunt, qui sermonem Dei gustaverunt et transgrediuntur eum, merentur quidem supplicia, verum pro modo graduum unusquisque torquebitur. Maiorem poenam habet, qui Ecclesiae praesidet et delinquit. An non magis misericordiam promeretur ad comparationem fidelis catechumenus ?

e. Hébr. 10, 28.29 // f. Hébr. 10, 29 // g. Cf. Hébr. 10, 26
4 a. Cf. Éz. 14, 21 // b. Cf. Gal. 4, 26

1. Origène est plus exigeant pour le clergé que pour les fidèles. « Sachez que la fonction ne sauve pas nécessairement, car beaucoup même parmi les prêtres se perdent et beaucoup même parmi les laïcs sont déclarés bienheureux. Il y a dans le clergé des gens qui ne vivent pas de manière à ' tirer profit de leur fonction ' et à faire honneur au clergé, et c'est à cause de cela, disent les commentateurs, qu'il est écrit : ' leurs fonctions ne leur seront d'aucun profit ' (*Jér.* 12, 13). Car ce qui est profitable, ce n'est pas le fait de siéger dans le presbyterium, mais de vivre d'une manière digne de cette place comme le demande le Verbe.

plus grave méritera, vous le pensez, celui qui aura piétiné le Fils de Dieu[e] ! » Donc, ceux qu'on a énumérés n'ont pas piétiné le Fils de Dieu, mais ont seulement transgressé la Loi de Dieu, et surtout ceux qui furent avant la venue du Seigneur. Mais même ceux qui ont crucifié mon Sauveur ne sont pas condamnés à une lourde peine comme ceux auxquels l'Apôtre dit : « piétinant le Fils de Dieu, outrageant l'Esprit de la grâce[f] », et ce qu'il peut indiquer d'autre à ce passage où il parcourt les péchés de ceux qui, après leur foi, ont péché contre Dieu[g].

Dans l'Église

4. Voilà pour les « quatre fléaux funestes » envoyés « contre Jérusalem[a] ». Et tous, vraiment, nous qui avons appris les divines Écritures, que nous vivions bien ou mal, nous sommes Jérusalem ; si nous vivons mal, cette Jérusalem qui est punie par des tortures et endure les quatre fléaux ; si nous vivons bien, cette Jérusalem qui se repose dans le sein de Dieu[b]. Et comme dans le reste de la terre, il y a une grande différence dans Jérusalem même. Car tous ceux qui sont pécheurs dans l'Église, qui ont goûté la parole de Dieu et l'ont transgressée, méritent des supplices, mais chacun subira des tourments proportionnés aux degrés[1]. A une plus grande peine, qui préside à l'Église et faute. Comparé au fidèle, le catéchumène ne mérite-t-il pas plus

---

Le Verbe nous demande à tous, à vous et à nous, de vivre vertueusement, mais s'il est vrai qu'il faut dire : ' Les puissants feront l'objet d'un examen sévère (*Sag.* 6, 6) ', il m'est demandé à moi plus qu'au diacre, au diacre plus qu'au laïc ; quant à celui qui a été chargé d'exercer le commandement ecclésiastique sur nous tous, il lui est demandé plus encore. » *In Jer. hom.* 11, 3, 16 s., *SC* 232, p. 420 s., tr. P. Nautin, Cf. *In Gen. hom.* 16, 5, 15 s., *SC* 7 *bis*, p. 386 s. *In Num. hom.* 2, 1 ; 9, 1 ; 22, 4 : *GCS* 7, p. 10, 6 s., p. 56, 15 s., p. 208, 9 s ; *SC* 29, p. 83, 163, 430, etc. En dehors des obligations universelles, dira-t-il, « il existe la dette du diacre, celle du prêtre, et celle de l'évêque, la plus lourde ». *De or.* 28, 3, *GCS* 2, p. 377, 17 s.

Non magis venia dignus est laicus, si ad diaconum confe-
15 ratur, et rursum comparatione presbyteri diaconus veniam plus meretur ? Quae autem sequantur, etiam me tacente cognoscitis. Idcirco formidans iudicium Dei et ante oculos mihi proponens illum iudicii ordinem qui in Scripturis continetur, recordor dicti illius : *Pondus ultra*
20 *te ne leves*[c], sed et illud : *Noli quaerere fieri iudex, ne non valeas auferre iniquitates*[d]. Quid mihi prodest quia prior sedeo in cathedra resupinus, honorem maioris accipio, nec possum habere dignitati meae opera condigna ? Nonne maiori poena cruciabor, quia honor iusti mihi ab
25 omnibus defertur, cum peccator sim ?

Necessarium fuit diligentius retractantem ea quae de quattuor terrae ultionibus dicebantur, id addere quod Hierusalem quippe erat in tribu Beniamin, et sacerdotes templi, et levitae qui Dei ministeriis serviebant, et ceteri
30 ordines quos Scripturarum sermo comprehendit, in ea morabantur. Haec accipit quattuor ultiones pessimas, quae non sunt similes in his qui in ea habitant ; neque enim eodem modo et ad populum et ad levitas comminatio dirigitur. Istrahelites enim peccans in istraheliticum de-
35 lictum corruit ; qui autem maior est ab Istrahelita, quanto nobilior fuerit in ordine, id est levites et sacerdos, tanto maiora supplicia sustinebit. Si autem princeps sacerdotum peccaverit, dicit ad eum Heli consacerdos suus : *Si delinquens peccaverit vir in virum, orabunt pro eo ; si*
40 *autem in Domino peccaverit, quis orabit pro eo*[e] ? Haec in expositionem eius sermonis quo comminabantur et singulae specialiter in peccatricem terram ultiones et pariter congregatae in infelicem Hierusalem.

c. Sir. 13, 2 // d. Sir. 7, 6 // e. Cf. I Sam. 2, 25.

la miséricorde ? Le laïc, comparé au diacre, n'est-il pas plus digne de pardon, et en revanche, comparé au prêtre, le diacre ne mérite-t-il pas mieux le pardon ? Et ce qui suit, même si je me tais, vous le savez. Aussi, redoutant le jugement de Dieu, me plaçant devant les yeux cet ordre du jugement contenu dans les Écritures, je me rappelle cette sentence : « Ne te charge pas d'un lourd fardeau[c] », et de plus, celle-ci : « Ne cherche pas à devenir juge, de crainte de ne pouvoir extirper les injustices[d]. » A quoi me sert-il, titulaire occupant la chaire la tête haute, de recevoir l'honneur d'un dignitaire, si je ne peux avoir des œuvres proportionnées à ma dignité ? Ne subirai-je pas une plus grande peine, parce que l'honneur d'un juste m'est accordé par tous, alors que je suis un pécheur ?

A Jérusalem Il aurait fallu reprendre avec plus de soin ce qu'on disait des quatre fléaux de la terre, ajouter que Jérusalem certes était dans la tribu de Benjamin, que les prêtres et lévites du temple adonnés au service de Dieu, et le reste des ordres compris dans la parole des Écritures, y demeuraient. Elle reçut ces quatre fléaux funestes, qui ne sont pas semblables pour ceux qui l'habitent : car ce n'est pas de la même manière que la menace est adressée au peuple et aux lévites. L'Israélite qui pèche tombe dans une faute d'Israélite ; mais qui est supérieur à l'Israélite, plus il sera élevé en ordre, c'est-à-dire lévite et prêtre, plus il subira de grands supplices. Or si un prince des prêtres pèche, Héli, son collègue dans le sacerdoce, lui dit : « Si un homme pèche contre un homme, ils prieront pour lui ; mais s'il pèche contre le Seigneur, qui priera pour lui[e] ? » Voilà pour expliquer la parole selon laquelle les fléaux menaçaient un à un en particulier la terre pécheresse, et réunis ensemble, l'infortunée Jérusalem.

5. Videamus autem et sequentia Scripturae. Quae cum in parabola audierit propheta, nos tantum sensum debemus exponere, ipsum testimonii ordinem derelinquentes et auditorem mittentes ad librum. Lignum vitis, ut in
5 fructu est honorabilius lignis omnibus, maxime his quae in saltu fructificant, sic ad cetera opera inutilius omnibus lignis est[a]. Et vascula quaedam possunt fieri et in diversa opera necessarii usus ad ministrandum ; de palmitibus autem vitis non solum vas aliquod et in opus utile quid
10 fieri non potest, sed neque paxillus quidem est utilis. Ait ergo Sermo divinus quia, ut palmes vitis honorabilior fit ceteris lignis si afferat fructus, sic ab omnibus inferior iudicetur si id non habeat unde praecellit, atque in hunc modum eos qui imbuti sunt eloquiis Dei, honorabiliores
15 esse omnibus et quocumque modo in vinae positos dignitate, cum afferant fructus botros salutis, de qua scriptum est : *Ego vero te plantavi vineam fructiferam, totam veram*[b], et alibi : *Vinea Domini domus Istrahel est*[c] ; et rursum : *Vineam de Aegypto transtulisti*[d], et reliqua ; si
20 autem non attulerint fructus, in tantum ut a Deo dici possit : *Quomodo conversa es in amaritudinem vitis aliena*[e] ?, tunc multo deteriores inveniri ab his lignis, quae licet viliora sint, tamen suos afferant fructus.

Quomodo enim praecellunt ligna silvarum vineas infe-
25 races, eodem modo iuxta quandam dispensationem sa-

5 a. Cf. Éz. 15, 1 s. // b. Jér. 2, 21 // c. Cf. Is. 5, 7 // d. Ps. 79, 9 // e. Cf. Jér. 2, 21

1. « Depuis longtemps la vigne était le symbole d'Israël (*Ps.* 80, 9 s.). Ézéchiel ne l'ignorait pas (17, 6 s. ; 19, 10 s.). Mais il n'a recours ni à sa végétation luxuriante (*Os.* 10, 1 ; *Ps.* 80, 11-12), ni à son abâtardissement par quoi ses prédécesseurs évoquaient l'infidélité d'Israël (*Is.* 5, 2 ; *Jér.* 2, 21) ; c'est de la vigne sauvage et seulement de son bois qu'il tire sa comparaison, pour mettre en lumière la stérilité de Jérusalem et annoncer le sort qui l'attend : le feu, c'est-à-dire la destruction totale. »

Le bois de la vigne

5. Mais voyons encore la suite de l'Écriture. Comme le prophète la comprend dans une parabole, nous devons seulement expliquer le sens, abandonnant l'ordre du témoignage et renvoyant au livre l'auditeur. Le bois de la vigne[1], de même que par son fruit il est plus digne d'honneur que tous les bois, surtout ceux qui poussent dans la forêt, de même il a moins d'utilité que tous les bois pour le reste des usages[a]. On peut faire de petits vases d'un emploi indispensable pour servir à différents usages ; mais des sarments de la vigne non seulement on ne peut faire un vase quelconque et d'un emploi utile, mais même le pieux n'est pas utile. Donc la parole divine dit : comme le rameau de la vigne est plus digne d'honneur que le reste des arbres s'il porte des fruits, ainsi le jugera-t-on inférieur à tous s'il n'a ce par quoi il l'emporte ; et de cette manière, ceux qui sont imprégnés des paroles de Dieu sont plus dignes d'honneur que tous et à quelque degré qu'ils soient placés dans la hiérarchie de la vigne, puisqu'ils portent comme fruits des grappes de salut, elle dont il est écrit : « Et moi, je t'ai plantée comme une vigne féconde, tout entière véritable[b]. » Et ailleurs : « La vigne du Seigneur, c'est la maison d'Israël[c]. » Et encore : « De l'Égypte tu as transporté une vigne[d] », et le reste. Mais s'ils ne portent pas de fruits, au point que Dieu a pu dire : « Comment t'es-tu changée en amertume, vigne étrangère[e] ? », alors ils se trouvent bien pires que ces bois qui, bien qu'ils soient plus communs, portent néanmoins leurs fruits.

En effet, comme le bois des forêts l'emporte sur la vigne stérile, de même façon suivant un dessein de la sagesse

---

OSTY — Sur Israël vigne de Yahvé, cf. *Ps.* 80, 9-17 ; *Is.* 3, 14 ; 5, 1-7 ; 27, 2-5 ; *Jér.* 2, 21 ; 12, 10 ; *Os.* 10, 1. Nouveau Testament : *Matth.* 21, 33-41 ; *Jn* 15, 1-5.

pientiae divinae ex lignis vilioribus aliqua domui necessaria fabricantur. Neque vero turberis putans nos extra Scripturas affirmare quod dicimus, futurum esse ut de lignis silvae aliquid utile fiat, id est de me ipso, si [non]
30 attulero proprios naturae meae fructus, si quidem et Apostolus imaginem quandam eorum vasorum quae sunt in humana conversatione adsumit dicens : *In magna autem domo non sunt tantum vasa aurea et argentea, sed et lignea et fictilia* — nota quia vasa lignea nuncu-
35 parit — *et alia quidem in honorem, alia vero in contumeliam*[f]. Ista vasa lignea, quae esse in magna domo Apostolus praedicat, non sunt facta de vitibus, non de palmitibus vinearum, sed ex aliis lignis quae vilioris ordinis in nemoribus fructificaverunt. Quantum ergo
40 malum est et quale discrimem, ut ligna quondam vilia inveniantur in magna patrisfamilias domo, et palmes vitis meae inutilis in domo sit et in ignem proiciatur ! Hoc enim scriptum est quia *annuam putationem eius consumat ignis*[g]. Haec in Ezechiel.

45 Salvator vero huius parabolae sensum in Evangelio ita perstrinxit dicens : *Ego sum vitis, vos palmites, Pater meus agricola. Omnem palmitem qui in me manet et fructum affert, Pater meus putat, ut fructus maiores afferat ; palmitem qui manet in me et fructum non*
50 *affert, Pater meus excidit et in ignem mittit*[h]. Vides vicinitatem utrorumque sermonum ? Vides, quomodo *Pater excidat et in ignem iaciat* ? Nos insensati quasi negligenda quidem Scriptura sit, nolentes ea discere quae nobis incutiant metum, sed ea audire cupientes quae
55 prurientibus auribus incutiunt voluptatem, libenter au-

f. II Tim. 2, 20 // g. Cf. Éz. 15, 4 // h. Jn 15, 1 s.

divine, avec du bois plus commun on fabrique des objets indispensables à la maison. Mais ne sois point troublé en croyant que nous affirmons hors des Écritures ce que nous disons : il arrivera qu'on fasse quelque chose d'utile du bois de la forêt, c'est-à-dire de moi-même si je porte les propres fruits de ma nature, puisque même l'Apôtre a pris une image de ces vases en usage dans l'humaine manière de vivre : « Dans une grande maison il y a des vases, non seulement d'or et d'argent, mais aussi de bois et d'argile » — note qu'il a nommé des vases de bois — « les uns pour un usage noble, les autres pour un usage vulgaire[f]. » Ces vases de bois que l'Apôtre déclare être dans une grande maison, ne sont pas faits de vigne ni de sarments de vigne, mais d'autres bois d'une espèce plus commune, poussés dans des bocages. Quel mal donc et quel jugement : que des bois naguère communs se trouvent dans la grande maison du père de famille, et que le sarment de ma vigne soit inutile dans la maison et qu'on le jette au feu ! Car il est écrit : « Le feu en brûle les deux bouts[g]. » Voilà pour Ézéchiel.

La Vigne et les sarments

Mais le Sauveur aborda le sens de cette parabole dans l'Évangile : « Moi, je suis la vigne, vous, les sarments, mon Père, le vigneron. Tout sarment qui demeure en moi et qui porte du fruit, mon Père le taille, pour qu'il en porte davantage ; le sarment qui demeure en moi et ne porte pas de fruit, mon Père le coupe et le jette au feu[h]. » Vois-tu la ressemblance des deux paroles ? Vois-tu que « le Père coupe et jette au feu » ? Nous, insensés, comme si l'Écriture était à négliger, refusant d'apprendre ce qui suscite en nous la crainte, mais avides d'entendre ce qui procure du plaisir aux oreilles qui démangent, il nous plaît d'écouter ce qui nous

dimus quae nos subvertant, quae decipiant. Qui dicit proximo suo : ignoscit nobis peccata nostra Deus, siquidem et in talibus sacramentis ludimus vicissim nobis pollicentes, mappam mittet Deus. Et quia bonus est et
60 omnium peccata dissolvit, oportebat nos sedere et sollicito corde dicere : si heri peccavimus, hodie paenitentiam agamus. Verum huic palmiti — animal quippe est —, qui dicit : potens est Deus et bonus est agricola, qui non me excidat et in ignem mittat, respondebit agricola : sed si
65 talis est palmes ut frustra sit in vite, numquid poterit relinqui ? Nonne si dimittatur, impediet vitem, ne pro sicco palmite virides et fructuum feraces afferat palmites ? Quomodo enim boni agricolae est excidere et amputare quae sicca sunt, et tradere in escam ignis infructuo-
70 sos ramos, sic boni Dei est de omnibus vitibus infructuosos palmites amputare et igni tradere in perditionem. Verum nos ipsi in nos ludimus et decepti pariter ac decipientes volumus magis errare cum plurimis quam ab errore converti, cum magis id quaerere debeamus quod
75 aedificet, quod timorem Dei augeat, quod ad paenitentiam revocet, quod in confessionem sceleris adducat, quod nos faciat diebus ac noctibus cogitare quomodo Domino placeamus, ut fiamus in *vera vite*[i] Christo Iesu fructiferi palmites et radici eius adhaerentes, *cui est gloria et*
80 *imperium in saecula saeculorum. Amen*[j].

i. Cf. Jn 15, 1 // j. Cf. I Pierre 4, 11.

abuse, qui nous divertit. Qui dit à son prochain : Dieu nous pardonne nos péchés, puisque nous jouons jusqu'en de tels mystères, échangeant des paris, Dieu jettera la serviette[2]. Et parce qu'il est bon et qu'il supprime les péchés de tous, il aurait fallu nous calmer et dire d'un cœur inquiet : si hier nous avons péché, aujourd'hui faisons pénitence. Mais, à ce sarment — car c'est un être vivant — qui dit : Dieu est puissant, est un bon vigneron qui ne saurait me couper et me jeter au feu, le vigneron répondra : mais si le sarment est tel qu'il ne produit rien dans la vigne, pourra-t-on le laisser ? Ne va-t-il pas, s'il est pardonné, à cause d'un sarment sec, empêcher la vigne de porter des sarments verts et féconds ? Comme c'est le propre d'un bon vigneron d'élaguer et de couper ce qui est sec, et de livrer en pâture au feu les rameaux stériles, ainsi est-ce le propre de Dieu d'élaguer de tous les plants de vigne les sarments stériles, et de les livrer au feu pour leur perte. En vérité, nous jouons nous-mêmes contre nous, également trompés et trompeurs, nous préférons errer avec le plus grand nombre plutôt que nous convertir de l'erreur, alors que nous devrions chercher plutôt ce qui édifie, qui augmente la crainte de Dieu, qui rappelle à la pénitence, qui conduit à la confession du crime, qui nous fait penser jours et nuits à la manière de plaire à Dieu, pour devenir dans « la Vigne véritable[i] » le Christ Jésus, de féconds sarments adhérant à sa racine, à qui sont gloire et puissance pour les siècles des siècles. Amen[j] ».

2. « Mappa », « serviette qu'on jetait dans le cirque pour donner le signal des jeux ». Dict. P. GAFFIOT.

HOMÉLIE VI

INIQUITÉS DE JÉRUSALEM
(*Éz.* 16, 2-16)

1-2 : *Admirables* l'intrépidité des prophètes et leur usage du libre arbitre ! A celle qui fut l'objet de merveilleuses promesses, Ézéchiel eut l'audace de faire connaître ses iniquités* ; 3 : *à ses origines,* abâtardie, étrangère de la terre de Canaan, d'un père Amorrhéen, d'une mère Hittite. S'il en est ainsi d'elle, qu'en sera-t-il de moi si je pèche ? Puis, totalement *privée de soins* ; 4 : ni cordon coupé ; 5 : ni seins bandés ; 5, ni lavée dans l'eau pour être sauvée ; 6 : ni frottée de sel, ni enveloppée de langes : cela, « par compassion pour toi », dit le Seigneur : *la passion de l'amour divin,* du Sauveur, du Père ; 7 : compassion imméritée, mais miséricordieuse et clémente, d'où lui viendront la visite et les dons.

8-10 : *Jeune fille,* elle croît comme une pousse des champs et se multiplie ; elle entre « dans les cités des cités », s'épanouit physiquement, venu son temps, et le temps des séducteurs ; Dieu étend ses ailes sur elle, entre en alliance avec elle ; 9 : toilette, lavage, onction d'huile ; 10 : parure de lin fin, ceinture, bracelets, collier, anneau, boucles d'oreilles, couronne de gloire, parure d'or, d'argent, d'étoffe diaprée, de perles ; nourriture de fleur de farine, de miel et d'huile ; elle est devenue extrêmement belle, et parvient à la royauté ; 11 : le renom s'en répandit parmi les nations, et cependant elle prodigue ses prostitutions, se fait des idoles de pièces cousues.

---

* De cette homélie son traducteur s'est particulièrement inspiré dans son Commentaire d'Ézéchiel : JÉRÔME, *In Éz.* 4 ; *CCSL* 75, p. 160 s. ; *PL* 25, 124 C s. De nombreux emprunts et parallèles sont indiqués par l'éditeur Baehrens, *GCS* 8, p. XXXV-XL.

HOMILIA VI.

1. Consideranti mihi constantiam prophetarum, miraculum subit, quomodo vere credentes Deo magis quam hominibus contempserint mortem, pericula, contumelias et omnia quae passi sunt ab iis qui arguebantur, dum voluntati Dei in prophetatione deserviunt. Admirabar quondam Esaiam antequam compararem Ezechiel, et obstupescebam quomodo diceret : *Audite sermonem Dei, principes Sodomorum ; attendite legem Domini, populus Gomorrhae. Quo mihi multitudinem sacrificiorum vestrorum ? dicit Dominus*[a]. Dicebat enim haec, cum posset dicere vel tacere ; neque enim, ut quidam suspicantur, mente excedebant prophetae et ex necessitate Spiritus loquebantur. *Si alii,* inquit Apostolus, *revelatum fuerit sedenti, prior taceat*[b]. Ex quo ostenditur potestatem habere eum qui loquatur, cum velit dicere, et cum velit tacere. Et ad Balaam dicitur : *Verumtamen est verbum quod immitto in os tuum, hoc observa loqui*[c], quasi potestatem habente eo, ut accepto verbo Dei, diceret seu taceret.

Quid est ergo quod Ezechiel admiror ? Quia, cum ei fuisset imperatum ut *testaretur* et notas faceret *Hierusalem iniquitates eius*[d], non posuit ante oculos suos periculum quod ex praedicatione erat secuturum, sed ut Dei tantum praecepta servaret, locutus est quaecumque mandavit. Esto, sit mysterium, sit revelatio sacratae

1 a. Is. 1, 10.11 // b. I Cor. 14, 30 // c. Cf. Nombr. 23, 5.16 // d. Cf. Éz. 16, 2 // e. Cf. Éz. 16, 15 s. et 25.

1. Cf. la note complémentaire 12 : « L'intrépidité du prophète ».

HOMÉLIE VI

Le libre arbitre des prophètes

1. Si je considère l'intrépidité des prophètes[1], une chose m'émerveille : la manière dont ceux qui se fient vraiment à Dieu plus qu'aux hommes méprisèrent mort, dangers, outrages et tout ce qu'ils ont subi de ceux qui les dénonçaient, pendant qu'ils se dévouaient à la volonté de Dieu en prophétisant. J'admirais naguère Isaïe avant de mettre Ézéchiel en parallèle, et j'étais stupéfait qu'il dise : « Écoutez la parole de Dieu, princes de Sodome ; prêtez l'oreille à la Loi de Dieu, gens de Gomorrhe. Que m'importe la multitude de vos sacrifices ? dit le Seigneur[a]. » En effet, il le disait alors qu'il pouvait le dire ou le taire ; car il n'est pas vrai, comme certains le conjecturent, que les prophètes étaient hors de sens et parlaient sous la contrainte de l'Esprit. « S'il vient une inspiration à un autre assistant, que le premier se taise[b] », dit l'Apôtre. C'est faire voir que celui qui parle a le pouvoir quand il veut, de parler, et quand il veut, de se taire. Et à Balaam il est dit : « Mais il y a une parole que je mets dans ta bouche, veille à la dire[c] », comme s'il avait le pouvoir, une fois reçue la parole de Dieu, de parler ou de se taire.

Pourquoi donc est-ce que j'admire Ézéchiel ? Parce que, l'ordre lui ayant été donné de « faire savoir » et connaître à « Jérusalem ses iniquités[d] », il ne se représenta point le danger qui résulterait de sa prédication, mais rien que pour observer les préceptes de Dieu, il dit tout ce que Dieu commanda. Admettons qu'il y ait un mystère, qu'ils

intelligentiae de *Hierusalem* et his quaecumque super ea dicuntur, attamen prophetans et *fornicationis* illam arguit ; quia *divaricaverit pedes suos omni transeunti*[e], maledica voce testatur, increpat scelerum civitatem.
30 Sed quia confidebat Dei se facere voluntatem, paratus et mori et vivere loquebatur intrepidus.

2. Videamus ergo ipsam prophetiam, et primo quidem quomodo in potestate sit positum prophetae utrum dicat an non, consideremus. *Factus est Sermo Domini ad eum dicens : Fili hominis, testificare Hierusalem iniqui-*
5 *tates eius, et dices : Haec dicit Dominus*[a]. Non in necessitate adspirationis, sed in voluntate dicentis Dominus posuit ut testificaretur ad Hierusalem iniquitates eius ; et ait : *Dices*[b]. Quid *dices* ? Haec quae sequuntur. In propheta erat audiente : *dices,* utrum diceret necne,
10 quomodo fuit positum et in Iona. In potestate quippe eius erat audientis : *Dic : adhuc tres dies, et Ninive subvertetur*[c], si velit dicere vel tacere. Et quia in arbitrio eius positum erat et noluit dicere, vide quanta eum sunt consecuta postea ; *periclitata est navis* propter eum,
15 *sorte* repertus est latens, *cetus devoravit abiectum*[d]. Hi ergo prophetae, quicumque post Ionam fuerunt, considerantes forsitan ea quae venerunt ei sive aliis prophetis, videbant quoniam ex omni parte angustiae iis imminebant ; secundum saeculum persecutio, si dicerent vera,
20 secundum Deum offensa, si timentes homines proferrent falsa pro veris.

2 a. Éz. 16, 2.3 // b. Éz. 16, 3 // c. Cf. Jonas 3, 2.5 // d. Jonas 1 4.5.7.15 ; 2, 1.

y ait la révélation d'un sens mystérieux au sujet de Jérusalem et de tout ce qui est dit contre elle ; néanmoins, prophétisant, il l'accuse aussi de « fornication », parce qu'elle « a écarté ses jambes à tous les passants[e] », il l'atteste d'une parole de malédiction, il invective la ville pour ses crimes. Mais, avec la conviction de faire la volonté de Dieu, prêt à mourir comme à vivre, il parlait, intrépide.

2. Donc, voyons la prophétie elle-même. Et d'abord, considérons qu'est remise au prophète la faculté de parler ou non. « La Parole de Dieu lui advint : Fils d'homme, fais connaître à Jérusalem ses iniquités ; et tu diras : Ainsi parle le Seigneur[a]. » Ce n'est point à la contrainte de l'inspiration, mais à la volonté de celui qui parle que le Seigneur a confié le soin de faire connaître à Jérusalem ses iniquités ; et il ajoute : « Tu diras[b]. » Tu diras quoi ? Ce qui suit. Il y avait pour le prophète qui entendait : Tu diras, l'alternative de dire ou non, comme elle fut présentée encore à Jonas. Car il était au pouvoir de celui qui entendait : « Dis : Encore trois jours, et Ninive sera détruite[c] », de vouloir le dire ou le taire. Et parce que c'était confié à son libre-arbitre et qu'il ne voulut pas le dire, vois quels malheurs l'atteignirent ensuite : « Le navire fut mis en péril » à cause de lui ; caché, il fut découvert « par le sort » ; « jeté à la mer, un grand poisson l'engloutit[d] ». Donc, tous les prophètes qui furent après Jonas, examinant peut-être ce qui était advenu soit à lui soit à d'autres prophètes, voyaient de toute part des difficultés les menacer : selon le siècle, la persécution s'ils disaient la vérité ; selon Dieu, l'offense si par crainte des hommes ils proclamaient le faux au lieu du vrai.

---

3 a. Éz. 16, 3

3. Idcirco testificatus est Ezechiel et notas fecit Hierusalem iniquitates eius et dixit : *Haec dicit Dominus : Radix tua et generatio tua de terra Chanaan, pater tuus Amorrhaeus, et mater tua Chettaea*[a]. Quae civitatum sic fuit elevata et altum sapuit in mundo ut civitas Dei ? Et tamen haec ipsa sibi magna promittens, quasi proxima Dei et civitas eius[b], quia peccavit, arguitur a Spiritu sancto ut degener et extranea ; pater enim eius Amorrhaeus, iam non Deus. Quamdiu non peccavit, pater eius erat Deus ; quando vero peccavit, pater eius Amorrhaeus factus est. Quamdiu non peccavit, pater eius Spiritus sanctus fuit ; quando peccavit, mater eius facta est Chettaea. Quamdiu non peccavit, radicem habuit Abraham et Isaac et Iacob ; quando peccavit, radix eius Chananaea facta est. Saepe miratus sum id quod dictum est a Daniele ad presbyterum peccatorem, cui pro peccato nomen imponens : *Semen,* inquit, *Chanaan et non Iuda*[c]. Magnus quidem et Daniel constantissime presbyterum peccatorem semen Chanaan appellans et non Iuda ; maior vero comparatione eius Ezechiel non uni presbytero neque duobus hominibus nativitatem obiciens contumeliosam, sed *radix,* inquiens, *tua et generatio tua de terra Chanaan, pater tuus Amorrhaeus et mater tua Chettaea*[d]. Quia Hierusalem multa peccata commisit, ideo increpans illam propheta, non uno neque duobus, sed tribus nominibus insignivit. Septem in Genesi gentes enumerantur a Deo in uno loco quem tradidit filiis Istrahel. Septem autem hae sunt. *In terram* inquit *Cha-*

---

b. Cf. Rom. 11, 20. Hébr. 12, 22 // c. Dan. 13, 56 // d. Éz. 16, 3 // e. Cf. Gen. 15, 20

---

1. « Quand Jérusalem était la ville de Dieu, elle tirait son origine et sa race d'Abraham, elle avait Dieu pour père, et pour mère sa grâce. » *Sel. in Éz., Cat., PG* 13, 710-711 (10).

2. « Écoute ce que disait Daniel : ' Race de Canaan et non de Juda... Tu vois : celui qui descendait charnellement de la race de Juda, on dit

Origines 3. Pour cette raison Ézéchiel fit connaître et savoir à Jérusalem ses iniquités, et dit : « Ainsi parle le Seigneur : ton origine et ta naissance sont de la terre de Canaan, ton père était Amorrhéen et ta mère Hittite[a]. » Laquelle des cités fut dans le monde d'une telle élévation et hauteur de pensées que la cité de Dieu ? Et pourtant, elle qui se faisait de grandes promesses, comme la plus proche de Dieu et sa cité[b], parce qu'elle a péché, fut traitée par l'Esprit-Saint d'abâtardie et d'étrangère : son père, un Amorrhéen et non plus Dieu ! Tant qu'elle n'a point péché, Dieu était son père ; mais quand elle pécha, l'Amorrhéen devint son père. Tant qu'elle n'a point péché, le Saint-Esprit fut son père[1], quand elle pécha, la Hittite devint sa mère. Tant qu'elle ne pécha point, elle eut pour origine Abraham, Isaac et Jacob ; quand elle pécha, la Cananéenne devint son origine. Je me suis souvent étonné de ce qui fut dit par Daniel[2] au vieillard pécheur, à qui pour son péché il donne un nom : « Race de Canaan et non de Juda[c] ». Grand certes est Daniel dans son intrépide apostrophe au vieillard pécheur : « Race de Canaan et non de Juda » ; mais plus grand, comparé à lui, Ézéchiel, non pas de reprocher à un vieillard ni à deux hommes une honteuse naissance, mais de dire : « Ton origine et ta naissance sont de la terre de Canaan, ton père Amorrhéen, et ta mère, Hittite[d]. » Comme Jérusalem a commis bien des péchés, le prophète dans son invective la désigne non d'un ni de deux, mais de trois noms. Sept nations sont énumérées par Dieu dans la Genèse pour le seul pays qu'il remit aux fils d'Israël. Ces sept, les voici : « Dans la terre des Cananéens, des Hitti-

qu'il n'est pas fils de Juda, mais de Canaan... dont il suivait les actes... Bref, le prophète leur dit : ' Ton père était Amorrhéen, et ta mère Hittite ', gens auxquels à coup sûr les unissait non une parenté de race, mais une ressemblance de mœurs. » *In Epist. ad Rom.* 4, 2, *PG* 14, 969 B.

nanaeorum, et Chettaeorum et Amorrhaeorum et Phe-
30 *resaeorum et Evaeorum et Gergesaeorum et Iebusaeorum*[e]. Impossibile fuit et septem istas congregare, ut per eas ignobilitatem peccatricis Hierusalem exprobaret : fecisset utique propheta. Nunc vero quid fecit ? Amorrhaeum eligit ex septem et Chananaeum, et ait habere
35 communionem peccatricem Hierusalem, quippe ad Chananaeum iuxta radicem et nativitatem, proprie ad Amorrhaeum secundum patrem, proprie ad Chettaeum secundum matrem.

Si in Hierusalem tanta dicuntur, de qua tam grandia et
40 tam mira conscripta sunt quae ei sunt repromissa, quid futurum est misero mihi, si peccavero ? Quis mihi erit pater aut quae mihi erit mater ? Tantae talisque Hierusalem radix et generatio de terra Chananaeorum, pater eius Amorrhaeus et mater Chettaea nuncupatur. Ego, si pec-
45 cavero, qui in Christo Iesu credo et tanto me magistro tradidi, quis mihi futurus est pater ? Non utique Amorrhaeus, sed nequior quidam pater. Quis est iste ? *Omnis qui peccatum facit, ex diabolo natus est*[f] ; et iterum : *Vos ex patre diabolo estis*[g]. Si igitur Hierusalem dicitur
50 de radice et nativitate terrae Chananaeae, quid dicetur ad nos ? Invenientur et nobis patres qui nos generant in peccatis. Ut enim, si bonus fuero et in optimo actu constitutus, dicit mihi Iesus : *Fili, dimittuntur tibi peccata*[h], dicit mihi Paulus discipulus Iesu : *In Christo enim Iesu*
55 *per Evangelium ego vos genui*[i], ita, si factus fuero peccator, generans me in peccatis diabolus et adsumens sibi eam vocem qua Pater Deus ad Salvatorem locutus est, dicit ad me : *Filius meus es tu, ego hodie genui te*[j].

f. I Jn 3, 8 // g. Jn 8, 44 // h. Matth. 9, 2 // i. I Cor. 4, 15 // j. Ps. 2, 7

3. Un peu différemment : « Le père Amorrhéen, au sens spirituel (noètôs) est le diable ; et la mère Hittite, celle qui eut par lui un

tes, des Amorrhéens, des Phéréséens, des Évéens, des Gerséens, des Jébuséens[e]. » Il eût été impossible de réunir les sept pour en faire un blâme à la pécheresse Jérusalem de sa naissance obscure : à coup sûr, le prophète l'aurait fait. Or qu'a-t-il fait ? Des sept, il a choisi l'Amorrhéen et le Cananéen ; il dit que la pécheresse Jérusalem a une relation, assurément avec le Cananéen, concernant l'origine et la naissance, proprement avec l'Amorrhéen pour le père, proprement avec le Hittite pour la mère.

Si pour Jérusalem il y a de si graves déclarations, elle au sujet de laquelle sont écrites les si merveilleuses et sublimes promesses qui lui furent faites, que m'adviendra-t-il à moi, malheureux, si je pèche ? Qui aurai-je pour père, qui aurai-je pour mère ? De Jérusalem si grande et si noble, l'origine et la naissance sont de la terre de Canaan, son père a nom l'Amorrhéen, et sa mère l'Hittite. Si je pèche, moi qui crois au Christ Jésus et me suis confié à un si grand maître, qui va être mon père ? Non certes l'Amorrhéen[3], mais un père plus vil. Quel est-il ? « Tout homme qui commet le péché est né du diable[f]. » Et encore : « Vous avez, vous, le diable pour père[g]. » Si donc pour Jérusalem, on parle d'une origine et d'une naissance de la terre de Canaan, que dira-t-on pour nous ? A nous aussi on trouvera des pères qui nous engendrent dans les péchés. Comme en effet, si je suis bon, fixé dans une conduite excellente, Jésus me dit : « Mon fils, tes péchés te sont remis[h] », Paul, disciple de Jésus, me dit : « C'est moi qui, par l'Évangile, vous ai engendrés dans le Christ Jésus[i] » ; de même, si je suis devenu pécheur, le diable m'engendrant dans les péchés et usurpant la parole par laquelle Dieu le Père a parlé au Sauveur, me dit : « Tu es mon Fils, moi, aujourd'hui je t'ai

naissance. ' Car quiconque pèche est né du diable (*Jn* 3, 8) ' ». *Sel. in Éz., Cat., PG* 13, 713 (12).

Et alii autem plures patres mei erunt, ad quos iturus sum.
60 Unusquisque ad suos proficiscitur patres. Si quis est ab Abraham, dicitur ad eum : *Tu autem vade ad patres tuos cum pace educatus in senectute bona*[k]. Si quis vero egreditur de saeculo non cum pace, sed cum peccatorum bello et *senectute* non *bona, inveteratus dierum malo-*
65 *rum*[l], utique dicitur ad eum : tu autem vadis ad patres tuos cum bello, nutritus in senectute mala. Docemur a Deo sub aliis nominibus quid facere debeamus.

4. *In qua die nata es, non alligaverunt mammas tuas*, sive *non est excisus umbilicus tuus*[a] ; in Hebraeo quippe sic habet : *Non est excisus umbilicus tuus*. Allegorice inducit Hierusalem quasi puellam ab infantia geni-
5 tam. Quae autem de Hierusalem dicuntur, sciamus ad omnes homines qui in Ecclesia sunt pertinere. Primum eius tempus tale est, [secundum] quale describitur ; procul autem absit a nobis ut tertium tempus tale habeamus, quale dicitur ad Hierusalem. Omnes enim qui pri-
10 mum fuimus peccatores, Hierusalem vocamur a Deo, et habemus ea quae prima dicuntur ; secunda autem, si post visitationem et notitiam Dei perseveraverimus in peccatis, ad nos pertinent ; tertia vero mala, quae penitus detestamur, secundum ordinem prosequemur.
15 Nunc, ut ad primum redeam, scriptum est quasi de Hierusalem : *In qua die nata es, non est excisus umbilicus tuus*. Adiutorio Dei indigemus, ut possimus umbilicum non praecisum peccatricis Hierusalem invenire, aut certe praecisum umbilicum eius quae non peccavit expo-
20 nere. Sive igitur Hierusalem, sive cuiuscumque alterius de alia Scriptura quaero umbilicum, ut *spiritalibus spiri-*

k. Cf. Gen. 15, 15 // l. Cf. Dan. 13, 52.
4 a. Cf. Éz. 16, 4 // b. Cf. I Cor. 2, 13

engendré[j]. » Et bien d'autres seront mes pères vers qui je vais aller. Chacun part vers ses pères. Si quelqu'un vient d'Abraham, il lui est dit : « Pour toi, va en paix vers tes pères, conduit à une heureuse vieillesse[k]. » Mais si quelqu'un sort du siècle, non dans la paix mais dans la guerre des péchés, et « une vieillesse » non « heureuse », « vieilli dans des jours mauvais[l] », il lui est dit à coup sûr : Pour toi, tu vas en guerre vers tes pères, entretenu dans une vieillesse malheureuse. Nous sommes instruits par Dieu sous d'autres noms de ce que nous devons faire.

Cordon

4. « Le jour où tu naquis, on ne t'a pas bandé les seins », ou « ton cordon ne fut pas coupé[a]. » ; car en hébreu, le texte est : « ton cordon ne fut pas coupé ». On présente dans un sens allégorique Jérusalem comme depuis l'enfance une jeune fille qui vient de naître. Mais ce qui est dit de Jérusalem, sachons-le concerne tous les hommes qui sont dans l'Église. Le premier moment de sa vie est tel qu'on le décrit ; mais loin de nous d'avoir un troisième moment tel qu'il est dit pour Jérusalem. En effet, nous tous qui fûmes d'abord pécheurs, nous sommes appelés par Dieu Jérusalem, et nous avons le premier trait mentionné ; mais le second, si après la visite et la connaissance de Dieu nous persévérons dans les péchés, nous concerne ; quant au troisième mal que nous détestons à fond, nous en développerons l'exposé selon l'ordre.

Maintenant, pour en revenir au premier, comme au sujet de Jérusalem : « Le jour où tu naquis, ton cordon ne fut pas coupé. » Nous avons besoin du secours de Dieu pour pouvoir découvrir le cordon non coupé de la pécheresse Jérusalem, ou du moins expliquer le cordon coupé de celle qui n'a pas péché. Donc soit de Jérusalem, soit de n'importe quelle autre ville, je cherche le cordon à un autre passage scripturaire, afin, « comparant les réalités

talia comparans[b], inveniam quomodo *non sit praecisus umbilicus Hierusalem.* Scriptum est in Iob de *dracone* : *Virtus eius in umbilico, et fortitudo eius super umbi-*
25 *licum ventris*[c]. Scio ex his quae mihi gratia divina largita est, cum praesentem locum exponerem, me dixisse quia draco sit fortitudo contraria. Iste est enim *draco, serpens antiquus, qui vocatur diabolus et Satanas, decipiens orbem terrarum universum*[d]. Istius fortitudo in umbi-
30 lico est ; nec dubium, nam principium malorum omnium in lumbo versatur. Et ideo adhuc in lumbo patris constitutus qui nasciturus erat refertur, quia in lumbo semina humana collecta sunt. Fortitudo ergo contraria, ubicumque sunt semina, ibi insidiarum suarum vim conatur
35 ostendere. Adversum masculos virtus eius in lumbo est, adversum feminas virtus eius in umbilico ventris est. Et vide quomodo boneste viri mulierisque genitalia obtectis nominibus Scriptura nuncupaverit, ne per ea vocabula quae in promptu sunt turpitudinem significaret. Si intel-
40 lectum est exemplum quod protulimus de Iob, intellige mihi quia, ut in viro praeputium circumciditur, sic in femina umbilicus amputetur. Cum enim pudica fuerit mulier, et mundis usa mutationibus feminarum, scilicet ne in sordidas res et in peccatorum turpitudines ruat, tunc
45 umbilicus eius abscisus est ; si vero peccaverit, non est umbilicus eius abscisus. Increpat ergo Hierusalem quasi mulierem cui non sit praecisus umbilicus.

Septuaginta interpretati sunt in hoc loco : *Non alligaverunt ubera tua,* sensum magis eloquii exponentes

---

c. Job 40, 16 // d. Cf. Apoc. 12, 9

spirituelles aux spirituelles[b] », de trouver en quel sens « n'est pas coupé le cordon de Jérusalem ». Dans Job, il est écrit du dragon : « Sa vigueur est dans l'ombilic, et sa puissance, dans l'ombilic de son ventre[c]. » Je sais, par ce que la grâce divine m'a accordé quand j'exposais le présent passage, avoir dit que le dragon est une puissance contraire[1]. C'est en effet « le Dragon, l'antique Serpent qu'on appelle Diable ou Satan, qui égare toute la surface de la terre[d]. » Sa puissance est dans l'ombilic ; nul doute, car le principe de tous les maux réside dans le rein[2]. Et on rappelle que celui qui allait naître était encore fixé dans le rein de son père, parce que les semences humaines sont rassemblées dans le rein. Donc la puissance contraire, partout où il y a des semences, s'efforce de montrer la violence de ses embûches. Contre les mâles, sa vigueur est dans le rein, contre les femmes, sa vigueur est dans l'ombilic du ventre. Et note que l'Écriture désigne avec honneur en termes voilés les organes sexuels de l'homme et de la femme, pour éviter, par les appellations courantes d'en indiquer la honte. Si est compris l'exemple cité de Job, comprends que, comme chez l'homme le prépuce est circoncis, ainsi chez la femme le cordon est amputé. En effet, quand la femme est pudique et emploie une lingerie féminine propre, c'est-à-dire qu'elle ne tombe pas dans les malpropretés et les hontes des péchés, alors son cordon est coupé ; mais si elle pèche, son cordon n'est pas coupé. On apostrophe donc Jérusalem dont le cordon n'est pas coupé.

Seins Les Septante ont interprété, à ce passage : « Ils n'ont pas bandé tes seins », expliquant le sens de l'expression plutôt que

1. Noter le point de repère d'une chronologie relative, cf. *Introduction*, p. 3.
2. Sur « reins et lombes », cf. *In Lev. hom.* 6, 6, 40 s., *SC* 286, p. 292 s.

quam verbum de verbo exprimentes. Ubera autem in Cantica Canticorum assumpta sunt in cogitationum tuarum et mentis loco : *Quia bona ubera tua super vinum*[e]. Et *recubuit super pectus Iesu*[f], ubi ubera tua sunt, is qui communionem intellectuum eius habiturus erat. Quando ergo sensus est rigidus et notio constricta atque solida nec defluit sermo, manifestum est quia alligata sunt ubera tua. Cum vero ea quae dicuntur dissoluta sunt et defluunt, non sunt ubera colligata.

5. *Aqua non es lota in salutem*[a]. Videamus ea quae sunt Hierusalem, ne forte et in nobis eadem reperiantur. Verbi gratia dictum sit : est quaedam mulier nunc lota, verum quaeritur an et in salutem, ut et nos timeamus propter hoc quod addidit : *in salutem.* Non lavantur in salutem omnes. Qui accepimus gratiam baptismi in nomine Christi, loti sumus, sed nescio quis lotus sit in salutem. Simon *lotus est* et *baptisma consecutus perseverabat in Philippi societate*[b] ; verum quia non erat lotus in salutem, condemnatus est ab eo qui in *Spiritu sancto* dixit ad eum : *Pecunia tua tecum sit in perditionem*[c]. Ingentis est difficultatis eum qui lavatur lavari in salutem. Attendite, catechumeni, audite, et ex his quae dicuntur, praeparate vosmet ipsos, dum catechumen

---

e. Cant. 1, 1 // f. Cf. Jn 13, 25.

5 a. Éz. 16, 4 // b. Cf. Act. 8, 13 // c. Cf. Act. 8, 17 s. 20

---

3. « Les seins, dans le Cantique des cantiques, sont pris au sens d l'intelligence (epi tou dianoètikou khôriou). » *Sel. in Éz. Cat.*, *PG* 13, 71 (12). « Par les seins, nous entendons la faculté maîtresse du cœur. » *I Cant.* 1, 2, 6, *GCS* 8, p. 93, 25. Sur cette faculté maîtresse, « l'hégémoni que » des Stoïciens, voir par exemple *CC* 1, 48, 11, *SC* 132, p. 202 s. e la note.

1. Le dernier terme de la citation est en hébreu un *hapax*, générale ment traduit par « pour être nettoyée ». Il ne figure pas dans la LXX.

traduisant mot à mot. Or « les seins » dans le Cantique des Cantiques, sont employés au lieu de tes pensées et de ton intelligence[3] : « Car tes seins sont plus délectables que le vin[e]. » Et : « Il reposa sur la poitrine de Jésus[f] », où sont « tes seins » : celui qui allait avoir la communication de ses pensées. Quand donc la pensée est ferme, l'idée concise et vigoureuse, et que le discours ne s'étire pas, il est clair que « tes seins sont bandés ». Mais quand les choses dites se relâchent et s'étirent, « les seins ne sont pas bandés ».

Lavage, baptême

5. « Tu ne fus pas lavée dans l'eau pour être sauvée[a]. » Voyons ce qu'il en est de Jérusalem pour éviter que d'aventure il n'en aille de même pour nous. Qu'on dise par exemple : une femme est maintenant lavée, mais on cherche si c'est bien pour être sauvée, afin d'avoir nous aussi de la crainte à cause de cette addition : « pour être sauvée ». Tous ne sont pas lavés pour être sauvés[1]. Nous qui avons reçu la grâce du baptême au nom du Christ, nous sommes lavés, mais je ne sais pas qui est lavé pour être sauvé[2]. Simon « fut lavé », et « ayant obtenu le baptême, il était assidu près de Philippe[b] », mais parce qu'il n'avait pas été lavé pour être sauvé, il fut condamné par celui qui lui dit « dans l'Esprit-Saint » : « Périsse ton argent avec toi[c] ! » Il est bien difficile que celui qui est lavé soit lavé pour être sauvé. Attention, catéchumènes, écoutez, et d'après ce qui est dit, préparez-vous vous-mêmes tant que vous êtes catéchumènes, tant que vous n'êtes pas

---

est omis par OSTY, rendu par « pour une purification » par DHORME. Nous devons suivre le texte latin.

2. « Et tu n'es pas lavée dans l'eau, si tu n'es pas lavée dans l'eau » pour être sauvée. Parmi ceux qui sont baptisés, il y en a qui sont baptisés pour être sauvés ; mais il y a des âmes qui sont lavées aussi pour être condamnées. Cela arrive à qui est indigne. Mais l'expression a un sens plus élevé (anagôgèn upsèlèn). Réfléchis, si tu le peux. » *Sel. in Éz. Cat.*, *PG* 13, 713-714 (13).

15 estis, dum necdum estis baptizati, et veniatis ad lavacrum et lavemini in salutem, nec sic lavemini ut quidam qui loti sunt, sed non in salutem ; accipit aquam, non accipit Spiritum sanctum ; qui lavatur in salutem, et aquam accipit et Spiritum sanctum. Quia non fuit Simon lotus in 20 salutem, accepit aquam, et non accepit Spiritum sanctum *putans quia possit donum Spiritus pecunia comparari*[d]. *In aqua non est lota in salutem*[e]. Ad omnem animam peccatricem quae videtur credere, ista dicuntur quae nunc dicta legimus ad Hierusalem, ut non ad maiora 25 conscendam, et ea quaeram quae ultra meas vires sunt et ingenium.

6. *Neque sale salita*[a]. Et hoc crimen est Hierusalem, quia non fuerat digna sale Dei. Ego si credidero Domino meo Iesu Christo, ipse *me* sal faciet, dicetque mihi : *Vos estis sal terrae*[b]. Si credidero Spiritui qui in Apostolo 5 locutus est[c], sale condior, et possum praeceptum custodire dicens : *Sermo vester sit semper in gratia sale conditus*[d]. Grande opus est insaliri. Qui sale conditur, gratia plenus est. Nam et in communi proverbio salsus dicitur gratiosus, et e contrario insulsus qui non habet 10 gratiam. Si igitur gratia nobis a Deo venit et complemur dono eius[e], sale salimur.

Rursum peccatrix *Hierusalem non est involuta pannis*[f]. Observa quod dicimus. Anima renascens et primum in lavacro edita involvitur pannis. Ipse Dominus meus

d. Cf. Act. 8, 20 // e. Éz. 16, 4.

encore baptisés, puis venez au bain, soyez lavés pour être sauvés ; ne soyez pas lavés comme certains qui sont lavés, mais non pour être sauvés ; on reçoit l'eau, on ne reçoit pas l'Esprit-Saint, quand on est lavé pour être sauvé, on reçoit et l'eau et l'Esprit-Saint. Simon, parce qu'il ne fut pas lavé pour être sauvé reçut l'eau, et ne reçut pas l'Esprit-Saint, « croyant que le don de l'Esprit pourrait être acquis à prix d'argent[d] ». « Elle n'est pas lavée dans l'eau pour être sauvée[e]. » A toute âme pécheresse qui passe pour croire est dit ce que nous lisons dit maintenant à l'adresse de Jérusalem, pour que je ne m'élève pas trop haut, ni ne cherche ce qui surpasse mes forces et mon intelligence.

Sel

6. « Tu ne fus pas frottée de sel[a]. » C'est un crime pour Jérusalem de n'être pas digne du sel de Dieu. Moi, si je crois à mon Seigneur Jésus-Christ, lui me fera sel et me dira : « Vous êtes le sel de la terre[b]. » Si je crois à l'Esprit qui a parlé par l'Apôtre[c], je suis assaisonné de sel et je peux garder le précepte : « Que votre parole soit toujours aimable, assaisonnée de sel[d]. » C'est une grande œuvre que d'être salé. Qui est assaisonné de sel est rempli de grâce. Car dans le proverbe courant, qui est salé est dit gracieux, par contre est insipide qui n'a pas de grâce. Donc si la grâce nous vient de Dieu et si nous sommes remplis de son don[e], nous sommes assaisonnés de sel.

Langes

En outre, la pécheresse « Jérusalem ne fut pas enveloppée de langes[f] ». Note bien ce que nous disons. La personne qui renaît, à peine sortie du bain, est enveloppée de langes.

---

6 a. Éz. 16, 4 // b. Matth. 5, 13 // c. Cf. Act. 13, 9 // d. Col. 4, 6 // e. Cf. Act. 8, 20 // f. Éz. 16, 4

15 Iesus *pannis involutus est*[g], ut scriptum refertur in Evangelio secundum Lucam. Oportet ergo eum qui renascitur, utique in Christo renascentem, rationabile et sincerum lac desiderare ; et priusquam *rationabile et sine dolo lac desidere*[h], debet sale saliri, et pannorum involu-
20 cris colligari, ne dicatur ad eum : *Sale non es salita, et pannis non es involuta*[i]. Quia autem ista Hierusalem sint crimina, non circumcidi eam umbilico, et sale non saliri, et pannis non involvi, et aqua non lavari in salutem, sermo indicat reliquus, qui ita contexitur : *Neque peper-*
25 *cit in te oculus tuus, ut facerem tibi unum ex omnibus istis*[j]. Propterea nihil *tibi* horum *feci, ut paterer aliquid super te*[k], dicit Dominus.

Exemplum ab hominibus accipiam, deinde si Spiritus sanctus dederit, ad Iesum Christum et ad Deum Patrem
30 transmigrabo. Quando ad hominem loquor et deprecor eum pro aliqua re ut misereatur mei, si sine misericordia est, nihil patitur ex his quae a me dicuntur ; si vero molli est animo et nihil in eo rigidi cordis obduruit, audit me et miseretur mei, et molliuntur viscera eius ad meas preces.
35 Tale mihi quiddam intellige super Salvatorem. Descendit in terras miserans humanum genus, passiones perpessus est nostras, antequam crucem pateretur et carnem nostram dignaretur assumere ; si enim non fuisset passus, non venisset in conversatione humanae vitae. Primum
40 passus est, deinde descendit et visus est. Quae est ista

g. Cf. Lc 2, 7.12 // h. Cf. I Pierre 2, 2 // i. Éz. 16, 4 // j. Éz. 16, 5 // k. Éz. 16, 5

1. « De plus, la passion (to empathes) de la colère, s'il faut vraiment appeler colère sa réprimande, est un acte philanthropique de Dieu qui

Mon Seigneur Jésus lui-même « fut enveloppé de langes[g] », comme le rapporte le texte dans l'Évangile selon Luc. Donc il faut que celui qui renaît, renaissant à coup sûr dans le Christ, désire le pur lait spirituel ; et avant qu'il désire « le lait spirituel non frelaté[h] », il doit être frotté de sel et emmailloté des enveloppes de langes, pour qu'on ne lui dise pas : « Tu ne fus pas frottée de sel, ni enveloppée de langes[i] ? » Mais parce qu'il y a ces crimes de Jérusalem, elle n'est pas amputée du cordon, ni frottée de sel, ni enveloppée de langes, ni lavée pour être sauvée, ce qu'indique le reste de la parole dont voici le texte : « Ton œil ne retint pas la pitié sur toi pour que je te donne un seul de tous ces soins[j] ». Aussi ne t'en ai-je donné aucun, « par compassion pour toi[k] », dit le Seigneur.

Passion de l'amour divin

J'emprunterai un exemple aux hommes, puis si l'Esprit-Saint me l'accorde, je passerai à Jésus-Christ et à Dieu le Père. Quand je m'adresse à un homme et, pour quelque chose l'implore d'avoir pitié de moi, s'il est sans miséricorde, il ne souffre rien du fait de ce que je dis ; mais s'il est d'une âme sensible, s'il n'a rien d'un cœur sévère et endurci, il m'écoute, il a pitié de moi, ses entrailles s'émeuvent à mes prières. Comprends quelque chose de pareil au sujet du Sauveur. Il descendit sur terre par pitié du genre humain[1], il a patiemment éprouvé nos passions avant de souffrir la croix et de daigner prendre notre chair ; car s'il n'avait pas souffert, il ne serait pas venu partager la vie humaine. D'abord il a souffert, puis il est descendu et s'est manifesté. Quelle est donc cette passion

condescend à (prendre) des passions à cause de l'homme, pour lequel s'est fait homme le Logos de Dieu. » CLEM. D'ALEX., *Le Pédagogue* I, 8 74, 4, *SC* 70, p. 242 s.

quam pro nobis passus est passio ? Caritatis est passio. Pater quoque ipse et Deus universitatis, *longanimis et multum misericors*[l] et miserator, nonne quodammodo patitur ? An ignoras quia, quando humana dispensat,
45 passionem patitur humanam ? *Supportavit* enim *mores tuos Dominus Deus tuus, quomodo si quis supportet homo filium suum*[m]. Igitur mores nostros supportat Deus, sicut portat passiones nostras Filius Dei. Ipse Pater non est impassibilis. Si rogetur, miseretur et condolet,
50 patitur aliquid caritatis, et fit in iis in quibus iuxta magnitudinem naturae suae non potest esse, et propter nos humanas sustinet passiones.

7. *Non pepercit* ergo *oculus tuus,* inquit, *in te, ut facerem tibi unum ex omnibus istis, ut paterer aliquid super te. Et,* quia talis effecta es, *proiecta es in*

l. Cf. Ps. 102, 8 // m. Cf. Deut. 1, 31.

2. Voici « une des pages, sans doute, des plus humaines et des plus chrétiennes que nous ayons » d'Origène, H. de Lubac, *HE,* p. 241 : voir à l'entour, les citations qui la préparent et la commentent. Ce mystère d'amour ne cesse d'émouvoir les cœurs et les esprits, surtout devant « la descente » divine jusqu'à l'agonie et la croix. Et force était bien aux hommes de « courir le risque » d'en parler, se gardant de leur mieux des projections affectives, des concepts rigides, des effets littéraires. Sur les données de l'Écriture, A. Feuillet, *L'agonie de Gethsémani, Enquête exégétique et théologique*..., Paris 1977. Pour une documentation fournie de toute la Tradition, pères grecs et latins, théologiens, protestants et orthodoxes du 16e siècle à nos jours, le grand article de P. Henry, « Kénose », dans *DBS* V (1957), 7-131. Parmi les essais contemporains, entre autres, S. Breton, *La Passion du Christ et les Philosophies* (Studi e Testi Passionisti 2), éd. « Eco », Teramo, Italie 1954, *Le Verbe et la Croix* (Jésus et Jésus-Christ 14), Paris 1981, p. 131 s. ; et, pour les nombreux auteurs qu'il survole, G. Rossi, *Jésus abandonné, approches du mystère* (Racines) Nouvelle Cité, Paris 1983. Ajouter maintenant G. Martelet, *Libre réponse à un scandale. La faute originelle, La souffrance et la mort* (Théologies) éd. du Cerf, Paris 1986, p. 157-160 ; et pour la problématique théologique et christologique, K.

qu'il a soufferte pour nous ? La passion de la charité[2]. Et le Père lui-même, Dieu de l'univers, « plein d'indulgence, de miséricorde[l] » et de pitié, n'est-il pas vrai qu'il souffre en quelque manière ? Ou bien ignores-tu que, lorsqu'il s'occupe des affaires humaines, il éprouve une passion humaine ? Car « il a pris sur lui tes manières d'être, le Seigneur ton Dieu, comme un homme prend sur lui son fils[m]. » Dieu prend donc sur lui nos manières d'être, comme le Fils de Dieu prend nos passions[3]. Le Père lui-même n'est pas impassible. Si on le prie, il a pitié, il compatit, il éprouve une passion de charité, et il se met dans une condition incompatible avec la grandeur de sa nature et pour nous prend sur lui les passions humaines.

Compassion imméritée

7. « Ton œil ne retint pas la pitié pour toi[1] pour que je te donne un seul de tous ces soins par compassion pour toi. Et », parce que tu es devenue telle, « tu fus jetée

---

RAHNER, *Traité fondamental de la Foi. Introduction au concept du christianisme*, tr. fr. de G. Jarczyk, Le Centurion, Paris 1983, p. 241-258.

3. « Quand les Écritures parlent théologiquement de Dieu, tel qu'il est en lui-même, sans mêler son Économie aux affaires humaines, elles disent qu'il « n'est pas comme un homme (*Nombr.* 23, 19 : par exemple *Ps.* 144, 3, 95, 4 ; 148, 2-3, et bien d'autres). Mais quand l'Économie divine se mêle aux affaires humaines, Dieu prend l'intelligence, les manières et le langage d'un homme. Il fait comme nous autres quand nous parlons à un enfant de deux ans... » D'où les expressions de repentir, d'incertitude, de colère... *In Jer. hom.* 18, 6, 39 s., *SC* 238, p. 198 s. et notes. Ce même thème de notre Homélie est souvent abordé ailleurs. Cf. *De princ.* 2, 4, 4, 175 s., *SC* 252, p. 288 s., où il note pour finir : « Nous ne prenons pas à la lettre (secundum litteram) ce qui est dit, mais nous y cherchons un sens spirituel (spiritalem intellectum), pour penser selon une intelligence digne de Dieu. » Toutefois, le mystère n'est pas seulement dans l'expression, mais dans la réalité divine qu'elle manifeste. Cf. *hom.* 8, 1, 5, la note. Cf. *SC* 253, p. 165, n. 23 et 24.

1. Est modifié le texte hébreu, que les traducteurs rendent : « Nul œil ne s'est apitoyé à ton sujet pour t'appliquer un de ces soins par compassion pour toi. » DHORME, etc.

faciem campi[a]. Deus, ne nos tales esse patiaris, ut proi-
5 ciamur a te et ab Ecclesia tua in faciem campi, sed magis ut ab angustiis sensuum egrediamur ad campum ! *Et proiecta es in faciem campi.* Quare ? *Pravitate animae tuae in qua die nata es*[b]. Potestne aliquis, in ea die qua natus est, habere animae pravitatem ? Describit ergo
10 passiones nostras et humana vitia et solitas pravitates. Pravitate enim nostra, si non rectum fuerit cor, proicimur in campum in die qua nascimur. Si post regenerationem lavacri, si post sermonem Dei rursum peccaverimus, in die qua nascimur, proicimur. Tales saepissime reperiun-
15 tur lavati *lavacro secundae regenerationis*[c] et non *facientes dignos fructus paenitentiae*[d], neque exhilarantes mysterium baptismi timore maiore ab eo quem dum catechumeni essent habuerunt, caritate ampliori ab ea quam exercuerunt dum auditores sermonis essent, sanc-
20 tioribus gestis quam ante gesserunt. Sequitur istiusmodi homines hoc quod dicitur : *Proiecta es in faciem campi pravitate animae tuae in die qua nata es*[e].

Sed vide misericordiam Dei, vide clementiam singularem. Licet proiecta sit Hierusalem in faciem campi, non
25 ita eam despicit ut proiecta sit semper, non ita pravitati suae relinquit ut in totum eius obliviscatur, ut non ultra elevet iacentem. Attende quid sequitur : *Et transivi per te*[f]. Proiecta es, ego tamen rursum veni ad te, visitatio mea non tibi defuit post ruinam.

---

7 a. Éz. 16, 5 // b. Éz. 16, 5 / c. Cf. Tite 3, 5 // d. Cf. Lc 3, 8 // e. Éz. 16, 5 // f. Éz. 16, 6.

---

2. « Pour les crimes plus graves, on n'accorde qu'une seule fois une place à la pénitence ; mais ces fautes ordinaires, auxquelles nous sommes souvent exposés, sont toujours susceptibles de pénitence et de

en plein champ[a]. » O Dieu, ne souffre pas que nous soyons du genre à être jetés en plein champ loin de toi et de ton Église, mais plutôt que nous sortions de l'étroitesse des pensées vers le champ libre ! « Et tu fus jetée en plein champ. » A cause de quoi ? « De la perversion de ton âme le jour où tu es née[b]. » Peut-on avoir, le jour de sa naissance, une perversion de l'âme ? On désigne donc nos passions, les vices humains, les perversions habituelles. En effet, par notre perversion, si notre cœur n'a pas été droit, nous sommes jetés au champ le jour où nous naissons. Si après la seconde naissance du bain, si après la parole de Dieu, nous péchons derechef, le jour où nous naissons nous sommes jetés[2]. Tels bien souvent se trouvent « lavés par le bain de la seconde naissance[c] », qui ne « font » pas de dignes fruits de pénitence[d], et n'illustrent pas le mystère du baptême d'une crainte plus grande que celle qu'ils eurent tant qu'ils étaient catéchumènes, d'une charité plus ample que celle qu'ils exercèrent tant qu'ils étaient auditeurs de la parole, par des actions plus saintes que celles qu'ils firent auparavant. Tombe en partage pour des hommes de ce genre ce qui est dit : « Tu fus jetée en plein champ le jour où tu es née[e]. »

Mais vois la miséricorde de Dieu, vois son extraordinaire clémence. Bien que Jérusalem fût jetée en plein champ, il ne la méprise pas au point qu'elle soit jetée pour toujours, il ne la laisse pas dans sa perversion au point de l'oublier entièrement, de ne plus relever celle qui était gisante. Fais attention à la suite : « Et je passai près de toi[f]. » Tu fus jetée, moi pourtant je revins vers toi, ma visite ne t'a pas manqué après ta ruine.

---

rachat sans délai. » *In Lev. hom.* 15, 2 fin ; cf. déjà *hom.* 11, 2, fin : *SC* 287, p. 256 s., et p. 150 s. et la note complémentaire 28 ; et même *hom.* 2, 4, 35 s., *SC* 286, p. 108 s. et les notes.

8. *Et vidi te conspersam in sanguine tuo*[a]. Quasi dicat : vidit terram homicidiorum, ream sanguinis et mortalium peccatorum. *Et dixi tibi : De sanguine tuo vita adimplere ; surge de sanguine tuo, et adimplere vita ; sicut ortus agri dedi te*[b]. Misertus sum tui postquam proiecta es, vidi te sanguine peccatisque conspersam, effeci te sicut ortus est agri. *Et multiplicata es*[c]. Quia ad te veni et visitavi te proiectam, causa tui factus sum ut multiplicareris. *Et multiplicata es et magnificata*[d]. Dedi te in multitudinem et in magnitudinem, id est crescere te et multiplicari. Per id enim quod crescimus, et multiplicamur.

Et intrasti in civitates civitatum[e]. Rursum errores exponit Hierusalem introeuntis in civitates civitatum. Quomodo autem ingressa sit criminose in civitates civitatum consideremus. Si per singulas civitates in quibus haereses sunt et doctrinae alienae a Deo, ingrediatur quispiam ecclesiasticus, et particeps fiat talium civitatum, audit : *Intrasti in civitates civitatum.*

Mammae tuae erectae sunt[f]. Post tanta crimina rursum floruisti et *venit tibi tempus et tempus devertentium*[g]. Dicitur mihi : noli allegorizare, noli per figuram exponere. Respondeant, quaeso : Hierusalem mammas habet, et est quando non colligentur, est quando erigantur, et *umbilicum* habet et, quia *non est praecisus*[h], arguitur. Quomodo possunt ista sine allegorica expositione intelligi ?

Mammae tuae erectae sunt, et capillus tuus exortus est[i]. Cum omni honestate, ea quae solent virginum eve-

8 a. Éz. 16, 6 // b. Cf. Éz. 16, 6.7 // c. Cf. Éz. 16, 7 // d. Éz. 16, 7 // e. Éz. 16, 7 // f. Éz. 16, 7 // g. Éz. 16, 8 // h. Cf. Éz. 16, 4 // i. Éz. 16, 7

1. Pour nos expressions « cités des cités », et plus bas « temps des

8. « Et je t'ai vue couverte de ton sang[a]. » Comme s'il disait qu'il vit une terre d'homicides, coupable de sang et de péchés mortels. « Et je t'ai dit : Vis dans ton sang ; lève-toi de ton sang et vis ; je te fis croître comme une pousse des champs[b]. » J'ai eu pitié de toi après que tu fus jetée, je t'ai vue couverte de sang et de péchés, je te fis croître comme une pousse des champs. « Tu t'es multipliée[c]. » Parce que je suis venu vers toi et que, jetée, je t'ai visitée pour ton bien, j'ai fait que tu te multiplies. « Tu t'es multipliée et tu as grandi[d]. » Je t'ai donné d'accéder à la multitude et à la grandeur, c'est-à-dire de croître et te multiplier. Car du fait qu'on croît, on se multiplie.

Jeune fille

« Et tu entras dans les cités des cités[e]. » Nouvel exposé des erreurs de Jérusalem qui entre dans les cités des cités[1]. Or examinons la manière coupable dont elle entra dans les cités des cités. Dans chaque cité où sont des hérésies et des doctrines étrangères à Dieu, qu'un ecclésiastique entre et participe à une telle cité, il entend : « Tu es entré dans les cités des cités. »

« Tes seins s'affermirent[f]. » Après de si grandes fautes, tu redevins florissante : « Vint ton temps et le temps des séducteurs[g]. » On me dit : ne fais pas d'interprétation allégorique, d'explication au sens figuré. Qu'on me réponde, je le demande : Jérusalem a des seins, tantôt ils ne sont pas bandés et tantôt ils s'affermissent, elle a « un cordon », et on reproche « qu'il ne soit pas coupé[h] ». Comment peut-on l'entendre sans explication allégorique ?

« Tes seins s'affermirent et ton poil poussa[i]. » En toute décence, la divine Parole désigne ce qui normalement

---

séducteurs », le texte hébreu est corrompu, et diversement reconstitué par les traducteurs.

30 nire corporibus, describit Sermo divinus. *Et capillus tuus exortus est, tu vero eras nuda, et dehonestata*[j]. Qui non est *Christum Iesum indutus,* hic nudus est ; qui non est *indutus viscera miserationis, benignitatis, humilitatis, mansuetudinis, longanimitatis, ut*
35 *proximum sustineat*[k], iste *dehonestatus* est. *Tu vero eras nuda et dehonestata. Et transivi per te*[l]. Secunda vice venit ad eam, vidit eam peccantem, iterum propter peccata discedit, et tamen rursum revertitur, iterum visitat clemens et benignus Deus.

40 *Et veni ad te et vidi te, et ecce tempus tuum et tempus devertentium*[m]. Quid est hoc quod ait : *tempus tuum* ? Tempus significat adulescentium, in quo iam per aetatem possunt fornicari. Et rursum : *et tempus* inquit *devertentium.* Qui sunt isti devertentes ? Dum sumus
45 *parvuli*[n], hi qui devertere volunt ad nos, qui nituntur evertere, id est christiani pessimi, daemonia immunda, angeli diaboli, non habent locum quomodo ad nos possint devertere. Cum autem fuerimus aetate maiore, et iam peccare possumus, quaerunt aditum ad nos devertendi, et
50 hoc tam angeli Dei quam angeli Satanae. Impossibile autem est ut utrique ad nos devertant. Si peccamus, angeli diaboli devertunt ad nos ; si stamus fixo gradu, devertunt ad nos angeli Dei.

Venit ergo *tempus tuum et tempus devertentium*[o].
55 Quia tempus venerat devertentium, et Dominus Iesus Christus Deus noster rursum visitat miseram Hierusalem, id est peccatricem animam nostram. *Expandi alas meas super te*[p]. Consuevit Scriptura pennas nuncupare vestium summitates, ut in Ruth quae *venit abscondite et*
60 *discooperuit ad pedes* Booz et dormivit sub *ascella* vestimenti eius[q]. Deus ergo quasi veste loquitur indutus :

---

j. Éz. 16, 7 // k. Cf. Col. 3, 12 s. // l. Éz. 16, 7.8 // m. Éz. 16, 8 // n. Cf. I Cor. 13, 11... // o. Cf. Éz. 16, 8 // p. Éz. 16, 8 // q. Cf. Ruth 3, 7.9

arrive aux corps des jeunes filles. « Ton poil poussa, mais tu étais nue, déshonorée[j]. » Qui n'a point « revêtu le Christ Jésus » est déshonoré ; qui n'a point « revêtu les entrailles de miséricorde, de bonté, d'humilité, de douceur, de patience, pour supporter le prochain[k] », celui-là est déshonoré. « Mais tu étais nue et déshonorée. Et j'ai passé près de toi[l]. » Une seconde fois il vint vers elle, il la vit péchant, de nouveau à cause de ses péchés il s'écarta ; et pourtant une fois encore il revient et de nouveau la visite, le Dieu clément et bon.

« Je vins vers toi et je te vis, c'était ton temps et le temps des séducteurs[m]. » Qu'est-ce à dire : « ton temps » ? On indique le temps des jeunes gens où désormais, vu l'âge, ils peuvent forniquer. Il dit encore : « le temps des séducteurs ». Quels sont ces séducteurs ? Tant que nous sommes « tout-petits[n] », ceux qui veulent nous séduire, qui s'efforcent de pervertir, c'est-à-dire les pires chrétiens, les démons impurs, les anges du diable n'ont pas de prise par où ils puissent nous séduire. Mais quand nous sommes à l'âge mûr, et pouvons alors pécher, ils cherchent l'occasion de nous séduire, et cela tant les anges de Dieu que les anges de Satan. Mais il est impossible que les uns et les autres nous séduisent. Si nous péchons, les anges du diable nous séduisent. Si nous sommes en position ferme, les anges de Dieu nous séduisent.

Donc vint « ton temps et le temps des séducteurs[o] ». Parce qu'était venu le temps des séducteurs, le Seigneur Jésus Christ notre Dieu aussi visite de nouveau l'infortunée Jérusalem ; c'est-à-dire notre âme pécheresse. « J'étendis mes ailes sur toi[p]. » L'Écriture a coutume d'appeler ailes les bords des vêtements, comme pour Ruth qui « vint secrètement et découvrit une place aux pieds » de Booz, et dormit sous « l'aile » de son manteau[q]. Donc Dieu parle comme vêtu d'un habit : « J'étendis mes ailes

Expandi alas meas super te et operui confusionem tuam[r]. Beatus cuius alis suis Deus protegit confusionem, si tamen perseveraverit in beatitudine, in qua Hierusalem
65 noluit perseverare. *Et iuravi tibi in testamentum et intravi in testamentum tecum*[s]. Post tanta ob quae rursum revertitur, rursum recedit, post tam frequentem visitationem nunc primum ingreditur in testamentum cum ea.

9. *Et facta es mihi. Et lavi te in aqua*[a]. Post haec omnia assumpsi te et ipse lavi te in salutem. *Et ablui sanginem tuum abs te.* Haec intelligentes, oremus ut veniat misericordia Dei super nos, et abluat sanginem ab
5 animabus nostris ; si quid enim morte dignum fecimus, istud sanguis est noster. *Ablui sanguinem tuum a te, et unxi te oleo.* Et Christos nos vult facere Deus. *Et indui te versicoloria*[b]. Quanta est benignitas Dei in unamquamque animarum Hierusalem ; non unius coloris tuni-
10 cam, sed multae varietatis largitur credentibus sibi. Hanc *versicolorem tunicam* iam tunc in signum fecit Iacob *induens* filium suum Ioseph, *et vestivit eum versicoloria*[c]. Si consideres intellectus sacratos, facta bona, vere videbis variam tunicam, quam visitatio Dei largitur his
15 qui vocati sunt in salutem. Legem intelligo, prophetas comprehendo, agnosco Evangelia, non me latet Apostolus, cautus sum, iustus sum, misericors sum, et adhuc quaeris aliam tunicam versicolorem quam induit Deus Hierusalem dicens : *Et vestivi te versicolaria et cal-*
20 *ciavi te hyacintho*[d] ? Vult calciamenta nostra esse flo-

---

r. Éz. 16, 8 // s. Éz. 16, 8.
9 a. Éz. 16, 8.9 // b. Éz. 16, 9.10 // c. Cf. Gen. 37, 3 // d. Éz. 16, 10

sur toi, et je couvris ta nudité[r]. » Heureux celui dont Dieu de ses ailes couvre la nudité, si toutefois il persévère dans la béatitude dans laquelle Jérusalem ne voulut pas persévérer. « Je te prêtai serment, j'entrai en alliance avec toi[s]. » Après de si grands bienfaits pour lesquels de nouveau il revient, puis de nouveau se retire, après une visite si fréquente, alors pour la première fois « il entre en alliance avec » elle.

Toilette et parure

9. « Tu fus à moi. Je te baignai dans l'eau[a]. » Après tout cela, je te pris et te baignai pour ton salut. « Et je lavai ton sang sur toi. » Comprenant cela, prions que vienne sur nous la miséricorde de Dieu, et qu'il lave le sang sur nos âmes ; car si nous avons fait quelque chose qui mérite la mort, voilà notre sang. « Je lavai ton sang sur toi, et je t'oignis d'huile. » Dieu veut faire de nous des christs. « Je te vêtis d'une étoffe diaprée[b]. » Combien grande est la bonté de Dieu pour chacune des âmes de Jérusalem : c'est une tunique qui n'est pas d'une couleur unique mais d'une grande variété qu'il accorde à ceux qui croient en lui. De cette « tunique diaprée », Jacob fit déjà un signe jadis en « revêtant » son fils Joseph, « il le vêtit d'une tunique diaprée[c] ». Si tu envisages les sens mystérieux, les actes bons, tu verras la tunique véritablement variée que la visite de Dieu accorde à ceux qui sont appelés au salut[1]. Je comprends la Loi, je comprends les prophètes, je connais les Évangiles, l'Apôtre ne m'est pas inconnu, je suis prudent, je suis juste, je suis miséricordieux, et cherche encore une autre tunique diaprée dont Dieu vêtit Jérusalem en disant : « Je te vêtis d'une étoffe diaprée, je te mis des chaussures couleur d'hyacinthe[d] » ?

1. « Elle est revêtue d'un tissu diapré de vertus diverses, de la vérité des doctrines, d'actions pieuses. » *Sel. in Éz.* 16, 10, *PG* 13, 812 A.

rentia et bene tincta. Quae sunt calciamenta ? Audi Paulum apertius praedicantem : *Calciati pedes in praeparatione Evangelii pacis*[e].

10. *Et praecinxi te bysso*[a]. Manifestius de hoc cinctorio Apostolus loquitur : *Stantes praecincti lumbos vestros in veritate*[b]. Veritas enim pro bysso accipitur. *Et operui te trichapto*[c]. Non inveniens neque intelligens 5 quid esset trichaptum, inveni in alia editione pro trichapto florens, et in alia indumentum. Igitur induit nos Deus post variam vestem et florenti tunica. *Et ornavi te ornamento, et imposui tibi armillas circa manus tuas.* Cum mihi dederit occasiones bonorum actuum, 10 armillas circumdat manibus meis. *Et catena circa collum tuum*[d]. Si me post gesta iustitiae intellectu ornaverit veritatis, tunc mihi ornamentum nuptiale, tunc catena collo decora circumdatur. *Et dedi inaurem circa narem tuam.* Quando vere possum suavitatis et boni odoris 15 sacramenta suscipere, tunc mihi ornat Deus inauribus narem. *Et rotulas in auriculas tuas,* ut non solum inauriculae, sed etiam grandis rota aurea sit circa audi-

e. Ephés. 6, 15.
10 a. Éz. 16, 10 // b. Cf. Ephés. 6, 14 // c. Éz. 16, 10 // d. Éz. 16, 11

2. Autre interprétation : à la différence d'Abraham et d'Isaac, Moïse reçoit l'ordre, avant de monter ' à l'endroit que Dieu lui a montré ', de détacher la courroie de ses chaussures... « La raison en est sans doute que Moïse, pour ' grand (*Gen.* 22, 8) qu'il était, venait d'Égypte et avait des liens de mortalité noués à ses pieds. » *In Gen. hom.* 8, 7, 7 s., *SC* 7 *bis,* p. 224 s. tr. L. Doutreleau. De même, dans *In libr. I Regn.* (= *I Sam.*) *hom.* 1, 6, *GCS* 8, p. 10, 24 s.

1. Le lin fin symbolise « la vérité et la chasteté véritables », *Sel. in Éz.* 16, 10, *PG* 13, 811-812 B. Ou simplement la chasteté, parce qu'il est censé naître de la terre, sans conception d'aucun mélange, *In Lev. hom.* 4, 6, 35 s., cf. *hom.* 6, 6, 42 s. : *SC* 286, p. 182 s. et la note, cf. p. 292 s.

Il veut que nos chaussures soient brillantes et de belle couleur[2]. Quelles chaussures ? Écoute Paul affirmer plus nettement : « Chaussures aux pieds, pour propager l'Évangile de la paix[e]. »

10. « Je te ceignis de lin fin[a]. » L'apôtre parle plus clairement de cette ceinture : « Debout, avec aux reins la vérité pour ceinture[b]. » Vérité traduit lin fin[1]. « Je te couvris de soie[c]. » Ne trouvant et ne comprenant pas le sens de « trichaptum », j'ai découvert dans une autre version, au lieu de trichaptum, « fleuri », et dans une autre, « vêtement »[2]. Donc Dieu nous vêt, en plus d'un habit diapré, encore d'une tunique fleurie. « Je te parai d'une parure, et je te mis des bracelets aux mains. » Quand il me donne des occasions d'actions bonnes, il entoure mes mains de bracelets[3]. « Et un collier autour du cou[d]. » Si, après les actes de justice, il me pare de l'intelligence de la vérité, alors j'ai une parure nuptiale, alors un collier seyant m'entoure le cou. « Je mis un anneau à ton nez. »[4] Quand je peux recevoir en vérité les mystères de la suavité et de la bonne odeur, alors Dieu m'orne le nez d'un anneau. « Et des boucles à tes oreilles », pour que non seulement de petits anneaux mais encore une grande

---

Ailleurs il symbolise la terre, un des quatre éléments constitutifs du cosmos et du corps humain, et même « la terre qui est notre chair », *In Ex. hom.* 13, 3, 96 et 5, 3, *SC* 321, p. 388 s. et 392 s.

2. « Trichaptum » : étoffe d'un tissu très fin ; « soie », sens probable, OSTY. — « D'autres traducteurs ont rendu ' trichaptum ' par ' brillant ' et « vêtement de dessus... Vêtement brillant et chatoyant dans la parure de la vertu. » cf. *Sel. in Éz., Cat. PG* 13, 717-718 (15).

3. « Dieu a donné des bracelets aux mains de l'âme, à savoir des occasions d'œuvres bonnes, comme aussi les œuvres bonnes elles-mêmes par la vertu du Saint-Esprit. » *Sel. in Éz.* 16, 11 s., *PG* 13, 812 C.

4. « Un anneau au nez signifie la science des mystères, véritable et à l'odeur suave. » — « Les boucles d'oreilles comme le grand anneau d'or, ce sont les paroles divines par lesquelles l'âme se forge la science et la vérité. » *Ibid.*

tum meum. Aurea vero rota est, quae intellectibus volvitur sacris. *Et corona glorificationis super caput tuum*[e].
20 Omnipotens Deus, et nobis tribue ut digni efficiamur corona glorificationis super caput nostrum. *Et ornata es auro,* id est divinis sensibus, *et argento,* sermonibus sacris. *Et opertoria tua byssina.* Profunditas sensuum opertorium est byssinum. *Et florentia,* pro quo verbo
25 Septuaginta τρίχαπτα posuerunt subtilem nimis amictum et quasi ad capillorum similitudinem attenuatam vestem significantes. *Et versicoloria*[f]. Ecce, lota est Hierusalem, protecta alis, vestita variis, ornata gemmis.

Quid post haec facit magnus et hominum amator Deus ?
30 Alit eam delicatis cibis. *Similam et mel et oleum manducasti*[g]. Non ait simpliciter farinam neque hordeaceum panem ; hoc quod modo ad vos loquimur simila est. Sed miserabilis Hierusalem post similam, post mella, post oleum rursum quasi meretrix increpatur. Idcirco caveamus
35 attentius ne forte et nos post verba munda similae, post sermones dulcissimos prophetarum, post oleum, quod *laetificat faciem,* quo volumus *perungere caput,* ut *ieiunium* nostrum *acceptabile* fiat[h], iterum delinquamus. Non solum autem perungimur hoc oleo, sed et
40 vescimur. *Et facta es pulchra valde nimis.* Laudat pulchritudinem eius, laudat speciem, praedicat formam. *Et directa es in regnum.* Quantus profectus, ut etiam ad

e. Éz. 16, 12 // f. Éz. 16, 13 // g. Éz. 16, 13 // h. Éz. 16, 14

5. « Une couronne de gloire : c'est une œuvre exempte de toute tache, parfaite en doctrines de la vérité. » *Ibid.*

6. « Celui qui est paré d'or et d'argent est celui qui a l'intelligence formée par les pensées divines et les paroles sacrées. » *Ibid.* (Pour ces symboles, voir *In Ex. hom.* 13, 2, 13 s., *SC* 321, p. 371 s.).

boucle d'or m'entoure l'ouïe. Et la boucle d'or forme un cercle de sens mystiques. « Et une couronne de gloire sur ta tête[e]. » O Dieu tout-puissant, à nous aussi accorde de devenir dignes d'une couronne de gloire sur notre tête[5]. « Tu t'es parée d'or », à savoir de sens divins, « et d'argent », de paroles sacrées[6]. « Ton vêtement était de lin fin. » La profondeur des sens est vêtement de lin fin. « Et de soie », terme pour lequel les Septante ont employé « trichapta[7] », qui désigne un tissu très fin, une étoffe mince, un peu semblable à des cheveux. « Et d'une étoffe diaprée[f]. » Voilà Jérusalem lavée, saupoudrée de sel, diversement vêtue, parée de perles.

Rechute

Que fait ensuite le grand Dieu ami des hommes ? Il l'alimente d'une nourriture délicate. « Tu te nourris de fleur de farine, de miel et d'huile[g]. » On ne dit pas simplement farine ni pain d'orge ; ce qu'on vient de vous dire, c'est fleur de farine. Mais l'infortunée Jérusalem, après la fleur de farine, après le miel, après l'huile, est de nouveau interpellée comme une courtisane. C'est pourquoi veillons bien à ce que, nous aussi, après les pures paroles de fleur de farine, après les très douces paroles des prophètes, après l'huile qui fait briller le visage », dont nous voulons nous parfumer la tête » pour que « soit agréé notre jeûne[h] », nous n'allions pas de nouveau être en faute. Or non seulement nous nous parfumons de cette huile, mais encore nous en vivons. « Et tu devins extrêmement belle. » Il loue sa splendeur, loue sa beauté, célèbre sa forme. « Et tu parvins à la royauté. » Quel immense progrès de parvenir jusqu'à la royauté ! « Et ton nom se répandit parmi les

7. « Trichapta : comme si on disait des pensées très fines, profondes, ou variées à cause des différentes espèces de vertus. » *Sel. in Éz.* 16, 13, *PG* 13, 812 D.

regnum dirigatur ! *Et exiit nomen tuum in gentibus*[i]. Haec apta sunt ei qui, postquam liber esse coepit a
45 mundo, in conversatione proficiens ad beatam vitam, nomen quoque gloriosum in saeculo consecutus est.

Sed procul absit id quod sequitur ; ad hoc enim scriptum est, ut incutiat audientibus metum. Post pulchritudinem, post *nomen* magnum, *Hierusalem* misera *fornica-*
50 *tur*[j]. Ideo *ne glorieris in crastinum ; non enim scis quid pariat adveniens dies*[k], et alibi : *Fratres, etiam si praeoccupatus fuerit homo in aliquo peccato, vos ut spiritales sustinete istiusmodi in spiritu mansuetudinis ;* et rursum : *Considerans te ipsum, ne et tu ten-*
55 *teris*[l].

11. *Et exiit nomen tuum in gentibus in specie tua, quoniam consummatum erat in decore speciei quam constitui in te, dicit Adonai Dominus ; et confisa es in decore tuo*[a]. Magna sapuit et conscientia pulchritudinis
5 suae erecta est speciosa Hierusalem. Et quia *alta sapuit*, nec se humiliavit[b] et glorificavit Deum, audi quid dicatur ad eam : *Et fornicata es in nomine tuo, et effudisti fornicationem tuam in omni transitu*[c]. Quid est hoc quod ait : *Effudisti fornicationem tuam in omni tran-*
10 *situ* ? *Circuit* animas nostras fortitudo contraria et varie perlustrans *quaerit* locum per quem possit irrumpere[d]. Ira suo nomine vult fornicari mecum iuxta coniuncta moribus meis, suo nomine tristitia et vult me facere maerentem, sua parte [aliud] desiderium auri et argenti
15 et quorumcumque similium ; si me non custodiero et clausero ostium meum, sed suscepero omnem orationem inimici, dicitur mihi : *Effudisti fornicationem tuam in*

i. Cf. Éz. 16, 14 // j. Éz. 16, 15 // k. Prov. 27, 1 // l. Gal. 6, 1.

nations[i]. » Ces choses-là sont faites pour celui qui, après avoir commencé à être libre du monde et en progrès dans sa conduite vers la vie bienheureuse, a en outre obtenu un nom glorieux dans le siècle.

Mais loin de nous la suite : elle est écrite pour inspirer la crainte aux auditeurs. Après la splendeur, après le grand nom, l'infortunée Jérusalem « se prostitue[j] ». C'est pourquoi « Ne te glorifie pas du lendemain, car tu ignores ce que peut enfanter le jour qui vient[k]. » Et ailleurs : « Frères, lors même que quelqu'un serait pris en faute, vous, les spirituels, redressez-le dans un esprit de douceur. » Et de nouveau : « Prends garde à toi, de peur toi aussi d'être tenté[l]. »

11. « Et ton nom se répandit parmi les nations pour ta beauté, car il était illustre pour l'éclat de la beauté dont je t'avais revêtue, dit le Seigneur Adonaï : et tu t'es fiée à ton éclat[a]. » Elle fit la fière et dans la conscience de sa splendeur elle se redressa la belle Jérusalem. Et parce qu'elle fit la fière, sans s'humilier[b] ni glorifier Dieu, écoute ce qui lui est dit : « Tu t'es prostituée grâce à ton nom, et tu as prodigué tes prostitutions à tout passant[c]. » Qu'est-ce à dire : « Tu as prodigué tes prostitutions à tout passant » ? Autour de nos âmes « rôde » la puissance contraire, qui prospecte en divers sens et « cherche » une brèche par où faire irruption[d]. Colère de son nom, elle veut se prostituer avec moi conjointement avec mes mœurs ; tristesse de son nom, elle veut aussi me rendre chagrin ; pour sa part, le désir de l'or, de l'argent et de toutes choses semblables. Si je ne garde et ne ferme ma porte, mais accueille tout propos de l'ennemi, il m'est dit :

---

11 a. Éz. 16, 14 // b. Cf. Rom. 12, 16 // c. Éz. 16, 15 // d. I Pierre 5, 8

omni transitu. Et accepisti vestes tuas, et fecisti tibi idola sutilia[e].

20 De his quibus *te ornavi,* quibus *pulchra facta es*[f], *fecisti tibi idola sutilia.* Volo adhuc exponere quae sint idola sutilia, quae quidam de vestibus consuerunt. Vestes divinae Scripturae sunt et sensus qui est in eis. Conciderunt has vestes haeretici et consuerunt dictum dicto, 25 verbis verba iungentes, sed non cum opportuna aptaque iunctura et consuentes impia sibi simulacra fecerunt, quibus illexerunt quosdam credere et consentire ad cultum eorum et fictam suscipere disciplinam. Deus vero omnes nos et ab his et aliis liberet simulacris, ut magnifi- 30 cemur in Christo Iesu, *cui est gloria et imperium in saecula saeculorum. Amen*[g] !

e. Éz. 16, 15.16 // f. Cf. Éz. 16, 13 // g. Cf. I Pierre 4, 11.

« Tu as prodigué tes prostitutions à tout passant. Tu as pris tes habits, tu t'es fait des idoles de pièces cousues[e]. »

De ce dont « je t'ai parée », par quoi « tu devins belle[f] », tu t'es fait des idoles de pièces cousues ». Je veux encore expliquer ce que sont les idoles de pièces cousues, que certains ont faites d'habits cousus ensemble. Les habits sont les divines Écritures et les sens qu'elles comportent. Les hérétiques ont déchiré ces habits, ils ont cousu ensemble le mot au mot, joint les paroles aux paroles, mais non d'une jointure assortie et appropriée ; et cousant ensemble ils se sont fait des images impies, auxquelles ils entraînèrent certains à croire, à consentir à leur culte et à recevoir une doctrine controuvée. Mais que Dieu nous sauve tous de ces images et des autres, pour que nous soyons glorifiés dans le Christ Jésus, « à qui sont gloire et puissance pour les siècles des siècles. Amen[g] ».

HOMÉLIE VII

BIENFAITS DE DIEU DÉTOURNÉS
(*Éz.* 16, 16-30)

1-10 : Liste des péchés de Jérusalem, instructive sur ce qu'il faut éviter ; 1 : détournement des habits, pour lequel elle est exclue de la tente ; 2 : détournement des objets qui faisaient sa gloire ; selon le sens commun, objets servant au culte qu'elle a fondus pour en faire des idoles ; selon l'allégorie, sens de l'Écriture pris au contraire de la vérité ; 3 : des habits diaprés, passages de l'Écriture que nous revêtons en prenant des entrailles de miséricorde, etc., pour embellir les fausses doctrines et les idoles, à l'instigation des hérétiques et du diable : danger qui me guette, prédicateur dans l'Église ; 4 : oblation de l'huile et de l'encens aux idoles, ainsi que des pains, etc. ; 5. immolation d'enfants ; 6 : édification d'une maison de courtisane ; 7 : souillure, exposition ; 8 : prostitution publique et aux fils d'Égypte — les puissances contraires — et aux fils d'Assour ; 9 : en insatiable frénétique ; 10 : quelle décision divine pour celle qui, loin de tendre au plus parfait, s'est prostituée trois fois dans ses filles ?

HOMILIA VII.

1. Catalogus peccatorum Hierusalem, utcumque fuerit intellectus, aedificat audientem. Quomodo enim, si in domo sua quempiam de familia dominus corripiat et peccata eius exponat, alius qui nuper emptus est servus
5 videns patris familiae disciplinam, quae culpet quaeve collaudet, instruitur ad non facienda ea quae priores fecere conservi, et ad hoc omni labore festinat ut ea faciat per quae alii honorem et libertatem a domino promeruerunt, ita et nos audientes, in quibus culpet Deus sive
10 Hierusalem sive universam Iudaeam sive unam quamlibet ex tribubus specialiter delinquentem, non parum utilitatis accipimus, ne et in haec corruamus in quae ceteri corruerunt.

Est autem principium hodiernae lectionis quia *vestes* a
15 Deo *acceperit Hierusalem, et fecerit* ex his *sibi sutilia* quaedem *simulacra et fornicata sit super iis*[a]. De quibus iuxta possibilitatem meam in priori sermone disserui, docens istos qui Scripturas lacerant et a verbis verba disrumpunt consuentes ea et commentitia dogmata
20 componentes, servire idolis quae earum vestibus induerunt. *Non intrabis* in tabernaculum meum, foris es et foris manebis. Scit Scriptura sanctos intus, peccatores

1 a. Cf. Éz. 16, 17

1. Même croquis de l'esclave qui veut se faire bien voir du maître, *In Jer. hom.* 4, 5, 46-54, *SC* 232, p. 272 s.

HOMÉLIE VII

Liste instructive

1. La liste des péchés de Jérusalem, quel qu'en soit le sens, édifie l'auditeur. C'est comme si dans sa maison un maître châtie un membre du personnel et en dévoile les péchés : un autre esclave récemment acheté, voyant ce que la méthode de correction du père de famille traite comme blâmable ou comme louable, est formé à ne pas faire ce que les premiers compagnons d'esclavage ont fait, et s'empresse de toute son activité à faire ce pour quoi d'autres ont mérité du maître honneur et liberté[1] ; de la même manière nous aussi, auditeurs, des blâmes que Dieu donne soit à Jérusalem, soit à toute la Judée, soit à n'importe laquelle des tribus spécialement fautive, nous tirons un avantage non négligeable pour éviter de tomber aussi dans les fautes où les autres sont tombés.

Première faute

Or, le début de la lecture d'aujourd'hui est que « Jérusalem a reçu » de Dieu « des habits » dont « elle s'est fait des idoles de pièces cousues, et elle s'est prostituée avec elles[a] ». C'est de quoi j'ai traité de mon mieux dans l'homélie qui précède[2], enseignant que ceux qui déchirent les Écritures, disjoignant les paroles des paroles, les cousant ensemble et forgeant des doctrines mensongères, ont incité à servir les idoles qu'ils ont revêtues de leurs habits. « Tu n'entreras pas » dans ma tente, tu es dehors et tu resteras dehors. L'Écriture sait que les saints sont

2. Cf. *hom.* 6, 11, 21 s.

foris esse. Igitur quia Hierusalem talia peccata commisit, ut non mereatur intrare in repromissiones Dei, et dicatur ad eam : *Et non intrabis,* caveamus ne forte et nobis aliquando dicatur : *Et non intrabis neque fiet*[b]. Non est completum hoc quod dicitur : *neque fiet* et ideo subaudiendum extrinsecus, ut sensus possit expleri. Ea quae tibi repromissa sunt bona et acceptura eras, *non fient.*

2. Sequitur aliud delictum. *Et accepisti vasa gloriationis tuae de argento tuo et de auro tuo, ex quibus dedi tibi, et fecisti tibi imagines masculinas*[a]. Secundum communem sensum sic intelligi potest : *Vasa gloriationis* — de quibus Moyses scripsit in Numeris, *turibula, phialas, candelabrum aureum, arcam ab intus et a foris deauratam*[b], et cetera — *accepisti* et conflasti ea et *fecisti effigies masculinas et fornicata es in eis.* Secundum allegoriam vero ita explanabitur : vasa aurea et argentea, id est turibula, phialas et cetera istiusmodi habemus in sacris litteris ; quando ergo torquemus sensum Scripturae in alterum sensum qui est contrarius veritati, verba divina conflamus et res Dei in alias mutamus effigies. Quae facientes incidimus in peccatum quod nunc commiserat Hierusalem. Vasa gloriationis nostrae sunt lex et prophetae ; super his exsultamus, in his efferimur. Quos cum aliter exponimus quam se veritas

b. Éz. 16, 16.

2 a. Éz. 16, 17 // b. Cf. Nombr. 4, 7 ; 7, 13 s. ; 8, 2 s. (Ex. 25, 31 ; 37, 17) ; 3, 31 (Ex. 25, 10 ; 37, 1).

3. Un des thèmes familiers d'Origène : l'opposition « à l'extérieur, à l'intérieur », illustrée par les deux aspects de l'activité du Sauveur, de Paul, de Moïse, du grand prêtre, du juste... Cf. par exemple *In Lev. hom.* 4, 6, 40 s. et 62 s., *SC* 286, p. 182 s. ; *In Num. hom.* 6, 1 début, et 21, 2 fin, *SC* 29, p. 112 s., et p. 420.

à l'intérieur, les pécheurs, à l'extérieur[3]. Donc, parce que Jérusalem a commis de tels péchés qu'elle ne mérite pas d'entrer dans les promesses de Dieu, et qu'il lui est dit : « Tu n'entreras pas », prenons garde qu'à nous aussi on dise un jour : « Tu n'entreras pas, et cela ne sera pas[b]. » L'expression n'est pas complète[4], « ne sera pas », aussi faut-il ajouter un sous-entendu afin que le sens puisse être complété. Ce qui t'est promis est bon et tu allais le recevoir, cela « ne sera pas ».

Autre faute

2. Suit une autre faute. « Tu as pris les objets qui faisaient ta gloire, tirés de ton argent et de ton or, de ce que je t'ai donné, et tu t'es fait des images de mâles[a]. » Selon le sens commun on peut entendre par « objets qui faisaient ta gloire », ceux dont Moïse a écrit dans les Nombres : « encensoirs, coupes, candélabre en or, arche dorée à l'intérieur et à l'extérieur[b] », etc. « Tu les a pris » et les as fondus, « tu t'es fait des images de mâles avec lesquelles tu t'es prostituée. » Mais suivant l'allégorie, voici l'explication : les objets d'or et d'argent, encensoirs, coupes et autres de ce genre, nous les avons dans les lettres sacrées. Donc, détourner le sens de l'Écriture dans un autre sens qui est contraire à la vérité, c'est fondre les paroles divines et changer les réalités de Dieu en d'autres images. Le faire, c'est tomber dans le péché qu'avait alors commis Jérusalem. Les objets qui font notre gloire, sont la Loi et les prophètes ; à leur sujet nous exultons, par eux nous sommes transportés. Les expliquer autrement que ne

---

4. En fin de verset, on omet quatre mots incompréhensibles : « non entrant (au féminin) et non il sera ». OSTY. « .. quatre mots inintelligibles, litt. : « elles ne viennent pas et il ne sera pas. » *BJ.* Peut-être fut-ce « la remarque d'un glossateur..., mais déjà lue dans sa teneur essentielle par les Septante », note DHORME, qui traduit entre parenthèses : « elles n'entrent pas, cela ne sera pas. »

habet, convertimus vasa gloriationis nostrae de argento rationabili et de auro sensibili, quod nobis dedit Deus, et 20 facimus nobis imagines masculinas et fornicamur in iis.

3. Sequitur : *Accepisti vestimenta varia et operuisti illa*[a]. *Varia vestis* est et hic unus in Scripturis locus, quo *induimur* adsumentes *viscera misericordiae, benignitatis, humilitatis, mansuetudinis, longanimitatis ad* 5 *sufferendum invicem*[b]. Has varias vestes et pulchros amictus, quos nobis largitus est Deus, si laceramus atque conscindimus, et circumdamus falsae doctrinae ad deceptionem hominum, non dubium est quin variis vestibus operiamus idola. Intelliges autem hoc quod dicitur, si 10 ipsam rem manifestius describamus. Vide mihi aliquem Marcionitam sive discipulum Valentini aut certe cuiuslibet haeresis defensorem, et considera quomodo idola sua, id est figmenta quae ipse composuit, mansuetudine et castitate vestiat, ut in aures audientium facilius ex vitae 15 bonitate ornatus sermo subrepat. Et cum hoc fecerit, intellige eum adsumpsisse vestem variam morum et conversationis optimae et idolis superiecisse quae ipse construxit. Ac iuxta mei quidem animi sensum, multo nocentior est haereticus bonae vitae, et plus in doctrina 20 sua habet auctoritatis eo qui doctrinam conversatione maculat. Qui enim vitae pessimae est, non facile homines ad falsum dogma sollicitat nec potest per umbram sanctitatis audientium decipere simplicitatem. Qui vero sermone perversus est et disciplinis saluti contrarius, mores 25 autem compositos et ornatos habet, nihil facit aliud nisi

3 a. Éz. 16, 18 // b. Cf. Col. 3, 12

1. « Je pense que même la chasteté est une ennemie du Christ, si elle se trouve chez les hérétiques. » *In Matth. ser.* 33, *GCS* 11, p. 62, 27 s. *PG* 213, 1645 A.

comporte la vérité, c'est changer les objets qui font notre gloire, tirés de l'argent raisonnable et de l'or sensible, que Dieu nous a donnés : « c'est nous faire des images de mâles et nous prostituer avec elles ».

Habits diaprés

3. La suite : « Tu as pris tes habits diaprés et tu les (en) as couvertes[a]. » L'habit diapré est là aussi un passage dans les Écritures, que « nous revêtons » en prenant « des entrailles de miséricorde, de bonté, d'humilité, de patience à nous supporter les uns les autres[b] ». Ces habits diaprés et beaux vêtements dont Dieu nous a fait largesse, les déchirer, les mettre en pièces, les disposer autour d'une fausse doctrine pour la tromperie des hommes, c'est à n'en pas douter couvrir des idoles d'habits diaprés. Mais tu comprendras ce que je veux dire si j'en donne un exposé plus clair. Regarde-moi un Marcionite, un disciple de Valentin, ou du moins un défenseur de n'importe quelle hérésie et observe que ses idoles, c'est-à-dire les fictions qu'il s'est forgées, il les revêt de douceur et de chasteté[1], pour que dans les oreilles des auditeurs s'insinue plus facilement une parole qu'illustre la bonne qualité de la vie. Et quand il fait cela, comprends qu'il a pris un habit diapré de mœurs et d'une manière de vivre excellentes, et qu'il l'a jeté au-dessus des idoles que lui-même a construites. A mon sens du moins, bien plus nuisible est l'hérétique de bonne vie, et il a plus d'autorité dans sa doctrine que celui dont le genre de vie entache la doctrine. En effet, quand on est d'une vie très mauvaise, on n'attire pas facilement les hommes à une fausse doctrine et on ne peut, par une ombre de sainteté, tromper la simplicité des auditeurs. Par contre, être pervers par la parole et contraire au salut par les doctrines, mais avoir des mœurs réglées et honorables n'est pas autre chose que prendre les habits diaprés d'une bonne habi-

accipit indumenta varia instituti boni et conversationis quietae, et circumdat ea idolis suis, ut magis decipiat audientes. Idcirco sollicite haereticos caveamus, qui conversationis optimae sint, quorum forte vitam non tam
30 Deus quam diabolus instruxit. Nam quomodo quasdam illecebras escarum aucupes proponunt, ut facilius aves capiant per oblectamentum gulae, sic, ut audacius dicam, est quaedam castitas diaboli, id est decipulae humanae animae, ut per istiusmodi castitatem, et mansuetudinem,
35 et iustitiam possit facilius capere et falsis sermonibus irretire. Diversis diabolus pugnat insidiis, ut miserum perdat hominem, et bonam malis tribuit vitam ad decipiendos videntes et malam bonis inurit conscientiam.

Mihi ipsi qui in Ecclesia praedico, laqueos saepe tendit,
40 ut totam Ecclesiam ex mea conversatione confundat. Et ideo plus hi qui sunt in medio oppugnantur ab inimico, per ruinam unius hominis quae celari non potest, ut omnibus scandalum fiat, et impediatur fides per conversationem pessimam clericorum. Omnia, ut diximus, diabolus inope-
45 ratur, et ea quae videntur esse bona nec sunt, et ea quae per naturam suam mala sunt, omnia adversum humanam commentatur naturam. Unde, qui curam habet vitae suae neque mansuetudine haereticorum capitur ad consentiendum doctrinae eorum, neque meis delictis, qui videor
50 in Ecclesia praedicare, scandalizabitur, sed ipsum dogma considerans et pertractans Ecclesiae fidem, a me quidem aversabitur, doctrinam vero suscipiet secundum praeceptum Domini, qui ait : *Super cathedram Moysi sederunt scribae et Pharisaei ; omnia enim quaecumque*
55 *vobis dicunt, audite et facite. Iuxta opera autem illo-*

2. « Certains sont assis sur la chaire ecclésiastique... qui sont capables en parole d'enseignements admirables..., mais ne veulent point agir

tude et d'un genre de vie calme, et en revêtir ses idoles pour mieux tromper les auditeurs. C'est pourquoi gardons-nous avec soin des hérétiques qui sont d'un parfait genre de vie, dont moins Dieu peut-être que le diable a disposé la vie. Car de même que les oiseleurs présentent certains appâts pour prendre plus facilement les oiseaux par le régal du gosier ainsi, pour parler avec audace, il y a une certaine chasteté du diable, à savoir pour la séduction de l'âme humaine afin de pouvoir, grâce à ce genre de chasteté, à la douceur et à la justice, plus facilement surprendre, et par des paroles fausses envelopper dans un filet. Par diverses embûches le diable combat pour perdre l'homme infortuné, il accorde une bonne vie aux méchants pour abuser les témoins, et chez les bons il grave au feu une mauvaise conscience.

A moi-même qui prêche dans l'Église, souvent il tend des filets pour confondre toute l'Église par suite de ma conduite. Aussi bien, ceux qui sont en vedette sont-ils plus assiégés par l'ennemi afin que, par la ruine d'un seul homme qui ne peut être cachée, provienne à tous le scandale, et que soit entravée la foi par la très mauvaise vie des clercs. Le diable, comme on a dit, accomplit tout, et ce qui semble bon mais ne l'est pas, et ce qui de sa nature est mal, il combine tout contre la nature humaine. C'est pourquoi celui qui a soin de sa vie ni n'est entraîné par la douceur des hérétiques à consentir à leur doctrine, ni ne sera scandalisé par mes fautes, à moi qui semble prêcher dans l'Église ; mais considérant la doctrine même et approfondissant la foi de l'Église, il se détournera de moi et accueillera la foi selon le précepte du Seigneur : « Les scribes et les pharisiens se sont assis sur la chaire de Moïse[2] ; or tout ce qu'ils vous disent, écoutez-le et

---

selon ce qu'ils disent. » *In Matth. ser.* 9 s. *GCS* 11, p. 4, 9 ; *PG* 13, 1612 B s.

rum nolite facere ; dicunt quippe et non faciunt[c]. Iste sermo de me est, qui bona doceo et contraria gero, et sum sedens super cathedram Moysi quasi scriba et Pharisaeus. Praeceptum tibi est, o popule, si non habueris accusatio-
60 nem doctrinae pessimae et alienorum ab Ecclesia dogmatum, conspexeris vero meam culpabilem vitam atque peccata, non habeas iuxta dicentis vitam tuam instituere, sed ea facere quae loquor. Nullum imitemur et, si volumus imitari quempiam, propositus est nobis ad imitandum
65 Christus Iesus. Descripti sunt actus Apostolorum, et prophetarum gesta de sacris voluminibus agnoscimus ; illud exemplar firmum est, illud propositum solidum, quod qui sequi cupit securus ingreditur. Si vero quaerimus nobis culpabiles ad aemulandum, ut cum dicamus :
70 ille docet, et his quae docet facit ipse contraria, adversum praeceptum Domini facimus, qui mandavit doctrinas magistrorum magis considerari debere quam vitas. Haec diximus de eo quod scriptum est : *Accepisti vestem tuam versicolorem et operuisti illa*[d], id est *vasa glo-*
75 *riationis*, quae in *idola* commutasti.

4. Sequitur : *Et oleum meum et incensum meum posuisti ante faciem eorum*[a]. Scriptura docente didicimus quia sanctorum oratio sit incensum ; ait enim : *Incensum autem orationes sanctorum sunt*[b]. Si ergo insti-
5 tuti ad orationem, cum illam Deo debeamus offerre, id est Deo legis et prophetarum, *Deo Abraham, Deo Isaac, Deo Iacob*[c], et Patri Iesu Christi, offerimus his quae ipsi confinximus, in tantum ut incensum Dei proponamus idolis, facimus id quod dicitur in praesenti : *Oleum meum et*

c. Matth. 23, 2.3 // d. Éz. 16, 18.
4 a. Éz. 16, 18 // b. Apoc. 5, 8 // c. Cf. Matth. 22, 32

faites-le. Mais n'agissez pas selon leurs œuvres ; car ils disent et ne font pas[c]. » Cette parole vaut pour moi qui enseigne le bien et fais le contraire, et suis assis sur la chaire de Moïse comme un scribe et un pharisien. Il t'est prescrit, ô peuple, si, même à défaut d'une accusation de très mauvaise doctrine et de dogmes étrangers à l'Église, tu remarques pourtant ma vie coupable et mes péchés, de n'avoir point à régler ta vie d'après celle de celui qui parle, mais de faire ce que je dis. Nous n'imitons personne, et si nous voulons imiter quelqu'un, nous est proposé le Christ Jésus à imiter. Les actes des apôtres sont racontés, et nous connaissons les faits et gestes des prophètes par les livres sacrés : c'est un modèle sûr, c'est un projet ferme ; qui désire les suivre marche avec sécurité. Mais si on se cherche des coupables à imiter, comme on dirait : celui-là enseigne et il fait le contraire de ce qu'il enseigne, on agit contre le précepte du Seigneur qui a ordonné que les doctrines des maîtres doivent être prises en considération plus que leurs vies. Voilà sur le passage : « Tu as pris ton habit bariolé, et tu les as couverts[d] », à savoir « les objets qui faisaient ta gloire » que tu as changés en idoles.

Huile et encens

4. La suite : « Et mon huile et mon encens, tu les as placés devant elles[a]. » A l'enseignement de l'Écriture, nous avons appris que l'encens est la prière des saints ; car elle dit : « L'encens, ce sont les prières des saints[b]. » Si donc, formés à la prière, tandis que nous devons l'offrir à Dieu, à savoir au Dieu de la Loi et des prophètes, « Dieu d'Abraham, Dieu d'Isaac, Dieu de Jacob[c] », et Père de Jésus-Christ, nous l'offrons à ceux que nous avons forgés, dans la mesure où nous présentons l'encens de Dieu aux idoles, nous faisons ce qui est dit à présent : « Mon huile

10 *incensum meum posuisti ante faciem eorum.* Verum iste de incenso sit intellectus. Quid respondebimus de oleo ? Oleum est quo vir sanctus ungitur, oleum Christi, oleum sanctae doctrinae. Cum ergo acceperit aliquis hoc oleum quo utitur sanctus, id est Scripturam instituentem 15 quomodo oporteat baptizari in nomine Patris et Filii et Spiritus sancti, et pauca commutans unxerit quempiam, et quodammodo dixerit : iam non es catechumenus, consecutus es *lavacrum secundae generationis*[d], talis homo accipit oleum Dei et incensum, et ponit illud ante 20 faciem idolorum.

Et panes meos quos dedi tibi, simila et melle et oleo cibavi te[e]. Ecce panes nostri, simila mundissima in Scripturis et mella apum prophetarum. Ista omnia dedit nobis Deus, et cibavit nos de panibus prophetarum, de simila 25 legis, melle Evangelii, e quibus cibati ponimus eadem ipsa idolis. Cum enim dogmatibus falsis volentes adsumere defensionem dixerimus : Scriptum est in propheta, testatur Moyses, loquitur Apostolus, quid aliud facimus quam accipientes panes veritatis proponimus eos simulacris 30 quae ipsi finximus ? Marcion fecit idolum et proposuit ei panes Scripturarum ; Valentinus, Basilides, omnesque haeretici fecerunt similiter. *Et posuisti illa ante faciem eorum in odorem suavitatis*[f]. Naturaliter suavissimi

d. Cf. Tite 3, 5 // e. Éz. 16, 19 // f. Éz. 16, 19.
5 a. Éz. 16, 19.20

1. « L'encens et l'huile, c'est la prière accompagnée de science que l'on fait monter de l'esprit vers Dieu et dont Dieu se réjouit. » *Sel. in Éz.* 16, 18, *PG* 13, 811 D. Cf. *In Lev. hom.* 13, 5, 10 s., *SC* 287, p. 218 s., etc.

2. « Le miel des abeilles, ce sont les contemplations par les prophètes et les évangélistes ; la fleur de farine, ce sont les pratiques des commandements qui font que ' le pain fortifie le cœur de l'homme (*Ps.* 104, 15) '. Ils offrent aux idoles ceux qui pèchent par les doctrines et par les actes. » *Sel. in Éz., Cat., PG 13,* 721 s. (18). — Sur l'extraordinaire

et mon encens[1], tu les as placés devant elle. » Mais c'est là le sens pour l'encens. Que répondrons-nous pour l'huile ? L'huile est ce par quoi l'homme saint est oint, l'huile du Christ, l'huile de la sainte doctrine. Donc prendre cette huile qu'emploie le saint, à savoir l'Écriture enseignant qu'on doit être baptisé au nom du Père, du Fils et du saint Esprit, et avec peu de modification, oindre quelqu'un et dire quelque chose comme : Tu n'es plus catéchumène, tu as obtenu « le bain de la seconde génération[d] », c'est prendre l'huile et l'encens de Dieu, et les placer devant les idoles.

Pains « Et mes pains que je t'ai donnés, la fleur de farine ; le miel et l'huile dont je t'ai nourrie[e]. » Voilà nos pains, la très pure fleur de farine dans les Écritures, et le miel d'abeilles des prophètes[2]. Tout cela, Dieu nous l'a donné, et il nous a nourris des pains des prophètes, de la fleur de farine de la Loi, du miel de l'Évangile ; cela même dont nous sommes nourris, nous le plaçons devant les idoles. En effet quand, désireux de prendre la défense de doctrines fausses, nous disons : il est écrit chez le prophète, Moïse atteste, l'Apôtre dit, que faisons-nous d'autre sinon, prenant les pains de la vérité[3], les placer devant les idoles que nous-mêmes nous avons forgées ? Marcion a fait une idole et lui a présenté les pains des Écritures ; Valentin, Basilide, tous les hérétiques ont fait de même. « Et tu les as placées devant elles en odeur suave[f]. » Par nature est d'une odeur très suave

---

développement dans la Tradition du thème « miel des Écritures », voir H. DE LUBAC, *E. M.* I, 2[e] p. (1959), p. 599-620. Sur le thème complexe du pain, introduisant à une sorte de dialectique origénienne du corps du Christ Logos, individuel, social, intelligible (Eucharistie, Église, Écriture-Parole), *Ibid.* ; cf. *HE,* p. 358-373.

3. Encore sur le symbolisme du pain *In Lev. hom.* 5, 6, 26 s., *SC* 286, p. 228 s. ; *hom.* 13, 3-4, *SC* 287, p. 206 s.

odoris sunt haec quae nobis largitus est Deus. Quem
35 odorem suavissimum ante idola ponit, qui adversum
potestatem Scripturarum aut gerit aut intelligit.

5. *Et factum est, dicit Adonai Dominus, et accepisti filios tuos, et filias tuas, quas genuisti, et immolasti illos in consumptionem*[a]. Cum genuerit peccatrix Hierusalem filios et filias, finis eorum qui nascuntur occisio est ;
5 neque enim salus finis est pessimorum. Idcirco scriptum est : *Immolasti eos in consumptionem. Quam modica fornicata es, interfecisti natos meos et dedisti eos*[b]. Proprie ait : *Accepisti filios tuos,* significanterque addit *Occidisti natos meos.* Quicumque enim nascuntur in
10 haereticorum doctrinis, et ibi fidei suae principia sumpserunt, hi filii sunt fornicariae et peccatricis Hierusalem. Qui autem natus est in Ecclesia, et deceptus postea fuerit haeretica falsitate, iste, cum filius Dei sit, apprehensus est a peccatrice Hierusalem et positus victima idolis eius.
15 *Hoc supra omnem fornicationem tuam et abominationes tuas.* Filios Ecclesiae accipere et immolare idolis, hoc supra omne peccatum tuum est. *Et non fuisti memor diei infantiae tuae, cum eras nuda et turpiter agens*[c]. Praefatus est de nuditate et turpitudine Hierusalem.
20 Oportuit ergo in iniquitate meminisse quomodo *pennas meas expanderim super te* et *adsumpserim te de sanguine tuo* et *laverim te*[d]. Tu vero horum omnium oblita fecisti haec quae condecent nudam et turpiter agentem et commixtam in sanguine suo.

b. Éz. 16, 20.21 // c. Éz. 16, 22 // d. Cf. Éz. 16, 8.9

1. « Non seulement l'âme impie est coupable quand elle immole aux idoles ceux qui ont été régénérés par elle, mais encore elle immole à l'erreur de la malice certains de ceux qui sont nés de Dieu. Ce péché, dit Dieu, l'emporte sur tout péché en gravité. » *Sel. in Éz., Cat., PG* 13, 723 (19).

ce que Dieu nous a prodigué. Place cette odeur très suave devant les idoles celui qui pense ou agit contre la signification des Écritures.

Immolation d'enfants

5. « Et il advint, dit le Seigneur Adonaï, que tu as pris tes fils et tes filles que tu as enfantés, et tu les as immolés en pâture[a]. » Quand la pécheresse Jérusalem a enfanté des fils et des filles, la fin de ceux qui naissent est le meurtre ; car le salut n'est pas la fin des méchants. C'est pourquoi il est écrit : « Tu les as immolés en pâture. Était-ce trop peu que ta prostitution ? Tu as mis à mort mes enfants, et tu les as livrés[b]. » En termes propres, il dit : « Tu as pris tes fils » ; en termes expressifs, il ajoute : « Tu as tué mes enfants. » Car tous ceux qui naissent dans les doctrines des hérétiques et y ont pris les prémisses de leur foi, sont fils de la Jérusalem pécheresse et fornicatrice. Mais celui qui est né dans l'Église et fut ensuite trompé par la fausseté hérétique, celui-là, tout fils de Dieu qu'il soit, est pris par la pécheresse Jérusalem et présenté en victime à ses idoles[1].

« Et cela surpasse toutes tes fornications et abominations. » Prendre les fils de l'Église et les immoler aux idoles cela surpasse tous tes péchés. « Tu ne t'es pas souvenue du jour de ta jeunesse, quand tu étais nue, dans une posture honteuse[c]. » On a dit plus haut[2] la nudité et la honte de Jérusalem. Il aurait donc fallu que dans l'iniquité elle se rappelle : « J'ai étendu mes ailes sur toi », « J'ai essuyé ton sang de dessus toi », « Je t'ai lavée[d]. » Mais toi, oubliant tout cela, tu as fait ce qui convient à une fille qui est nue, dans une posture honteuse, et qui baigne dans son sang.

2. Cf. *hom.* 6, 8, 35.

6. *Et factum est post omnes malitias tuas ; vae, vae tibi, dicit Adonai Dominus, et aedificasti tibi domum meretriciam, et fecisti tibi expositionem in omni platea*[a]. Si consideres animam expositam amatoribus suis, videbis quomodo faciat domum meretriciam et suscipiat omnes quos praediximus amatores. Intellige vero quod dicimus ex sequentibus, id est qui sint amatores Hierusalem. Anima humana multum speciosa est et mirabilem habet pulchritudinem. Artifex quippe eius, cum eam primum conderet, ait : *Faciamus hominem ad imaginem et similitudinem nostram*[b]. Quid hac pulchritudine et similitudine pulchrius ? Quidam ergo adulteri et sordidi amatores, decore eius illecti, desiderant eam corrumpere et *fornicari super*[c] eam. Quamobrem sapiens vir Paulus dicit : *Timeo autem ne forte, ut serpens decepit Evam in nequitia sua, sic corrumpantur sensus vestri*[d]. In fornicatione carnali corpora corrumpuntur, in spiritalibus vero stupris sensus corrumpitur et ipsa anima vulneratur.

7. *Et contaminasti speciem tuam*[a]. Etiam si non sit homo in peccatis maximis constitutus, tamen, quia ingens est animae pulchritudo, minorum quoque societate turpatur. Respice virtutes animae, quae si insitae sint a Deo, vide pulchritudinem eius, inventionem, dispositionem, elocutionem, memoriam, pronuntiationem, cuius sit ingenii, quomodo primum intelligat, deinde intellecta diiudicet, ut incitetur ad sensus, ut menti sensa commodet,

6 a. Éz. 16, 23.24 // b. Gen. 1, 26 // c. Cf. Éz. 16, 16 // d. II Cor. 11, 3.
7 a. Éz. 16, 25

1. « Il y a des fonctions de l'âme : en elle, souvenirs, projets, talents, pensées, impulsions, répulsions, assentiments, inspirations concernant

Maison de courtisane

6. « Et il advint, après tous tes méfaits : Malheur, malheur à toi, dit le Seigneur Adonaï, tu t'es bâtie une maison de courtisane, tu t'es fait un lieu d'exposition sur toutes les places[a]. » Si tu considères une âme exposée à ses amants, tu verras qu'elle fait une maison de courtisane, et qu'elle reçoit tous ceux qu'on vient de dire amants. Comprends ce que nous disons par ce qui suit, à savoir ceux qui sont les amants de Jérusalem. L'âme humaine est très gracieuse et a une beauté admirable. Car son Créateur, comme il allait la créer, dit : « Faisons l'homme à notre image et ressemblance[b]. » Quoi de plus beau que cette beauté et ressemblance ? Donc certains amants adultères et ignobles, séduits par sa splendeur, désirent la corrompre et « forniquer avec[c] » elle. C'est pourquoi, en homme sage, Paul dit : « Mais j'ai bien peur qu'à l'exemple d'Ève, que le serpent a séduite par sa ruse, vos pensées ne se corrompent[d]. » Dans la fornication charnelle se corrompent les corps, dans les débauches spirituelles se corrompt la pensée, et l'âme elle-même est blessée.

Souillure

7. « Tu as souillé ta beauté[a]. » Même si un homme n'est pas fixé dans des péchés très graves, néanmoins parce que grande est la beauté de son âme, il est enlaidi par l'association des inférieurs. Regarde les propriétés de l'âme implantées en elle par Dieu[1], Vois sa beauté, sa faculté d'invention, son organisation, sa capacité d'expression, sa mémoire, son aptitude à discourir, de quelle nature est son intelligence, la manière dont elle commence par comprendre, puis juge ce qu'elle a compris, afin d'être incitée aux

Dieu... Toutes choses que l'âme impie corrompt par des doctrines étrangères et par des actions étrangères. » *Sel. in Éz., Cat., PG* 13, 724 (21).

quos habeat impetus, quos cogitatus de Deo. Haec possi-
10 dens magnae pulchritudinis est, sed haereticorum sectis
et extranea religionis institutione corrumpitur.

Et transierunt crura tua per omnem transitum, et multiplicasti fornicationem tuam[b]. Est fornicatio a fornicatione differens, et quomodo in fornicatione carnis
15 est aliquis non nimiae fornicationis et tamen fornicatione pollutus, alius vero multiplicans fornicationem suam, sic et in ea fornicatione quae animam sensumque commaculat, alius multitudine fornicationis obruitur, alius vero non iam a fornicatione est seiunctus. Idcirco *qua men-*
20 *sura mensi fuerimus, remetietur nobis*[c].

8. *Et fornicata es in filios Aegypti confines tuos*[a]. Filii Aegypti contrariae fortitudines sunt. Nec mirum est, si confines nostri Aegyptii dicantur, cum fines Aegypti et Hierusalem in sui vicinitate sint positi ; qui sunt *magnis*
5 *carnibus*[b], non quia isti Aegyptii ingentes carnes habeant — et quidem honeste videtur pudenda eorum immutato vocabulo significasse, id est magnis carnibus —, sed quia carnei intellectus magnarum nos carnium faciant, ut e contrario est quaedam caro, Dei facies, de qua dicitur :
10 *Quomodo caro mea in terra deserta, et invia, et inaquosa, sic in sancto apparui tibi*[c]. Fornicatur igitur Hierusalem super filios Aegypti, confines suos et magnarum carnium. *Et multipliciter*, inquit, *fornicata es ad*

---

b. Éz. 16, 25 // c. Cf. Matth. 7, 2.
8 a. Cf. Éz. 16, 26 // b. Cf. Éz. 16, 26 // c. Ps. 62, 1-2

---

2. Traduction défendue par A. Le Boulluec, *La notion d'hérésie...*, t. II, p. 469 et n. 125.

1. « Les fils de l'Égypte sont les puissances contraires. C'est pourquoi ces fils sont peut-être les démons débauchés qui aiment le péché, se complaisent aux affections de la chair, et la plupart du temps nous y

pensées, afin de mettre les pensées à la disposition de l'intelligence, quelles tendances a-t-elle, quelles notions de Dieu. Ainsi douée, elle est d'une grande beauté, mais elle est souillée par les modes de pensée des hérétiques et par un système religieux étranger[2].

« Tes jambes passèrent par tout lieu de passage, et tu as multiplié tes prostitutions[b]. » Une prostitution diffère d'une autre ; et de même qu'en fait de prostitution de la chair, l'un a une prostitution sans excès, tandis que l'autre multiplie ses prostitutions, de même aussi pour la prostitution qui souille l'âme et la pensée, l'un est chargé d'une multitude de prostitutions, et l'autre pas encore séparé d'une prostitution. Aussi est-ce « avec la mesure dont nous aurons mesuré qu'il nous sera remis[c]. »

Fils de l'Égypte et fils d'Assour

8. « Tu t'es prostituée chez les fils de l'Égypte tes voisins[a]. » Les fils de l'Égypte sont les puissances contraires[1]. Rien d'étonnant qu'on les dise nos voisins, puisque les territoires de l'Égypte et de Jérusalem sont proches : voisins grands de chair[b] non que ces Égyptiens soient puissants de chair — il semble bien désigner avec décence leurs parties honteuses en changeant la dénomination grands de chair —, mais parce que les sens charnels nous rendent grands de chair ; comme inversement il est une chair, la face de Dieu, dont il est dit : « Comme ma chair, dans une terre aride, altérée et sans eau, ainsi je t'ai apparu dans le lieu saint[c]. » Donc Jérusalem se prostitue avec les fils de l'Égypte, ses voisins grands de chair. « Et tu as multiplié

---

poussent. Ils nous sont tout proches. Car les territoires de Jérusalem et de l'Égypte sont voisins... Ces Égyptiens sont doués de membres puissants, non qu'ils aient des membres, car ils sont hors de la chair, mais on les dit doués de membres puissants parce qu'ils sont tout adonnés au sens charnel. » *Sel. in Éz., Cat., PG* 13, 725-726 (22).

me exasperandum[d]. Multas species fornicationis commi-
15 sisti ad me concitandum. *Quodsi extendero manum meam in te, et auferam legitima tua, et tradam te in animas eorum qui te oderunt, filios alienigenarum*[e]. Vides quia in animas alienigenarum traditur, quae indigna sit usu legis, et sermonum Dei.

20 *Quae te deverterunt de via tua. Impie egisti et fornicata es super filios Assur*[f]. Primum super filios Aegypti, deinde super filios Assur. Haec species peccatorum sunt. Nam et cum captivos acceperunt Assyrii filios Istrahel, factum est quidem id quod historia refert, scriptum est
25 autem propter frequentem nostram captivitatem quae ab spiritalibus Assyriis perpetratur, de quibus Apostolus dicit : *Non est nobis certamen adversus carnem et sanguinem, sed adversum spiritalia nequitiae*[g].

9. *Et nec sic satiata es ; et fornicata es et non satiabaris*[a]. Quando quis non impletur delinquens, sed semper prioribus peccatis nova peccata coniungit *colligans ut fune longo et sicut loro iugi vitulae iniquitates*[b],
5 numquam se ad meliora convertens neque paenitentiam agens super malis suis, dicitur ad eum : *Et non satiabaris. Et multiplicasti testamenta mea ad terram Chanaan*[c]. Quando Deus ad nos facit testamenta et nos consentimus ei, beati sumus ; quando vero fornicamur ad
10 spiritalia nequitiae, tunc convertimus Dei testamenta ad terram Chanaan, et pactum statuimus cum ea. Hoc autem

d. Éz. 16, 26 // e. Éz. 16, 27 // f. Éz. 16, 27.28 // g. Ephés. 6, 12.
9 a. Éz. 16, 28 // b. Cf. Is. 5, 18 // c. Éz. 16, 29 // d. Éz. 16, 29.

2. « Paul dit : ' Je les ai livrés à Satan pour qu'ils apprennent à ne plus blasphémer (*I Tim.* 1, 20) '. Voilà pourquoi est livré aux Assyriens celui qui se tourne vers le blasphémateur hérétique : car Assyriens veut dire redresseurs. Aussi, ceux qui leur sont livrés le sont-ils, non pour qu'ils

tes prostitutions pour m'indigner[d]. » Tu as commis plusieurs prostitutions pour me provoquer. « Et voici, j'étendrai ma main contre toi, je réduirai ta part, je te livrerai aux âmes de ceux qui te haïssent, les fils d'étrangers[e]. » Tu vois qu'elle est livrée aux âmes d'étrangers, celle qui est indigne de mettre en pratique la Loi et les paroles de Dieu.

« Elles t'ont détourné de ta voie. Tu as fait des actes impies, et tu t'es prostituée avec les fils d'Assour[f]. » D'abord avec les fils de l'Égypte, puis avec les fils d'Assour. Ce sont des espèces de péchés. Car aussi quand les Assyriens ont fait captifs les fils d'Israël, il arriva bien ce que l'histoire rapporte, mais cela fut écrit à cause de notre fréquente captivité causée par les Assyriens spirituels[2], dont l'Apôtre dit : « Notre lutte n'est pas contre la chair et le sang, mais contre les esprits du mal[g]. »

Insatiable frénétique

9. « Et même alors tu ne fus point rassasiée ; tu t'es prostituée et tu n'étais point rassasiée[a]. » Quand un pécheur n'est point assouvi, mais sans cesse aux premiers péchés en ajoute de nouveaux, « liant ensemble les iniquités comme avec une longue corde et comme avec une lanière d'un joug de génisse[b] », sans jamais se convertir au mieux ni faire pénitence de ses péchés, il lui est dit : « Et tu n'étais point rassasié. Et tu as multiplié mes alliances avec la terre de Canaan[c]. » Quand Dieu fait des alliances avec nous et que nous sommes d'accord avec lui, nous sommes heureux ; mais quand nous nous prostituons aux esprits du mal, alors nous faisons passer les alliances de Dieu à la terre de Canaan, et nous établissons un pacte

---

périssent ou soient anéantis, mais soient redressés et corrigés, et comme dit Paul, ' pour qu'ils apprennent à ne plus blasphémer '. » *In Num. hom.* 19, 3 fin : *GCS* 7, p. 182, 29 s ; *SC* 29, p. 386.

mihi intellige et in Chaldaeis et in ceteris gentibus, quando in quolibet alio peccato reprehendimur. *Et testamenta ad Chaldeos, et nec sic satiata es*[d].

10. Post catalogum peccatorum ad peccatricem loquitur Hierusalem : *Quid constituam in te, dicit Adonai Dominus, cum facias tu haec omnia opera mulieris fornicariae procacis*[a] ? Adscendamus paulisper eloquio,
5 quia non semper utile est de fornicationibus loqui, et procul absit ut aliquis in Ecclesia sit qui dehortatoriis a fornicatione indigeat sermonibus. Nam si quis necesse habet audire : *Non fornicaberis*[b], sed et illud : *Si quis templum Dei violaverit, disperdet illum Deus*[c], iste
10 similis est his quos Apostolus dicit : *Iusto lex non est posita, sed iniquis et non subditis, impiis et peccatoribus*[d]. Quomodo ergo iusto lex non est posita, verum iniquis et non subiectis, sic doctrina ea quae a fornicatione monet recedendum, casto non est posita, sed iniquis
15 et fornicatoribus et inoboedientibus.

Non habemus itaque necessarium ut discamus a fornicatione discedere, verum ad perfectiora tendamus a principiis elementorum Christi. *Etenim cum deberetis* ait *magistri esse propter tempus, rursum indigetis ut*
20 *vos doceamini quae sint elementa exordii sermonum Dei, et facti estis quibus lacte opus sit, non solido cibo*[e]. Omnis sermo qui praecepit : *Non fornicaberis, non adulterabis, non furaberis*[f], non est *solida esca*, sed

---

10 a. Éz. 16, 30 // b. Ex. 20, 13 // c. I Cor. 3, 17 // d. I Tim 1, 9 // e. Hébr. 5, 12 // f. Cf. Rom. 13, 9

avec elle[1]. Or comprends-le : cela vaut également pour les Chaldéens et pour les autres nations, quand de n'importe quel péché nous sommes blâmés. « ... Et les alliances avec les Chaldéens : et même ainsi tu n'as pas été rassasiée...[d] »

Quelle décision divine ?

10. Après la liste des péchés, il est dit à la pécheresse Jérusalem : « Que décider contre toi, dit le Seigneur Adonaï, quand tu fais toutes ces actions d'une prostituée frénétique[a] ? » Élevons-nous quelque peu au-dessus de l'expression, car il n'est pas utile de toujours parler de prostitutions, et bien loin de nous la pensée qu'il y ait dans l'Église quelqu'un qui ait besoin de paroles qui dissuadent de la prostitution ! Car si quelqu'un doit entendre : « Tu ne forniqueras point[b] », mais encore ceci : « Si quelqu'un viole le temple de Dieu, Dieu le détruira[c] » celui-là ressemble à ceux dont parle l'Apôtre : « La Loi n'est pas faite pour le juste, mais pour les sans-loi et les insoumis, les impies et les pécheurs[d]. » Comme donc la Loi n'est pas faite pour le juste, mais pour les sans-loi et les insoumis, de même la doctrine qui exhorte à s'éloigner de la prostitution n'est pas faite pour le chaste, mais pour les sans-loi, les prostitués, les indociles.

Vers le plus parfait

C'est pourquoi nous n'avons pas besoin d'apprendre à nous écarter de la prostitution, mais à tendre au plus parfait à partir des premiers rudiments du Christ. « En effet, vous auriez dû être des maîtres depuis le temps, et vous avez de nouveau besoin qu'on vous enseigne les premiers rudiments des paroles de Dieu, vous en êtes venus à avoir besoin de lait, non d'aliment solide[e]. » Toute parole qui commande : « Tu ne forniqueras point, tu ne commettras point d'adultère, tu ne voleras point[f] » n'est

1. Cf. *hom.* 1, 10, 8.

quasi *lac* praebetur *infantibus*. Athletarum cibus est de
25 omnipotenti Deo, de mysteriis eius quae tecta sunt et
latenter in Scripturis significata. Vide quomodo ad Corinthios Paulus loquitur : *Lacte vos potavi, non cibo, necdum enim poteratis ; sed neque nunc potestis*[g]. Et quia
lacte adhuc *indigebant*, ea discunt quae discere *parvuli*
30 solent : *Bonum est homini mulierem non tangere ; propter fornicationem autem*[h], et cetera. Rursumque
instituuntur ne *idolothyta comedant*[i]. Ista omnis doctrina *lac parvulorum* est et adhuc *infantium* in Christo.
Quando vero Ephesiis scribit, *solidum* illis praebet *cibum*[j]. Non *auditur* quippe in Epheso *fornicatio*[k], non
35 auditur in Epheso idolatria et esus *idolothytorum*. Ex
quibus docemur quid sit *solidus cibus*, et quod *rationabile et sine dolo lac*[l] moralis locus, et *solidus cibus*
mysticus intellectus. Beatum est igitur ut festinemus ad
40 ea quae perfectiora sunt, principia transeuntes. Et quoniam moralis locus lac sit, Apostolus docet, cum iam
aliqua de lacte dixisset, addens : *Non rursum iacientes fundamentum paenitentiae ab operibus mortuis*[m].
Tales omnes sunt qui adhuc lacte potantur, perfectus
45 autem aliis indiget disciplinis. Haec in medio dicta sint,
quia a sermone conscenderam, ne ab alterius expositione
fornicationis statim in aliam fornicationem incurrerem,
quam nunc explanabo.

---

g. I Cor. 3, 2 // h. I Cor. 7, 1.2 // i. Cf. I Cor. 8, 1 s. ; 10, 18 // j. Cf. Hébr. 5, 12 s. // k. Cf. I Cor. 5, 1 // l. Cf. I Pierre 2, 2 // m. Hébr. 6, 1 // n. Éz. 16, 30 // o. Cf. Ex. 25, 1 s. ; 35, 1 s.

pas une nourriture solide, mais on la présente comme du lait aux enfants. L'aliment des athlètes, c'est, au sujet de Dieu tout puissant et de ses mystères, ce qui est voilé et de sens caché dans les Écritures. Vois comment Paul parle aux Corinthiens : « C'est du lait que je vous ai donné à boire non un aliment solide : car vous ne pouviez pas encore le supporter ; mais vous ne pouvez pas non plus maintenant[g]. » Et parce qu'ils avaient encore besoin de lait, ils apprennent ce que les enfants apprennent d'ordinaire : « Il est bon pour l'homme de ne pas toucher de femme ; mais à cause de la fornication[h] », etc. Et de nouveau on leur enseigne à ne pas « manger des idolothytes[i] ». Toute cette doctrine est « du lait des tout-petits » et encore « des enfants » dans le Christ. Mais quand il écrit aux Éphésiens, il leur présente « un aliment solide[j] ». Il n'est pas question à Éphèse de fornication[k], il n'est pas question à Éphèse d'idolâtrie et de manducation d'idolothytes. Par là on nous enseigne ce qu'est l'aliment solide, que « le pur lait spirituel[l] » est le sens moral, et l'aliment solide, le sens mystique. Il est donc heureux de nous hâter vers ce qui est plus parfait, au-delà des commencements. Et parce que le lait est le sens moral, l'Apôtre enseigne, après avoir déjà dit quelque chose du lait, en ajoutant : « sans jeter de nouveau le fondement de la pénitence des œuvres mortes[m] ». Tels sont tous ceux qui boivent encore du lait, mais le parfait a besoin d'autres doctrines. Cela soit dit ouvertement, parce que je m'étais éloigné du texte pour éviter que de l'explication d'une prostitution j'arrive d'emblée à une autre prostitution, que je vais maintenant expliquer.

Dicitur quippe ad Hierusalem : *Et fornicata es tripli-*
50 *citer in filiabus tuis*[n]. Quid est quod ait, tripliciter fornicatam in filiabus suis Hierusalem ? Dei indigemus auxilio, ut ipse nobis obscuritatem istius loci edisserat. Et quomodo Moyses audiebat Deum et deinde ea quae a Deo audierat proferebat ad populum[o], sic nos indigemus Spi-
55 ritu sancto loquente in nobis mysteria, ut orationibus vestris Scripturam possimus audire, et rursum quod audivimus populis intimare. Quid ergo : *Tripliciter fornicata es in filiabus tuis* ? Si intelligas fornicationem carnis et animae et spiritus, et videas aliquem in his
60 fornicari, videbis tripliciter fornicantem Hierusalem. Qui vero tripliciter castus est, iste ab Apostolo meretur audire ; *Deus autem pacis sanctificet vos per omnia, et integrum spiritum vestrum et animam et corpus sine querela in adventu Domini nostri Iesu Christi servet*[p],
65 *cui est gloria et imperium in saecula saeculorum. Amen*[q] !

---

p. I Thes. 5, 23 // q. Cf. I Pierre 4, 11.

Trois fois En effet, il est dit à Jérusalem : « Tu t'es prostituée trois fois dans tes filles[n]. » Qu'est-ce à dire : Jérusalem prostituée trois fois dans ses filles ? Nous avons besoin du secours de Dieu pour qu'il nous explique lui-même à fond l'obscurité de ce passage. Et de même que Moïse entendait Dieu, et déclarait ensuite au peuple[o] ce qu'il avait entendu de Dieu, ainsi avons-nous besoin du Saint-Esprit qui révèle en nous les mystères, afin de pouvoir, grâce à vos prières, entendre l'Écriture, et de nouveau, ce que nous avons entendu, l'annoncer aux peuples. Que signifie donc : « Tu t'es prostituée trois fois dans tes filles » ? Si on comprend la prostitution de la chair, de l'âme, de l'esprit, et voit quelqu'un s'y prostituer, on verra Jérusalem se prostituer trois fois[1]. Mais quand on est trois fois chaste, on mérite d'entendre de l'Apôtre : « Mais que le Dieu de paix vous sanctifie totalement, et que tout votre être — esprit, âme et corps —, soit gardé irréprochable pour l'avènement de notre Seigneur Jésus Christ[p] », « à qui sont gloire et puissance pour les siècles des siècles. Amen[q]. »

1. « L'âme se prostitue de trois manières, selon ses trois facultés générales de la raison, de l'irascible et du concupiscible, par l'esprit, par le corps, par l'âme d'après ses trois âges. » ... Il reprendra : il n'est pas question ici de l'âme rationnelle ou d'une nature douée de raison ; mais du souffle vital dont parle la Genèse 2, 7 (spiraculum vitae), ou Paul : « Le premier homme a été fait âme vivante (*I Cor.* 15, 45). Puis il cite I THESS. 5, 23, qu'il interprète correctement comme les modernes, cf. *hom.* 1, 16, 8 s. et la note complémentaire. *Sel. in Éz., Cat., PG* 13, 727 (25).

HOMÉLIE VIII

HAUTS LIEUX, TERTRES, CADEAUX
(*Éz.* 16, 30-33)

1 : Où fixer ton cœur ? Qu'est-ce que fixer ? ... Les prostituées agissent en cachette ou avec effronterie, ainsi font les hommes... ; 2 : Elle a bâti *son haut lieu* à l'entrée de tous les chemins. Les chemins éternels : Moïse, les prophètes, Celui qui dit : « Je suis le Chemin » ; 2 : Elle dispose *un tertre* sur toutes les places où elle appelle tous les passants ; après le haut lieu, figure de l'hérésie, le tertre, figure du mode de vie païen. 3 : *les cadeaux,* telle prostituée en recueille, telle autre non ; par le premier geste, en péchant on devient riche ; toi, tu as donné à tous tes amants des cadeaux tirés des biens de ton mari. Le Verbe de Dieu, époux véritable de l'âme, lui a donné les vertus ; chasteté, justice et les autres ; les amants sanguinaires raflent tout cela. Veillons à la garde de notre cœur.

HOMILIA VIII.

1. Quae primum lecta sunt, exposuimus ; hodie sumamus exordium ab eo quod scriptum est : *In quo constituam cor tuum, dicit Adonai Dominus, cum facias tu haec omnia opera meretricis procacis, et fornicata es tripliciter in filiabus tuis*[a]. Hucusque iam diximus. Sequitur : *Quando lupanar tuum aedificasti in capite omnis viae, et basem tuam fecisti in omni platea. Et non es facta ut meretrix congregans mercedes ; mulier quae moechatur, similis tibi, a viro suo accepit mercedes, omnibus amatoribus suis dedit mercedes ; et tu dedisti mercedes omnibus amatoribus tuis, et honorabas eos ut venirent ad te in circuitu in fornicatione tua*[b].

Et homo hominem constituere potest, malus in malo, bonus in bono. *Corrumpunt* enim *mores bonos confabulationes pessimae*[c]. Nec dubium quin loquentis sermo auditorem ad peiora sollicitet, cum haereticus loquens constituat auditorem suum in haeretica pravitate. Et ut ad meliora veniamus, si potest prodesse qui loquitur, et vita eius cum sermone consentit, in bonis constituit auditorem suum. Nos qui minimi loci sumus, si audieri-

1 a. Éz. 16, 30 // b. Éz. 16, 31-33 // c. I Cor. 15, 33

1. « Texte incertain », *BJ*, « difficile », OSTY ; le premier traduit « Comme ton cœur était faible » ; le second : « Que ton cœur fut délirant. » On peut voir une correction du texte hébreu chez DHORME.

2. « Tertre, hauteur », traduit *BJ* ; « tertre, monticule », OSTY : Traduction approximative de deux termes dont le sens précis est difficile à déterminer : il s'agit de petits édifices cultuels, de hauts lieux en

HOMÉLIE VIII

Où fixer ton cœur ?

1. Ce qu'on a lu en premier, nous l'avons expliqué ; aujourd'hui, prenons le début du passage : « Où fixerai-je ton cœur[1], dit le Seigneur Adonaï, quand tu fais toutes ces actions d'une prostituée frénétique et que tu t'es prostituée trois fois dans tes filles[a] ? »... Nous en étions là. Voici la suite : « Quand tu t'es bâti un haut lieu à l'entrée de tous les chemins et t'es fait un tertre[2] sur toutes les places. Tu n'as pas été comme la prostituée qui recueille des cadeaux. La femme qui commet l'adultère, pareille à toi, a reçu des cadeaux de son mari, elle a donné des cadeaux à tous ses amants ; toi aussi, tu as donné des cadeaux à tous tes amants, et tu les entretenais, afin qu'ils viennent des alentours à tes prostitutions[b]. »

Un homme aussi peut fixer un homme, un méchant dans le mal, un bon dans le bien. Car « les mauvaises compagnies corrompent les bonnes mœurs[c]. » Nul doute que la parole de l'orateur provoque l'auditeur au pire, quand l'orateur hérétique fixe son auditeur dans la perversion hérétique. Et pour en venir au mieux, si l'orateur peut être utile et que sa vie s'harmonise avec sa parole, il fixe son auditeur dans le bien. Nous qui sommes à la plus modeste place, si nous entendons une parole qui

---

miniature. » Les hauts lieux étaient des sanctuaires placés d'abord sur des hauteurs, d'origine préisraélite. Ils furent repris par les Israélites et consacrés à Yahvé. Mais au culte de Dieu s'amalgamèrent ceux de Baal et d'Astarté, des pratiques idolâtriques et licencieuses... D'où la verdeur du langage d'Ézéchiel qui associe et identifie idolâtrie et prostitution, haut-lieu et maison de la prostituée, Jérusalem idolâtre et prostituée.

mus verbum de castitate praecipiens, constitui super eo conamur. Si ipsi loquimur de pudicitia, et nosmet ipsi auditores statuimus in pudicitia ; si de iustitia praedica-
25 mus, ad iustitiam impellimus ; si de fide, fidem insinuamus, ut digne maiestate divina oboediamus in Domino. Si ergo nos homines, cum simus mali, solemus constituere cor audientis, sive in bonis si boni sumus, sive in malis si male agimus, putasne quia Deus non habeat potestatem
30 quempiam in melioribus constituere, aut certe derelinquens eum, fieri ei occasio ut in pessimis constituatur ? Multum iuxta praesens eloquium peccavit misera Hierusalem, quam saepissime voluit Deus per prophetas suos in melioribus constituere, sed quia noluit audire consilia,
35 noluit Dei recipere praecepta, dubitat Deus et se dicit nescire quid faciat : *In quo constituam cor tuum, dicit Adonai Dominus* ? Quid faciam ? In quo te constituam ? Multis peccatorum vinculis stringeris, delicta tua prohibent vitam tuam, ut a meis sermonibus constituaris. Ego
40 ipse frequenter te constituere volui loquens tibi per sanctos meos, et non audisti. Nunc ignoro quid faciam et dico tibi : *In quo constituam cor tuum, dicit Adonai Dominus, cum tu facias haec omnia opera mulieris meretricis procacis*[d] ?

45 Saepe diximus quia fortitudines contrariae ament pulchritudinem animae humanae et, quando suscipiat humana anima semina amatorum suorum, quodammodo fornicetur cum iis ; sed quia et in communi vita sunt aliquae meretrices, quae fornicantur cum verecundia la-
50 tere cupientes, aliae vero, quae non solum pudore delicta

---

d. Éz. 16, 30

---

3. « Comprenons que toute âme, ou bien se prostitue aux démons et a plusieurs amants : ainsi, tantôt l'aborde l'esprit de fornication, puis à son départ l'esprit d'avarice, après lui vient l'esprit d'orgueil, puis de

recommande la chasteté, nous nous efforçons de nous fixer en elle. Si nous-même parlons de la pureté, nous fixons nous-même les auditeurs dans la pureté ; si nous prônons la justice, nous poussons à la justice ; s'il s'agit de la foi, nous inspirons la foi, pour obéir dans le Seigneur d'une manière digne de la majesté divine. Si donc nous, hommes, tout mauvais que nous sommes, nous avons coutume de fixer le cœur de l'auditeur, soit dans le bien si nous sommes bons, soit dans le mal si nous agissons mal, pense-t-on que Dieu n'ait pas le pouvoir de fixer quelqu'un dans une meilleure disposition, ou du moins que, s'il l'abandonne, lui vienne l'occasion d'être fixé dans une pire. Selon la parole présente, l'infortunée Jérusalem a beaucoup péché, elle que très souvent Dieu a voulu par ses prophètes fixer dans une meilleure disposition ; mais, parce qu'elle n'a pas voulu écouter les conseils et n'a pas voulu accepter les préceptes de Dieu, Dieu hésite et dit ne savoir que faire. « Où fixerai-je ton cœur, dit le Seigneur Adonaï ? » Que faire ? Où te fixer ? Tu es ligotée par les nombreux liens des péchés, tes fautes t'empêchent de fixer ta vie grâce à mes paroles. Moi, fréquemment j'ai voulu te fixer, te parlant par mes saints, et tu n'as pas écouté. Maintenant je ne sais quoi faire et je te dis : « Où fixerai-je ton cœur, dit le Seigneur Adonaï, quand tu fais toutes ces actions d'une prostituée frénétique[d] ? »

Nous avons souvent dit[3] que les puissances contraires aiment la beauté de l'âme humaine, et quand l'âme humaine reçoit les semences de ses amants, en quelque sorte elle se prostitue à eux. Mais comme dans la vie commune aussi, il y a des prostituées qui se prostituent avec honte désirant garder le secret, et d'autres qui non seulement ne

colère, puis de haine, enfin de vaine gloire, et avec eux beaucoup d'autres esprits impurs... Ou bien l'âme est unie à un époux légitime... le Christ). *In Ex. hom.* 8, 5, 20 s., *SC* 321, p. 262 s.

non velant, sed cum omni se procacitate prostituunt, ideo adsumpsit exemplum animae meretricantis in peccatrice ista Hierusalem, et ait eam similem factam mulieris fornicariae procacis in fornicatione sua. Saepe et a nobis talia
55 committuntur. Qui enim a religione non penitus recesserunt vincuntur vero a peccato et peccantes latere desiderant, similia faciunt meretrici erubescenti. Qui vero religionem penitus aversantur in tantum ut non curent de episcopo, de presbyteris, de diaconibus, de fratribus, sed
60 cum omni procacitate delinquunt, similes fiunt meretrici cum fiducia prostitutae. Queritur ergo in praesenti loco de peccatrice Hierusalem Deus, quia facit opera mulieris meretricis inverecundae, et dicit ad eam : *Et fornicata es tripliciter in filiabus tuis*[e]. Exposuimus hoc quando
65 nobis dictum est : *Aedificasti lupanar tuum in capite omnis viae, et basem tuam fecisti in omni platea*[f].

2. Volumus autem et nunc interpretari quid sit aedificare lupanar non simpliciter in omni via, sed in capite omnis viae, nec suffecisse *aedificare lupanar in capite omnis viae,* sed insuper *et basem suam posuisse in*
5 *omni platea.* Duo ergo generalia peccata peccavit, cum *aedificavit lupanar suum in capite omnis viae,* et cum *fecit basem* et constituit eam *in omni platea meretrix Hierusalem.*

Quae sunt istae viae ? *State in viis et interrogate*
10 *semitas Domini aeternas, et videte quae sit bona via,*

e. Éz. 16, 30 // f. Éz. 16, 31.

voilent pas de pudeur leurs fautes mais se prostituent en toute frénésie, pour cette pécheresse Jérusalem il a pris l'exemple d'une âme qui se prostitue, et dit qu'elle est devenue pareille à une prostituée frénétique dans sa prostitution. Souvent par nous aussi sont commis de tels actes. Car ceux qui ne sont pas totalement écartés de la religion mais sont vaincus par le péché, et qui en péchant désirent rester cachés, font tout comme la prostituée qui a honte. Mais ceux qui se détournent totalement de la religion, au point de ne pas se soucier de l'évêque, des prêtres, des diacres, des frères, mais pèchent en toute frénésie, deviennent pareils à la prostituée qui se prostitue avec effronterie. Dieu se plaint donc au présent passage de la pécheresse Jérusalem, parce qu'elle fait les actions d'une prostituée impudente, et il lui dit : « Tu t'es prostituée trois fois dans tes filles[e]. » On a expliqué cela quand on nous a dit[4] : « Tu as bâti ton haut lieu à l'entrée de tous les chemins, et tu t'es fait un tertre sur toutes les places[f]. »

A l'entrée de tous les chemins

2. Mais nous voulons encore ici interpréter le sens de « bâtir un haut lieu », non sur tous les chemins, sans plus, mais « à l'entrée de tous les chemins » ; et il n'a pas suffi de dire : « bâtir son haut lieu à l'entrée de tous les chemins », mais en outre : « et s'être fait un tertre sur toutes les places ». Donc elle a commis deux espèces de péchés : quand « elle a bâti son haut lieu à l'entrée de tous les chemins », et quand « elle a fait un tertre » et l'a établi « sur toutes les places, la prostituée Jérusalem ».

Quels sont ces chemins ? « Tenez-vous sur les chemins, et informez-vous des sentiers éternels du Seigneur ; voyez

4. Cf. *supra*, § 1, 6 s.

et ambulate in ea[a]. Multae sunt viae sempiternae. Si retinetis eam expositionem quam frequenter exhibui, scitis et Moysen viam et singulos prophetarum. Et quomodo multae sunt margaritae, quas necesse est possidere
15 eum qui venturus est ad *unam pretiosissimam margaritam*[b], sic oportet ingredi multas vias Moysi et prophetarum omnium eum qui venturus est ad dicentem : *Ego sum via*[c]. Sed dicit mihi aliquis : quid ad propositum pertinet quod locutus es ? Cui sic respondebo. Aedificavit
20 in omni via Hierusalem lupanar suum. Si consideraveris haereticos omnes alienos a veritate aedificantes domum ex his sermonibus qui in Moyse leguntur, ex his quos in Isaia, et Hieremia et prophetis reliquis invenerunt, intelligis novas doctrinas fornicationem esse Hierusalem, quae
25 aedificat lupanar suum non in omni via, sed in capite omnis viae. Si enim praeventus quis fuerit post principium Moysi, exordium prophetarum, ad profundum eius et scientiam omnium pervenire, nihil potest facere ista meretrix aedificans lupanar omnis viae ; eum quaerit qui
30 primum Ecclesiam ingreditur, qui fidei elementa suscepit, qui rudis est in sacramentis ; eum qui in exordio fidei constitutus est vult introducere in lupanar suum aedificans meretricum domum. Et quia frequenter fornicatio in Scripturis nominatur, exponere volo sermonis istius cau-
35 sam. Ecclesiastici qui in Ecclesia sunt magistri mores purgant tam suos quam suorum et ex hac diligentia aedificant domum Dei Ecclesiam et opus eorum aedificatio Dei est. Haeretici aedificant lupanar in omni via, ut

2 a. Jér. 6, 16 // b. Cf. Matth. 13, 46 // c. Jn 14, 6

1. « Nombreux sont les chemins du Seigneur, s'y avancent les bien heureux, par eux est rendu possible l'accès à celui qui dit : ' Je suis

quel est le bon chemin et marchez-y[a]. » Il y a beaucoup de chemins éternels[1]. Si vous retenez l'explication que j'ai souvent présentée, vous savez que Moïse aussi est un chemin et chacun des prophètes. Et comme il y a beaucoup de perles que doit posséder celui qui va venir à « l'unique perle de grand prix[b] », ainsi faut-il parcourir les nombreux chemins de Moïse et de tous les prophètes pour venir à Celui qui déclare : « Moi, je suis le Chemin[c]. » Mais on m'objecte : en quoi concerne notre sujet ce que tu dis ? Je répondrai : Jérusalem a bâti son haut lieu sur tous les chemins. Si on examine tous les hérétiques étrangers à la vérité bâtissant un édifice de ces paroles qu'on lit chez Moïse, de celles qu'on trouve chez Isaïe, chez Jérémie et le reste des prophètes, on comprend que les nouvelles doctrines sont la prostitution de Jérusalem, qui bâtit son haut lieu, non sur tous les chemins, mais « à l'entrée de tous les chemins ». Quand on a été prévenu d'en arriver, après le début de Moïse et le commencement des prophètes, à la profondeur de celui-là et à la science de tous, cette prostituée qui bâtit un haut lieu sur tous les chemins ne peut rien faire ; elle cherche celui qui entre pour la première fois dans l'Église, qui a reçu les rudiments de la foi, qui est sans expérience des rites sacramentels ; celui qui est placé à l'origine de la foi, elle veut l'introduire dans son haut lieu en bâtissant sa maison de courtisane. Et parce que la prostitution est fréquemment nommée dans les Écritures, je veux expliquer la raison de cette parole. Les ecclésiastiques qui sont les maîtres dans l'Église purifient les mœurs, tant les leurs que celles de leurs fidèles, et par ce soin ils bâtissent la maison de Dieu, l'Église, et leur œuvre est l'édifice de Dieu. Les hérétiques bâtissent un haut lieu sur tous les chemins, comme par

---

chemin (*Jn* 14, 9) ', comme par de nombreuses perles, à ' l'unique perle de grand prix '. » *Sel. in Ps.* 127, 1, *PG* 12, 1643-1644.

puta magister de officina Valentini, magister de coetu Basilidis, magister de taberna Marcionis et ceterorum haereticorum, aedificant meretrici domum. Congregatio enim omnium malignorum lupanar est. Sed quid dicit Scriptura ? *Fili, ne intendas in malam mulierem ; mel enim distillat de labiis mulieris meretricis*[d]. Unde ei mel distillat ? *Distillat enim mel de labiis mulieris meretricis.* Ingressa est ad Moysen, ad Isaiam, ad Hieremiam, et de Scripturis eorum sibi mella collegit. Vade ad haereticos loquentes : haec dicit Moyses, haec Isaias, <haec Ieremias>, et videbis quomodo de labiis eorum non fluant mella, sed distillent decerpentium de Scripturis verba paucissima. Et ideo mel distillat de labiis mulieris meretricis. *In capite* ergo *omnis viae aedificat lupanar*[e].

Esto, intellectum sit lupanar, interpretemur et basem quam in omnibus plateis posuit meretrix Hierusalem. Scriptum est in alio loco quomodo *in plateis manifeste advocat praetereuntes meretrix*[f] ; varie quippe peccatum nos ad se trahere festinat, sive per haeresim sive per gentilem conversationem. Et per haeresim quidem, quando aedificat lupanar in capite omnis viae, per gentilem autem conversationem, quando basem ponit in omnibus plateis. *Lata est enim et patens via quae ducit ad perditionem*[g], Cum ergo quae dicit et in quibus audientes instituere conatur de Scripturis asserit, *aedificat lupanar in capite omnis viae.* Cum vero moralis locus fuerit dissolutus, et luxuriosa praecipiens lascivum fecerit auditorem, quid aliud fecit quam basem posuit in omni via ?

d. Prov. 5, 3 // e. Cf. Éz. 16, 31 // f. Prov. 9, 15 // g. Matth. 7, 13.

2. « Taberna », leçon d'un manuscrit (*g*), jugée préférable à celle de tous les autres « tabernaculum », par Baehrens, dans ses *corrigenda* p. LVI.

exemple le maître de l'officine de Valentin, le maître de la troupe de Basilide, le maître de la taverne[2] de Marcion et de tous les autres hérétiques, bâtissent une maison de courtisane. Car la réunion de tous les méchants est un haut lieu. Mais que dit l'Écriture ? « Mon fils, ne prête pas l'oreille à une femme mauvaise ; car le miel dégoutte des lèvres de la prostituée[d]. » D'où lui dégoutte le miel ? « Car le miel dégoutte des lèvres de la prostituée. » Elle aborda Moïse, Isaïe, Jérémie, et de leurs écrits recueillit du miel pour elle. Va aux hérétiques qui disent ainsi parle Moïse, ainsi Isaïe, < ainsi Jérémie >, et tu verras que de leurs lèvres ne coule pas le miel, mais dégouttent très peu de paroles de ceux qui ont fait des extraits des Écritures. Voilà pourquoi « le miel dégoutte des lèvres de la courtisane ». Donc « à l'entrée de tous les chemins elle a bâti un haut lieu[e] ».

Sur toutes les places

Admettons que « haut lieu » soit compris, nous expliquons aussi « le tertre » qu'a disposé « sur toutes les places la prostituée Jérusalem ». Il est écrit dans un autre passage : « Sur les places la prostituée appelle ouvertement les passants[f]. » Car c'est de façon variée que le péché se hâte de nous tirer à lui, soit par l'hérésie, soit par la manière de vivre païenne. Par l'hérésie, quand elle bâtit un haut lieu à l'entrée de tous les chemins », par la manière de vivre païenne, quand « elle dispose un tertre sur toutes les places ». « Car large et spacieux est le chemin qui mène à la perdition[g]. » Quand donc, ce qu'elle dit et à quoi elle s'efforce de fixer les auditeurs, elle le tire des Écritures, « elle bâtit un haut lieu à l'entrée de tous les chemins ». Et quand le sens moral a été détruit, prescrivant des actions luxurieuses, elle rend l'auditeur lascif, que fait-elle d'autre que d'établir un tertre à tous les chemins ?

3. *Non es[t] facta ut meretrix congregans mercedes*[a]. Videamus meretricem mercedes congregantem et aliam rursus non congregantem ; de hac enim quaeritur quasi de meretrice non congregante mercedes. Cum videro esse meretricem quae non congreget mercedes, et legero ad istam dictum quia facta sit ut meretrix non congregans mercedes, dicam congregare mercedes esse peccando divitem fieri, peccando gloriam in saecularibus comparare, peccando feliciter in mundo agere. Quando per peccatum, ut dixi, ista nascuntur, fornicatur anima et congregat mercedes fornicationis suae, gloriam, divitias et reliqua, quae in perditionem animae suae conquisivit quando vero fornicatur et non agit prospere in saecularibus rebus, sed per hoc quod peccavit etiam infeliciter vivit in saeculo, meretrix est mercedes non congregans sed contraria faciens, id est fornicans mercedes ultro tribuens.

Et tu dedisti mercedes omnibus amatoribus tuis[b] Nonnumquam anima divites facit amatores suos laetantes in eo quia acceperint mercedes ab ea. Sed dicit mihi auditor : expone quomodo fornicetur anima mercedes tribuens de rebus viri sui. Sic enim ait et in praesenti et in aliis frequenter locis Sermo divinus quia sustulerit ea quae sunt viri, et dederit meretrix Hierusalem amatoribus suis. Quid est hoc quod largitus est ei vir suus qua postea facta adultera omne quod accepit donat amatori

3 a. Éz. 16, 31 // b. Éz. 16, 33

1. « La prostituée qui recueille des cadeaux, c'est l'âme qui se livre l'adultère avec les puissances contraires par le péché afin de s'attirer l gloire auprès des hommes et la richesse. » *Sel. in Éz., Cat., PG* 1 729-730 (24).

Cadeaux

3. « Tu n'es pas devenue comme la prostituée qui recueille des cadeaux[a]. » Voyons la prostituée qui recueille des cadeaux, et l'autre qui par contre n'en recueille pas ; car pour cette ville on s'interroge comme pour une prostituée qui ne recueille pas de cadeaux. Voyant qu'il y a une prostituée qui ne recueille pas de cadeaux, et lisant ce qui lui est dit : qu'elle est devenue comme une prostituée qui ne recueille pas de cadeaux, je dirai : recueillir des cadeaux, c'est en péchant devenir riche, en péchant acquérir de la gloire dans les affaires séculières, en péchant avoir une heureuse vie dans le monde[1]. Quand cela provient du péché, comme j'ai dit, l'âme se prostitue et recueille les cadeaux pour sa prostitution, gloire, richesses et le reste qu'elle a conquis pour la perte de son âme. Au contraire, quand elle se prostitue et ne prospère pas dans les affaires séculières, mais du fait qu'elle a péché, elle a même une vie malheureuse dans le siècle, elle est une prostituée qui ne recueille pas de cadeaux, mais fait le contraire, c'est-à-dire se prostitue et accorde en outre des cadeaux.

« Et toi, tu as donné des cadeaux à tous tes amants[b]. » Parfois l'âme enrichit ses amants qui se réjouissent d'en avoir reçu des cadeaux. Mais un auditeur me dit : Explique la manière dont l'âme se prostitue en accordant des cadeaux tirés des biens de son mari. C'est ainsi qu'au passage présent et souvent à d'autres, la Parole divine dit que la prostituée Jérusalem a pris les biens de son mari et les a donnés à ses amants. Qu'est-ce que son mari a prodigué à celle qui, devenue ensuite adultère donne tout ce qu'elle a reçu à ses amants[2] ? Le mari de l'âme est le

---

2. « La prostituée qui accorde des cadeaux, c'est l'âme qui pour ses plaisirs se prostitue aux puissances impures et leur donne des cadeaux, leur procurant les dons qu'elle a reçus de Dieu, et met toutes ses forces au service de leurs volontés. » *Sel. in Éz., Cat., PG* 13, 731-732 (25).

bus suis ? Vir animae Sermo Dei est, sponsus amator verus, qui dedit ei castitatem, dedit iustitiam, dedit cetera bona. Quando ergo voluerit anima sequi fortitudines
30 contrarias, id est, ut planius dicam, decem annis pudice vivens ad extremum fuerit fornicata, accipit bona viri sui, quae multo tempore cum labore quaesierat, et dat ea amatoribus suis. Qui sanguinarii amatores rapiunt ad se virtutes miserae animae et incedunt iactabundi super
35 divitiis eius et dicunt : abstuli ei decennalem castitatem, eripui ab ea quinquennii iustitiam, vindicavi mihi fortitudines eius, oblitus est omnium bonorum eius Deus quae aliquando fecit, quoniam comprehensa est in peccato et oblitus est eius, quia confessa est nobis amica nostra
40 secreta quae audierat, et tradidit omnia bona nobis amatoribus suis. Quae discentes *omni custodia servemus cor nostrum*[c], et attendamus ne quando ea quae viri sunt tradantur amatoribus malis ; quin potius invitemus Sponsum sermonem et veritatem, ut nobis faciat ornamenta
45 aurea variis expressa signis per varia praecepta et ornati effecti praeparemur viro nostro Christo Iesu, *cui est gloria et imperium in saecula saeculorum Amen*[d].

c. Prov. 4, 23 // d. Cf. I Pierre 4, 11.

Verbe de Dieu, époux véritable amant[3], qui lui a donné la chasteté, donné la justice, donné tous les autres biens. Quand donc l'âme a voulu suivre les puissances contraires, à savoir, en termes plus clairs, après dix ans d'une vie chaste, elle finit par se prostituer, elle prend des biens de son mari qu'il s'était procurés à force de temps et de travail, et elle le donne à ses amants. Ces amants sanguinaires raflent pour eux les vertus de l'âme infortunée, ils se mettent en avant pour tirer vanité de ses richesses et disent : Je lui ai enlevé une chasteté de dix ans, dérobé une justice de cinq ans, j'ai réclamé pour moi mes forces, Dieu a oublié tous ses biens qu'il avait faits jadis, parce qu'elle est enfermée dans le péché, et il l'a oubliée, car, devenue notre amie, elle nous a confié tous les secrets qu'elle avait entendus, et elle a livré tous ses biens à nous ses amants. Apprenant cela, « en toute vigilance gardons notre cœur[c] », et veillons à ne jamais livrer aux mauvais amants les biens du mari ; bien plutôt prions l'époux Parole et Vérité, pour qu'il nous fasse des ornements d'or à diverses gravures grâce aux divers préceptes et que, dotés d'ornements nous nous préparions pour notre mari le Christ Jésus, « à qui sont la gloire et la puissance pour les siècles des siècles. Amen[d] ».

---

3. « L'époux et le mari de l'âme pure et chaste, c'est le Verbe de Dieu, le Christ Jésus, comme l'écrit l'Apôtre (*II Cor.* 11, 2-3...). » *In Num. hom.* 20, 2, *GCS* 7, p. 188, 4 s. ; *SC* 29, p. 395, et *Introd.*, p. 41 s. Cf. *In Gen. hom.* 10, 2, 20 s., *SC* 7 *bis*, p. 260 s. *In Lev. hom. 2*, 9 s., *SC* 286, p. 94 s.

HOMÉLIE IX

ABOMINATIONS, ORGUEIL
JUSTIFICATION RELATIVE
(*Éz.* 16, 45-52)

1. A propos des abominations de Jérusalem, le reproche sur les origines, de naître de la terre de Canaan, d'un père Amorrhéen, d'une mère Hittite, était adressé à une *seule* personne. Il l'est maintenant à plusieurs : votre mère, etc. C'est que le péché se communique. Multitude : le mal, les péchés, les hérésies : unité et union : la vertu ; l'une est à l'origine des maux, l'autre, des biens. La vertu fait de moi un fils d'Abraham, le frère du Christ ; les vices font de moi un fils du diable ; la malice acquiert et enfante pour moi de nombreux frères pécheurs. Une fois pécheresse, Jérusalem s'est trouvée entre ses deux sœurs, l'aînée Samarie, la cadette Sodome : le schisme et la séparation ont créé la première, à la sécession des dix tribus. Samarie, c'est la foi défectueuse, l'hérésie ; Sodome, la conduite défectueuse, le paganisme ; 2 : la faute de Sodome, c'est *l'orgueil* le principal péché du diable et la cause de sa chute. Il a pour motif, entre autres, la dignité humaine, voire la dignité ecclésiastique, à l'exemple du pharisien ; et le publicain est justifié par rapport à lui. (C'est *la justification relative*) : celle de Sodome et de Samarie, *en comparaison* de la pécheresse Jérusalem, celle qui peut être la mienne ; mais celle du véritable juste est faite en comparaison des justes, devant les saints ; 3 : Sodome a fait un péché, Samarie aussi a péché, Jérusalem s'est couverte d'abominations ; mais les péchés inférieurs sont justifiés par les péchés plus grands. Et comme l'injustice en ce sens justifie, ainsi la justice, comparée à une plus grande, condamne. Mais personne n'est juste en comparaison du *Christ*. Lune et astres, avant que le soleil soit levé, scintillent, et devant le soleil levé, se cachent ; ainsi la lumière de l'Église, comme la lumière de la lune, avant que se lève la véritable lumière du « Soleil de justice », resplendit devant les hommes, mais, quand viendra le Christ, devant lui s'assombrira ; ainsi de notre lumière et de nos vertus ; 4 : L'orgueil, péché de

Sodome, découle de l'abondance des biens, comme celui du riche dans l'Évangile, sans pitié pour le pauvre Lazare ; 3 : d'autres fautes, également : ne pas soutenir le pauvre, être gonflé de vaine gloire..., péché d'Égypte, de Babylone, etc. Et comme de l'abondance des biens, l'orgueil peut se nourrir de la conscience d'avoir de la science, des charismes, ou la pureté... Un discernement s'impose : exemple de Paul, de David.

HOMILIA IX.

1. Qui legit in principio prophetiae *Hierusalem* quomodo increpata sit quasi habens *radicem et generationem de terra Chanaan, patrem Amorrhaeum, matremque Chettaeam*[a], is, si legerit etiam haec quae nunc
5 interpretari nitimur, putabit eadem repeti et uum sermonem dupliciter praedicari. Sed qui diligens lector est et ad curam eius divinae Scripturae significantia pertinet et confert praeterita praesentibus et verbum verbo componit, videbit differentiam non fortuitam. Ibi quippe *radix*,
10 inquit, *tua et generatio tua de terra Chanaan,* quod in praesenti non dicitur, *pater tuus Amorrhaeus, et mater tua Chettaea* quod nunc non significatur. Et iterum ibi primum ponitur : *Pater tuus Amorrhaeus,* secundum : *Mater tua Chettaea,* hic vero *Mater vestra Chettaea et*
15 *pater vester Amorrhaeus*[b]. Ibi quasi ad unam sermo fit, hic quasi ad plurimas. Nec enim, ut superius dixerat, ait : *mater tua,* sed *mater vestra.* Quando ergo diffunditur peccatum et longius malitia procedit et peccatores sua inter se peccata discerpunt, tunc non peccator est unus,
20 verum in uno sunt plurimi, sicuti in exordio quando erat principium delinquendi, nondum erant tantae quantae nunc sunt multitudines. Unde utile mihi videtur a praesenti sermone paululum recedentem naturam considerare peccati atque virtutum.

---

1 a. Cf. Éz. 16, 3 // b. Cf. Éz. 16, 45

HOMÉLIE IX

Origines 1. A lire au début de la prophétie que Jérusalem est blâmée comme ayant « origine et naissance de la terre de Canaan, un père Amorrhéen et une mère Hittite[a] », puis à lire ce que nous tâchons d'interpréter ici, on pensera que sont répétées les mêmes choses, et qu'est deux fois dite une seule parole. Mais le lecteur attentif qui prend à cœur les valeurs expressives de la divine Écriture, rapporte le passé au présent et compare un terme à l'autre, verra une différence qui n'est pas fortuite. En effet, alors on dit : « Ton origine et ta naissance sont de la terre de Canaan », ce qui n'est pas dit à présent, « ton père était Amorrhéen, et ta mère Hittite », ce qu'on n'indique pas maintenant. Derechef là on présente d'abord : « Ton père était Amorrhéen », puis « ta mère était Hittite » ; mais ici : « Votre mère était Hittite, et votre père Amorrhéen[b]. » Là c'est comme à une personne que la Parole s'adresse, ici, comme à plusieurs. Car on ne dit pas, comme on avait dit plus haut : « ta mère », mais « votre mère ». Quand donc le péché se répand, la malice s'étend davantage, et les pécheurs se communiquent leurs péchés, alors il n'y a pas un seul pécheur, mais en un ils sont plusieurs ; tout comme au début, quand on commençait à pécher il n'y avait pas encore les multitudes qu'il y a maintenant. D'où il me semble utile, un peu en retrait de la parole présente, de considérer la nature du péché et des vertus.

25 Ubi peccata sunt[1], ibi est multitudo, ibi schismata, ibi haereses, ibi dissensiones ; ubi autem virtus, ibi singularitas, ibi unio, ex quo omnium credentium erat *cor unum et anima una*[c]. Et ut manifestius dicam, principium malorum omnium est multitudo, principium autem bono-
30 rum coangustatio et a turbis in singularitatem redactio ; ut puta nos omnes si salvandi sumus ad unionem, ut *perfecti efficiamur in eodem sensu et in eadem sententia*[d] et simus *unum corpus et unus spiritus*[e]. Si vero tales sumus, ut non nos unitas circumscribat, sed et de
35 nobis dici possit : *Ego quidem sum Pauli, ego vero Apollo, ego Cephae*[f], et adhuc a malitia scindimur atque dividimur, non sumus futuri ubi sunt illi qui rediguntur in unionem. Nam ut Pater et Filius unum sunt, sic, qui unum Spiritum habent in unionem coartantur ; ait quippe Sal-
40 vator : *Ego et Pater unum sumus*[g] et : *Pater sancte, sicut ego et tu unum sumus, ut et isti in nobis unum sint*[h], et in Apostolo legitur : *Donec occurramus omnes in virum perfectum et in mensuram aetatis plenitudinis in unitatem Christi ;* et rursum : *Donec perve-*
45 *niamus omnes in unitatem corporis et spiritus Christi*[i]. Ex quo significatur quia virtus ex plurimis unum faciat, et necesse nobis sit unum per eam fieri et fugere multitudinem. Et haec quidem dicta sint, quia in praeterita lectione conscriptum est : *Pater tuus et mater tua et*

---

c. Cf. Act. 4, 32 // d. Cf. I Cor. 1, 10 // e. Cf. Ephés. 4, 4 // f. I Cor. 1, 12 // g. Jn 10, 30 // h. Cf. Jn 17, 11.12 // i. Ephés. 4, 13

---

1. Autre thème origénien, l'opposition « le multiple, l'un ». La multiplicité caractérise le pécheur, et l'unité, le juste et même la communauté des justes. Voir le développement, à partir de l'esquisse amusante du pécheur hagard, *In I Sam. hom.* 1, 4, 8 s., *SC* 328, p. 104 s. ; cf. *supra, hom.* 4, 6. « Si quelqu'un est serviteur de Dieu seul, il ne peut être dit commun... Celui qui est saint est à Dieu seul, sans partage avec personne. Au contraire, celui qui est pécheur et impur appartient à beaucoup. Car beaucoup de démons le possèdent, et c'est pourquoi on

Multitude
Unité

Où sont les péchés, là est la multitude[1], là sont les schismes, là les hérésies, là les dissensions ; mais où est la vertu, là est l'unité, là l'union, moyennant quoi de tous les croyants il y avait « un cœur et une âme[c] ». Pour le dire en plus clair, l'origine de tous les maux est la multitude, mais l'origine des biens est de se retirer des foules et de se confiner dans une vie solitaire : comme par exemple nous tous, si nous devons être sauvés, dans l'union, « pour devenir parfaits dans la même pensée et le même avis[d] », et « être un seul corps et un seul esprit[e] ». Mais si nous sommes tels que l'unité ne nous encercle pas, mais qu'on puisse dire de nous aussi : « Moi, je suis de Paul, et moi, d'Apollos, moi, de Caphas[f] », et qu'en outre nous soyons divisés et séparés par la malice, nous ne sommes pas destinés à être là où sont ceux qui sont ramenés à l'union. En effet, comme le Père et le Fils sont un, ainsi sont réduits à l'union ceux qui ont un seul Esprit. Car le Sauveur déclare : « Moi et le Père, nous sommes un[g] » ; et : « Père saint, comme moi et toi nous sommes un, que ceux-là aussi soient un en nous[h]. » Et on lit chez l'Apôtre : « Jusqu'à tous parvenir à l'état d'homme parfait, et à la mesure de la plénitude de l'âge dans l'unité du Christ », et encore : « jusqu'à tous parvenir à l'unité du corps et de l'esprit du Christ[i] ». C'est signifier que de plusieurs la vertu fait un, et qu'il nous est nécessaire de devenir un par elle et de fuir la multitude. Cela soit dit parce que dans le texte lu précédemment il est écrit :

---

l'appelle commun (cf. *Mc* 5, 9). » *In Lev. hom.* 5, 112, 120 s., *SC* 286, p. 264 s. — A l'image et à l'instigation du diable « homicide, menteur et père du mensonge (*Jn* 8, 44 s.), révolté, on peut dire que le péché est causé par une triple rupture : de l'unité des hommes entre eux, à l'intérieur de chaque personne, avec Dieu trinitaire, modèle et promoteur d'unité. Sur ce thème scripturaire et traditionnel, cf. H. DE LUBAC, *Catholicisme*, 7e éd. Paris 1983, p. 10-24.

50 *radix generationis tuae*[j], in praesenti vero : *Mater vestra et pater vester*[k].

Ibi non didicimus, licet fuerit sermo de patre Amorrhaeo et matre Chettaea, sorores habere Hierusalem ; hic vero addidit *mater* inquiens *vestra Chettaea et pater*
55 *vester Amorrhaeus, et soror vestra senior Samaria, haec et filiae eius, quae habitat a sinistris tuis, et soror tua iunior, quae habitat a dextris tuis, Sodoma*[l]. Quomodo virtus facit me filium Abraham, si secundum eam vixero — *opera* quippe *Abraham faciens filius est*
60 *Abraham*[m] —, sic vitia faciunt me filium diaboli ; *Omnis* enim *qui facit peccatum ex diabolo natus est*[n]. Virtus me facit etiam fratrem habere Christum, ut cum bonus ac bene moratus fuero, dicat Patri suo : *Narrabo nomen tuum fratribus meis, in media Ecclesia cantabo te*[o]. Et
65 loquitur ad eam quae nuntiare poterat verba eius : *Vade, et dic fratribus meis*[p]. Quomodo autem virtus fratrem mihi facit Dominum Iesum, ita malitia plurimos *fratres* acquirit et hos peccatores, et haec ipsa tunc mihi *fratres* generat cum creverit.
70 Siquidem quando exordium erat peccatricis *Hierusalem*, necdum habebat *sororem Samariam*, necdum ei erat *germana Sodoma* ; cum vero processit in scelere, ut praeteritus sermo monstravit, effecta est media duarum *sororum, senioris Samariae et iunioris Sodomae*.

j. Cf. Éz. 16, 3 // k. Cf. Éz. 16, 45 // l. Cf. Éz. 16, 45.46 // m. Cf. Jn 8, 39 // n. I Jn 3, 8 // o. Ps. 21, 23 // p. Cf. Jn. 20, 17

2. Trois sœurs pécheresses. La variété et la hiérarchie des sens de l'Écriture commentée par Origène sont connues. Ici, on le verra passer de l'un à l'autre : du thème *littéraire*, portrait de la jeune fille et parabole des aigles, au thème *historique* des personnages et des événements contemporains, puis au thème *spirituel*, au-delà de la lettre et de l'histoire, des réalités religieuses qu'elles figurent. Trois sœurs cou-

« Ton père et ta mère, et l'origine de ta naissance[j] », et au texte présent : « Votre père et votre mère[k] ».

Les sœurs de Jérusalem Là, nous n'avons pas appris, bien qu'il fût question du père Amorrhéen et de la mère Hittite, que Jérusalem ait des sœurs[2]. Mais ici on ajoute : « Votre mère Hittite, votre père Amorrhéen, votre sœur aînée Samarie, elle qui avec ses filles habite à ta gauche, et ta sœur cadette qui habite à ta droite, Sodome[l]. » De même que la vertu fait de moi un fils d'Abraham, si je vis selon elle — « quand on fait les œuvres d'Abraham on est fils d'Abraham[m] —, de même les vices font de moi un fils du diable : « Quiconque fait le péché est né du diable[n]. » La vertu fait même que j'ai le Christ pour frère, au point que, lorsque je serai bon et de mœurs bien réglées, il dise à son Père : « J'annoncerai ton nom à mes frères, au milieu de l'Église[3] je te chanterai[o]. » Et il est dit à celle qui pouvait annoncer ses paroles : « Va dire à mes frères[p]. » Et comme la vertu fait pour moi un frère du Seigneur Jésus, ainsi la malice acquiert de nombreux frères et ceux-ci pécheurs, et elle-même enfante pour moi des frères quand elle grandit.

Alors que Jérusalem était à ses débuts de pécheresse, elle n'avait pas encore pour « sœur Samarie », et « Sodome » n'était pas encore « sa sœur germaine » ; mais quand elle a progressé dans le crime, comme l'homélie précédente l'a montré, elle s'est trouvée au milieu de ses deux « sœurs, l'aînée Samarie et la cadette Sodome ».

---

pables : Jérusalem, Samarie, Sodome figurent par leur conduite l'Église pécheresse, l'hérésie, le paganisme. Voir les deux dernières notes complémentaires.

3. Extrait du psaume sur le juste souffrant, la parole qui en commence la seconde partie, l'action de grâce, est mise sur les lèvres du Christ par *Héb.* 2, 12... L'assemblée était pour le psalmiste la communauté d'Israël ; Origène songe à l'Église.

75 Quae sunt istae duae *sorores* peccatricis *Hierusalem* ? Schisma et separatio populi fecerunt Samariam. Siquidem eo tempore, cum decem tribus cesserunt, dicentes : *Non est nobis pars in David nec sors in filio Iesse*[q], tunc *duae vaccae aureae*[r] constitutae sunt a Ieroboam et facta 80 est Samaria scissio ; quae magis post captivitatem decem tribuum crevit, quando custodes ab Assyriis ad Istrahelis terram missi sunt, qui vocantur Samaritani ; somer enim custos interpretatur lingua Hebraeorum[s]. Ergo, ut dicere coeperam, necdum soror mea est Samaria quamdiu a 85 peccatis longe sum ; quando autem peccavero, crescunt mihi duae sorores, senior Samaria et iunior Sodoma. Quae cuius figuram habeant, consideremus. Quicumque promittunt verba divina et non, sicut pollicentur, habent in se praedicationis veritatem, hi in Scripturis figuraliter 90 Samaria nominantur. *Vae* inquit *spernentibus Sion et fidentibus in monte Samariae ; vindemiasti principatus gentium*[t]. Quasi dixerit : Vae his qui spernunt Ecclesiam et confidunt super arrogantia et verbis tumentibus haereticorum ! Hoc est enim spernere Sion et confidere in 95 monte Samariae. Si ergo peccamus et nos ecclesiastici, non sunt a nobis alieni haeretici in dogmatum pravitate. Male enim credit quicumque peccat. Si conversationem malam habemus, Sodoma soror nostra est ; gentiles quippe sunt Sodoma. Atque ita fratres sumus haeretico- 100 rum atque gentilium, quando delinquimus, quia Samaria accipitur in haeresi et Sodoma in gentilitate. *Habitat* autem *a sinistris* peccatricis *Hierusalem Samaria, a dextris Sodoma*[u]. Honorabilius quippe apud eam peccatum est quod facto committitur, et ideo a dextris eius

---

q. Cf. III Rois 12, 16 // r. Cf. III Rois 12, 28 // s. Cf. Jér. 4, 16.17 // t. Amos 6, 1 // u. Cf. Éz. 16, 46

---

4. « Sommer », cf. WUTZ, 62.

Quelles sont ces deux sœurs de la pécheresse Jérusalem ? Le schisme et la séparation du peuple ont créé Samarie. Car au temps où les dix tribus se retirèrent, disant : « Nous n'avons point de part avec David, ni d'héritage avec le fils de Jessé[q] », alors « deux veaux en or[r] » furent fabriqués par Jéroboam, et Samarie devint un schisme ; elle grandit davantage après la captivité des dix tribus, quand furent envoyés par les Assyriens à la terre d'Israël des gardiens qu'on appelle Samaritains ; car « somer[4] » veut dire gardien dans la langue des Hébreux[s]. Donc, comme j'avais commencé à dire, Samarie n'est pas encore ma sœur tant que je suis loin des péchés ; mais quand je pèche, grandissent pour moi deux sœurs, l'aînée Samarie et la cadette Sodome. Qui figurent-telles, examinons-le. Tous ceux qui promettent des paroles divines et n'ont pas en eux, comme ils le promettent, la vérité de la prédication, au sens figuré sont nommés Samarie dans les Écritures. « Malheur à ceux qui méprisent Sion, et sont confiants sur la montagne de Samarie ; tu as vendangé les notables des nations[t]. » Comme s'il avait dit : Malheur à ceux qui méprisent l'Église, et se confient à l'arrogance et aux paroles ampoulées des hérétiques ! C'est là mépriser Sion et avoir confiance dans la montagne de Samarie. Si donc nous péchons, nous aussi, gens d'Église, ne nous sont point étrangers les hérétiques dans la perversion de leurs doctrines. En effet, quiconque pèche a une foi défectueuse. Si nous avons une conduite mauvaise, Sodome est notre sœur : car les païens sont Sodome. Ainsi sommes-nous les frères des hérétiques et des païens quand nous commettons des fautes, car Samarie est prise au sens d'hérésie, et Sodome à celui de paganisme. Mais « Samarie habite à gauche de » la pécheresse « Jérusalem, et Sodome à droite[u]. » Car chez elle est moins déshonorant le péché qui est commis en fait, et c'est pourquoi Sodome est à sa

Sodoma est. Rursumque nec Samaria longe est, quia a sinistris eius commoratur, et increpatur quia *ambulaverit cum filiabus suis et sororibus in omnibus iniquitatibus* et in tantum ambulaverit ut comparatio delictorum eius illarum *iniquitates fecerit iustitiam*[v]. Unde oportet agnoscere iniquitates Sodomorum, ut edoctus custodiam me ab iis, nec capiar ignoratione quae sunt iniquitates Sodomorum.

2. *Verumtamen iniquitas Sodomae sororis tuae.* Quae iniquitas ? *Superbia ; in saturitate panum et in abundantia affluebant ipsa et filiae eius ; et manum pauperis et indigentis non suscipiebant*[a]. Quia inaequalia sint peccata, Scripturis docentibus nulli dubium est. Alia quippe magna, alia minora ab his esse dicuntur. Cum autem sint inaequalia, hoc est parva vel maxima, forsitan aliquis inquirat quod inter universa peccata sit maius, et proclive suscipitur omnium peccatorum esse maius sive fornicationem sive immunditiam sive quodcumque libidinis inquinamentum. Sunt quidem et ista vere abominabilia atque polluta, sed non talia quale hoc quod nunc a Scriptura quasi maius omnium condemnatur, a quo nos observare debemus.

---

v. Cf. Éz. 16, 47.51.
2 a. Éz. 16, 49

---

1. L'orgueil est le premier des péchés. Le prédicateur compare à la cadette des filles de Lot la vaine gloire, mais à l'aînée, l'orgueil, *In Gen. hom.* 5, 6, 12 s., *SC* 7 *bis*, p. 180 s. Dans des listes de six, il l'énumère à la troisième place, *In Ex. hom.* 8, 5, 20 s., *SC* 321, p. 262 s., ou à la sixième *In Jos. hom.* 12, 3, *SC* 71, p. 300 s. A la lecture d'Ézéchiel, il explicite : « Pour qui observe dans l'Écriture la différence des péchés petits et grands, le sommet du vice est l'orgueil, la passion du prince du mal. » *Sel. in Éz.* 16, 48, *RG* 13, 813 A. C'est la faute de Sodome, de Samarie, de Jérusalem, « le plus grand des péchés, le principal péché du diable », manifeste dans sa prétention d'égaler Dieu (cf. *Is.* 10, 13, cité

droite. Et en revanche Samarie n'est pas loin parce qu'elle habite à sa gauche, et elle est blâmée pour « avoir marché avec ses filles et ses sœurs dans toutes les abominations », et marché au point que la comparaison de ses fautes « fait paraître justes leurs abominations[v] »... D'où le devoir de connaître les abominations de Sodome, afin, une fois instruit, de me garder d'elles, et de n'être pas dupé par l'ignorance de ce que sont les abominations de Sodome.

L'orgueil

2. « Voici la faute de ta sœur Sodome. » Quelle faute ? « L'orgueil ; elle et ses filles étaient pourvues de pain en abondance et à satiété ; et elles ne soutenaient pas la main du pauvre et de l'indigent[a]. » Que les péchés soient inégaux, vu l'enseignement des Écritures, n'est douteux pour personne.[1] Car ils sont dits par elles, les uns grands, les autres moindres. Or comme ils sont inégaux, à savoir petits ou très grands, peut-être demandera-t-on quel est parmi tous les péchés, le plus grand, et admettra-t-on facilement que plus grand que tous les péchés est soit la fornication, soit l'impureté, soit n'importe quelle souillure du plaisir. Certes, ceux-là sont vraiment abominables et infects, mais non pas tels que celui qui est condamné ici par l'Écriture comme plus grand que tous, dont nous devons nous garder.

---

au § 2, 30, voir la note suivante). Il a pour motif surtout la complaisance en soi, en ses qualités, ses biens, son pouvoir ; des modèles dans l'Écriture le montrent : le pharisien, le riche. Tous y sont exposés, y compris les dignitaires ecclésiastiques ; d'illustres exemples nous mettent en garde : David, Paul. On notera, à notre passage, les deux citations de *Sir.* 10, 9, tirées d'un passage (6-10) dont l'idée générale est que l'orgueil, « odieux au Seigneur et aux hommes », prétention des grands ridicule et vaine, « est le commencement de tout péché » ; il est rudement châtié dans ceux qui s'y adonnent et les œuvres qu'il inspire. Cf. I. HAUSHERR, « L'origine de la théorie orientale des huit péchés capitaux », dans « *Études de spiritualité orientale* », *OCA* 383, Rome 1969, p. 15-16.

15 Quod ergo peccatum maius omnibus peccatis ? Utique illud propter quod et diabolus corruit. Quod est hoc peccatum in quo tanta sublimitas cecidit, ut *elatus in iudicium incidat diaboli*[b], ait Apostolus ? Inflatio, superbia, arrogantia peccatum diaboli est, ob haec delicta
20 ad terras migravit de caelo ; unde *Deus superbis resistit, humilibus autem dat gratiam*[c]. Et *quid superbit terra et cinis,* ut homo arrogantia sublevetur oblitus quid erit et quam fragili vasculo contineatur et quibus stercoribus immersus sit et qualia semper purgamenta de
25 sua carne proiciat ? Quid enim ait Scriptura ? *Quid superbit terra et cinis* ? et : *In vita eius proiecit interanea eius*[d]. Superbia peccatis omnibus maior est, et ipsius diaboli principale peccatum. Si quando Scriptura diaboli peccata describit, invenies ea de superbiae fonte manan-
30 tia ; ait quippe : *Viribus faciam, et sapientia intellectus auferam fines gentium, et fortitudines eorum depascar ; et commovebo civitates quae inhabitantur, et orbem terrarum universum comprehendam ut nidum, et quasi confracta ova auferam*[e]. Vide sermones
35 eius quomodo superbi sint, quomodo arrogantes, et universa pro nihilo ducat. Tales sunt omnes iactatione et superbia inflati. Materia superbiae divitiae, dignitas, gloria saecularis.

Frequenter causa superbiae est ei qui ignorat habere
40 ecclesiasticam dignitatem, sacerdotalis ordo et leviticus gradus. Quanti presbyteri constituti obliti sunt humilitatis ! Quasi idcirco fuerint ordinati ut humiles esse desiste-

---

b. I Tim. 3, 6 // c. Jac. 4, 6 // d. Sir. 10, 9 // e. Is. 10, 13.14

---

2. « Comment apprendra-t-on que le diable est orgueilleux et superbe ? C'est lui qui a dit : ' Par ma vigueur j'agirai, et par la sagesse de mon intelligence je déplacerai les frontières des peuples... (*Is.* 10, 13 ; cf.

Quel est donc le péché plus grand que tous les péchés ? A coup sûr, celui à cause duquel même le diable est tombé. Quel est ce péché par lequel une telle grandeur s'écroula au point que, dit l'Apôtre, « gonflé d'orgueil, il tombe dans la condamnation du diable[b] ». Enflure, orgueil, arrogance sont péché du diable, et à cause de ces fautes il quitta le ciel pour la terre. Donc « Dieu s'oppose aux orgueilleux, mais aux humbles donne la grâce[c] ». Et « pourquoi s'enorgueillit ce qui est terre et cendre », au point que l'homme se soulève d'arrogance oubliant ce qu'il sera, dans quel vase fragile il est contenu, dans quelles ordures il est plongé, quels excréments il ne cesse de projeter de sa chair ? En effet, que dit l'Écriture ? « Pourquoi s'enorgueillit ce qui est terre et cendre ? » Et « De son vivant il a rejeté ses entrailles[d]. » L'orgueil est plus grand que tous les péchés, et le principal péché du diable même. S'il arrive que l'Écriture mentionne les péchés du diable, on trouvera qu'ils découlent de la source de l'orgueil[2] ; car il dit : « Par ma vigueur j'agirai, par la sagesse de mon intelligence je déplacerai les frontières des peuples et je pillerai leur trésor ; j'ébranlerai les villes habitées ; je saisirai tout le globe de la terre comme un nid, je les enlèverai comme des œufs cassés[e]. » Tu vois combien ses paroles sont orgueilleuses, combien arrogantes, et qu'il tient toutes choses pour rien. Tels sont tous les gens gonflés de jactance et d'orgueil. Richesses, dignité, gloire séculière sont les motifs de l'orgueil.

Souvent la cause de l'orgueil, pour qui ignore avoir une dignité ecclésiastique, est l'ordre sacerdotal et le rang de lévite. Combien, institués prêtres, oublient l'humilité ! C'est comme s'ils avaient été ordonnés pour cesser d'être

14, 13 s.) '. Et tu demandes encore s'il est orgueilleux et superbe ? » *In Num. hom.* 12, 4, *GCS* 7, p. 105, 3 s. ; *SC* 29, p. 254 s. En effet, les limites avaient été fixées par Dieu, *Deut.* 32, 8 ; *Act.* 17, 26.

rent. Quin potius humilitatem sequi debuerant, quia dignitatem fuerant consecuti dicente Scriptura : *Quanto*
45 *magnus fueris, tanto humilia te ipsum*[f]. Et delectum synagoga te facit : humilius summitte caput tuum ; ducem te constituerunt : noli elevari, fiere in iis quasi unus ex ipsis. Oportet humilem, oportet esse deiectum, oportet fugere superbiam malorum omnium caput. Considera
50 Evangelium, quali condemnatione Pharisaei superbia et iactatio feriatur. *Stabat Pharisaeus et talia intra se orabat : Deus, gratias ago tibi quia non sum ut ceteri homines, raptores, iniqui, adulteri, et ut iste publicanus ; ieiuno bis in sabbato*[g]. At vero *publicanus*
55 humiliter et mansuete *longius stans, non erat ausus neque oculos levare, et dicebat : Propitius esto, Deus, peccatori mihi*[h]. Et *descendit in domum suam publicanus iustificatus*[i], non simpliciter iustificatus, sed iustificatus comparatione Pharisaei.

60 Observandus quippe est diligentissime omnis Scripturae sermo, ordo, iunctura. Aliud est iustificari, aliud ex alio iustificari. Simile est publicanum a Pharisaeo iustificatum fuisse illi quod Sodoma et Samaria ex comparatione peccatricis Hierusalem[j] iustificatae sunt. Et necesse
65 est nos id scire quia unusquisque nostrum in die iudicii ab alio iustificetur et ab alio condemnetur. Etiam cum fuerimus iustificati ex alio, iustitia illa non tam laudis quam criminis loco ponitur. Ut puta si inventus fuero sodomitica habere peccata, et alius protrahatur in medium qui
70 duplicia scelera commiserit, iustificor quidem, sed iustificor non ut iustus, verum ut ex comparatione eius qui plura commisit iudicor iustus, cum a iustitia longe sim.

---

f. Sir. 3, 18 // g. Lc 18, 11.12 // h. Lc 18, 12.13 // i. Cf. Lc 18, 14 // j. Cf. Éz. 16, 51

---

3. « Tels doivent être les chefs des peuples : non seulement sans orgueil, mais haïssant l'orgueil. » *In Ex. hom.* 11, 6, 5 s., *SC* 321, p. 342 s.

humbles. Bien plutôt auraient-ils dû suivre l'humilité[3], parce qu'ils avaient obtenu une dignité, au dire de l'Écriture : « Plus tu es grand, plus fais-toi humble[f]. » L'assemblée te choisit, plus humblement baisse la tête ; ils t'ont établi chef, ne t'élève pas, sois parmi eux comme l'un d'eux. C'est un devoir d'être humble, un devoir d'être humilié, un devoir de fuir l'orgueil, la source de tous les maux. Considère l'Évangile : de quelle condamnation sont frappés l'orgueil et la jactance du pharisien : « Debout, le pharisien priait ainsi en lui-même : Dieu, je te rends grâce de ce que je ne suis pas comme le reste des hommes ; rapaces, injustes, adultères, et comme ce publicain : je jeûne deux fois la semaine[g]. » Au contraire, avec humilité et douceur « le publicain se tenait à distance, n'osait même pas lever les yeux, et disait : Dieu, aie pitié du pécheur que je suis[h]. » Et « le publicain descendit chez lui justifié[i] », non justifié simplement, mais justifié en comparaison du pharisien.

Car on doit observer avec le plus grand soin toute parole, suite, liaison de l'Écriture. Autre chose est d'être justifié, autre chose de l'être par rapport à un autre. Que le publicain fut justifié par rapport au pharisien ressemble à ce fait que Sodome et Samarie furent justifiées en comparaison de la pécheresse Jérusalem[j]. Il nous est indispensable qu'au jour du jugement chacun de nous sera justifié par rapport à un autre et condamné par rapport à un autre. Même quand nous serons justifiés par rapport à un autre, cette justification est mise au rang moins de la louange que de l'accusation. Comme par exemple, si je suis trouvé coupable de péchés de Sodome, et qu'un autre soit révélé au grand jour comme l'auteur du double de fautes, je suis bien justifié, mais je ne suis pas justifié comme juste : c'est en comparaison de celui qui en a commis davantage que je suis jugé juste, bien que je sois

Vae illi homini qui a multis peccatoribus iustificatur, ut e contrario multum beatus qui comparatione iustorum ius- 75 tus ostenditur. Invenimus in Scripturae laudibus positum bonis esse meliorem, ut puta nullus sic fecit rectum ante faciem Domini ut ille et ille, *nullus sic pascha celebravit ut Iosias*[k]. Ex quo ostenditur comparationem fieri iustorum et illum vere esse iustum qui sic iustificari mereatur. 80 Utinam et ego collatus sapientibus sapiens reperiar et iustis iudicer iustus ! Nolo quippe iustificari ab iniquis, quia talis iustitia criminosa est.

3. Haec anticipans locutus sum, quia in his quae lecta sunt dicitur : *Iustificasti sorores tuas in omnibus iniquitatibus tuis quas fecisti*[a]. Iustificatae sunt enim Samaria et Sodoma ex iniquitatibus Hierusalem. *In om-* 5 *nibus iniquitatibus tuis quas fecisti iustificasti illas super te*[b]. Idcirco diligentius attendamus, ut possimus agnoscere omnes nos in die iudicii a peioribus nostris iustificandos et rursum a nobis alios iustificari. Unus solus est qui iustificatur ab omnibus et ipse nullum iustifi- 10 cat. Ut puta, Sodoma iustificatur ab Hierusalem, quia ab se sceleratiora commisit, et forte Hierusalem ab alia aliqua quae se peior est civitate. Sic est quidam iustificandus ab Antichristo qui ad illum comparatur et illius iniquitate ac sceleribus minor repperitur ; pessimus vero 15 daemon est et, ut aiunt, miser qui ab illo iustificatur. Forte et pater illius ab eo non iustificetur multo illo

k. Cf. II Chr. 34, 2 (35, 18).
3 a. Éz. 16, 51 // b. Cf. Éz. 16, 51.52

1. « C'est-à-dire : tu les as fait paraître justes par comparaison avec toi, cf. v. 52 ; *Jér.* 3, 11 ; 23, 13 s. » OSTY.

loin de la justice. Malheur à cet homme-là qui est justifié du fait de nombreux pécheurs, comme inversement très heureux celui qui se manifeste juste en comparaison des justes. On le trouve dans les louanges de l'Écriture présenté comme meilleur que les bons, par exemple : nul n'a fait le bien devant la face du Seigneur comme tel et tel, « nul n'a célébré la Pâque comme Josias[k] ». Par où on montre qu'est faite une comparaison de justes, et qu'est vraiment juste celui qui mérite d'être justifié de la sorte. Plaise au ciel que moi aussi, comparé aux sages et aux justes, je sois trouvé sage, jugé juste ! Car je ne veux pas être justifié en comparaison des injustes, parce qu'une telle justice est digne de reproche.

Abominations

3. C'est par anticipation que j'ai dit cela, car dans ce qu'on a lu, il est écrit : « Tu as justifié[1] tes sœurs par toutes les abominations que tu as commises[a]. » En effet Samarie et Sodome furent justifiées du fait des abominations de Jérusalem. « Par toutes les abominations que tu as commises tu les as rendues plus justes que toi[b]. » Aussi, prêtons une attention plus précise, afin de pouvoir connaître que nous devons tous être jugés au jour du jugement par les moins bons que nous, et inversement d'autres être jugés par nous. C'est un seul qui est justifié par tous, et lui ne justifie personne. Comme par exemple, Sodome est justifiée par Jérusalem, parce que celle-ci a commis des actes plus criminels qu'elle, et peut-être Jérusalem est-elle justifiée par quelque autre cité, pire qu'elle. Ainsi y a-t-il quelqu'un qui doit être justifié par l'Antéchrist qui est comparé à lui, et est trouvé inférieur à lui en injustice et en crimes ; mais c'est le pire démon et, comme on dit, malheureux qui est justifié par lui. Peut-être son père aussi ne serait-il pas justifié par lui, trouvé bien plus

sceleratior repertus. Dominus vero meus Iesus Christus iustificatur iuxta dispensationem carnis quam ob nostram salutem circumtulit, ab Abraham, ab Isaac, ab Iacob et a reliquis prophetis. Quando enim omnibus iustis et prophetis ac beatis quibusque in comparationem missis invenitur contrarium huic quod dicitur de Sodoma et Hierusalem, magis glorifico Salvatorem nostrum. Quod autem dico istiusmodi est, et Deo largiente orantibus vobis praebebo de Scripturis explanationem.

Fecit Sodoma peccatum, Samaria quoque peccavit, iniquitatibus obruta est Hierusalem, sed minora peccata a maioribus iustificantur sub exemplo quo Sodoma iustificatur a sorore sua Hierusalem. Quomodo igitur iniquitas iustificat, sic condemnat aliquando iustitia. Verum, quaeso, exspecta paulisper, donec docearis, quemadmodum dicatur condemnare iustitia. Iniquitas mea iustitia est comparatione maioris iniquitatis. Sic et iustitia mea ex comparatione multiplicis iustitiae iniquitas reputatur. Propterea *non iustificabitur in conspectu tuo omnis vivens*[c]. Fuerit licet iustus Abraham, iustus Moyses, iustus unusquisque illustrium virorum, sed ad comparationem Christi non sunt iusti ; lux eorum cum eius luce composita tenebrae repperiuntur. Et quomodo lumen lucernae ad solis radios obscuratur et velut alia quaedam caeca materies contenebrescit, sic, licet fulgeat iustorum omnium lumen ante homines, non tamen fulget ante Christum. *Luceat* quippe *lumen vestrum* non simpliciter dictum est, sed *luceat ante homines*[d]. Ante Christum non potest lumen fulgere iustorum. Ut splendor lunae et

c. Ps. 142, 2 // d. Matth. 5, 16

2. « Nul vivant ne sera justifié devant le Seigneur ; mais il le sera

criminel que lui. Mais mon Seigneur Jésus-Christ est justifié selon l'économie de la chair qu'il a revêtue pour notre salut, par Abraham, par Isaac, par Jacob, et par le reste des prophètes. En effet quand, tous les justes et prophètes et tous les bienheureux mis en comparaison, on trouve le contraire de ce qui est dit de Sodome et de Jérusalem, je glorifie davantage notre Sauveur. Ce que je dis va dans ce sens, et Dieu l'accordant à vos prières, je présenterai une explication par les Écritures.

Sodome a fait un péché, Samarie aussi a péché, Jérusalem s'est couverte d'abominations ; mais les péchés inférieurs sont justifiés par les péchés plus grands, d'après l'exemple où Sodome est justifiée par sa sœur Jérusalem. Donc, de même que l'injustice justifie, ainsi parfois la justice condamne. Mais, je t'en prie, attends un peu, pendant qu'on t'instruit, de voir dans quel sens on dit que la justice condamne. Mon injustice est justice en comparaison d'une plus grande injustice. De même aussi ma justice, en comparaison d'une justice bien plus grande est regardée comme injustice. C'est pourquoi « nul vivant[2] ne sera juste devant toi[c] ». Bien qu'aient été juste Abraham, juste Moïse, juste chacun de ces hommes illustres, en comparaison du Christ ils ne sont pas justes ; leur lumière rapprochée de sa lumière est jugée ténèbres. Et de même que la lumière d'une lampe s'enténèbre devant les rayons du soleil, et s'assombrit comme une autre matière obscure, ainsi, bien que la lumière de tous les justes brille devant les hommes, néanmoins elle ne brille pas devant le Christ. Car il n'est pas dit sans plus : « Que votre lumière brille », mais qu'elle « brille devant les hommes[d] ». Devant le Christ ne peut briller la lumière des justes. Comme l'éclat de la lumière de la lune et les astres brillants du

---

parfois devant les hommes, non seulement les injustes, mais même les autres justes. » *Sel. in Ps.* 142, *PG* 12, 1668 C.

micantia caeli sidera, priusquam sol oriatur, in stationibus suis rutilant, orto vero sole absconduntur, sic lumen Ecclesiae, ut lumen lunae, priusquam oriatur lumen illud verum *Solis iustitiae*[e], resplendet et clarum est ante
50 homines, cum autem Christus venerit, ante eum contenebrescet. Dicitur et alibi : *Lux in tenebris lucet*[f]. Quae est illa lux quae lucet in tenebris ? Iustorum lux in tenebris lucet. In quibus tenebris ? Ubi *est nobis certamen adversus rectores tenebrarum istarum*[g]. Haec qui diligentius
55 longiusque discusserit, non poterit inflari videns lumen suum ad comparationem maioris luminis tenebras reputari. Quid est iustitia mea, etiamsi Paulus Apostolus fiam, quid castitas, etiamsi Ioseph, quid fortitudo, etiamsi Iudas Macchabaeus exsistam, quid alia virtus sapientiae,
60 etiamsi Solomon appaream, ad comparationem Dei [ad eorum, qui meliores sunt] ? Ergo, ut dicere coeperamus, iniquitas iustificat et iustitia aliorum comparatione condemnat.

Idcirco *ut iustificeris sermonibus tuis, et vincas*
65 *cum iudicaris*[h] dicitur ad Deum. Si me salvare vult Deus, non affert in iudicium lumen suum ; si vult esse incolumem, non defert lumen Christi sui — alioquin puniet me —, defert vero lumen minorum, comparat mihi inferiores quosque. Quanto amplius maiores mihi melioresque

e. Cf. Mal. 4, 2 // f. Jn 1, 5 // g. Cf. Ephés. 6, 12 // h. Ps. 50, 6

3. Le récit du quatrième jour de la création (*Gen.* 1, 14), et le contexte inspire à Origène un exposé des thèmes conjoints : du Christ et de l'Église, grands luminaires, et du croyant, étoile et fils de lumière ; le mystère du Christ total : sa personne, l'Église et nous. *In Gen. hom.* 1, 5-7, *SC* 7 *bis*, p. 38-45... A l'ordre du monde se rattache celui du culte : à la nouvelle lune cosmique, le rite de la Néoménie. Le spectacle et la fête symbolisent. La position sidérale respective et la relation fonctionnelle offrent une figure à transposer du monde de la nature à l'ordre de

ciel, avant que le soleil se lève, scintillent dans leurs positions, mais, le soleil une fois levé, se cachent, ainsi la lumière de l'Église, comme la lumière de la lune[3], avant que se lève cette véritable lumière « du soleil de justice[e] » est éclatante et resplendit devant les hommes, mais quand viendra le Christ, devant lui elle s'assombrira. Il est dit encore ailleurs : « La lumière brille dans les ténèbres[f]. » Quelle est cette lumière qui brille dans les ténèbres ? La lumière des justes brille dans les ténèbres. Dans quelles ténèbres ? Là où « notre combat est contre les régisseurs de ces ténèbres[g] ». Qui examinera ce point avec plus d'attention et de temps ne pourra s'enorgueillir en voyant que sa lumière en comparaison d'une lumière plus grande est regardée comme ténèbres. Qu'est ma justice, même si je deviens l'apôtre Paul, qu'est ma chasteté, même si je suis Joseph, qu'est mon courage, même si je suis Judas Maccabée, qu'est une autre vertu de sagesse, même si je parais être Salomon, en comparaison de Dieu ? Bref, comme on avait commencé à le dire, l'injustice justifie, la justice en comparaison des autres condamne.

C'est pourquoi il est dit à Dieu : « Afin que tu sois justifié dans tes paroles, que tu triomphes quand on te jugera[h]. » Si Dieu veut me sauver, il n'apporte pas au jugement sa lumière ; s'il veut être sans reproche, il ne projette pas la lumière de son Christ — sinon il me punirait —, mais il projette la lumière des inférieurs, il compare à moi tous les inférieurs. Plus il rapprochera de

---

'histoire et du mystère, *In Num. hom.* 23, 5, *SC* 29, p. 446 s... Le symbolisme lunaire était abordé antérieurement aux Homélies. « Le Sauveur... demeure de génération en génération avec le Soleil intelligible en présence de l'Église d'une éclatante beauté, appelée au sens figuré, la une. » *In Jo.* 6, 55, 287, *SC* 157, p. 346 s. ; voir la note 2 de la traductrice. l fut gardé dans la Tradition ; voir une esquisse de son développement lans H. DE LUBAC, *Paradoxe et Mystère de l'Église*, Aubier 1967, . 36-38, et les notes.

70 contulerit, tanto plus iustus ero, si illi a me reperti fuerint minores. Similiter est illud intelligere quod ab Apostolo dicitur : *Alia gloria solis, alia gloria lunae, alia gloria stellarum ; stella enim a stella differt in claritate ; sic et resurrectio mortuorum*[i]. Verbi gratia, fulgens *illud* et
75 illud sidus non in conspectu lucidioris stellae sed obscurioris micat. Quis nostrum potest ad instar fulgere lunae, quis lucidiorum siderum coruscare lumine, secundum id quod scriptum est in Daniel : *Fulgebunt sicut stellae in saecula*[j].

4. Et haec quidem necessario disputavimus, ut procul a superbia recedamus ; sodomiticum quippe peccatum est superbia. *Iniquitas haec Sodomorum sororis tuae superbia.* Unde nascatur superbia et quas habeat radices,
5 adiungit : *In saturitate panum et in abundantia affluebant*[a]. Si soli litterae intendas, multa abundantia antiquitus in Sodomis fuit. Erat quippe *terra* eorum *ut paradisus Dei et ut terra Aegypti*[b].

Si autem a carnali intellectu ad spiritalem conscenderis,
10 ut videas quomodo *superbia Sodomorum in saturitate panum et in abundantia fluxerit*, utilitatem capies et ad vitae officium, et ad alia quaedam maiora maioribus corrigenda. Proponamus primum id quod ante multos dies lectum est, *vestitum bysso et purpura divitem*
15 *cotidie* deliciis luxuriaque *laetantem* et *Lazarum* vulnerum tabe et vermium paedore confectum quaerentem solacium famis suae micas quae *de mensa eius decidebant*[c]. Opportune autem nunc in hunc locum exemplum

---

i. I Cor. 15, 41-42 // j. Dan. 12, 3.
4 a. Cf. Éz. 16, 49 // b. Cf. Gen. 13, 10 // c. Cf. Lc 16, 19

moi des grands et des meilleurs, d'autant plus je serai juste, s'ils sont trouvés inférieurs à moi. De même façon est à comprendre ce qui est dit par l'Apôtre : « Autre est l'éclat du soleil, autre l'éclat de la lune, autre l'éclat des étoiles. Ainsi en est-il de la résurrection des morts[i]. » Par exemple, tel et tel astre qui scintille ne brille pas devant une étoile plus resplendissante, mais plus sombre. Qui de nous peut resplendir à la manière de la lune, qui, étinceler de la lumière des astres plus éclatants, selon ce qui est écrit chez Daniel : « Ils resplendiront comme des étoiles pour des siècles[j] » ?

L'orgueil (suite)

4. Nous avons fait cet examen par nécessité, afin de nous écarter loin de l'orgueil ; car l'orgueil est un péché de Sodome. « Voilà quelle fut la faute de Sodome ta sœur : l'orgueil. » D'où naît l'orgueil et ce qu'il a pour racines, il l'ajoute : « Elles étaient pourvues de pains en abondance et à satiété[a] ». Si l'on regarde à la seule lettre, il y eut jadis une grande abondance à Sodome. Car sa « terre » était « comme le paradis de Dieu et comme la terre de l'Égypte[b] ».

Mais si on s'élève du sens charnel au spirituel pour voir comment « l'orgueil de Sodome découla de l'abondance et de la satiété des pains », on tirera du profit et pour le devoir de la vie, et pour d'autres devoirs plus grands qui doivent être corrigés par de plus grands. Nous présentons d'abord ce qui a été lu de nombreux jours auparavant[1] : « le riche vêtu de lin fin et de pourpre festoyant chaque jour » dans la luxure et les délices, et « Lazare », rongé par la gangrène des ulcères et l'infection des vers, mendiant pour soulager sa faim par les miettes qui « tombaient de la table du riche[c] » ? Or cet exemple vient à point mainte-

1. Voir la fin de la note complémentaire 1.

istud incidit, ut perspicuum fiat quae iniquitas divitis
20 fuerit : locuples erat, abundabat deliciis. Non eum accusavit Scriptura, quasi divitias ex iniquitate possederit, non eum criminatus est Sermo divinus aut meretricibus deditum aut homicidam aut aliud quodcumque scelerum facientem. Sed si consideres hoc quod in praesenti scrip-
25 tum est, et illud quod in Evangelio dicitur, videbis quia et illius maximum peccatum inter universa peccata superbia fuerit ; *in saturitate panum et in abundantia affluens,* non habuit miserationis affectum ad eum qui *ante portas suas confectus ulceribus iacebat*[d], sed in tantam
30 superbiam elatus est despiciens paupertatem, ut non computaret neque inferiorum supplicia neque communia humanitatis iura, quia oporteret hominem humana sapere et in alienis calamitatibus pro simili conditione sui quodammodo misereri. Est igitur et dives ille Sodomita. Si
35 enim talia erant peccata Sodomae ut in saturitate panum et in abundantia fuerit, talis autem est et dives qui in Evangelio describitur, nulli dubium quin dives ille Sodomita sit. Quomodo autem Sodoma et filiae Sodomorum superbae fuerunt, tales sunt arrogantes animae ; et filiae
40 Sodomorum quaecumque nesciunt dictum : *Omnis qui se exaltat, humiliabitur, et qui se humiliat, exaltabitur*[e].

5. *Hoc erat ei et filiabus eius.* Dehinc sequitur aliud Sodomae delictum, quod debemus dicere, ne in simili crimine repperiamur : *Et manum pauperis et egentis non suscipiebat*[a]. Considera diligenter enumerationem

d. Cf. Éz. 16, 49. Lc 16, 20 s. // e. Lc 18, 14.
5 a. Éz. 16, 49

nant à ce passage pour élucider quelle fut l'injustice du riche : il était fortuné, dans l'abondance des délices. L'Écriture ne l'a point accusé comme s'il avait possédé par injustice des richesses, la Parole divine ne lui a point fait reproche d'être livré aux prostituées, homicide, auteur d'un autre quelconque des forfaits. Mais à examiner ce qui est écrit au passage présent et ce qui est dit dans l'Évangile, on verra que son plus grand péché parmi tous les péchés fut l'orgueil : « Pourvu de pains en abondance et à satiété », il n'eut pas un sentiment de pitié pour celui qui « rongé d'ulcères gisait près de la porte[d] » ; mais il fut enflé d'un tel orgueil, méprisant la pauvreté, qu'il ne tint compte ni des supplications des inférieurs, ni des droits communs de l'humanité : car il aurait fallu qu'un homme eût des sentiments humains, et en raison de sa condition semblable eût en quelque manière pitié pour d'autres malheurs. Donc ce riche aussi est de Sodome. Car si tels étaient les péchés de Sodome qu'elle « fut dans l'abondance et dans la satiété de pains », tel est bien aussi le riche présenté dans l'Évangile, et il ne fait de doute pour personne que ce riche soit de Sodome. Tout comme Sodome et les filles de Sodome furent orgueilleuses, telles sont les âmes arrogantes[2] ; et les filles de Sodome quelles qu'elles soient ignorent la parole : « Quiconque s'élève sera abaissé, et qui s'abaisse sera élevé[e]. »

Autre faute

5. « Tel était son partage et celui de ses filles. » De là suit une autre faute de Sodome que nous devons dire, afin de ne pas nous trouver dans un forfait semblable. « Et la main du pauvre et de l'indigent, elle ne la soutenait pas[a]. » Note avec soin

2. « Les filles de Sodome sont les âmes qui ignorent la sentence : Quiconque s'élève sera abaissé (*Lc* 14, 11) '. » *Sel. in Éz.* 16, 48, *PG* 13, 813 A.

5 peccatorum Sodomae. Ego ipse, si iuxta vires meas manum pauperis et egentis non adiuvero, sodomiticum habeo peccatum. Sequitur alia accusatio : *Et superbe gloriabatur*[b]. Et iactatio gloriae sodomiticum crimen est. Sunt autem quaedam aegyptia peccata, quaedam sodomi-
10 tica, sunt alia babylonia, alia assyria, alia moabitica, alia ammanitica. *Quis sapiens et intelliget ista, aut quis intelligens et agnoscet ea*[c] ? Quotienscumque legimus ea quae de Sodomorum subversione conscripta sunt, non dicamus : miserabiles Sodomitae, quorum ulterius fructus
15 terra non affert, miserabiles multumque plangendi, qui tam lugubria et tam dira perpessi sunt, — quin potius convertamus hunc in corda nostra sermonem, *scrutemur renes*[d] et cogitationes nostras, et tunc videbimus eos quos plangimus in nobis intrinsecus contineri, et quia sodomi-
20 tica et aegyptia et assyria et alia universa peccata quae castigans Scriptura enumerat versentur in nobis.

Polliciti supra sumus maius aliquid de Scriptura nos esse dicturos. Sodomae in saturitate panis et in abundantia atque deliciis et istiusmodi peccatis delinquenti lex
25 loquitur : *Attende tibi, ne comedens et bibens repletus, et domos bonas aedificans, ovibus tuis et bobus tuis multiplicatis tibi, argento et auro multiplicatus obliviscaris Dominum Deum*[e]. Et in alio loco : *Manducavit et bibit et saturatus est et incrassatus et recalcitravit*
30 *dilectus*[f]. Similia his Solomon in Proverbiis ait : *Constitue mihi autem necessaria et sufficientia, ut non repletus mendax fiam et dicam : quis me videt ? aut egens furer, et iurabo nomen Dei*[g]. Simpliciterque dicendum quia nihil sic in arrogantiam elevet ut divitiae et
35 saturitas et cibus opum plurimarum, dignitas quoque et potestas.

b. Cf. Éz. 16, 50 // c. Os. 14, 10 // d. Cf. Apoc. 2, 23 // e. Deut. 8, 11-14 // f. Deut. 32, 15 // g. Prov. 30, 8.9

la liste des péchés de Sodome. Moi-même si je n'aide pas selon mes ressources la main du pauvre et de l'indigent, j'ai un péché de Sodome. Suit une autre accusation : « Elle se gonflait de vaine gloire[b]. » Et l'ostentation est une faute de Sodome. Mais il y a des péchés d'Égypte, il en est de Sodome, il y en a d'autres de Babylone, d'autres d'Assyrie, d'autres de Moab, d'autres d'Amman. « Qui est sage, pour le comprendre, qui est intelligent, pour le savoir[c]. » Toutes les fois que nous lisons ce qui est écrit de la destruction de Sodome, ne disons pas : Malheureux gens de Sodome, dont la terre ne porte plus de fruit, malheureux et bien à plaindre d'avoir subi des maux si cruels et si lugubres. Bien plutôt tournons cette parole vers nos cœurs, « scrutons nos reins[d] » et nos pensées, et nous verrons alors que ceux que nous plaignons sont contenus à l'intérieur de nous-mêmes, et que les péchés de Sodome, d'Égypte, d'Assyrie et tous les autres que l'Écriture énumère et réprouve, se trouvent en nous.

Nous avons promis ci-dessus de dire quelque chose de plus à partir de l'Écriture. A Sodome, dans l'abondance et la satiété de pains, dans les délices, et à qui se rend coupable de péchés de ce genre, la Loi dit : « Garde-toi bien, quand tu mangeras et boiras à satiété, que tu bâtiras de belles maisons, que ton petit et ton grand bétail se multiplieront pour toi, que tu seras enrichi d'or et d'argent, d'oublier le Seigneur Dieu[e]. » Et ailleurs : « Il mangea, but, se rassasia, s'engraissa, et il regimba, le bien-aimé[f]. » Salomon dit des choses semblables dans les Proverbes : « Accorde-moi le nécessaire et le suffisant, afin que, rassasié, je ne devienne menteur et ne dise : qui me voit ? ou qu'indigent je ne vole et ne jure le nom de Dieu[g]. » Et il faut dire simplement que rien n'élève à l'arrogance comme les richesses, la satiété, la nourriture de mets copieux, le pouvoir aussi et le prestige.

Est autem etiam ad altiora transgressum videre, quia superbiam frequenter nutriam, si divinum sermonem intellexero, si sapientior ceteris fuero. *Scientia* quippe
40 *inflat*[h], non ego dico, sed Apostolus. Et ideo vereor ne et ipse sustollar. Dantur et charismata ad id quod expedit. Si ad hoc dantur quod expedit, quis est ille cui non expedit ? Et cur non expediat, audi. Inferiori subicit inflationem et quandam placitionem sui, dum se putat inter
45 ceteros eminere. Saepe igitur saturitas panum et abundantia materia est arrogantiae, saepe autem et de spiritalibus donis superbiae crimen exoritur et est utrobique discrimen. Tantus vir Apostolus Paulus necessarium habuit *colaphum angeli Satanae, ut eum colaphizaret,*
50 *ne elevaretur*[i] multum, quia orans et deprecans Deum impetravit pro multis saepe quod petiit ; cum autem etiam pro hoc petisset nec esset quod petierat consecutus, dictum est ei : *Sufficit tibi gratia mea ; virtus enim in infirmitate perficitur*[j]. Oportet itaque timere eum
55 qui adhuc in genere humano et in hac praesenti luce versatur, non solum ea quae bona putantur in saeculo sed etiam quae vere bona sunt, quia magna non possumus sustinere.

Exhibebo ad probationem praesentis sententiae histo-
60 riam David, in qua conscribitur in Uriam eum commisisse peccatum[k]. Ante Uriam nullum delictum repperitur in David, beatus homo erat et *sine querela in conspectu Dei*[l]. Quia vero conscius sibi vitae immaculatae locutus est quod non debuerat dicens : *Exaudi, Domine, iusti-*
65 *tiam meam, intende deprecationi meae ; auribus per-*

h. I Cor. 8, 1 // i. Cf. II Cor. 12, 7 // j. Cf. II Cor. 12, 8.9 // k. Cf. II Sam 11, 2 s. // l. Cf. Sir. 10, 5

1. « Ma puissance donne toute sa mesure dans la faiblesse », tradu[it] *TOB*, qui note : « Il y a un jeu de mots ; le même terme signifiant *fa*[...]

Mais il est possible encore de voir un passage à un ordre plus élevé car je nourrirai fréquemment l'orgueil si je comprends la parole divine, si je suis plus savant que les autres. Car « la science enfle[h] », ce n'est pas moi qui le dis, mais l'Apôtre. D'où ma crainte que moi aussi je ne m'élève. Sont encore donnés des charismes pour ce qui est utile. S'ils sont donnés pour ce qui est utile, quel est celui à qui ce n'est pas utile ? Et pourquoi ce n'est pas utile, écoute. A l'inférieur il inspire l'enflure et une certaine complaisance pour soi, quand il pense qu'il l'emporte sur tous les autres. Donc souvent l'abondance et la satiété de pains sont un sujet d'arrogance ; mais souvent aussi, à propos de dons spirituels naît la faute d'orgueil, et il y a un discernement de part et d'autre. Un si grand personnage que l'apôtre Paul eut besoin « du soufflet d'un ange de Satan chargé de le souffleter pour qu'il ne s'exalte pas[i] » trop ; car priant et suppliant Dieu, il obtint souvent à maints égards ce qu'il demanda ; mais quand il fit cette demande et n'obtint pas ce qu'il demandait, il lui fut dit : « Ma grâce te suffit ; car la puissance se parfait[1] dans la faiblesse[j]. » C'est pourquoi, quand on se trouve encore dans le genre humain et dans cette lumière présente, on doit craindre, non seulement ce qui passe pour bien dans le siècle, mais encore ce qui est véritablement bien, car nous ne pouvons supporter ce qui est grand.

Pour preuve de l'avis présent, je produirai l'histoire de David, où il est écrit qu'il a commis un péché envers Urie[k]. Avant Urie, aucune faute ne se trouve chez David : c'était un homme heureux et « sans reproche devant Dieu[l] ». Mais, conscient d'une vie sans tache, il a dit ce qu'il n'aurait pas dû : « Écoute, Seigneur, ma juste cause, sois attentif à mon cri, prête l'oreille à ma prière qui ne sort

…blesse* et *maladie*. On peut comprendre : ' Mon miracle s'accomplit dans …a maladie '. »

cipe orationem meam non in labiis dolosis. De vultu tuo iudicium meum prodeat, oculi tui videant aequitates. Probasti cor meum, et visitasti nocte ; igne me examinasti, et non est inventa in me iniquitas[m], et
70 haec dixit, quia visitatio Dei propter conscientiam et vitae beatitudinem eidem praesentaretur, tentatus est et nudatus auxilio, ut videret quid humana possit infirmitas. Recedente quippe praesidio Dei, ille castissimus, ille admirabilis in pudicitia, qui audierat : *Si mundi pueri,*
75 *maxime a muliere*[n] et acceperat eucharistiam quasi mundus, non potuit perseverare, sed in eo repertus est crimine, in quo sibi quasi continens applaudebat.

Si quis ergo conscius puritatis suae se ipsum glorificaverit non habens memoriam illius dicti : *Quid autem*
80 *habes, quod non accepisti ? si autem accepisti, quid gloriaris quasi non acceperis*[o] *?*, relinquitur et derelictus discit experimento, quia in his bonis quorum sibi conscius erat, non tam ipse sui exstitit causa, quam Deus qui virtutum omnium fons est. Ex quibus apparet et
85 saturitatem panum et dona spiritalia ei qui ea non potest sustinere, generare superbiam. Idcirco fugiamus a Sodoma et peccatis eius, fugiamus a Samaria et criminibus quibus castigatur misera Hierusalem, ut in universis Deo nobis fortitudinem ministrante, humilitatem et iustitiam
90 consequamur in Christo Iesu, *cui gloria et imperium in saecula saeculorum. Amen*[p] !

m. Ps. 16, 1-3 // n. Cf. I Sam. 21, 4 s. (5 s.) // o. I Cor. 4, 7 // p. Cf. I Pierre 4, 11.

pas de lèvres trompeuses. Que de ton visage émane mon jugement, que tes yeux voient ce qui est droit. Tu as sondé mon cœur, tu l'as visité la nuit ; tu m'as éprouvé par le feu, et l'iniquité n'a pas été trouvée en moi[m]. » Comme il a dit cela parce que la visite de Dieu, à cause de sa conscience et du bonheur de sa vie, se présentait à lui, il fut tenté, privé de secours, pour qu'il vît ce que peut la faiblesse humaine. Car la protection de Dieu se retirant, lui très chaste, lui admirable en pureté, qui avait entendu : « Pourvu que tes serviteurs soient purs, se soient surtout abstenus de femme[n] », et en qualité de pur avait reçu le pain consacré, il n'a pu persévérer, mais il se trouva dans ce péché, dont il s'applaudissait de s'être gardé.

Donc, si conscient de sa pureté on se glorifie, n'ayant pas le souvenir de cette parole : « Qu'as-tu donc que tu n'aies reçu ? Or, si tu l'as reçu, pourquoi te glorifier comme si tu ne l'avais pas reçu[o] ? », on est abandonné, délaissé, on apprend par expérience que pour ces biens dont on était conscient, on n'était pas tant soi-même la cause de ce qu'on était, que Dieu, qui est la source de toutes les vertus. Ce qui montre que la satiété de pains, et les dons spirituels pour qui ne peut les supporter, engendrent l'orgueil. C'est pourquoi, fuyons Sodome et ses péchés, fuyons la Samarie et ses crimes, pour lesquels fut châtiée la malheureuse Jérusalem, afin qu'en toutes choses, Dieu nous donnant la force, nous obtenions l'humilité et la justice dans le Christ Jésus, « à qui sont gloire et puissance pour les siècles des siècles. Amen[p] »...

HOMÉLIE X

CONFUSION, RETOUR, RÉTABLISSEMENT (*Éz.* 16, 52-63)

1. Après les œuvres de *confusion*, il existe comme un second navire. Heureuse Jérusalem si elle entend le « sois confondue » ! L'injonction s'adresse aussi à nous : que chacun « se considère lui-même » devant Celui qui sonde reins et cœurs ; qu'il examine pensées, actes, paroles ; et qu'il entende la suite : « Porte ton opprobre pour avoir justifié tes sœurs (par ta plus grande culpabilité). » Reconnaître que l'on souffre des peines méritées peut valoir l'acquittement et le rétablissement dans l'ancien état, soit dans les cités, soit dans l'Église : ainsi devons-nous éviter le déshonneur futur. 2 : Après la confusion, *le retour* des captifs à un meilleur état, d'abord de Sodome, les païens, puis de Samarie, les hérétiques, enfin de ceux qui furent de Jérusalem. La quantité de péché attire une peine proportionnée : la colère de Dieu, non que la colère lui soit innée, puisqu'il l'envoie... 3 : Après le retour, *le rétablissement*. Mais Sodome, rétablie en figure, ne l'est pas encore en fait ; ni Samarie ; ni Jérusalem. 4 : Un long *délai* est parfois nécessaire, comme pour la guérison. Mais, dit le Seigneur, « je me souviendrai de mon alliance que j'ai contractée avec toi aux jours de ta jeunesse ». 5 : Cela, en dépit du déshonneur et de l'opprobre : parce qu'il te sera pardonné. Pour éviter la confusion et l'opprobre éternels, prions Dieu de tout cœur.

HOMILIA X.

1. Primum quidem est nullum opus facere confusionis, sed omnia talia quae possunt Deum libera fronte respicere. Quia vero ut homines saepe peccamus, sciendum secundam, ut ita dicam, navem post confusionis opera
5 esse erubescere et pro sceleribus suis verecundos oculos deicere neque sic procaci vultu incedere, quasi nihil omnino peccaveris. Bonum est quippe post confusionis opera confundi, quia saepe et hoc malitiae artifex inoperatur ne peccator ad paenitentiam redeat, et sic agat quasi adhuc
10 in iustitia perseveret. Videre possumus et ex cotidiana vita discere multos hominum post peccata sua non solum non lugere quod fecerint, verum etiam procaci fronte defendere proprias ruinas. Grande itaque beneficium in Hierusalem conservatur, si tamen credat dicenti Domino :
15 *Et tu confundere*[a].

Neque putes ad Hierusalem tantum haec esse dicta et non ad singulos nostrum qui delictis tenemur obnoxii. *Unusquisque enim se ipsum consideret*[b], quid fecerit confusione dignum, quid turpe locutus sit, super quo non

1 a. Éz. 16, 52 // b. Cf. I Cor. 2, 18

1. La comparaison de l'apostasie à un naufrage semble toute naturelle : « Certains ont fait naufrage dans la foi. » *I Tim.* 1, 19. On l'a noté : « L'image du naufragé qui s'agrippe à une planche de salut est commune dans l'antiquité : on la trouve dans PLATON, *Phédon* 85 d ; SÉNÈQUE, *Benef.* 3, 9, 2, et CICÉRON, *Of.* 3, 23, 89. Reprise par les auteurs chrétiens, elle illustrait à merveille l'efficacité de la croix du Sauveur... D'une manière générale elle s'offrait pour désigner tous les moyens de salut offerts par Dieu à l'homme, en vue d'assurer son salut, depuis l'Église...

HOMÉLIE X

Confusion 1. D'abord, il s'agit de faire aucune œuvre de confusion, mais tout ce qui est de nature à être orienté vers Dieu avec une franche assurance. Mais parce que, comme hommes, nous péchons souvent, il faut savoir qu'un second navire en quelque sorte[1] après les œuvres de confusion est de rougir et de baisser modestement les yeux à cause de ses crimes, et de ne pas avancer avec un visage aussi impudent comme si on n'avait absolument péché en rien. Car il est bon, après les œuvres de confusion, d'être confondu, parce que souvent l'auteur de la malice fait en sorte que le pécheur ne revienne pas à la pénitence, et agisse comme s'il persévérait encore dans la justice. Nous pouvons voir et apprendre de la vie de chaque jour que bien des hommes, après leurs péchés, non seulement ne déplorent pas ce qu'ils ont fait, mais encore défendent effrontément leurs propres ruines. C'est pourquoi un grand bienfait est conservé pour Israël, si toutefois elle croit au Seigneur qui dit : « Et toi, sois confondue[a]. » Et ne crois pas cette parole dite seulement à Jérusalem, et non à chacun de nous qui nous tenons exempts de fautes. « En effet, que chacun se considère lui-même[b] », ce qu'il a fait qui mérite la confusion, ce qu'il a dit de honteux sur un point où il n'a pas

---

jusqu'au baptême et à la pénitence... » : voir les références à H. Rahner... C. Munier ; dans Tertullien, *La Pénitence,* 4, 2, *SC* 316, p. 156 s. et la note p. 210 s. Citons Jérôme : « Secunda enim post naufragium tabula paenitentiae est... » et « Secunda post naufragium tabula est... » : dans *In Is.* 2, 3, 9 et *In Éz.* 5, 16, 52 : *CCSL* 73, p. 51 ; *PL* 24, 56 D ; et *CCSL* 75, p. 207 ; *PL* 25, 155 C.

20 habeat audaciam quasi dicto bono, quid cogitarit tale quod rubore dignum videtur ab eo qui *cordis et renis occulta considerat*[c] ; et cum diligenter perviderit cogitationes, facta, sermones, tunc audiens prophetam dicentem : *Et tu confundere* confundatur. Post quod a pro-
25 pheta iungitur : *Et accipe ignominiam tuam in eo quod iustificasti sorores tuas*[d]. Sequitur confusionem ignominia, et dat Deus ei qui confusione digna gessit etiam ignominiam, dicitque ad eum : *Et accipe ignominiam tuam.*

30 Poteris autem intelligere, quod dicitur, si consideraveris quae cotidie in civitatibus fiant. Inhonoratio civi est de patria sua exulare et infamia decurioni eradi de albo curiae et cuiuscumque alterius conditionis homini relinqui quidem in vita, sed cum ignominia sive in operibus publi-
35 cis sive in insula aliqua solitudinis vivere. Intellige autem mihi iustum iudicem ei qui digna infamia fecerit dicentem : o tu qui poenae reus es, noli exilium tuum cum maerore suscipere ; non enim mereberis misericordiam, si irasceris ad poenam, quin potius intellige digne te pati
40 quod pateris et cum te humiliaveris atque dixeris iustum de te factum esse iudicium, forsitan misericordiam consequeris ab eo qui potest post condemnationem ad pristinum te statum revocare. Quomodo enim licet magno principi liberare aliquem de insula et de exilio et de
45 publicis vinculis, multo magis licet universitatis Deo eum qui inhonoratus est in honorem pristinum restituere, si tamen sentiens delictum suum confessus fuerit se digne sustinuisse quod passus est.

---

c. Cf. Ps. 7, 10 // d. Éz. 16, 52

---

2. Cf. *In Ex. hom.* 3, 3, 43 ; *SC* 321, p. 100 s., et la note 4.

eu la hardiesse pour ainsi dire d'une bonne parole, ce qu'il a pensé qui est susceptible de faire rougir devant celui qui « sonde les reins et les cœurs[c] » ; et quand il distinguera avec soin pensées, actions et paroles[2], qu'il soit alors confondu quand il entend le prophète dire : « Et toi, sois confondue ». Après quoi le prophète ajoute : « Et porte ton opprobre, pour avoir justifié tes sœurs[d]. » L'opprobre suit la confusion, et à ceux qui font des actes dignes de confusion Dieu donne encore l'opprobre, et lui dit : « Et porte ton opprobre. »

Dans les cités Mais l'expression est compréhensible quand on observe ce qui arrive chaque jour dans les cités. C'est un déshonneur pour le citoyen d'être exilé de sa patrie, et une infâmie pour le décurion d'être rayé des listes de la curie, et à tout homme de n'importe quelle autre condition d'être laissé en vie certes, mais de vivre dans l'opprobre, soit dans les travaux publics, soit dans quelque île déserte. Mais comprends le juste juge disant à l'auteur d'actes dignes d'infâmie : Ô toi qui es passible de peine, veuille ne pas accueillir ton exil avec chagrin ; car tu ne mériteras point la miséricorde si tu t'irrites contre la peine ; bien plutôt, comprends que tu souffres à juste titre ce que tu souffres ; et quand tu t'humilieras et diras qu'on a fait à ton propos un juste jugement, peut-être obtiendras-tu miséricorde de celui qui peut, après ta condamnation, te rappeler à l'état d'autrefois. En effet, de même qu'il est possible à un grand prince de délivrer quelqu'un d'une île, d'un exil, et de la prison d'état, il est bien davantage possible au Dieu de l'univers de restituer dans l'honneur d'antan celui qui est déshonoré, si toutefois, conscient de son péché, il reconnaît avoir enduré à juste titre ce qu'il a souffert.

Dabo et aliud exemplum de ecclesiastica consuetudine.
50 Infamia est a populo Dei et ab Ecclesia separari, dedecus est in Ecclesia surgere de consessu presbyterii, proici de diaconatus gradu. Et quidem eorum qui abiciuntur, alii seditiones commovent, alii vero iudicium in se factum cum omni humilitate suscipiunt. Quicumque igitur erigun-
55 tur et dolore depositionis suae congregant populos ad schisma faciendum et sollicitant multitutidinem maligno-rum, non accipiunt inhonorationem suam in praesenti, sed *thesaurizant sibi thesaurum irae*[e]. Qui autem cum omni humilitate, sive digne sive indigne depositi sunt, Deo
60 iudicium derelinquunt et patienter sustinent quod de se iudicatum est, isti et a Deo misericordiam consequentur et frequenter etiam ab hominibus revocantur in pristinum gradum et in gloriam quam amiserant. Doctrina igitur optima est, quomodo hoc quod dicitur : *Et tu confundere*,
65 sic et illud quod sequitur : *Et accipe ignominiam tuam*[f].

Et haec dico, ut profundiorem aliquem sensum de futura inhonoratione interponam. Et ibi quippe erit aliqua ignominia his qui dignum opus ignominia fecerunt, si quidem *resurgent alii in vitam aeternam et alii in*
70 *opprobrium et confusionem aeternam*[g]. Quid autem est hoc aliud nisi poenam infamiae sustinere ? Dum ergo adhuc licet nobis, debemus minorationem nostram patienter ferre, ut, cum hic tristitiam fortiter sustinuerimus, in futuro saeculo moveamus, ut ita dicam, *viscera mise-*
75 *ricordiae Dei*[h] et benignitatem eius, ut nos revocet in

e. Cf. Rom. 2, 5 // f. Éz. 16, 52 // g. Cf. Dan. 12, 2 ; Matth. 25, 46 // h. Cf. Lc 1, 78.

Dans l'Église Je donnerai encore un autre exemple tiré de la coutume ecclésiastique. C'est une infâmie d'être séparé du peuple de Dieu et de l'Église, c'est un déshonneur dans l'Église de quitter le banc de la prêtrise, d'être expulsé du rang du diaconat. Et parmi ceux qui sont écartés, les uns fomentent des troubles, mais d'autres acceptent en toute humilité le jugement porté contre eux. Eh bien, tous ceux qui s'insurgent, qui par dépit de leur déposition rassemblent des gens pour faire un schisme et entraînent une foule de méchants, n'accueillent pas leur déshonneur dans le présent, mais « amassent contre eux un trésor de colère[e] ». Mais ceux qui en toute humilité, qu'ils soient déposés justement ou non, abandonnent le jugement à Dieu et supportent avec patience le jugement à leur propos, d'une part obtiendront de Dieu miséricorde, et de l'autre, sont fréquemment rappelés même par les hommes au rang de jadis et à la gloire qu'ils avaient perdue. La doctrine est donc excellente, tant pour cette formule : « Et toi, sois confondue », que pour cette autre : « Et porte ton opprobre[f] ».

Déshonneur Je dis cela pour intercaler un sens plus profond sur le déhonneur futur. Car alors aussi il y aura un opprobre pour ceux qui ont fait un acte digne d'opprobre, puisqu'ils « ressusciteront, les uns pour la vie éternelle, les autres pour l'opprobre et la confusion éternels[g] ». Or qu'est-ce autre chose, sinon supporter la peine d'infâmie ? Donc, tant qu'il nous est encore possible, nous devons patiemment subir notre abaissement, afin qu'après avoir supporté avec courage la tristesse ici-bas, au siècle futur nous émouvions pour ainsi dire « les entrailles de la miséricorde de Dieu[h] » et sa bonté, pour qu'il nous rappelle de l'opprobre et de la

pristinum statum de ignominia et confusione ; quomodo e contrario impossibile est lapidei cordis aliquem et penitus non sentientem delictum suum et ante vultum Dei omnipotentis superbientem misericordiam consequi. Videmus
80 enim quosdam bonos quidem libenter de se latam ferre sententiam et ob salutem suam Dei iustificare iudicium, malos vero blasphemare adversus Providentiam Dei et dicere : non sum digne adiudicatus huic infamiae, iniuste ista perpetior. Si iustificamus Providentiam, solvimus
85 nostram infamiam ; si vero non recipimus iudicia Dei, multiplicamus infamiam ; quomodo autem infamiam, sic et supplicia, sic et cetera quae [saepe etiam huic] accidere consueverunt his qui a Deo pro delictis propriis condemnati sunt.

2. *Et tu confundere et accipe ignominiam tuam in eo quod iustificasti sorores tuas*[a]. Plus meremur ignominiam, quando talia facimus quibus peccatores alii iustificentur, ut comparatione delictorum meorum, malorum
5 scelera antiquitus condemnata misericordia liberet, eo quod ego subsequens peiora commiserim. Dicitur ergo ad peccatricem Hierusalem : *Accipe ignominiam tuam in eo quod iustificasti sorores tuas.* Deinde, si quis complevit hoc quod scriptum est : *Confundere,* si quis prose-
10 cutus est sententiam Dei sequentem : *Accipe ignominiam tuam in eo quod iustificasti sorores tuas,* videat etiam gratiam quomodo pro confusione vicissitudo clementiae restituatur, quia non contempserit iudicium Dei, sed cum omni humilitate susceperit quod de se fuerat
15 iudicatum.

2 a. Éz. 16, 52

confusion à l'état d'autrefois ; comme inversement il est impossible qu'avec un cœur de pierre, sans profond repentir de sa faute, faisant le fier à la face de Dieu tout-puissant, on obtienne miséricorde. Car on voit des bons supporter volontiers l'arrêt qui les concerne et, pour leur salut, justifier le jugement de Dieu, mais des méchants blasphémer contre la providence de Dieu et dire : je n'ai pas mérité d'être condamné à cette infâmie, c'est injustement que je subis ces souffrances. Justifier la providence efface notre infâmie, mais ne pas recevoir les jugements de Dieu l'augmente ; et de même que l'infâmie, ainsi encore les supplices, ainsi encore le reste qui arrive d'ordinaire à ceux qui sont condamnés par Dieu pour leurs propres fautes.

Retour

2. « Et toi, sois confondue, et porte ton opprobre, pour avoir justifié tes sœurs[a]. » On mérite davantage l'opprobre quand on fait de tels actes par lesquels sont justifiés d'autres pécheurs : par comparaison avec mes fautes, la miséricorde absout les crimes jadis condamnés des méchants, du fait que moi, venant après, j'en ai commis de pires. Donc il est dit à la pécheresse Jérusalem : « Porte ton opprobre, pour avoir justifié tes sœurs. » Ensuite, si on accomplit ce qui est écrit : « Sois confondue », si on prolonge la lecture de la sentence de Dieu : « Porte ton opprobre, pour avoir justifié tes sœurs », il faut voir aussi la grâce : la manière dont, au lieu de la confusion est rétabli le tour de la clémence, parce qu'on n'a pas méprisé le jugement de Dieu mais qu'on a, en toute humilité, accueilli ce qui avait été jugé contre soi.

Quid ergo repromittitur ? *Avertam aversiones eorum aversione Sodomorum et sororum eius, in eo quod iustificasti sorores tuas Sodomam et Samariam*[b], Sodomam iuniorem et Samariam seniorem, ut in praeteritis
20 diximus. *Avertam aversionem eorum,* id est trium, quarum averterat aversionem, ad meliora convertet, *primo Sodomorum*, deinde Samariae, tertio vero Hierusalem. Cum autem, ait, avertero aversionem Sodomorum et Samariae et Hierusalem, tunc in antiquum restituentur
25 primum Sodoma, cuius priores averterit aversiones, secundo Samaria, quam converterit *secundo*, tertio Hierusalem, cuius tertiae aversiones[c]. Tribuuntur igitur sanitates peccantibus in aversione Sodomorum et filiarum eius, in aversione ipsius Hierusalem, et tribuuntur his qui
30 magis amantur a Deo, tardius. Sodoma quippe iustificata ab Hierusalem prima consequitur misericordiam, id est gentiles, Samaria vero, hoc est haeretici, in secundo loco accipiunt sanitatem, tertio vero, quasi indigni velocioris medelae, in pristinum statum restituuntur qui fuerunt de
35 Hierusalem. Ante ergo gentiles, ante haeretici clementiam consequentur quam nos, si tamen fuerimus impii, si et nos peccata depresserint. Quanto enim proximi fuerimus Deo et ad beatitudinem vicini, tanto, cum peccaverimus, longius fiemus ab ea, proximi terribilium maximarumque
40 poenarum. Iustum est quippe iudicium Dei et : *Potentes*

b. Cf. Éz. 16, 52, 53 // c. Cf. Éz. 16, 55

1. Comment traduire, même l'hébreu ? « Je ramènerai leurs captifs, les captifs de Sodome », CRAMPON (1928) ; « Je renverserai leur destinée et la destinée de Sodome (*id.,* 1960). « Je rétablirai leur situation, la situation de Sodome » ; en note : ' Rétablir la situation, proprement faire revenir ce qui a été emmené. ' » DHORME (1959). « Je changerai leur sort, le sort de Sodome » OSTY (1973). « Je les rétablirai. Je rétablirai Sodome », *BJ,* (nouvelle éd. 1981). « Je changerai leur destinée, la destinée de Sodome » *TOB* (1983).

Qu'est-il donc promis en revanche ? « Je ramènerai leurs captifs[1] de la captivité de Sodome et de ses sœurs, parce que tu as justifié tes sœurs Sodome et Samarie[b] », Sodome la cadette, Samarie l'aînée, comme on l'a dit précédemment[2]. « Je ramènerai leurs captifs », à savoir des trois dont il ramènerait les captifs, il ferait revenir à un meilleur état d'abord de Sodome, puis de Samarie, en troisième lieu de Jérusalem. Mais quand, dit-il, « je ramènerai les captifs » de Sodome, de Samarie et de Jérusalem, alors seront restituées à leur ancien état d'abord Sodome dont il ramènerait les premiers captifs, en second lieu Samarie qu'il ferait revenir en second, en troisième lieu Jérusalem, les captifs de cette troisième ville[c]. Donc les guérisons sont accordées à ceux qui pèchent pendant la captivité de Sodome et de ses filles, pendant la captivité de Jérusalem elle-même, et plus tard sont accordées à ceux qui sont plus aimés de Dieu. Car Sodome, justifiée par Jérusalem[3], obtient la miséricorde de la première, c'est-à-dire les païens ; Samarie, à savoir les hérétiques, reçoivent en second lieu la guérison ; et en troisième, comme indignes d'un remède plus rapide, sont rétablis à leur ancien état ceux qui furent de Jérusalem. Donc avant nous, les païens, avant nous les hérétiques obtiendront la clémence, si toutefois nous avons été impies, si les péchés nous ont rabaissés nous aussi. Car plus nous aurons été tout proches de Dieu et voisins de la béatitude, plus, quand nous aurons péché, nous serons loin d'elle, tout proches des terribles et très grandes peines. Car juste est le jugement de Dieu, et « les puissants subissent de puis-

2. Cf. *hom.* 9, 1, 55 s.
3. Un peu différemment : « Sodome, rappelle-t-on, est justifiée en comparaison de Jérusalem. D'où ma crainte que, parmi nous qui semblons être dans l'Église de Dieu..., ne se trouvent quelques-uns des infidèles à justifier. » *In Épist. ad Rom.* 3, 2, *PG* 14, 932 BC.

potenter tormenta patiuntur[d]. Qui autem minimus[e] est, meretur citius misericordiam. Minima est Sodoma et post eam in comparatione Hierusalem minima, non tamen sicut Sodoma, Samaria est ; et ideo primum illarum aver-
45 tit aversiones et postea Hierusalem dicens : *et avertam aversionem tuam ;* tertio enim gradu hoc dicitur ad Hierusalem. Verum quando avertit aversionem meam, si inventus fuero Hierusalem et peccator in medio sororum mearum ? Cum audiero : *Ut feras tormentum tuum.* Ideo
50 tertio loco ait : *Avertam aversionem tuam* et post omnes : *ut feras tormentum tuum, et dehonesteris de omnibus quae fecisti*[f].

Est quaedam mensura peccati, quam unusquisque recipiet pro eo quod peccavit. Si habuero quinquaginta pec-
55 cata, quinquaginta habeo ignominias ; si centum, duplicabitur mihi poena pro factis et pro magnitudine delictorum tribuetur mihi ignominia. Maximis peccatis magnus cruciatus adiungitur. Deus autem solus verus iudex magnitudines peccatorum et ignominiae qualitates et peccati
60 numerum potest pervidere. Dicitur itaque ad Hierusalem : *Ut feras tormentum tuum et dehonesteris de omnibus quae fecisti in exacerbando me.* Vide econtrario satisfacientem Deum et quodammodo per haec verba testantem quia iram ipse non habeat, sed peccator sibi ad iram
65 concitet Deum. Unde et Apostolus ait : *An divitias bonitatis et mansuetudinis eius et longanimitatis contemnis, ignorans quoniam bonitas Dei ad paenitentiam te adducat ? Iuxta autem duritiam tuam et impaenitens cor thesaurizas tibi iram*[g]. Separavit hic
70 sermo iracundiam a Deo. Revera enim iracundia aliud quiddam a Deo est, ut nec ei ut insita copuletur. Unde et

d. Cf. Sag. 6, 6 (7) // e. Cf. I Cor. 15, 9 // f. Éz. 16, 53.54 // g. Rom. 2, 4-5

4. Cf. *hom.* 1, 26 et les notes.

sants tourments[d]. » Mais qui est « tout petit[e] » mérite plus vite la miséricorde. Toute petite est Sodome, et après elle en comparaison de Jérusalem, toute petite, non cependant à l'égal de Sodome, est Samarie : aussi est-ce d'elles qu'il ramène d'abord les captifs, et ensuite de Jérusalem, disant : « Et je ramènerai tes captifs » : c'est au troisième rang qu'on le dit pour Jérusalem. Mais quand me ramène-t-il de ma captivité, si j'ai été trouvé Jérusalem, et pécheur au milieu de mes sœurs ? Quand j'entendrai : « Afin que tu portes ton tourment. » C'est pourquoi en troisième lieu il dit : « Je ramènerai tes captifs » et après tous : « Afin que tu portes ton tourment, et tu seras déshonorée pour tout ce que tu as fait[f] ».

Il y a une certaine quantité de péché donc chacun reçoit le prix, pour le péché qu'il a commis. Si j'ai cinquante péchés, j'ai cinquante opprobres ; si j'en ai cent, la peine me sera double en proportion des actes, et en proportion de la grandeur de mes fautes me sera attribué l'opprobre. Aux très grands péchés est liée une grande torture. Mais Dieu seul véritable juge peut voir clairement les grandeurs des péchés, les caractères de l'opprobre et la quantité de péché. C'est pourquoi il est dit à Jérusalem ! « Afin que tu portes ton tourment, et tu seras déshonorée pour tout ce que tu m'as fait en m'irritant ». Vois au contraire Dieu accordant une justification et en quelque sorte attestant par ces paroles qu'il n'a pas de colère lui-même, mais le pécheur incite Dieu à la colère contre lui. D'où aussi la parole de l'Apôtre : « Ou bien méprises-tu la richesse de sa bonté, de sa douceur, de sa patience, ignorant que la bonté de Dieu te pousse à la pénitence ? Mais, par ta dureté et ton cœur impénitent tu amasses pour toi un trésor de colère[g]. » Cette parole a écarté de Dieu la colère[4]. Car la colère est une chose autre que Dieu, en sorte qu'elle ne lui est pas liée comme innée.

de peccatoribus dicitur : *Emisisti iram tuam, et comedit eos*[h]. Nemo quod sibi socium est et cognatum emittere potest, verum emittitur quod aliud est ab eo qui emittit.
75 Sic et nos peccando irritamus Deum, ut mittat iram quam ipse non habet.

3. Post haec, id est post aversionem, dicitur : *Sodoma soror tua et filiae eius restituentur sicut erant ab initio*[a]. Venio ad imagines et figuras, et video quanto tempore excruciata Sodoma restituatur in antiquum. Si
5 autem id quod per figuram dictum est ita se habet, quid de eo fiet qui vere Sodoma fuerit ? Statim post diluvium decima generatione passa est Sodoma ea quae in Genesi scribuntur. Erat enim prius *quasi paradisus Dei et quasi terra Aegypti*[b], verumtamen factum est Sodomae
10 id quod etiam nunc vestigiis regionis eius perspici licet. Ecce quanti iam temporum circuli transierunt ; prop[ri]e tria milia anni sunt, et Sodoma nondum est restituta, non illa Sodoma quae in signo et in aenigmate ponitur, sed illa quae in veritatis ratione perspicitur. Aiunt Hebraei So-
15 domam in eundem statum restituendam in quo et antea constitit, ut rursum paradiso Dei et terrae Aegypti com-

h. Cf. Ex. 15, 7.
3 a. Éz. 16, 55 // b. Cf. Gen. 13, 10 s.

1. « Je doute, pour ma part, que les péchés de Sodome puissent être volatilisés et ses crimes purifiés si complètement qu'on puisse la comparer, une fois rétablie, non seulement à la terre d'Égypte, mais aussi au paradis de Dieu. Cependant ceux qui tiennent à affirmer la chose nous presseront fort en insistant avant tout sur le mot qui se trouve ajouté à la promesse — car l'Écriture n'a pas dit que ' Sodome serait rétablie ' tout court, mais que ' Sodome serait rétablie dans son ancien état ' — et ils assureront que son ancien état n'était pas d'être ' comme la terre d'Égypte ', mais ' comme le paradis de Dieu '. » *In Gen. hom.* 5, 1 fin, *SC* 7 *bis*, p. 164 s. tr. L. Doutreleau. — Rapprochant ce passage du nôtre où

D'où aussi des pécheurs il est dit : « Tu envoies ta colère et elle les dévore[h]. » Personne ne peut envoyer ce qui lui est associé et inné, mais est envoyé ce qui est autre que celui qui envoie. Ainsi de même nous, en péchant, nous irritons Dieu, en sorte qu'il envoie la colère qu'il n'a pas lui-même.

Rétablissement 3. Après cela, c'est-à-dire après le retour, il est dit : « Sodome ta sœur et ses filles seront rétablies comme elles étaient dès l'origine[a]. » J'en viens aux figures et aux images, et je vois après combien de temps Sodome torturée est rétablie à l'ancien état. Mais s'il en est ainsi de ce qui est dit par figure, qu'en sera-t-il de ce qui aura été Sodome en vérité ? Aussitôt après le déluge, à la dixième génération, Sodome a souffert ce qui est écrit dans la Genèse. En effet, auparavant elle était « comme le paradis de Dieu et comme la terre d'Égypte[b] », néanmoins à Sodome il arriva ce qu'il est possible encore maintenant de reconnaître aux vestiges de sa région[1]. Voici combien de cycles de temps déjà ont passé ; il y a près de trois mille ans, et Sodome n'est pas encore rétablie, non pas cette Sodome qui est présente en signe et en énigme, mais celle qui est clairement perçue en raison de la vérité. Les Hébreux disent que Sodome doit être rétablie dans l'état où elle exista auparavant, au point d'être de nouveau comparée au paradis de Dieu et

---

paraît la même hésitation, le traducteur note : « L'accomplissement littéral de cette parole de l'Écriture laissait Origène perplexe. La Genèse (13, 10) assurait que Sodome, quand Lot vint s'y établir, était ' comme le jardin de Dieu et comme la terre d'Égypte ', et Ézéchiel (16, 53) avait dit que Sodome reviendrait à son premier état. — Or les années avaient passé, près de trois mille ans, et Sodome n'était pas redevenue ce qu'elle était. Origène, gêné par ce long délai, se demandait si cela aurait jamais lieu ; il inclinait cependant vers la solution du rétablissement, à cause des applications spirituelles qu'il en tirait. » *Ibid.*, p. 166, note 1.

paretur. Si hoc se sic habet et sive futurum est sive non — quaerantur enim istiusmodi res apud eos qui doctissimi sunt —, ut autem fiat quod dicitur, complebuntur mihi
20 anni tria milia et tunc restituetur excruciata tribus milibus annis Sodoma, id est anima mea, Sodoma, mens plena peccatis. Grande intervallum temporis inter restitutionem et ruinam positum est. Etiam si restituaris ita ut antiquitus eras, vide quanta exhaurias mala, quantis
25 primum calamitatibus opprimaris.

Hoc autem quod de Sodoma diximus, et de Samaria quoque intelligere debebis. Et ipsa quippe necdum est restituta, sed ex eo tempore quo decem tribus eiectae sunt de Iudaea, Samaria et captivitatem sustinuit et
30 nomen accepit non habens accolas suos. Restituetur autem et illa sicut in principio fuit, cum decem tribus fuerint reversae, ut solvatur id quod scriptum est : *Captivus ductus est populus in Assyrios usque in hodiernum diem*[c]. Si autem tanto post tempore restituetur id quod
35 praecessit in signum, quando tu restitueris, si tamen restitueris, Samaritana et haeretica anima, quae simulacris et feriis non veris ac figmentis de Ieroboam corde venientibus credidisti[d] ? Quando restitueris, o anima infelix, cum post tanta saecula restituatur exemplum tui ?

40 Si autem hoc super Sodoma et Samaria fit, quae iustificatae sunt ab Hierusalem, quid dicendum est de ipsa Hierusalem, quae supradictarum scelera iustificavit ? *Et restituemini sicut ab initio fuistis ; et tu et filiae tuae restituemini, sicut fuistis in principio*[e]. Scit hoc quod
45 dicitur : sicut fuistis in principio et Isaias dicens : *Et*

c. IV Rois 17, 23 // d. Cf. IV Rois, 17, 22 s. // e. Éz. 16, 55

2. « *Éz.* 16, 53-58 : En dépit d'un certain embarras du texte (prophétique), le sens est clair. Au temps de la restauration, Sodome et Samari

à la terre de l'Égypte. S'il en est ainsi, et que ce soit futur ou non — les questions de cet ordre sont débattues chez ceux qui sont très doctes —, mais pour qu'ait lieu ce qui est dit, s'achèveront pour moi trois mille ans, et alors, torturée trois mille ans, sera rétablie Sodome, c'est-à-dire mon âme, Sodome, intelligence pleine de péchés. Un grand intervalle de temps est situé entre la ruine et le rétablissement. Même si tu es rétabli comme tu étais à l'ancien temps, vois combien de maux tu as subis à fond, par combien de fléaux tu fus d'abord opprimé.

Mais ce qu'on a dit de Sodome, on devra l'entendre aussi de Samarie. Car elle non plus n'a pas encore été rétablie, mais depuis le temps où les deux tribus furent chassées de la Judée, Samarie a subi la captivité et elle a reçu un nom sans avoir ses voisins. Mais elle sera rétablie elle aussi comme elle fut à l'origine, quand les dix tribus seront revenues pour que soit accompli ce qui est écrit : « Le peuple fut emmené captif en Assyrie jusqu'à ce jour[c]. » Or si après tout ce temps sera rétabli ce qui a précédé en signe, quand seras-tu rétablie, si toutefois tu es rétablie, âme hérétique et Samaritaine, toi qui as cru aux statues et aux fêtes non véritables, et aux fictions venant du cœur de Jéroboam[d]. Quand seras-tu rétablie, ô âme infortunée, alors que ton modèle est rétabli après tant de siècles ?

Mais si cela se produit pour Sodome et Samarie, qui furent justifiées par Jérusalem, que dire de Jérusalem elle-même[2], qui a justifié les forfaits des susdites ? « Et vous serez rétablies comme vous avez été dès l'origine[e]. » Il sait ce qui est dit : « Comme vous avez été dès l'origine »

---

seront les premières à recouvrer leur état ancien ; Jérusalem ne viendra qu'en troisième lieu, après avoir subi le châtiment que méritent ' son infâmie et ses abominations. » OSTY.

constituam iudices tuos ut prius, et consiliarios tuos ut in exordio[f].

4. *Et nisi esset Sodoma soror tua in auditum in ore tuo in diebus superbiae tuae, quemadmodum nunc opprobrium es filiarum Syriae et omnium quae sunt in circuitu tuo filiarum alienigenarum quae circumdant te in gyro, impietates tuas et iniquitates tuas tu porta*[a]. O clementissimum Deum satisfacientem de restitutione atque dicentem : Impietates tuas et iniquitates tuas porta ! Non frustra dico : restitueris, sed cum impietates tuas et iniquitates tuas exhauseris, tunc in locum pristinum restitueris. Quomodo vulnera quae in corpore fiunt, saepe parvo tempore accidunt, medelae vero vulnerum cum tormentis adhibentur ingentibus non iuxta aequalitatem temporis quo illata sunt, sed iuxta rationem curationis (verbi gratia, in puncto horae fractura manus et pedis contritio accidit ; hoc quod in modico factum est mensibus fere tribus ac longo tempore vix curatur), sic et voluptas quae nervos animae succidit, et luxuria et simul universa peccata, cum in parvo tempore infelicem animam illexerint et ad vitia traxerint, magnum postea tempus in suppliciis et cruciatibus promerentur.

Propter quod haec dicit Dominus : *Et faciam in te sicut fecisti, sicut sprevisti haec praevaricando testamentum meum ; et memor ero,* primum : *Quomodo*

f. Is. 1, 26.
4 a. Éz. 16, 56-58

1. Baehrens se demande si, après les mots « aux jours de ton orgueil », un membre de phrase, « avant que ne fut découverte ta nudité », n'a pas été omis dans la traduction de Jérôme, ou déjà dans le manuscrit grec qu'il lisait — par suite d'une haplographie : voir les expressions grecques qu'il rapproche.

2. Cf. *supra, hom.* 5, 1, 30, et n. 4. Le prédicateur connaissait la littérature médicale classique et la médecine de son temps. Il aimait à en

Isaïe encore, disant : « Et j'établirai tes juges comme avant, et tes conseillers comme au début[f]. »

Long délai 4. « Est-ce que Sodome ta sœur n'était pas matière à commérages dans ta bouche aux jours de ton orgueil[1] ? de même tu es maintenant l'objet des outrages des filles de Syrie et de tous tes alentours, des filles étrangères qui t'entourent à la ronde ; toi, porte tes impiétés et tes abominations[a]. » O Dieu très clément qui exécutes le rétablissement et dis : « Porte tes impiétés et tes abominations ! » Je ne dis pas en vain : « Tu seras rétablie », mais quand tu auras subi à fond tes impiétés et tes abominations, alors tu seras rétablie à ton ancienne place. De la même manière dont les blessures qui se font sur les corps[2] souvent adviennent en peu de temps, mais les remèdes des blessures provoquent d'atroces tourments, non point d'après une équivalence du temps où elles ont été infligées, mais en raison de la thérapeutique (par exemple, arrive en un instant une fracture de main et un écrasement de pied : ce qui fut fait en un moment est à peine guéri en trois mois environ et même un temps plus long) ; de même aussi le plaisir qui sape les nerfs de l'âme, la luxure, et en somme tous les péchés, alors qu'en peu de temps ils ont séduit l'âme infortunée et l'ont entraînée aux vices, méritent ensuite un long temps dans les supplices et les tortures.

C'est pourquoi, dit le Seigneur : « J'agirai avec toi comme tu as agi, comme tu as méprisé ce serment en rompant mon alliance ; et je me souviendrai » ; d'abord,

---

tirer une foule de comparaisons. Voir entre autres les paragraphes riches en détails précis : soit sur le rôle du médecin ou du chirurgien, *In Jér. hom.* 12, 3, 35 s., et *hom. lat.* 2, 6, 19-37, *SC* 238, p. 26 s. et p. 350 s. ; soit sur la variété des blessures et le temps de leur guérison, *In Num. hom.* 8, 1 s., *SC* 29, p. 158, *GCS* 7, p. 51, 15 s.

fecisti, faciam tibi, deinde : *Memor ero testamenti mei,*
25 *quod feci tecum in diebus infantiae tuae.* Fecit quippe testamentum in diebus infantiae eius. Diximus autem supra quomodo cum ea fecerit testamentum. *Et suscitabo tibi testamentum aeternum*[b]. *Ego occido et ego vivificabo*[c], ait. Qui nunc ista promittit dolores facit et
30 rursum restituet ; percussit et manus eius sanabunt. Dicitur et in Michea : *Iram Domini sustinebo, quia peccavi ei, donec iustificet ipse causam meam*[d]. Quando iustificatur causa mea ? Quando iram Domini sustinuero, qui *divitias bonitatis eius et patientiae et*
35 *longanimitatis contempsi et iuxta meam duritiam et impaenitens cor thesaurizavi mihi iram in die irae et revelationis iusti iudicii Dei*[e].

5. *Et dehonestaberis in eo quod suscepisti sorores tuas seniores cum adulescentulis, et dabo tibi eas in aedificationem*[a]. Supra unam dixit sororem Sodomam et aliam Samariam[b] ; nunc repetit et dicit : sorores tuas
5 seniores, cum senior tantum Samaria sit et adolescentior Sodoma ; verum quia filiae earum iis connumerantur, dicit omnium unam esse speciem. Quantae autem filiae Sodomorum sunt, tantae et Samariae. *Et dabo tibi eas in aedificationem et non ex testamento tuo ; et suscitabo*
10 *ego testamentum meum tecum*[c].

Considera finem repromissionis : *Et cognosces quia ego Dominus, ut memineris et confundaris,* id est, cum

b. Éz. 16, 59.60 // c. Deut. 32, 39 // d. Mich. 7, 9 // e. Cf. Rom. 2, 4-5.
5 a. Éz. 16, 61 // b. Cf. Éz. 16, 55 // c. Éz. 16, 61-62

1. « Sans y être tenu par mon alliance avec toi », explicitent *BJ* e

« comme tu as agi, j'agirai envers toi », puis : « Je me souviendrai de mon alliance que j'ai contractée avec toi aux jours de ta jeunesse. » Car il a contracté une alliance avec elle aux jours de sa jeunesse. Mais on a dit plus haut qu'il avait contracté une alliance. « Et j'établirai pour toi une alliance éternelle[b]. » ; « C'est moi qui fais mourir et c'est moi qui fais vivre[c] ». Celui qui maintenant fait cette promesse fait souffrir, et de nouveau il rétablira ; il a frappé, et ses mains guériront. Il est dit encore dans Michée : « La colère du Seigneur, je la supporterai parce que j'ai péché contre lui, jusqu'à ce qu'il défende ma cause[d]. » Quand ma cause est-elle défendue ? Quand je supporterai la colère du Seigneur, moi qui « ai méprisé ses richesses de bonté, de patience, de longanimité, et par ma dureté et mon cœur impénitent ai amassé contre moi un trésor de colère, pour le jour de la colère où se révèlera le juste jugement de Dieu[e]. »

Alliance imméritée

5. « Tu seras déshonorée pour avoir accueilli tes sœurs aînées avec les cadettes, et je te les donnerai pour bâtir[a]. » Ci-dessus, il a dit « une sœur » Sodome, et une autre Samarie[b], ici, il reprend et dit : « tes sœurs aînées », alors que l'aînée est seulement Samarie, et la cadette Sodome ; mais parce que leurs filles sont énumérées avec elles, il dit qu'il y a une seule espèce de toutes. Et autant il y a de filles de Sodome, autant de Samarie. « Et je te les donnerai pour bâtir et non d'après ton alliance[1] ; et j'établirai, moi, mon alliance avec toi[c]. »

Considère la fin de la promesse : « Et tu sauras que je suis le Seigneur, afin que tu te souviennes et que tu sois

---

[1] OSTY, lequel note : « Traduction conjecturale d'un texte ambigü (litt. ' et non d'après ton alliance ') ; on peut interpréter : ' sans qu'elles aient part à ton alliance ', c'est-à-dire sans qu'elles soient sur le même plan que Jérusalem. »

receperis peccata tua et rememorata fueris, tunc confunderis. *Et ultra non erit tibi os aperire*[d]. Cum recepero
15 peccata mea et restitutus fuero facto mecum testamento, tunc amplius intelligo mala mea et confundor et conscius mihi intra memet punior. Vide autem quid mihi eveniat, ut ultra non sit liberum os aperire a facie ignominiae, et quando eveniat. *In eo quod propitietur tibi*[e]. Ne tunc
20 quidem quando propitiatur mihi multa peccanti, possum os aperire, nec quando ignoscit sceleribus meis alienus sum ab ignominia, sed sentiens scelera mea perpetuo conscientiae meae igne discrucior.

Idcirco, quia ignominia et confusio aeterna nobis repo-
25 sita est si peccaverimus, omni corde precemur Deum, ut det nobis usque ad finem et animi et corporis nisu pro veritate contendere, ut, etiamsi aliquod tempus institerit quod nostram examinet fidem — nam *ut aurum probatur in fornace*[f], sic fides nostra in periculo et persecutio-
30 nibus examinatur —, etiamsi persecutio eruperit, inveniat nos praeparatos, ne *domus nostra in hieme corruat*, ne *aedificatio quasi in arena constructa tempestatibus dissipetur*, ut, cum *flaverint venti*[g] diaboli, id est spiritus pessimi, opera nostra persistant quae usque
35 ad hanc diem perstiterunt, si tamen non sunt occulte subruta, et in expeditionis accinctu manifestemus caritatem nostram, quam habemus ad Deum in Christo Iesu, *cui est gloria et imperium in saecula saeculorum. Amen*[h] !

---

d. Éz. 16, 62-63 // e. Éz. 16, 63 // f. Cf. Sag. 3, 6 // g. Cf. Matth. 7, 25 s. // h. Cf. I Pierre 4, 11.

confondue », c'est-à-dire, quand tu recevras le prix de tes péchés et que tu te souviendras, alors tu seras confondue. « Et tu n'auras plus à ouvrir la bouche[d]. » Après avoir reçu le prix de mes péchés, été rétabli, et une fois l'alliance contractée avec moi, alors je comprends mieux mes maux et je suis confondu, et conscient de moi, à l'intérieur je me punis moi-même. Mais vois ce qui m'arrive, pour qu'il ne soit plus loisible d'ouvrir la bouche, et quand cela arrive. « Parce qu'il te sera pardonné[e]. » Pas même alors, quand il m'est pardonné, à moi qui commets bien des péchés, je ne peux ouvrir la bouche, et quand il pardonne mes crimes, je ne suis pas étranger à l'opprobre, mais ressentant mes crimes je suis continuellement torturé par le feu de ma conscience.

Aussi bien, parce qu'un opprobre et une confusion éternels nous sont réservés si nous avons péché, de tout cœur prions Dieu qu'il nous donne de lutter pour la vérité jusqu'à la fin par l'effort de l'âme et du corps afin que, même s'il survient un temps qui éprouve notre foi — car « comme on éprouve l'or au creuset[f] », ainsi notre âme est-elle mise à l'épreuve dans le péril et les persécutions —, même si la persécution surgit, elle nous trouve prêts, pour éviter que « notre maison ne s'écroule en hiver », qu'un « édifice qui serait bâti sur du sable ne soit démoli par les orages » ; et quand « souffleront les vents[g] » du diable, à savoir les pires esprits, que persistent nos œuvres qui ont persisté jusqu'à ce jour, si toutefois elles ne sont pas secrètement sapées ; et que, préparés à l'action, nous manifestions notre charité, que nous avons pour Dieu dans le Christ Jésus, « à qui sont gloire et puissance pour les siècles des siècles. Amen[h] ».

HOMÉLIE XI

LES DEUX AIGLES, LE CÈDRE, LE CEP DE VIGNE (*Éz.* 17, 1-7)

1 : *L'exercice* des corps procure la force. De même l'exercice des sens de l'âme, pour comprendre récit, question, énigme, parabole. 2 : *Les deux aigles,* leur description, leur action : le premier aigle, Nabuchodonosor ; le Liban, Jérusalem ; les plus hauts sommets du cèdre, le roi de Jérusalem et ses princes ; la terre de Canaan, Babylone ; avec le rejeton royal fut prise une multitude, qui devint une vigne chétive ; la guerre surgit entre Pharaon, roi d'Égypte, et Nabuchodonosor, roi de Babylone ; pour rejeter le joug des Assyriens et de Nabuchodonosor, le peuple se déplace vers le second aigle, Pharaon ; ayant désobéi à Dieu, ils attirent sur eux sa colère, et il arriva le contraire de ce qu'ils espéraient. 3 : Une objection : pourquoi parler d'aigles, animaux impurs dans la Bible ? En fait, comme d'autres animaux, ils sont pris tantôt en bonne, tantôt en mauvaise part. 4 : *Nabuchodonosor* : tant que ceux qui habitaient au Liban ne péchèrent pas et furent établis à Jérusalem, ce grand aigle n'a pas reçu le pouvoir d'entrer au Liban, ne s'est pas saisi des rameaux du cèdre : la semence royale et la race des princes ; mais parce qu'ils ont péché, il les enleva, les transporta en Canaan, terre des Babyloniens ; il se saisit d'une semence de la terre, la plaça dans un champ fertile ; mais, vigne grande en terre sainte, une fois transplantée au territoire des pécheurs, elle devint vigne chétive ; ainsi en serait-il de nous si nous quittions les limites de l'Église. 5 : *Pharaon* : vers lui donc s'est portée la vigne pour son malheur... Comme explication, nous pourrions nous élever vers une autre Jérusalem... ; disons plus simplement : « Il est venu vers le Liban, c'est-à-dire l'Église, le véritable Nabuchodonosor, c'est-à-dire le diable, et il voudrait faire une transplantation analogue... Prions pour que personne de Jérusalem ne soit transporté en Canaan, et que la plantation de Jérusalem persévère dans la volonté de Dieu et dans son Église : dans les actes, les paroles et la science de la vérité du Christ. »

HOMILIA XI.

1. Exercitio corporum et in totum fortitudinem comparat his qui exercentur, et per partes unum quodque membrum sensusque membrorum vegetiores facit ad efficiendum quid aut sentiendum : ut puta oculorum acies
5 si exercitetur in visu, acutior fit ad videndum, aures si frequentius audiant, melius possunt vocum capere dissonantias. Hoc autem et in ceteris membris licet deprehendere, quod in paucis ostendimus. Verum quid mihi prodest ad beatitudinem et ad vitam sempiternam, si corpus
10 exercitationibus roboretur ? Quod mihi est emolumentum, etiamsi fortissimo corpore fiam, etiamsi omnibus membris vegetus incedam ?

E contrario autem si sensus animae habuero exercitatos[a] ad sentiendum quid ad discendum dies noctesque
15 contrivero, non solum in hac vita mihi conducit, sed etiam recedentem de corpore prosequetur. Idcirco in parabolis et in aenigmatibus locutus est, ut extenderet se mens nostra, vel potius in unum colligens dictorum intueatur acumina et a corporis vitiis recedens, dum intelligit
20 veritatem, vitae suae cursum secundum eandem dirigat.

Haec in prooemio diximus, quia *Sermo Dei factus est ad* Ezechiel *dicens : Fili hominis, narra narrationem et dic parabolam ad domum Istrahel*[b]. Pro hoc autem quod septuaginta interpretes posuerunt : narra narratio-

1 a. Cf. Hébr. 5, 14 // b. Cf. Éz. 17, 1.2.

1. « Sens de l'âme » : « les sens spirituels » de « l'homme intérieur » analogues aux « sens des organes », sens corporels de « l'homme exté-

HOMÉLIE XI

L'exercice **1.** L'exercice des corps en général procure la force à ceux qui s'exercent, donne en détail à chaque organe et aux sens des organes plus de vigueur pour sentir ou exécuter ; comme par exemple, l'acuité des regards, si elle s'exerce à la vision, devient plus perçante pour voir ; les oreilles, si elles écoutent plus fréquemment, sont plus aptes à saisir les différences de voix. Et pour tous les autres organes, on peut découvrir ce qu'on a montré pour un petit nombre. Mais à quoi me sert pour la vie éternelle et la béatitude d'avoir le corps fortifié par des exercices ? Quel avantage pour moi, même si je devins très robuste de corps, même si je gagne une vigueur de tous les organes ?

Que j'aie par contre les sens de l'âme[1] exercés[a] à comprendre ce que j'userai les jours et les nuits à apprendre, non seulement m'est avantageux en cette vie, mais encore m'accompagnera à mon départ du corps. C'est pourquoi Dieu a parlé en énigmes et en paraboles, afin que notre intelligence se déploie, ou plutôt que, les réunissant, elle pénètre les finesses des paroles et, s'écartant des vices du corps, pendant qu'elle comprend la vérité, elle dirige d'après elle le cours de sa vie.

Cela dit en préambule ; car « advint la Parole de Dieu à Ézéchiel : Fils d'homme, raconte un récit et dis une parabole à la maison d'Israël[b]. » Or, au lieu de ce qu'ont mis les Septante, « raconte un récit », un autre des traducteurs a

---

rieur ». Origène en parle souvent en relation avec « les sens spirituels » de l'Écriture. Cf. *SC* 286, p. 368 s. ; et 287, p. 417 s.

nem, alius de interpretibus transtulit : propone problema, alius : profer problema, alius : significa aenigma. Igitur et problema et aenigma et parabola est quod lectum est. Si quando illuminatione indiguimus scientiae Dei, nunc vel maxime et necessarie indigemus, ut non tam ego quam orantibus vobis gratia Dei in me edisserat solutionem problematis et aenigmatis sive parabolae.

2. Quae est ergo *parabola aquilae* quam in praesenti Spiritus sanctus ostendit ? Quae non solum aquila, sed etiam comparatione ceterarum aquilarum *magna aquila* et *ingentium alarum* et *longa extensu* et *plena ungui-bus*, sive, ut quidam interpretatus est, *plena plumis* scribitur. Non solum his quae diximus maior est ceteris aquilis, verum in eo vel praecipua est quod *ductum habet intrandi in Libanum.* Nam *ingrediens* illuc ab arbore *cedri,* quae in *Libano* sita erat, *electa, teneritudinis* et *summa* quaeque *decerpsit et attulit in terram Chanaan, in civitatem* sive *negotiatorum,* sive *negotiatricem,* sive *translatorum,* sive certe, ut septuaginta interpretati sunt, *muratam ;* et posuit hoc quod de *cedro Libani sumpserat,* ut plantaretur et cresceret in *terra Chanaan*[a].

Post haec eadem *aquila de semine terrae,* unde *sumpserat summitates cedri,* extrinsecus sibi semen *accepit et plantavit illud in campo frondifero super aquam multam.* Hoc autem ipsum quod *de terra* in Chanaan fuerat assumptum ab ea qua *Libani summa*

2 a. Cf. Éz. 17, 3.4

1. « La parabole » d'*Éz.* 17 vise l'histoire des rois contemporains. Le chapitre comprend la parabole, v. 3-10 ; son interprétation, v. 12-21 des promesses pour l'avenir, v. 22-24. Pour une explication détaillée voir les notes des traducteurs. Le prédicateur résume d'abord le passage « selon la lettre ».

transcrit : « présente une question », un autre, « propose une question », un autre, « annonce une énigme ». Ainsi, « question », « énigme », « parabole », voilà ce qu'on a lu. Si jamais nous avons eu besoin de l'illumination de la science de Dieu, c'est bien surtout ici que nous en avons le plus impérieux besoin : pour que ce ne soit pas tant moi que, à vos prières, la grâce de Dieu en moi, qui expose l'explication de la question, de l'énigme, de la parabole.

Premier aigle

2. Quelle est donc « la parabole de l'aigle » que développe à présent l'Esprit-Saint ? Non seulement un aigle, mais encore, en comparaison de tous les autres aigles, « un grand aigle », « aux ailes gigantesques », « à l'envergure immense », « bien muni d'ongles » ou, comme a traduit quelqu'un, « bien fourni de plumes » : telle est la description. Non seulement par ce qu'on dit, il est plus grand que tous les autres aigles, mais il est même supérieur en ceci : « Il est poussé à entrer au Liban. » De fait, « entrant » là, « du cèdre » planté « au Liban », il détacha tous « les rameaux de choix les plus élevés » de la frondaison ; il les emporta en terre de Canaan, dans une ville, ou « de marchands », ou « marchande », ou « de commerçants », ou peut-être comme ont traduit les Septante, « entourée d'un mur » ; et il disposa de ce qu'il « avait pris du cèdre du Liban » de façon qu'il soit planté et qu'il croisse « dans la terre de Canaan[a] ».

Puis[1] ce même aigle, en plus de « la semence de la terre », d'où il avait pris les plus hauts rameaux du cèdre », se « saisit » d'une semence à l'extérieur, « et il la planta dans un champ fertile près d'une eau abondante ». Mais, cela même qui avait été pris « de la terre » en Canaan, par celui qui « avait détaché tous les plus hauts rameaux du Liban », c'est-à-dire ce que la seconde fois « il

quaeque *decerpserat,* id est quod secunda vice *accepe-rat, factum est in vitem* non fortem, sed *infirmam,* verum etiam statura *pusillam,* et *palmites* huius *vitis infirmae* reclinati sunt pro eo quod de *Libano* et *cedro*
25 *fuerat assumptum,* in tantum ut *radices suas sub ipsius* trunco consitas haberet. *Et* quidem *facta est vitis et fecit propagines et extendit arbusta sua*[b].

Et post haec *venit alia aquila* et ipsa *magna, magnis alis et copiosis* vel *plumis* sive *unguibus ; et ecce ista*
30 *vitis,* de qua nunc diximus, *veniente secunda aquila* declinavit *testamentum* suum ad eam *spernens id testamentum* quod prius cum arbore fecerat in qua reclinata *vitis* fuerat effecta, et *propaginibus* factis arbusta latius fuderat, et *complexa est secundam aquilam, et radices*
35 *suas* a priore transtulit *ad* sequentem. Deinde *palmites emisit* ad *aquilam secundam, ut irrigaret eam cum gleba plantationis eius in campo bono et aqua multa.* Et quidem irrigata est haec ipsa *vitis* et translata ad *aquilam secundam, ut faceret incrementa, ut afferret*
40 *fructum, ut fieret in vitem magnam*[c]. Idcirco prophetae imperatur ut dicat quia *testamentum transgrediens vitis* quod fecerat cum *aquila* priore, et *statuens* illud cum secunda non *dirigatur neque radices teneritudinis eius effloreant ;* quin potius *fructus* eius propter trans-
45 censionem eius *putreat et arescant omnia quae de eo oriebantur, et iam ultra non habeat bracchium magnum et populum multum, evellatur autem radicitus et, licet irrigata sit, tamen non perseveret et non dirigatur in ubertatem ; statimque ut contigerit eam*

b. Cf. Éz. 17, 5.6 // c. Cf. Éz. 17, 7.8

2. Cf. « arbusta vitis », PLINE, *Nat. hist.* 17, 207.

avait pris », « devint une vigne », non pas vigoureuse, mais « chétive », et encore « toute petite » de taille ; et « les rameaux de cette vigne toute petite » s'inclinèrent devant ce qui « avait été pris du Liban et du Cèdre », à tel point qu'elle avait « ses racines » plantées « sous son » cep. « Et elle devint une vigne, elle donna des tiges et elle étendit ses ramures[b]. »

Second aigle Après cela « vint un second aigle », lui aussi « grand, aux ailes gigantesques et bien fournies » soit « de plumes », soit « d'ongles » ; « et voici que cette vigne », dont on vient de parler, « à l'arrivée du second aigle », a rompu son « alliance » avec lui, « méprisant cette alliance » qu'elle avait d'abord faite avec l'arbre contre lequel « la vigne » s'était inclinée, et par la pousse de « ses tiges » la vigne mariée à l'arbre[2] s'était largement déployée, et « elle entoura le second aigle », et elle transféra « ses racines » du premier au suivant. Puis, « elle projeta ses rameaux » vers « le second aigle », « pour qu'il l'arrosât avec le sol où elle fut plantée dans un bon champ et une eau abondante. » Et cette « vigne » elle-même fut arrosée, et transférée vers « le second aigle », « pour qu'elle produise des ramures, pour qu'elle porte du fruit, pour qu'elle devienne une grande vigne[c] ». C'est pourquoi l'ordre est donné au prophète de dire que « la vigne, transgressant l'alliance » qu'elle avait faite avec le premier « aigle », et la « concluant » avec le second, « ne s'élève pas droit, et les racines de ses jeunes pousses ne s'épanouissent point » ; bien plutôt, à cause de sa transgression, que son « fruit se flétrisse, et que sèche tout ce qui poussait d'elle, et qu'elle n'ait désormais plus de bras puissant et de peuple nombreux, mais qu'elle soit arrachée avec ses racines et, bien qu'elle fût arrosée, pourtant qu'elle ne subsiste ni ne devienne féconde ; mais,

50 *ventus urens, arescat et cum gleba plantationis suae siccetur*[d].

Hoc propositio ipsius historiae exposcit ut, quae obscurius dicta sunt, quibusdam adiunctis sermonibus planius enarremus. Et si tantus labor est ut ipsum quod dicitur 55 intelligatur, quid necesse est dicere ipsam quaestionem quantam habeat obscuritatem, quae sit aquila prior, qui sit Libanus, quae cedrus, quae summa cedri, quae aquila secunda, quae translatio vitis a priore ad sequentem ? Si aliquando Dei indiguimus auxilio — semper autem in 60 intellectu Scripturarum Spiritu eius sancto indigemus —, nunc profecto tempus est quo nobis praestet auxilium et pandat ipse quae dixit.

Quomodo Salvator noster in Evangeliis quasdam parabolas ipse interpretatur, sic et nunc propheta in secunda 65 prophetia quae in reliquis lecta est, significat quia *aquila* prior Nabuchodonosor sit *rex Babylonis* qui *ingressus est* in *Libanum,* id est *Hierusalem,* et *accepit de summis cedri,* id est *regem Hierusalem et principes eius* et *attulit ea in terram Chanaan,* scilicet in *Babylonem*[e]. 70 *Plantavit* quippe in captivitatem accipiens filios Istrahel, et *de regio semine,* et de genere *principum,* in eadem *terra constituit.* Post hoc autem et post *regiam* stirpem alia quoque multitudo capta est ab eo et *vitis* effecta est, non tam robusta quam fuerat, cum fuisset in vinea Dei et 75 in terra sancta, ubi sacrificia Dei celebrantur, sed erat in Babylone translata *vitis infirma.* His ita gestis, inter

d. Cf. Éz. 17, 9.10 // e. Cf. Éz. 17, 12 et 4.

3. « Selon la lettre (Kata to rhèton), le premier aigle aux grandes ailes est Nabuchodonosor. Il vint au Liban, à Jérusalem ; il prit des plus hauts sommets du cèdre, le roi de Jérusalem et ses princes. Il les emmena dans la terre des Chaldéens, à Babylone. Car il les planta en captivité, ayant pris les fils d'Israël avec un rejeton de race royale, et de la noblesse ; et

dès que l'atteindra le vent brûlant qu'elle grille et qu'elle se dessèche avec le sol où elle fut plantée[d]. »

Explication L'énoncé de l'histoire même nous demande de donner, moyennant des additions, une explication plus claire des paroles trop obscures. Et s'il y a tant de peine à comprendre le texte même, qu'est-il besoin de dire quelle profonde obscurité comporte le sujet lui-même, quel est le premier aigle, quel est le Liban, quel cèdre, quelle cime du cèdre, quel second aigle, quel transfert de la vigne du premier au suivant ? Si jamais nous avons eu besoin du secours de Dieu — or nous avons toujours besoin de son Esprit-Saint pour l'intelligence des Écritures —, voici bien le moment qu'il nous accorde son secours et qu'il nous explique lui-même ce qu'il a dit.

Comme notre Sauveur dans les Évangiles interprète lui-même certaines paraboles, de même aussi le prophète ici, dans la seconde prophétie qui est lue dans la suite, annonce que le premier aigle est Nabuchodonosor[3], « roi de Babylone » qui « est entré au Liban », à savoir « à Jérusalem : il a pris des plus hauts rameaux du cèdre », à savoir « le roi de Jérusalem et ses princes », et « il les a déportés en terre de Canaan », c'est-à-dire à « Babylone[e] ». Car emmenant les fils d'Israël en captivité et de la semence royale et de la race des princes, il les a plantés, et les a établis sur la même terre. Mais après cela, et après le rejeton « royal », une autre multitude encore fut prise par lui, et elle devint « une vigne », moins vigoureuse qu'elle n'avait été quand elle fut dans le vignoble de Dieu et dans la terre sainte, où les sacrifices de Dieu sont célébrés, mais elle avait été transférée à Babylone « vigne

---

le reste de la multitude devint une vigne, moins vigoureuse qu'elle n'était jadis avec Dieu. » *Sel. in Éz., Cat., PG* 13, 747 (26).

Pharao regem Aegypti et Nabuchodonosor regem Babylonis *bellum* ortum est. Igitur populus, qui cum regibus suis ac stirpe optimatum ab Assyriis fuerat afflictus, 80 reperta occasione qua iugum Nabuchodonosor abiceret et eius imperio liberaretur, transtulit se ad *secundum aquilam grandem, magnarum alarum,* id est *Pharao.* Deinde sic ordine currente rerum, quia Deus eos non Pharao tradiderat sed Nabuchodonosor, et illi non susti- 85 nentes iudicium eius excusserant iugum Nabuchodonosor de cervicibus suis et ad Pharao transgressi fuerant, ira Dei super eos ingruit et contra evenit quam putaverant. Oportet quippe eum qui a Deo damnatur non fugere sententiam eius nec voluntatem iudicantis velle mutare, 90 verum patientissime sustinere donec ipse Deus liberet qui damnavit. Igitur, quia ad Pharao transtulit se populus, relinquitur ab auxilio Dei, et peiora patitur quam ante perpessus est a Nabuchodonosor. Diximus solutionem *parabolae* iuxta litteram et id quod scriptum est.

95 Sequitur durior interpretatio et difficilis ad intelligendum secundum verum Nabuchodonosor et verum Pharao et ea verba quae de *aquilis* praedicta sunt. Idcirco autem ante interpositionem sequentis lectionis hanc expositionem summatim strictimque praediximus, ut et praesens 100 locus facilius intelligatur et nihilominus servetur loco suo plenior expositio, cum sequens *parabola* etiam iuxta allegoriam latissime disseretur.

---

4. « Le second aigle est Pharaon. Il y eut une guerre de Pharaon avec Nabuchodonosor. Et le peuple, saisissant l'occasion, voulut secouer le joug de Nabuchodonosor, auquel Dieu les avait livrés à cause de leurs péchés. Ils préférèrent s'incliner contre la volonté de Dieu, sous le joug de Pharaon, plutôt que sous celui de Dieu. C'est pourquoi ils endurèrent des souffrances plus cruelles de Pharaon que de Nabuchodonosor. Voilà,

chétive ». Cela ainsi fait, entre « Pharaon » roi d'Égypte, et Nabuchodonosor roi de Babylone, surgit « la guerre ». Donc le peuple, qui avec ses rois et la race des aristocrates avait été opprimé par les Assyriens, trouvant l'occasion de rejeter le joug de Nabuchodonosor et de se libérer de son empire, se déplaça vers « le second aigle, grand et aux grandes ailes » c'est-à-dire « Pharaon »[4]... Ensuite, tel étant le cours des événements, parce que Dieu ne les avait pas livrés à Pharaon mais à Nabuchodonosor, et qu'eux, ne supportant pas son jugement, avaient secoué de leurs nuques le joug de Nabuchodonosor, et étaient passés du côté de Pharaon, la colère de Dieu fondit sur eux, et il arriva le contraire de ce qu'ils avaient pensé. Car il faut que celui qui est condamné par Dieu ne fuie pas sa sentence, et veuille ne pas changer la volonté de celui qui juge, mais la supporter en toute patience jusqu'à ce que Dieu lui-même libère celui qu'il a condamné. Donc, puisque le peuple se porte, aux côtés de Pharaon, il est abandonné du secours de Dieu, et il subit plus de mal qu'il n'en avait enduré auparavant de Nabuchodonosor. On a dit l'explication de la parabole selon la lettre et ce qui est écrit.

Suit une interprétation plus ardue, difficile à comprendre, concernant le véritable Nabuchodonosor, le véritable Pharaon et les paroles qu'on a dites d'avance à propos des aigles. Aussi bien, avant d'intercaler la lecture suivante, avons-nous donné d'avance cette explication résumée à grands traits, pour que le présent passage aussi soit plus facilement compris, et qu'on garde néanmoins pour son passage une explication plus complète, quand la parabole suivante sera très largement développée encore selon l'allégorie.

---

selon la lettre, pour le peuple qui avait été abandonné, et qu'avait emmené Nabuchodonosor. » *Ibid.*, (27).

3. Verum nunc pauca debemus adsumere et quasi quodam armamento futurae interpretationi viam sternere de his quae nobis Dei gratia largitur, scientes quia in sequenti plenius exponemus. Ac primum quidem videndum quare Nabuchodonosor et Pharao aquilae dicantur. Forsitan quaerat quispiam qui non otiose et transitorie Scripturas legit : si Nabuchodonosor aquila est magna et magnarum alarum, et hic Pharao alia aquila magna similiter alarum ingentium et in lege inter *immunda animalia* posita est *aquila*[a], quare et iustus *dives* effectus *praeparat sibi alas aquilae, ut possit converti in domum principis sui*[b] ? Quare etiam repromissio quaedam est apud Isaiam prophetam dicentem : *Iusti accipient pennas ut aquilae, current et non laborabunt, gradientur et non esurient*[c] ? Si enim immunda est aquila, non oportet nos pennas accipere ut aquilam cum iusti fuerimus, neque cum divitiae nobis creverint oportet praeparare nos nobis pennas aquilae.

Cui primum respondendum est quaedam nomina animalium in Scriptura in utroque genere, id est malo ac bono posita, ut puta leo et in bonam partem accipitur et in malam ; in bonam sic : *Catalus leonis Iuda ; ex germinatione, fili mi, adscendisti ; accumbens dormisti ut leo et ut catulus leonis ; quis suscitabit eum*[d] ? ; in malam vero partem sic : *Adversarius noster diabolus ut leo rugiens quaerens devorare circuit ; cui expedit nos resistere firmos in fide*[e]. Sed et malignus supplan-

3 a. Cf. Lév. 11, 13 // b. Cf. Prov. 23, 4.5 // c. Cf. Is. 40, 31 // d. Gen. 49, 9 // e. Cf. I Pierre 5, 8.9

Objection

3. Mais ici nous devons joindre quelques mots et, comme avec un outil aplanir la voie pour une future interprétation d'après ce que la grâce de Dieu nous accorde, sachant que dans la suite viendra notre explication plus complète. Et d'abord, il faut voir pourquoi Nabuchodonosor et Pharaon sont dits aigles. Peut-être quelqu'un qui n'a pas fait des Écritures une lecture passagère et superficielle demande-t-il : Si Nabuchodonosor est un aigle grand et aux grandes ailes, et ce Pharaon un autre grand aigle pareillement aux gigantesques ailes, et que dans la Loi « l'aigle » est classé parmi « les animaux impurs[a] », pourquoi de son côté le juste devenu « riche se fait-il des ailes d'aigles afin de pouvoir retourner à la maison de son prince[b] ». Pourquoi y a-t-il encore dans le prophète Isaïe une certaine promesse : « Les justes prendront des ailes comme en ont les aigles, ils courront et ne se fatigueront pas, ils marcheront et n'auront pas soif[c]. » Car si l'aigle est impur, on ne doit pas prendre des ailes comme l'aigle quand on sera juste, et quand les richesses auront augmenté pour soi, on ne doit pas se faire des ailes d'aigle.

Réponse

A quoi il faut d'abord répondre : dans l'Écriture certains noms d'animaux sont répartis dans l'une et l'autre classe, à savoir la mauvaise et la bonne, comme par exemple le lion est pris en bonne et en mauvaise part : en bonne : « C'est un jeune lion que Juda ; mon fils, de la génération tu es monté ; te couchant tu as dormi comme un lion et comme un lionceau ; qui le fera se lever[d] ? » En mauvaise part : « Notre adversaire le diable, comme un lion rugissant rôde cherchant qui dévorer ; c'est notre avantage de lui résister, fermes dans la foi[e]. » De plus le Malin, désirant faire

tare cupiens *insidiatur in occulto, ut leo in spelunca sua ; insidiatur, ut rapiat pauperem*[f]. Quomodo ergo
30 leo dicitur et in malam partem et in bonam, non est incongruum etiam aquilam in utramque partem accipi. Et, ut ego suspicor, non est iustus aquila, sed quasi aquila ; aemulatur quippe aquilam. Et quomodo *serpens aereus*[g] typus fuit Salvatoris — neque enim serpens erat
35 vere, sed imitabatur serpentem dicente Domino : *Ut Moyses elevavit serpentem in deserto, sic oportet exaltari Filium hominis*[h] —, eodem modo et iustus non tam aquila est quam aquilae similis, quia ei utile est imaginem aquilae sectari. Iuxta hunc intellectum et in alio loco
40 praeceptum accipit iustus, ut sit *sapiens sicut serpens*[i], non ut fiat serpens, scilicet ne a veri serpentis capiatur astutia.

Si autem Sermo Dei Scripturas diligenter excutiens et Spiritus de quo scriptum est : *Spiritus omnia scrutatur,*
45 *etiam alta Dei*[j], in alicuius animam venerit, manifestissime ostendet de Scripturis et aquilam et leonem in parte mundorum animalium posita, *Cherubim* Dei habere *faciem hominis et faciem leonis a dextris quattuor partium et faciem vituli et faciem aquilae a sinistris*
50 *quattuor partium*[k] et haec quae in Cherubim videntur, id est aquila et leo munda sunt ; nihil quippe immundum est in curru Dei. Et quomodo tu de gentibus credens mundus effectus es et *quod Deus mundavit, tu ne commune dixeris* dicitur de omnibus quae *caelo* pendentia *ostensa*
55 *sunt* Petro[l], sic mundatus est leo et aquila, quae in Cherubim apparuerunt. Nec non et illud quod in Christi

f. Cf. Ps. 9, 9 // g. Cf. Nombr. 21, 8 s. // h. Jn 3, 14 // i. Cf. Matth. 10, 16 // j. I Cor. 2, 10 // k. Cf. Éz. 10, 14 et 1, 10 // l. Cf. Act. 10, 15.11.28

1. Cf. *In Ex. hom.* 4, 6, 11 s., *SC* 321, p. 130 s. Sur le bestiaire

tomber, « est à l'affût dans sa cachette comme un lion dans son fourré ; il est aux aguets pour ravir l'indigent[f] ». Donc, de même que le lion est dit en mauvaise part et en bonne, il n'est point déplacé de prendre aussi l'aigle dans l'une et l'autre part. Et, comme je le soupçonne, le juste n'est pas un aigle, mais comme un aigle ; car il rivalise avec l'aigle. Et de même que « le serpent d'airain[g] » fut un type du Sauveur — car il n'était pas véritablement un serpent mais il imitait le serpent, au dire du Seigneur : « De même que Moïse éleva le serpent dans le désert, ainsi faut-il que soit élevé le Fils de l'homme[h] » —, de la même manière aussi le juste n'est pas tant un aigle que semblable à un aigle, car il lui est utile d'aspirer à l'image de l'aigle. D'après ce sens, dans un autre passage aussi, le juste reçoit l'ordre d'être « prudent comme un serpent[i] », non pas de devenir serpent, bien entendu pour éviter de prendre la ruse d'un vrai serpent[1].

Mais si la Parole de Dieu prend soin d'éclaircir le sens des Écritures, si l'Esprit dont il est écrit : « L'Esprit scrute tout, jusqu'aux profondeurs de Dieu[j] », vient dans l'âme de quelqu'un, il montrera à l'évidence par les Écritures et l'aigle et le lion classés dans la part des animaux purs : « Les Chérubins » de Dieu ont « une face d'homme et de lion à droite des quatre côtés, une face de taureau et une face d'aigle à gauche des quatre côtés[k] », et ce qui est vu parmi les Chérubins, à savoir l'aigle et le lion sont purs ; car il n'est rien d'impur dans le char de Dieu. Et de même que toi, croyant issu de la gentilité, tu es devenu pur, et que « ce que Dieu a déclaré pur, toi ne l'appelle plus souillé » est dit de tout ce qui, suspendu « au ciel fut montré[l] » à Pierre, ainsi furent déclarés purs le lion et l'aigle qui apparurent avec les Chérubins. Et de plus, la

---

symbolique, voir *SC* 286, *Introd.*, p. 48 s. ; et surtout, *H. Crouzel, Image,* p. 197 s.

adventu futurum praedicatur novit mundum leonem, mundam et aquilam, quae nuncupatur immunda[m]. *Lupus* enim *et agni pascentur simul*[n] ; lupus autem, qui cum
60 ove innoxius pascitur, non est ultra servandus. Non mihi dicitur de tali lupo : *Attendite ab iis qui veniunt ad vos in vestitu ovium, intus autem sunt lupi rapaces*[o]. Locutus est dicens : *intus autem sunt lupi rapaces ;* sunt quippe alii non rapaces, quando *lupi et agni pas-*
65 *centur simul, et vitulus et taurus et leo pariter edent*[p]. Cum autem fuerit tam diversarum inter se naturarum in fide Christi facta sociatio, leo non erit iam immundus, verum feritatis suae obliviscetur et universa animalia, quae in lege Dei dicuntur immunda, conditionis antiquae
70 recipient puritatem. Hoc autem et ex parte iam factum est et plenissime in secundo completur adventu. Praevenit igitur sacramentum quod ostensum est in Cherubin rei veritatem ; et in tantum leonis et aquilae facies cum aliis faciebus cognatae sunt, ut maius nobis videatur vitulo et
75 tauro et leone simul pascentibus id quod apparuit in Cherubim. Ab Isaia quippe nihil de his quae praedicta sunt sibi cohaerens et invicem connexum repromittitur ; in Cherubim vero unumquodque animal cum alio cognatum est, *facies vituli faciei leonis* et *vultus hominis*
80 *vultui aquilae*[q]. Non igitur magnopere mireris, cum Pharao et praecedens eum Nabuchodonosor aquilae nuncupentur, *iusti pennas assumere* dicantur *ut aquilae*[r] et in Dei parte *dives* effectus *aquilae sibi pennas praeparet*[s] ad volandum.

m. Cf. Lév. 11, 13 // n. Is. 11, 6 // o. Matth. 7, 15 // p. Cf. Is. 11, 6 // q. Cf. Éz. 1, 10 // r. Cf. Is. 40, 31 // s. Cf. Prov. 23, 4.5.

prédication de ce qui va être à la venue du Christ reconnaît pur le lion, pur aussi l'aigle qui passent pour impurs[m]. Car « le loup et les agneaux paîtront ensemble[n]. » Mais le loup qui paît inoffensif avec la brebis ne doit pas être conservé plus loin. Ce n'est pas d'un tel loup qu'il m'est dit : « Méfiez-vous de ceux qui viennent à vous vêtus en brebis, mais au-dedans sont des loups rapaces[o]. » Il a dit : « mais au-dedans sont des loups rapaces » ; car d'autres ne sont point rapaces, puisque « loups et agneaux vont paître en même temps, taureau et lion manger ensemble[p]. » Et quand sera faite dans la foi au Christ l'association de natures entre elles si diverses, le lion ne sera plus impur mais oubliera sa férocité, et tous les animaux dits impurs dans la Loi de Dieu recevront la pureté de leur condition ancienne. Or cela aussi est déjà fait en partie, et s'achève pleinement à la seconde venue. Le signe mystérieux montré avec les Chérubins devance la vérité du réel ; et les faces du lion et de l'aigle sont apparentées aux autres faces seulement pour nous montrer, mieux que par le jeune taureau, le taureau et le lion qui paissent ensemble, ce qui apparut avec les Chérubins. Car aucune des choses prédites par Isaïe n'est promise en elle-même cohérente et en liaison réciproque ; mais avec les Chérubins, chaque vivant est apparenté à l'autre, « la face du taureau à la face du lion », « le visage de l'homme au visage de l'aigle[q] ». Ne t'étonne donc pas trop que Pharaon et Nabuchodonosor qui le précède soient appelés des aigles, que l'on dise que « les justes prennent des ailes comme les aigles[r] », et que celui qui, dans la part de Dieu est devenu « riche se prépare des ailes[s] » pour voler.

4. Verum ut ad propositum redeam, specialiter quiddam significatur de Nabuchodonosor, quia *magna* fuerit *aquila* et *magnarum alarum* et *sui extensione longissima*[a], in tantum ut ausus fuerit dicere : *Viribus faciam, et sapientia intellectus auferam fines gentium, et virtutem eorum depascar, et commovebo civitates quae inhabitantur, et orbem terrarum universum comprehendam manu ut nidum, et quasi confracta ova auferam*[b]. Ecce ita est extensio alarum eius. Nec hoc ei sufficit, verum unguibus plenus est et multis plumis et habet ductum intrandi in Libanum, ut cedri eius summa decerpat[c]. Quamdiu hi qui commorabantur in Libano non peccaverunt, id est quamdiu in Hierosolymis positi non sunt in sceleribus deprehensi, non accepit potestatem ista magna aquila ut ingrederetur in Libanum, neque assumpsit sibi electa cedri semen regium et principum stirpem[d]. Ista quippe sunt teneritudinis eius, quae quodam tempore non fuerunt duro corde ; attamen rapuit ea, quia peccaverunt in Dominum, aquila ista grandis et cetera totius arboris cacumina et in Chanaan transtulit, quia figuraliter Babyloniorum terra maledicti Chanaan dicitur ; de quo ait Noë : *Maledictus Chanaan puer, famulus erit fratribus suis*[e]. In civitate quoque negotiatorum sive negotiatrice sive transferentium aut certe murata posuit hoc quod de cedro abstulerat, et accepit sibi de semine terrae[f], iam non altioribus solum, sed etiam de minoribus et de populo Iudaeorum.

Et dedit illud in campum frondiferum, super aquam multam respiciendum constituit illud ; et exortum est et factum est in vitem infirmam[g]. Infirmatus est vere

---

4 a. Cf. Éz. 17, 3 // b. Is. 10, 13-14 // c. Cf. Éz. 17, 3 // d. Cf. Is. 17, 3,13 // e. Gen. 9, 25 // f. Cf. Éz. 17, 4 // g. Éz. 17, 5.6.

Nabuchodonosor 4. Mais pour revenir au sujet, il y a une indication spéciale au sujet de Nabuchodonosor : il fut « un aigle grand, aux grandes ailes, à l'envergure immense[a] », au point qu'il osa dire : « Par ma force j'agirai, par la sagesse de mon intelligence je déplacerai les frontières des peuples[1], je pillerai leur trésor, j'ébranlerai les villes habitées, je saisirai de la main comme un nid tout le globe de la terre et je les enlèverai comme des œufs cassés[b]. » Voilà l'envergure de ses ailes. Cela ne lui suffit pas, mais « il est bien pourvu d'ongles et de plumes nombreuses », et « il fut poussé à entrer au Liban pour saisir la cime de son cèdre[c] ». Tant que ceux qui habitaient au Liban ne péchèrent pas, c'est-à-dire tant qu'ils furent établis à Jérusalem, ils ne furent pas surpris dans des crimes, et ce grand aigle n'a pas reçu le pouvoir d'entrer au Liban, et il ne s'est pas saisi des rameaux choisis du cèdre, de la semence royale et de la race des princes[d]. Car ce sont de ses jeunes pousses qui, un certain temps, ne furent pas d'un cœur dur. Cependant, parce qu'ils ont péché contre le Seigneur, ce grand aigle les enleva ainsi que les autres extrémités des branches de l'arbre tout entier, et il les transporta en Canaan, car au sens figuré la terre des Babyloniens est dite : « les maudits de Canaan » ; à ce sujet, Noé dit : « Maudit soit Canaan, l'esclave, il sera le serviteur de ses frères[e]. » Et encore, dans une ville de marchands, ou marchande, ou de commerçants, ou du moins entourée de murs, il plaça ce qu'il avait enlevé du cèdre, et il se saisit d'une semence de la terre[f], non plus seulement des grands, mais encore des petits et du peuple des Juifs.

« Et il la plaça dans un champ fertile, l'établit en bordure d'une eau abondante ; elle poussa et devint une vigne chétive[g]. » Vraiment chétif est le peuple de Dieu à

1. Cf. *hom.* 9, 2, 30, la note 2.

populus Dei in Babylone et ideo neque canticum Domini cantare poterat dicens : *Quomodo cantabimus canticum Domini in terra aliena*[h] ? Revera non poterat infirma non esse quae plantata fuerat in Babylone. Quo pacto
35 vires pristinas reservaret quae vitis Babylonia esse coepisset ? Quae quia in sancta terra fructus non fecerat, ideo translata ab aquila et posita in terra Chanaan facta est in vitem infirmam et in pusillam statura. Quamdiu in sancta terra fuit, ingens vitis erat ; quando vero translata
40 est in fines peccatorum, et infirma et parva effecta est. Et tu igitur vitis quae me audis, si vis esse magna, noli exire de Ecclesiae finibus, permane in terra sancta Hierusalem. Quod si propter peccata in peiora corrueris, transfereris in aliam terram et eris in vitem pusillam et palmites tui
45 decident et radices tuae siccabuntur, in tantum ut postea desideres requiescere super aliam aquilam, ut nunc dicitur, *magnarum alarum et plurimorum unguium*[i]. Bonum est condemnatum in condemnationis permanere sententia, quamdiu eum liberet qui damnavit. Non cur-
50 ramus volentes ad Pharao. Si enim ad eum currimus, contra Deum facimus qui dixit : *Ego sum Dominus Deus tuus qui te eduxi de terra Aegypti, de domo servitutis*[j]. Ad Nabuchodonosor enim non tam sponte properavimus quam condemnati et pertracti ad eum sumus.

5. Sequitur : *Et factum est, aquila altera magna, magnis alis et copiosis unguibus, et ecce, vitis ista amplexabatur eam*[a], id est secundam aquilam. Evenit

---

h. Ps. 136, 5 // i. Cf. Éz. 17, 7 // j. Ex. 20, 2.

5 a. Éz. 17, 7

Babylone, et pour cela il ne pouvait chanter le cantique du Seigneur : « Comment chanterions-nous le cantique du Seigneur sur une terre étrangère[h] ? » En réalité, ne pouvait point n'être pas chétive celle qui avait été plantée à Babylone. Comment conserverait-elle ses forces antiques, celle qui avait commencé à être une vigne babylonienne ? C'est parce qu'elle n'avait pas produit de fruit dans la ville sainte qu'elle fut transportée par l'aigle, et une fois établie dans la terre de Canaan, devint une vigne chétive et de petite taille. Tant qu'elle fut en terre sainte, elle était une grande vigne ; mais quand elle fut transportée au territoire des pécheurs, elle devint chétive et petite. Et toi donc, vigne qui m'écoutes, si tu veux être grande, ne sors pas des limites de l'Église, demeure dans la terre sainte de Jérusalem. Que si à cause de tes péchés tu tombes dans un état pire, tu seras transportée dans une autre terre, tu seras une vigne toute petite, tes sarments tomberont, tes racines sècheront au point qu'ensuite tu désireras reposer auprès d'un autre aigle, dit-on ici, « aux grandes ailes et aux multiples ongles[i] ». Il est bien qu'un condamné reste sous la sentence de condamnation jusqu'à ce que le libère celui qui l'a condamné. Ne courrons pas de plein gré vers Pharaon. Car si nous courrons vers lui, nous agissons contre Dieu qui a dit : « Moi, je suis le Seigneur ton Dieu, qui t'ai fait sortir de la terre d'Égypte, de la maison de servitude[j]. » Car vers Nabuchodonosor nous ne nous sommes pas tant hâtés volontairement que nous n'avons été condamnés et entraînés vers lui.

Pharaon

5. « Et il y eut un autre aigle grand, aux grandes ailes et bien pourvu d'ongles, et voici que cette vigne l'entourait[a] », à savoir le

2. Cf. *supra,* § 2, 10 s.

saepe ut ab una contraria fortitudine ad aliam transfera-
5 mur. Iusserat enim Deus ut Istrahelitarum populus sub Nabuchodonosor iugum colla submitteret, ut legimus in Hieremia[b], in tantum ut comminaretur ei qui ab eius servitio declinaret, et eo tempore quo Hieremiam exposuimus, ea quae nobis gratia Domini orantibus vobis
10 largita est, sive certe utcumque sensimus, exponere conati sumus. Noluit autem id facere quod fuerat imperatum, sed *palmites suos extendit* ad *Pharao ;* in *gleba plantationis eius* ab eo constitutus est *ut in campo super aquam multam fructus afferret*[c] uberrimos ; et
15 deserta Aegypto rursum Aegyptum concupivit putans se ubertatem pristinam consecuturum, et hoc imprimis cogitans quia, si *a* Nabuchodonosor ad Pharaonem transcenderet, radices firmaret, evelleret staturam, fructus afferret. Sed in contrarium quam putavit omnia reciderunt.
20 Fructus quippe eius omnis computruit et pullulationes, quae saltem modicae in Babylone creverant, mutatione regionis exaruerunt, in tantum ut a radicibus evulsa sit, ne ultra in bracchio magno aut in populo plurimo convalesceret. Quid in se haec tanta vel talia continent sacra-
25 menti ? Quid unusquisque sermo significat ?

---

b. Cf. Jér. 34, 2.3 // c. Cf. Éz. 17, 7 s.

---

1. Noter ce point de repère pour la chronologie relative, cf. *Introd.*, p. 3. — « Si nous péchons, nous devons nous aussi devenir captifs, car ‘ livrer un tel homme à Satan (*I Cor.* 5, 5) ’ ne diffère en rien de livrer les habitants de Jérusalem à Nabuchodonosor : de même qu'ils étaient

second aigle. Il arrive souvent que nous sommes transférés d'une puissance contraire à une autre. Car Dieu avait ordonné que le peuple des Israélites soit courbé sous le joug de Nabuchodonosor, comme on lit dans Jérémie[b], pour autant qu'il menaçait celui qui se détournait de son service ; et au temps où nous avons expliqué Jérémie[1], nous avons tâché d'expliquer ce qu'à vos prières la grâce du Seigneur nous a accordé, ou du moins ce que nous pensons vaille que vaille. Or il ne voulut pas faire ce qui avait été ordonné, mais « il tendit ses rameaux vers Pharaon », et par lui il fut établi « sur le sol où il fut planté » pour que, « dans un champ près d'une eau abondante il portât du fruit[c] » à profusion ; et l'Égypte une fois abandonnée il la désira de nouveau ardemment, à la pensée qu'il obtiendrait l'ancienne abondance, à l'idée surtout que s'il passait de Nabuchodonosor à Pharaon, il affermirait ses racines, dégagerait sa stature, porterait des fruits. Mais tout se passa au contraire de ce qu'il pensait. Car tout son fruit fut atteint de pourriture, et ses rejetons, qui du moins avaient crû modestement à Babylone, du fait du changement de région se desséchèrent, au point qu'elle fut détachée de ses racines, pour qu'elle ne grandisse plus « avec un bras puissant ou un peuple nombreux ». Quelle signification secrète recèlent des faits de cette importance ? Que veut dire chaque parole ?

---

livrés à ce dernier à cause de leurs péchés, de même nous sommes livrés à cause de nos péchés à Satan, qui est Nabuchodonosor. » *In Jer. hom.* 1, 3 fin, *SC* 232, p. 200 s. Et encore : « Ainsi le roi de Babylone prend possession des pécheurs : le roi de Babylone, selon l'histoire (kata tèn historiam), est Nabuchodonosor, et selon le sens spirituel (kata tèn anagôgèn), le Malin ; c'est à lui que le pécheur est livré, puisqu'il est à la foi ' ennemi et vengeur (*Ps.* 8, 3) '. » *In Jer. hom.* 19, 14, 31 s., *SC* 238, p. 232 s., tr. P. Nautin, qui note : « ... Le diable est l'ennemi de Dieu mais aussi son vengeur en tant qu'il est chargé, lui et ses anges, de punir les damnés. », p. 233, n. 44.

Possumus, si tamen habeamus auditores, ad aliam quandam Hierusalem conscendere et ibi demonstrare quomodo aquila magna ductum suum fecerit et in hanc quam nunc nos possidemus Babylonem summitates eius
30 detulerit. Possumus sacratiora quaedam de Pharaone loqui ; verum quia tempore coarctamur et forte audacter promittimus quod non valemus implere, ad minora redeamus, et secundum mensuram intellectus nostri sic potius exponamus. Venit ad istum Libanum, hoc est
35 Ecclesiam, ubi hostiae Dei, ubi *incensum orationum*[d] eius celebratur, ista magna et vera aquila Nabuchodonosor, id est diabolus, et rapuit. Absit autem a temporibus nostris, ut de summis cedri, id est de principibus et de regio semine in Chanaan transferat. Oremus ne fiat quod
40 saepe factum est. Assumpti enim sunt quidam et in Babylonem translati, qui in Ecclesia principes fuerunt et propter peccatum suum de Libani summitate sublati. Super his dicendum est quia aquila magna magnorum unguium, plumis extensa acceperit de cacuminibus cedri
45 et deraserit eos de Libano, id est Hierusalem, et plantaverit in terra Chanaan. Non solum autem aquila ista summa cedri, id est de optimatum genere sibi vindicat, sed et terrae semen rapit et transfert in terram Chanaan,

d. Cf. Ps. 140, 2

2. Ici, l'Église est le Liban. Ailleurs, elle est l'Antiliban, mais le prédicateur l'explique. Ayant cité le verset : « Comme je l'ai dit à Moïse : Je te donnerai le désert et l'Antiliban que voici, jusqu'au grand fleuve de l'Euphrate (*Jos.* 1, 3-4), il poursuit : L'Écriture a ajouté que Jésus (Josué) a reçu de Dieu, non le Liban mais l'Antiliban. Or on dit Antiliban comme on dirait à la place du Liban. Si donc tu envisages le premier peuple, le peuple selon la chair, Israël qui était ' le véritable olivier (*Rom.* 11, 23) ', comprends que c'est lui, le vrai Liban. (En note : Le Liban, dans l'exégèse juive représente souvent métaphoriquement le temple saint ; il pouvait donc signifier aussi le peuple saint, considéré

Une autre Jérusalem

Nous pourrions, si toutefois nous avions des gens qui écoutent, nous élever vers une autre Jérusalem, et montrer là qu'un grand aigle est parti et a porté ses plus hauts rameaux dans cette Babylone que nous possédons maintenant. Nous pourrions dire des choses plus mystérieuses au sujet de Pharaon. Mais parce que nous sommes pressés par le temps, et que peut-être nous promettons avec hardiesse ce que nous ne pouvons pas tenir, revenons à des sujets plus modestes, et à la mesure de notre intelligence, donnons plutôt cette explication. Il est venu vers ce Liban, à savoir l'Église[2], où sont les offrandes de Dieu, où on célèbre son « encens de prières[d] », cet aigle grand et véritable, Nabuchodonosor, c'est-à-dire le diable, et il pilla. Mais loin de nos temps la perspective qu'il emporte en Canaan des plus hauts rameaux du cèdre, à savoir des princes, et de la semence royale. Prions pour que n'arrive pas ce qui est souvent arrivé. Car certains ont été pris et transportés à Babylone, qui furent des princes dans l'Église et à cause de leur péché furent transportés de la cime du Liban. D'eux il faut dire qu'un aigle grand, aux ongles grands, et bien fourni de plumes cueillit les plus hauts rameaux du cèdre et les déracina du Liban, savoir Jérusalem, et les planta dans la terre de Canaan. Mais cet aigle, non seulement réclama pour lui la cime du cèdre, c'est-à-dire de la race des aristocrates, mais encore il prend de la semence de la terre et la transporte à la terre de Canaan, quand quelqu'un du

---

comme sanctuaire...). Mais en voyant qu'à cause de son incrédulité ' le Royaume lui est enlevé et donné à une nation qui porte du fruit (*Matth.* 21, 43) ', en voyant le premier peuple chassé et l'autre introduit à sa place dans le Royaume, comprends que le second peuple, c'est l'Antiliban, c'est-à-dire l'Église du Dieu vivant (*I Tim.* 3, 15), rassemblée ' du milieu des nations (*Rom.* 9, 24) ', par Jésus-Christ notre Seigneur... » *In Jos. hom.* 2, 4, *SC* 71, p. 122, tr. A. Jaubert.

quando quis de populo peccat et de Dei plebe diaboli
50 laqueis praepeditur.

Quapropter diebus et noctibus tam pro nobis quam pro fratribus nostris Dei imploremus auxilum, ne quis de Hierusalem transferatur in Chanaan, ne sententia eius deserta a voluntate illius ad aliam tendamus aquilam et
55 veniat super nos ira maior et putrescat universa plantatio et fructus pariter cum radicibus arescat. Plantatio quippe Hierusalem non potest in alia terra afferre fructus, non facit palmites in finibus alienis, sed statim cum gleba sua siccatur, si non perseveraverit in voluntate Dei et in
60 Ecclesia eius, id est in factis et sermonibus et scientia veritatis Christi Iesu *cui est gloria et imperium in saecula saeculorum. Amen*[e] !

e. Cf. I Pierre 4, 11.

peuple et de la plèbe de Dieu pèche et s'empêtre dans les filets du diable.

C'est pourquoi, jours et nuits, tant pour nous que pour nos frères, implorons le secours de Dieu, afin que personne de Jérusalem ne soit transporté en Canaan, que, sa sentence négligée, nous ne tendions loin de sa volonté à un autre aigle, et que ne vienne sur nous une plus grande colère, ne pourrisse toute la plantation, et ne se dessèche le fruit en même temps que les racines. Car la plantation de Jérusalem ne peut porter des fruits sur une autre terre, elle ne produit pas des rameaux dans un territoire étranger, mais sèche d'emblée avec sa glèbe, si elle ne persévère pas dans la volonté de Dieu et dans son Église, c'est-à-dire dans les actions, les paroles et la science de la vérité du Christ Jésus, « à qui sont gloire et puissance pour les siècles des siècles. Amen[e] ».

HOMÉLIE XII

INTERPRÉTATION
(*Éz.* 17, 12-24)

1. Ce que dit la prophétie, évidemment *au sens figuré,* la parole divine l'explique partiellement, et mêle à l'amertume la douceur ; douceur qui augmente pour les croyants à la vie vertueuse, qui est détruite par l'amertume du péché et la conduite des pécheurs. 2 : L'histoire est littérale ; elle est aussi figurative, et dit comment *le véritable Nabuchodonosor* veut agir dans l'Église. 3 : Il veut conclure *une alliance* avec le rejeton de race royale, nous-mêmes. Il y a l'alliance de Dieu avec bénédiction ; et l'alliance de Nabuchodonosor avec malédiction ; encore qu'il y ait par lui une certaine bénédiction procurant la prospérité ; mais il y a surtout la malédiction pour qui s'écarte de Dieu, attirant le châtiment. Si celui-ci nous atteint, qu'on le porte avec patience. L'Apôtre a livré au diable un membre de l'assemblée de l'Église pour la perte de sa chair, mais aussi pour que l'esprit soit sauvé au jour du Seigneur Jésus. Le pécheur livré aux peines reçoit à présent les épreuves, mais obtient dans le futur le rafraîchissement. Être transporté à Babylone, c'est-à-dire dans la confusion, rend impropre à observer l'alliance. 4 : Ne point déshonorer la malédiction de Dieu en ne supportant pas ce qui est ordonné ; mais l'honorer en supportant tout avec douceur pour obtenir la bénédiction. 5 : Car vient *la promesse* : « ... Je prendrai un des rameaux choisis du cèdre... » ; prophétie concernant les apôtres, vraiment choisis de la cime du cèdre, plantés sur la haute montagne notre Seigneur Jésus-Christ, portant des ramures, des fruits, devenus « un arbre magnifique », l'Église du Christ. L'arbre élevé, le peuple des Juifs est abaissé ; mais Dieu l'a exalté. L'arbre sec est le peuple de la circoncision ; mais Dieu le fait reverdir par la venue du Christ.

HOMILIA XII.

1. Ea quae iam supra memoravi de duabus aquilis magnis et magnarum alarum et magnorum unguium nec non quae prima et secunda aquila gesserunt, nunc quasi in prophetia scilicet figurata vult ex parte Sermo divinus 5 exponere nobis ad intelligendum relinquens quae ipse dimisit intacta. Ac primum quidem licet saepe iam dixerim, tamen etiam nunc aliquid non novi inferre conabor quod nostrae animae tribuat salutem, in eo quod dictum est ad prophetam : *Dic ad domum amaricantem* sive 10 *exacerbantem*[a] ; non enim addidit ad domum exacerbantem sive exasperantem ' me '. Et si volumus videre cuiusmodi sit peccatum exasperatio, audiamus quam dulcia ei qui intelligit eloquia Dei sunt, dicenti : *Quam dulcia gutturi meo eloquia tua*[b] ! Haec naturaliter 15 dulcia cum assumpserint credentes, aut bene vivunt aut vere contrarium faciunt. Et si quidem iuxta divinam regulam ingrediuntur, reservant eloquia Dei in eo dulcore quo nata sunt. Iuxta mei autem animi motum puto quia conversationis bonitate et suavitatem augeant eloquio- 20 rum Dei miscentes dulcedinem vitae dulcori sermonis.

Sin vero quis peccet et extra praecepta Dei *perversus incedat*[c], iste accipiens dulcissima eloquia Dei, per naturam peccati amarissimi — amarum quippe peccatum est

1 a. Éz. 17, 12 // b. Ps. 118, 103 // c. Cf. Lév. 26, 23

1. « Dis donc à la maison d'Israël, l'exaspérante ». L'exaspération est un péché. » *Sel. in Éz.* 17, 12, *PG* 13, 813 B.

2. « Il y a une vallée de sel où sont des puits de bitume (cf. *Gen.* 14 10). Toute hérésie et tout péché sont dans une vallée, et dans une vallée de sel. Car le péché et l'iniquité ne montent pas vers le haut, toujours descendent vers les lieux bas et inférieurs. Toute pensée hérétique et

HOMÉLIE XII

Douceur ou amertume

1. Ce que j'ai déjà rappelé plus haut sur les deux aigles grands, aux grandes ailes et aux grands ongles, et aussi ce qu'accomplirent le premier et le second aigles, maintenant comme dans une prophétie, il va de soi au sens figuré, la parole divine veut nous l'expliquer en partie, laissant à comprendre ce qu'elle-même a laissé intact. Et d'abord, bien que je l'aie déjà dit souvent, néanmoins ici encore, je m'efforcerai d'ajouter une chose qui, sans être nouvelle, apporte le salut à notre âme, dans ce fait qu'il fut dit au prophète : « Dis à la maison qui rend amer ou irrité[a] » ; car il ne complète pas : la maison qui *m'*irrite ou *m'*exaspère[1]. Et si nous voulons voir de quelle sorte de péché est l'exaspération, écoutons combien sont douces les paroles de Dieu à celui qui comprend et dit : « Qu'elles sont douces à mon palais, tes paroles[b] ! » Quand les croyants reçoivent ces paroles douces par nature, ou ils vivent bien ou ils font tout le contraire. Et s'ils marchent suivant la règle divine, ils gardent les paroles de Dieu dans leur douceur d'origine. Mais je suis incliné à penser que par la bonne qualité de leur conduite ils augmentent encore la suavité des paroles de Dieu en mêlant la douceur de la vie à la saveur douce de la parole.

Si au contraire on pèche et « marche perverti[c] » hors des préceptes de Dieu, alors, recevant les très douces paroles de Dieu, par la nature du péché très amer[2] — car est amer

---

tout acte de péché sont donc situés dans une vallée : ils sont salés et amers... Venir à une opinion hérétique, venir à l'amertume du péché, c'est venir aux puits du bitume. » *In Num. hom.* 12 ; 2, *GCS* 7, p. 98, 18 s. ; *SC* 29, p. 243.

quod dulcedinem sermonum exterminat –, in amarum
25 saporem omnem redigit suavitatem. Quod dicimus ut
possis plenius animadvertere, accipe exemplum. Herba
quae absinthium nominatur naturaliter amara est ; hanc
si secundum qualitatem et quantitatem mellis in mel
inicias, amaritudine sua vincit eius suavitatem et cogit
30 amarum esse quod dulce est. Huius herbae vim habet
peccatum. Si plura peccavero, plus amaritudinis mitto in
dulcedinem sermonum Dei. Si grande fuerit quod delin-
quo, totum dulcorem mellis verto in acerbum saporem. Et
idcirco Deus, qui sermonem suum a peccatoribus *concul-*
35 *catum*[d] ulciscitur, unicuique pro qualitate amaroris vitae
et pro modo vitiationis amaritudinem poenarum suppli-
ciorumque restituit. Et siquidem nos, qui haec dicimus et
semel credidimus Deo, peccaverimus, exasperare dicimur
sermonem eius ; qui vero penitus a fide eius recesserunt
40 neque ingressi sunt Ecclesiam, hi non faciunt amara
eloquia Dei ; quomodo enim possunt suavitatem exasperare sermonum quibus nondum crediderunt ? Ideoque alia
nobis tormenta servantur qui videmur credere et in ipsa
credulitate peccamus, ab eorum supplicio qui ne initium
45 quidem credulitatis habuerunt.

Et ne solummodo putemus verbum nos exasperare
Domini, si peccemus : delictum nostrum usque ipsius Dei
iniuriam pervenit ; scriptum est enim quia qui peccat, *per*
praevaricationem legis Deum inhonorat[e]. Parum erat,
50 si dixisset inhonorat tantum ; nunc autem per praevaricationem inquit legis Deum inhonorat. Quotiescumque
praevaricamur legem Dei, totiens inhonoramus Deum ;
quanto maiora delinquimus, tanto maioribus contumeliis

d. Cf. Matth. 7, 6... // e. Cf. Rom. 2, 23

le péché qui détruit la douceur des paroles —, on change toute la suavité en un goût amer. Pour une attention plus soutenue à ce que nous disons, prends un exemple. L'herbe qu'on nomme absinthe est amère par nature. Si on la jette dans du miel en proportion de la qualité et de la quantité du miel, par son amertume elle en change la suavité, elle force à être amer ce qui est doux. De cette herbe le péché a la force. Pécher davantage, c'est mettre plus d'amertume dans la douceur des paroles de Dieu. Si la faute que l'on commet est grave, on change toute la douceur du miel en une saveur aigre. C'est pourquoi Dieu, qui venge sa parole que « piétinent[d] » les pécheurs, rend à chacun, selon la qualité amère de sa vie et selon la nature de la corruption, l'amertume des peines et des supplices. Et si vraiment nous, qui tenons ces propos et avons une bonne fois cru en Dieu, nous péchons, on dit que nous exaspérons sa parole ; ceux qui au contraire se sont absolument écartés de la foi en lui, et qui ne sont pas entrés dans l'Église, ne rendent point amères les paroles de Dieu : comment pourraient-ils exaspérer la suavité de paroles auxquelles ils n'ont pas encore cru ? C'est pourquoi, à nous qui passons pour croire et péchons dans la croyance même, sont réservés d'autres tourments que le supplice de ceux qui n'eurent pas même un début de croyance.

Et ne croyons pas que nous exaspérons seulement la parole du Seigneur si nous péchons : notre faute parvient jusqu'à outrager Dieu lui-même ; car il est écrit : que celui qui pèche, « par la transgression de la Loi, déshonore Dieu[e] ». Ce serait peu, s'il avait seulement dit ! « déshonore » ; mais en fait, il a dit : « par la transgression de la Loi déshonore Dieu ». Toutes les fois que nous transgressons la Loi de Dieu, autant de fois nous déshonorons Dieu ; autant de fautes graves nous commettons, autant nous

afficimus Deum ; quanto plura peccamus, tanto inhono-
55 ramus Patrem et Christum eius, sicut scriptum est : *Quanto magis putatis deteriora mereri supplicia, qui Filium Dei conculcaverit, et sanguinem Testamenti pollutum duxerit, in quo sanctificatus est, et Spiritui gratiae contumeliam fecerit*[f]. Igitur quicumque peccat,
60 exasperat et contumeliam facit et inhonorat tam Dei eloquia quae suscepit, quam eum qui docuit.

2. *Dic nunc ad domum exasperantem : nescitis, quid sint ista ?*, id est quae in parabola dicta sunt aquilarum. *Dic : cum venerit rex Babylonis ad Hierusalem, et acceperit regem eius et principes eius*[a].
5 Quantum ad historiam pertinet prophetantis, expositum est quia Nabuchodonosor venerit in Hierosolymam et captivos duxerit Sedechiam regem Iudaeae et principes qui erant cum eo, partemque populi Iudaeorum, nec non etiam illud attigimus quomodo plantaverit eos in terra
10 Babylonis.

Sed non stemus in littera, non haereamus in historia, magis autem tu, qui in Scripturis Dei profectum habes et nosti quia *omnia ista figuraliter contingebant illis, scripta sunt autem pro nobis, in quos fines saeculo-*
15 *rum decucurrerunt*[b]. Instat, ecce, verus Nabuchodonosor quaerens aliquos capere de nobis. Et primum quidem cupit, si fieri potest, de principibus Ecclesiae captivos sibi ducere, verum quamdiu Ezechias, Iosias, aut certe quicumque iustus rex regnat in populo, non potest iste
20 Nabuchodonosor vinctos abducere aut principes aut populum de Iudaea. Si autem nos, qui videmur Ecclesiae praeesse, peccaverimus locum dantes diabolo adversum

---

f. Hébr. 10, 29.
2 a. Éz. 17, 12 // b. I Cor. 10, 11 // c. Ephés. 4, 27

affectons Dieu de grands outrages : plus nous commettons de péchés, plus nous déshonorons le Père et son Christ, comme il est écrit : quel châtiment combien plus grave méritera, vous le pensez, celui qui aura piétiné le Fils de Dieu, profané le sang de l'alliance, par lequel il a été sanctifié, et outragé l'Esprit de la grâce[f] ! » Donc, celui qui pèche exaspère, outrage et déshonore tant les paroles de Dieu qu'il a reçues que celui qui l'a enseigné.

Histoire :
— littérale

2. « Dis maintenant à la maison d'exaspération : Ne savez-vous pas ce que cela signifie ? », à savoir ce qui est dit dans la parabole des aigles. « Dis : quand le roi de Babylone est venu à Jérusalem et qu'il a pris son roi et ses princes[a]. » En ce qui concerne l'histoire de celui qui prophétise, on a expliqué[1] que Nabuchodonosor est venu à Jérusalem, et a emmené captifs Sédécias, roi de la Judée, les princes qui étaient avec lui et une partie du peuple des Juifs, et même nous avons touché à la manière dont il les a plantés dans la terre de Babylone.

— figurative

Mais ne soyons pas fixés à la lettre, ne soyons point rivés à l'histoire, toi surtout qui as fait du progrès dans les Écritures de Dieu ; et tu le sais aussi : « Tous ces faits leur arrivaient avec un sens figuré, et ils furent mis par écrit pour nous auxquels est parvenue la fin des siècles[b]. » Voici que se dresse le véritable Nabuchodonosor, cherchant à saisir certains d'entre nous. Et d'abord il désire, si possible, emmener captifs avec lui des chefs de l'Église ; mais tant qu'Ézéchias, Josias, ou du moins quelque roi juste règne sur le peuple, ce Nabuchodonosor ne peut conduire enchaînés les chefs ou le peuple de la Judée. Si au contraire, nous qui paraissons être à la tête de l'Église nous péchons donnant

1. Cf. *hom.* 11, 2, 65 s.

Pauli praeceptum dicentis : *Nolite locum dare diabolo*[c], quodammodo per delicta nostra quae facimus in Hierusalem, occasionem tribuimus Nabuchodonosor ut ingrediatur civitatem sanctam et abducat quoscumque voluerit. Qui vero non peccat excludit Nabuchodonosor ut non possit in terram Dei ingredi. Ergo omnibus viribus excludamus Nabuchodonosor ut ad beatum istius Ecclesiae conventum non appropinquet. Excludamus autem eum adsumentes *clavem scientiae*[d], excludamus eum conversatione sana et factis bonis ut non rapiat regem Hierusalem et principes eius, ut non abducat eos in Babylonem captivitatis suae triumphum. Si vero aliquem ex nobis vincere potuerit saevus inimicus, ducit eum in Babylonem, non in locum amplum alicuius terrae, sed in Babylonem animae, id est confusionem. Frequenter diximus Babylonem confusionem interpretari. Quicumque enim ab eo vinctus abducitur in confusionem mentis suae, transfertur in Babylonem. Respiciamus ad cotidianam vitam. Si quando viderimus animam a peccatis, a vitiis, a tristitia, ab ira, a desideriis, ab avaritia confundi, sciamus istam esse quam diabolus abducat in Babylonem. Si vero principali cordis tranquillitas, serenitas, pax fructum fecerit, sciamus quia Hierusalem versetur in ea ; visio quippe pacis intrinsecus est.

d. Cf. Lc 11, 52.

2. « A cause des péchés, il arrive qu'on est sous la domination d Malin, lui donnant prise pour passer à son parti. Le sachant, Paul disait ‘ Ne donnez pas prise au diable (*Éphés.* 4, 27) '. » *Sel. in Éz., Cat., P* 13, 753 (28).

prise au diable[2] contre le précepte de Paul : « Ne donnez pas prise au diable[c] », en quelque manière par nos fautes commises à Jérusalem, nous donnons l'occasion à Nabuchodonosor d'entrer dans la ville sainte et d'emmener ceux qu'il voudra. Mais qui ne pèche pas empêche Nabuchodonosor de pouvoir entrer dans la terre de Dieu. Donc, de toutes nos forces empêchons Nabuchodonosor d'approcher de la bienheureuse communauté de cette Église. Or, empêchons-le en prenant « la clé de la science[d] », empêchons-le par une saine manière de vivre et par des actions bonnes, de capturer le roi de Jérusalem et ses princes, de les emmener en triomphe à la Babylone de sa captivité... Si au contraire le cruel ennemi peut vaincre l'un de nous, il le conduit à Babylone, non pas dans le vaste lieu de quelque terre, mais à la Babylone de l'âme, c'est-à-dire la confusion. Nous avons dit souvent que Babylone veut dire confusion[3]. En effet, quiconque est vaincu par lui est conduit à la confusion de son intelligence, est transféré à Babylone. Considérons la vie de tous les jours. Si jamais nous voyons qu'une âme est confondue par les péchés, par les vices, par la tristesse, par la colère, par les convoitises, par l'avarice, sachons qu'elle est celle que le diable conduit à Babylone. Mais si par la faculté maîtresse du cœur fructifient le calme, la sérénité, la paix, sachons qu'en elle demeure Jérusalem ; car la vision de paix[4] est à l'intérieur.

---

3. « Fuyez du milieu de Babylone (*Jér.* 26, 6) : vous tous qui avez l'âme ' troublée ' par la passion des différents vices, à vous s'adresse cette parole. Et à moi aussi le même ordre est donné, si du moins mon esprit est encore dans ' le trouble ' et que je suis par conséquent à Babylone. » *In Jer. hom. lat.* 2, 5 s., *SC* 238, p. 340 s., tr. P. Nautin — « Babylone signifie trouble. Babylone est l'état du mal. Est troublé celui qui n'a point de paix ou de concorde. » *Sel. in Éz., Cat., PG* 13, 753-754 (29), etc.

4. « Jérusalem, vision de paix », cf. *hom.* 1, 3, 78, etc.

3. *Et ducit eos ad se in Babylonem, et sumit de semine regni, et disponit ad eum testamentum*[a]. Omnes qui sermonem Dei suscepimus regium semen sumus ; etenim *genus electum* vocamur et *regale sacerdotium, gens sancta, populus acquisitionis*[b]. Si quis igitur ex nobis, qui in ordine regalis seminis constituti sumus, per peccatum suum captivus abducitur a diabolo, haud dubium est quin de regio genere sit abductus in Babylonem et faciat testamentum cum Nabuchodonosor, quia iam testamentum Dei spreverit. Impossibile quippe est hominem sine testamento esse. Si habes testamentum Dei in te, non potest testamentum tecum facere Nabuchodonosor. Porro si reppulisti testamentum Dei per praevaricationem mandatorum eius, suscepisti testamentum Nabuchodonosor ; scriptum est enim : *Disponit ad eum testamentum suum et inducit eum in maledictionem*[c]. Deus in benedictione nobiscum testamentum facit, Nabuchodonosor vero testamentum suum in maledictione constituit. Non potest in benedictione esse qui pactum fecerit cum Nabuchodonosor.

Sed dicit mihi aliquis qui in Scripturis divinis est eruditus : invenio in lege Moysi maledictiones constitutas in peccatorem[d] ; si ergo ex praecepto Dei maledictum constitutum est in peccatores, cur non et e contrario apud diabolum quaedam benedictio sit, ut alii apud eum in

3 a. Cf. Éz. 17, 12.13 // b. I Pierre 2, 9 // c. Éz. 17, 13 // d. Cf. Deut. 27, 13 s...

1. En hébreu, litt. « de la semence de la royauté » — « Semence royale, ceux qui ont reçu la parole de Dieu, tels que Daniel et les trois enfants. ». *Sel. in Éz., Cat., PG* 13, 75 (30).

2. « Celui qui a une alliance avec Dieu ne peut contracter une alliance avec le Nabuchodonosor spirituel (noètos). » *Ibid.*, (31).

3. « Malédiction que celui qui prête le serment prononce contre lui-même pour le cas où il se rendrait parjure », explique Osty, à *Néh.* 10, 30 — Ici, la traduction est : « lui a imposé un serment imprécatoire », et

Alliances 3. « Il les emmène chez lui à Babylone, il prend un rejeton de race royale[1], il conclut une alliance avec lui[a]. » Nous tous, qui avons reçu la parole de Dieu, nous sommes un rejeton royal ; on nous appelle en effet « race élue, sacerdoce royal, nation sainte, peuple que Dieu s'est acquis[b]. » Donc si l'un de nous, qui sommes établis au rang de rejeton royal, du fait de son péché est emmené captif par le diable, nul doute que de la race royale il ne soit emmené à Babylone, et qu'il ne fasse une alliance avec Nabuchodonosor, car pour lors il a méprisé l'alliance de Dieu. De fait, il est impossible à un homme d'être sans alliance. Si tu as l'alliance de Dieu en toi, Nabuchodonosor ne peut faire une alliance avec toi[2]. Mais si tu as rejeté l'alliance de Dieu par la transgression de ses commandements, tu as accepté l'alliance de Nabuchodonosor ; car il est écrit : « Il a conclu avec lui son alliance et l'a fait entrer dans une malédiction[c]. » Dieu fait alliance avec nous dans une bénédiction, mais Nabuchodonosor établit son alliance dans une malédiction[3]. Impossible d'être dans une bénédiction à qui fait un pacte avec Nabuchodonosor.

Mais, me dit quelqu'un d'instruit dans les Écritures, je trouve dans la Loi de Moïse des malédictions portées contre le pécheur[d]. Si donc par l'ordre de Dieu une malédiction est établie contre les pécheurs pourquoi en revanche n'y a-t-il pas aussi chez le diable une certaine

---

l'explication en note : « litt. ' l'a fait entrer dans une imprécation ', c'est-à-dire un serment accompagné d'une menace de châtiment de la part de Yahvé pour le cas où ledit serment serait violé ; cf. l'expression ' mépriser l'imprécation ', v. 16. 18-19 ; cf. 16, 59. Noter au v. 19 « mon imprécation, parce qu'elle fait appel à Yahvé contre le violateur du serment. » On traduit « malédiction », par contraste avec la bénédiction dont parle Origène. — « Le diable amenant à son alliance, amène ceux qu'il amène à une malédiction. On appelle malédiction l'alliance et le serment. » *Sel. in Éz.* 17, 19, *PG* 13, 813 BC.

benedictione fiant, alii in maledictione ? Huic ego acute et acerrime interroganti sic conabor occurrere et dicere quia et quaedam sit benedictio a Nabuchodonosor, quam Deus procul abiciat a nobis, et maledictio de qua dicere nunc 30 debemus, quae digne super peccatores venit. Quae est igitur benedictio Nabuchodonosor ? Quando aliquis in mundo isto locuples fuerit et feliciter gesserit et omnia ei prospero cursu fluxerint in tantum ut illud quod scriptum est ei possit aptari : *Bos eius non faciet abortionem*[e] et 35 si universam saeculi habuerit prosperitatem, benedictio Nabuchodonosor super eum est, maledictio vero in eo, quando aliquis et recedit a Deo et nihilominus in parte diaboli constitutus miseriis suppliciisque torquetur. Vult igitur Deus, ut nunc Scriptura commemorat, testamen- 40 tum Istraheli maledictionem esse apud Nabuchodonosor. Et ideo quia voluit spernere *testamentum* Nabuchodonosor *rex* Hierusalem et *mittens angelos suos in Aegyptum testamentum* cum Pharao facere conatus est, ait sermo divinus : *Non dirigit, non salvabitur*[f].

45 Quapropter oportet et nos ferre patienter, cum a Deo tradimur ultioni. Tradidit quendam de coetu Ecclesiae Apostolus diabolo in interitum carnis et tradidit in carnis interitum, non ut perderet traditum, sed ut spiritum traditi conservaret ; ex quo Scriptura ait : *Tradere is-* 50 *tiusmodi Satanae in interitum carnis, ut spiritus salvus fiat in die Domini Iesu*[g]. Traditur autem tormentis peccator, ut recipiat in praesenti supplicia et pro peccatis suis cruciatus in futuro refrigerium consequatur et dici possit de eo : *Recepit mala sua in vita sua*[h]. Si

e. Job 21, 10 // f. Cf. Éz. 17, 15 // g. I Cor. 5, 5 // h. Cf. Lc 16, 25

4. Même idée, et même référence au « pauvre Lazare », dans *In Lev. hom.* 14, 4, 53 s., *SC* 287, p. 244 s.

bénédiction, pour que chez lui les uns soient en bénédiction, les autres en malédiction ? A qui pose cette question, aiguë et fort pénétrante, je m'efforcerai de répliquer : il y a aussi une certaine bénédiction par Nabuchodonosor — que Dieu la rejette loin de nous ! —, et une malédiction dont nous devons traiter ici, qui vient à juste titre sur les pécheurs. Quelle est donc cette bénédiction de Nabuchodonosor ? Quand un homme dans ce monde est riche, vit heureusement, et que tout se déroule pour lui d'un cours prospère, au point que peut lui être appliquée la parole : « Sa vache mettra bas sans avorter[e] », et s'il a toute la prospérité du siècle, la bénédiction de Nabuchodonosor est sur lui ; mais la malédiction en ce que, quand on s'est écarté de Dieu et aussi fixé dans la part du diable, on est tourmenté de malheurs et de supplices. Dieu veut donc, comme le mentionne ici l'Écriture, que l'alliance soit pour Israël une malédiction chez Nabuchodonosor. Et parce que le roi de Jérusalem voulut mépriser l'alliance de Nabuchodonosor, et « envoyant ses messagers en Égypte » s'efforça de faire une alliance avec Pharaon, la Parole divine déclare : « Il ne se dirige pas droit, il ne sera pas sauvé[f]. »

Aussi devons-nous le supporter nous aussi avec patience, quand nous sommes livrés par Dieu au châtiment. L'Apôtre a livré quelqu'un de l'assemblée de l'Église au diable pour la perte de sa chair, et il l'a livré pour la perte de sa chair, non afin de perdre celui qui était livré, mais de sauver l'esprit de celui qui était livré ; sur quoi l'Écriture parle de « livrer cet individu à Satan pour la perte de sa chair, afin que l'esprit soit sauvé au jour du Seigneur Jésus[g] ». Mais le pécheur est livré aux tourments, pour qu'il reçoive à présent les épreuves et que, tourmenté pour ses péchés, il obtienne dans le futur le rafraîchissement[4], et qu'on puisse dire de lui : « Il a reçu ses maux

55 quis igitur poenis excruciatus iuxta maledictum in quo Deus posuit peccatores, maluerit fugere supplicia et mittere ad Aegyptum pro auxiliis comparandis et ad Pharaonem a quo liberavit Deus populum suum, non dirigit, non salvabitur. Si quis autem patienter maledic-
60 tionem sustinuerit et supplicia Nabuchodonosor et tempus peccatorum suorum in cruciatu compleverit, quomodo ille qui secundum epistolas Apostoli excruciatus est ut spiritus eius salvus fieret in die iudicii, iste finem optimum consequetur.
65 *Inducit* ergo *eum in maledictionem et duces terrae eius accipiet, ut fiant in regnum infirmum*[i]. Infirmum efficitur regnum, quod de sancta terra in Babylonem transfertur. Nullus quippe fortis est in Babylone, id est in confusione mentis suae. *Omnino non* potest *extolli* homo
70 qui confusus est, *ut custodiat testamentum* meum ut *statuat illud et discedat ab eo, ut mittat nuntios suos in Aegyptum*[j]. Iste qui a Nabuchodonosor propter peccata sua tormenta perpetitur, et mittit nuntios suos in Aegyptum non ferens traditionem qua hosti concessus est
75 a Deo, ut det ei equos et populum multum, id poscit quod in alio loco prohibitum est : *Non enim multiplicabis tibi equos*[k] ait Scriptura. *Si dirigit, si salvabitur, qui facit adversa et praevaricans testamentum*[l]. Oportuerat eum qui traditus fuerat [testamentum] Nabuchodonosor
80 sustinere supplicium ; verum non sustinet et idcirco dicitur de eo : *Non salvabitur.*

4. *Vivo ego, dicit Dominus Adonai, nisi in loco regis qui constituit eum, qui sprevit maledictionem*

---

i. Cf. Éz. 17, 13.14 // j. Cf. Éz. 17, 14 s. // k. Cf. Deut. 17, 16 // l. Éz. 17, 15.

pendant sa vie[h]. » Si donc, affligé de peines d'après la malédiction sous laquelle Dieu a placé les pécheurs, on a préféré fuir les épreuves et envoyer un messager en Égypte pour se procurer du secours, et à Pharaon de qui Dieu a délivré son peuple, on ne se dirige pas droit et on ne sera pas sauvé. Mais si on supporte avec patience la malédiction et les peines de Nabuchodonosor, et achève dans la torture le temps de ses péchés, comme celui qui, d'après les lettres de l'Apôtre, fut puni pour que son esprit soit sauvé au jour du jugement, on obtiendra une fin très heureuse.

« Il l'a fait entrer dans une malédiction, et il prendra les chefs de sa terre, pour que le royaume soit modeste[i]. » Modeste est rendu le royaume qui est transféré de la terre sainte à Babylone. Car nul homme fort n'est à Babylone, c'est-à-dire dans la confusion de son intelligence. L'homme qui est dans la confusion ne peut « absolument pas s'élever afin d'observer mon alliance », pour « la maintenir et s'écarter d'elle, pour envoyer ses messagers en Égypte[j] ». Celui qui endure de la part de Nabuchodonosor des tourments à cause de ses péchés, et envoie ses messagers en Égypte, sans rapporter l'enseignement pour lequel il avait été accordé à l'ennemi par Dieu, pour qu'il lui donne des chevaux et une troupe nombreuse, il demande ce qui est interdit à un autre passage : « Car tu ne multiplieras pas tes chevaux[k]. » « Se dirige-t-il droit, sera-t-il sauvé, celui qui fait des actes contraires et rompt l'alliance[l] ? » Celui qui avait été livré à Nabuchodonosor aurait dû supporter l'épreuve ; mais il ne la supporte pas, aussi dit-on de lui : « Il ne sera pas sauvé. »

4. « Par ma vie, dit le Seigneur Adonaï, je le jure : c'est dans le pays du roi qui l'a établi, lui qui a méprisé ma

meam et transgressus est testamentum meum[a]. Est quidam qui inhonorat maledictionem Dei, et est alius qui
5 honorat eam. Nec dubium est quin in praesenti de isto queratur Deus qui maledictionem suam inhonoraverit. Cum enim quis traditus fuerit suppliciis ut castigetur, et non sustinuerit quod praeceptum est, inhonorat maledictionem Dei ; si vero sustinuerit cum omni mansuetudine
10 et benedictione et gratiarum actione ad Deum, iste honorat maledictionem eius et, cum honoraverit maledictionem, necesse est ut etiam benedictionem illius consequatur. *Et transgressus est testamentum meum, cum ipso in medio Babylonis morietur ; et non in virtute ma-*
15 *gna, neque in turba multa faciet Pharao bellum*[b]. Non potest ei qui transgressus fuerit et inhonoraverit maledictionem Dei, Pharao tribuere auxilium, verum in medio Babylonis pro sua praevaricatione morietur.

5. Deinde sequitur et narrat quid peccatores passuri sunt, et post haec prosperiora quaeque commemorat dicens : *Accipiam ego de electis cedri, et de vertice cordis eorum avellam et plantabo eum in monte excel-*
5 *so*[a]. Post maledictiones quas supra diximus, repromissio beatitudinis et dulcissimae pollicitationis in finem sermonis profertur ; quia iam, qui suppliciis indigebant fuerant pro peccatis suis tormenta perpessi. Intra memet ipsum vero considerans et diligenter istius loci sensum pertrac-
10 tans arbitror de Apostolis prophetari. Isti quippe sunt de electis cedri, de summitate, de vertice, quos dedit Deus in

---

4 a. Cf. Éz. 17, 16 // b. Cf. Éz. 17, 16-17.
5 a. Cf. Éz. 17, 22

---

1. « Il méprise la malédiction de Dieu celui qui ne demeure pas sous la correction que Dieu donne, mais tend au repos qui vient du péché. *Ibid.*, 813 C.

malédiction et a transgressé mon alliance[a]. » Il y en a un qui déshonore la malédiction de Dieu, il y en a un autre qui l'honore. Il n'est pas douteux qu'au passage présent Dieu ne se plaigne de celui qui a déshonoré sa malédiction. Car, quand on a été livré aux supplices pour être châtié, et qu'on ne supporte pas ce qui est ordonné[1], on déshonore la malédiction de Dieu ; mais si on le supporte en toute douceur, bénédiction et action de grâce à Dieu, on en honore la malédiction, et quand on a honoré la malédiction, il est nécessaire qu'on en obtienne aussi la bénédiction. « Il a transgressé mon alliance, c'est avec lui au centre de Babylone qu'il mourra ; et ce n'est pas avec une grande armée, ni avec une nombreuse troupe que Pharaon fera la guerre[b]. » A celui qui a transgressé, a déshonoré la malédiction de Dieu, Pharaon ne peut accorder du secours, mais il mourra au centre de Babylone pour sa transgression.

Promesse 5. Et il poursuit, raconte ce que les pécheurs vont souffrir, puis évoque tout cet avenir plus heureux : « Moi, je prendrai un des rameaux choisis du cèdre, le détacherai de la cime au milieu d'eux, je le planterai sur une haute montagne[a]. » Après les malédictions dites plus haut, est prononcée une promesse de béatitude et d'une offre très douce à la fin de la parole ; parce que déjà ceux qui avaient besoin d'épreuves avaient supporté avec patience les tourments pour leurs péchés. Mais considérant en moi-même, et sondant avec attention le sens de ce passage, je pense à une prophétie au sujet des apôtres. Ils sont bien des rameaux choisis du cèdre[1], du point culminant, de la cime,

1. « Les rameaux choisis du cèdre sont les apôtres et leurs semblables : la semence choisie. » *Sel. in Éz.* 17, 22, *Ibid.*

virorem saeculi radens corda eorum et plantans eos in monte excelso Iesu Christo Domino nostro. *Et suspendam eum in monte alto Istrahel, et plantabo, et producet propaginem et faciet fructum*[b]. Fecerunt isti propagines, attulerunt fructus. *Et erit in cedrum magnam*[c]. Considera magnitudinem et sublimitatem Ecclesiae Christi, ut intelligas iuxta promissionem Dei factum esse quod dicitur : *Et erit in cedrum magnam, et requiescet sub eo omnis avis, et omne volatile sub umbra eius requiescet*[d]. Adsume tibi pennas[e] sermonis Dei et poteris repausare sub hac arbore quae plantata est in monte excelso.

Et requiescet, et propagines eius restituentur. Vide quomodo in bona parte prophetia finiatur ; sequitur enim : *Et cognoscent omnia ligna campi quoniam ego Dominus, qui humilio lignum altum*[f]. Lignum altum populus Iudaeorum est, qui nunc humiliatus sceleris sui poenas luit, quia in Dominum nostrum Iesum Christum manus ausus est mittere. *Et extuli lignum humile.* Tu eras lignum humile, lignum deiectum, lignum terrae haerens, verum sublimavit te Deus. *Et arefacio lignum viride*[g]. Lignum viride circumcisionis est populus, qui quondam pullulans et florens fuit, verum nunc nimia siccitate contabuit. Ubi quippe nunc apud eos vividus sermo, ubi virtutum chorus ? *Et revirescere facio lignum aridum.* Tu fuisti lignum aridum et fecit te revires-

b. Cf. Éz. 17, 23 // c. Éz. 17, 23 // d. Éz. 17, 23 // e. Cf. Is. 40, 31 // f. Éz. 17, 23.24 // g. Éz. 17, 24

2. « La haute montagne est la connaissance de la vérité, le Christ. » *Sel. in Éz.* 17, 23, *PG* 13, 813 D.

3. « Il deviendra un cèdre magnifique : il veut dire l'Église et sa doctrine, sous laquelle parfois reposent des oiseaux impurs et des volatiles impurs. Qui est pourvu d'ailes par les paroles de Dieu reposera sous le grand cèdre, planté par Dieu sur la haute montagne. » *Ibid.*

ceux que Dieu a donnés pour la verdure du siècle, rendant nets leurs cœurs, et les plantant sur une haute montagne[2], notre Seigneur Jésus-Christ. « Je le fixerai sur une haute montagne d'Israël, je le planterai, il produira une ramure et portera du fruit[b]. » Ceux-là ont produit des ramures, et ont porté des fruits. « Et il deviendra un grand cèdre[c]. » Considère la grandeur sublime de l'Église[3] du Christ, pour comprendre que selon la promesse de Dieu fut réalisée la parole : « Et il deviendra un grand cèdre, et tous les oiseaux reposeront sous lui, toute la gent ailée reposera sous son ombre[d]. » Prends les ailes[e] de la parole de Dieu, et tu pourras te reposer sous cet arbre qui a été planté sur une montagne élevée.

« Il se reposera et ses rejetons seront rétablis. » Vois que la prophétie s'achève en bonne part ; car elle poursuit : « Et tous les arbres des champs sauront que c'est moi, le Seigneur, qui abaisse l'arbre élevé[f]. » L'arbre élevé, c'est le peuple des Juifs[4] qui maintenant abaissé subit le châtiment de son crime, parce qu'il eut l'audace de porter les mains sur notre Seigneur Jésus Christ. « Et j'ai élevé l'arbre abaissé. » Tu étais l'arbre abaissé, l'arbre rejeté, l'arbre adhérant à la terre, mais Dieu t'a exalté. « Et je dessèche l'arbre vert[g]. » L'arbre vert est le peuple de la circoncision, qui fut autrefois développé et florissant, mais s'est maintenant consumé par une trop grande sécheresse. Car où est maintenant chez eux la parole pleine de vie, où le chœur des vertus ? « Et je fais reverdir l'arbre sec. » Tu as été l'arbre sec, et la venue du Christ

4. « L'arbre élevé est le peuple, parfois élevé par la vertu ; mais élevé aussi par la malice, à cause de laquelle il a été abaissé... L'arbre abaissé et rampant au sol est le peuple des nations ; abaissé par ses péchés, abaissé parce qu'il a poussé de la terre, il sera élevé en quelque sorte par la correction jusqu'à la haute cime, selon qu'il est écrit : ' Les derniers seront les premiers (*Matth.* 20, 16) '. » *Sel. in Éz.* 17, 24, *PG* 13, 816 A.

cere Christi adventus. *Ego Dominus locutus sum et faciam*[h]. Quibus dictis ut et nos revirescamus, ut fructus
40 valeamus afferre, ut germinans lignum et non siccum efficiamur, ut numquam *ad radices* nostras *ponatur securis*[i] quae in Evangelio praedicatur, attentius Iesum Christum Dominum nostrum cum Patre suo precemur, *cui est gloria et imperium in saecula saeculorum.*
45 *Amen*[j] !

h. Éz. 17, 24 // i. Cf. Matth. 3, 10 // j. Cf. Pierre 4, 11.

t'a fait reverdir. « Moi, le Seigneur, j'ai dit et je ferai[h]. » Cela dit, pour que nous aussi reverdissions, pour que nous puissions porter des fruits, pour que nous devenions un bois en croissance et non pas sec, pour que jamais à nos « racines ne soit portée la hache[i] », mentionnée dans l'Évangile, prions avec plus d'attention Jésus-Christ notre Seigneur avec son Père, « lui à qui sont gloire et puissance pour les siècles des siècles. Amen[j] ».

HOMÉLIE XIII

LE PRINCE DE TYR. PHARAON
(*Éz.* 28, 12-23)

1-3 : *Le prince de Tyr,* objet d'une complainte ; 1 : Ce ne peut être un homme, « élevé au paradis de délices » : témoignages de Daniel, de Paul, de la prophétie, de Moïse. Ce n'est pas Pharaon corporel : comment dirait-il : « A moi sont les fleuves... », comment le nommerait-on dragon ? Contre ces princes a lieu notre lutte ; ils sont auteurs d'embûches pour les apôtres : l'un inspire Judas, qui n'est pas l'auteur principal de la trahison ; d'autres inspirent les persécuteurs. 2 : Quel est ce prince..., objet d'une complainte ? Que Dieu est bon de pleurer sur ceux qui l'ont renié ! Cela vient d'un sentiment d'amour (ex amoris affectu), et celui qui est plaint est aimé (diligitur). Jérusalem fut l'objet d'une complainte de Jérémie. Le sont ici Pharaon et Nabuchodonosor : tous sont tombés, non descendus. Le « Fils de l'homme » est descendu, et dit avoir vu tomber Satan... ; et sur lui chaque jour monte et descend une multitude. Toi aussi, attends ton ascension..., espère que tu vas monter au ciel à la place des anges, nouvelle étoile.

En quel sens être « le sceau de la ressemblance et de l'image » ? Ont *le sceau* d'abord Celui que Dieu en a marqué, son Envoyé, puis les croyants. Mais évitons le sceau du diable. « *L'image* et l'inscription de César », Jésus ne l'avait pas, ni son disciple. Elle était dans le poisson qui rappelle les poissons des fleuves d'Égypte où résidait le dragon invisible. Tu n'as pas encore obtenu *la ressemblance.* Nous lui serons semblables quand il paraîtra. Celui qui est l'objet de la complainte avait été « sceau », « plein de sagesse », « couronne de beauté », « couronne de gloire ». *La beauté véritable* est dans le Sauveur, et par lui, répartie dans les âmes, dans la faculté maîtresse de notre cœur. La beauté physique se perd par la vieillesse. Vint Jésus pour nous arracher au vieil homme, et se présenter une Église glorieuse... « Le paradis de délices » qu'on évoque est autre que « le paradis »... 3 : Il était couvert de *douze pierres précieuses.* L'Apocalypse nomme douze pierres à propos des douze portes de la Jérusalem céleste. On peut voir aussi le livre du *Pastor* (d'Hermas).

4 : Il faut parler de Tyr, de Sidon, de *Pharaon.* Sidoniens veut dire chasseurs ; une menace leur est faite parce qu'ils veulent prendre ton âme. Pharaon est le dragon qui réside au milieu des fleuves. Parmi les fleuves, il y a ceux du dragon, ceux auprès desquels pleurent les exilés, celui qui réjouit la cité de Dieu. Jésus-Christ notre Seigneur est ce fleuve dont le cours impétueux réjouit l'Église, cité de Dieu : le fleuve de paix d'Israël ; de lui dérivent des fleuves promis, et chez ceux qui en boivent une source jaillissant en vie éternelle : fleuves saints, loin de ceux du dragon. Il faut boire de ce fleuve où est la Parole (Sermo) de Dieu, où est notre Seigneur Jésus-Christ.

HOMILIA XIII.

1. Praecipitur nobis ab episcopis discutere sermonem principis Tyri[a], ut laudes eius culpasque dicamus, nec non iussum est de Pharaone rege Aegypti[b] aliqua retractemus. Plangitur itaque *princeps Tyri,* nec putandum est hunc 5 hominem esse. *In medio* quippe *Cherubin* nullus hominum *est creatus* et *in paradiso* Dei, si simpliciter litteram sequimur, hominum nullus est *enutritus.* Et cum *in paradiso deliciarum,* sicuti diximus, nemo fuerit, nunc dicitur *princeps Tyri in paradiso deliciarum natus* 10 *atque nutritus*[c]. Quis iste est princeps Tyri ? Veniamus ad Danielem et occasionem intelligentiae reperientes dicamus non esse principes corporeos de quibus nunc quaeritur, post Danielem ab Apostolo petamus exemplum, deinde rursum prophetarum testimonia vocemus. 15 His omnibus etiam ille copulandus est locus, qui a Moyse in Deuteronomio non tacetur.

1 a. Cf. Éz. 28, 12 // b. Cf. Éz. 29, 2 // c. Cf. Éz. 28, 13, 14

1. Ici, le prédicateur va traiter deux points qui lui sont fixés par les évêques. Ailleurs, au début de l'homélie sur la pythonisse d'Endor, constatant que la lecture a été longue, il prie l'évêque de lui préciser la

HOMÉLIE XIII

Le prince de Tyr

1. Il nous est prescrit par les évêques[1] d'examiner le cas du prince de Tyr[a], pour en dire les mérites et les fautes, et ordonné aussi de revenir sur quelques points au sujet de Pharaon, roi d'Égypte[b].

Donc le prince de Tyr est l'objet d'une complainte, et on ne peut penser qu'il soit un homme. Car nul homme ne « fut créé au milieu des Chérubins » et « au jardin » de Dieu, à suivre simplement la lettre, nul homme ne « fut élevé ». Et, tandis que personne ne fut « au jardin de délices », comme on l'a dit, ici on déclare : « Le prince de Tyr naquit et fut élevé au jardin de délices[c]. » Quel est ce prince de Tyr ? Venons-en à Daniel, et trouvant une occasion de comprendre, disons que ce n'est pas de princes corporels qu'il est ici question ; après Daniel, demandons un exemple à l'Apôtre ; puis, invoquons de nouveau les témoignages des prophètes. A tous ces passages, il faut encore joindre celui qui n'est point passé sous silence par Moïse dans le Deutéronome.

---

partie du texte à commenter, *In I Sam. hom.* 5, 1, 22, *SC* 328, p. 174 s. Ou il se conforme aux désirs de quelques frères « qui demandent qu'on étudie de préférence la prophétie de Balaam », plutôt que de suivre l'ordre des lectures, *In Num. hom.* 15, 1 s., *GCS* 7, p. 128, 18 s. ; *SC* 29, p. 294.

Age, nunc replicemus exempla incipientes a Daniele. *Princeps* ait *vester Michael,* ibique rursum, *princeps* Istrahel, et in consequenti *Michael adiuvabat principem regni*[d] gentium. Ad haec addat Apostolus : *Gloria autem et honor et pax omni operanti bonum, Iudaeo primum et Graeco*[e]. Et adiuvare principem Istrahelitarum principem regni Graecorum fortasse iam factum est ; in adventu quippe Domini mei Iesu Christi princeps Istrahel adiuvit principem regni Graecorum, ut gentes consequerentur salutem et illi credendo salvarentur. Atque ita in hunc modum dicitur quidam princeps Persarum, sicut dictus est Michael princeps Istrahelitarum, et alius Graecorum. Non sunt ergo hi homines, nec secundum locorum vocabula in quibus imperant nominantur.

Unde et Apostolus quasi non de hominibus disputans ait : *Sapientiam enim loquimur inter perfectos, sapientiam vero non huius saeculi neque principum saeculi istius, qui destruuntur, sed loquimur Dei sapientiam in mysterio absconsam, quam praedestinavit Deus ante saecula in gloriam nostram, quam nullus principum saeculi istius cognovit ; si enim cognovissent, numquam Dominum gloriae crucifixissent*[f].

d. Cf. Dan. 10, 13.20 s. // e. Rom. 2, 10 // f. I Cor. 2, 6-8

Daniel Eh bien, maintenant parcourons les exemples, à commencer par Daniel : « Votre prince Michel » dit-il et ici de nouveau « le prince » d'Israël, et ensuite, « Michel aidait le prince du royaume[d] » des nations. Que l'Apôtre y ajoute : « Gloire, honneur et paix, à quiconque pratique le bien, d'abord au Juif, puis au Grec[e]. » Et qu'un prince des Israélites aide un prince du royaume des Grecs peut-être est-ce arrivé déjà ; de fait, à la venue de mon Seigneur Jésus-Christ, un prince d'Israël aida un prince du royaume des Grecs, pour que les nations obtiennent le salut, et croyant en lui, soient sauvées. Et ainsi de cette manière on dit quelqu'un prince des Perses, comme on a dit Michel prince des Israélites, et un autre, des Grecs. Donc ce ne sont pas des hommes[2], et ils ne sont pas nommés d'après les noms des lieux où ils commandent.

L'Apôtre Aussi, même l'Apôtre, comme si ce n'était pas d'hommes qu'il traite, dit : « C'est bien de sagesse que nous parlons parmi les parfaits, mais non d'une sagesse de ce siècle, ni des princes de ce siècle voués à la destruction, mais nous parlons d'une sagesse de Dieu mystérieuse et tenue cachée, que Dieu avant les siècles d'avance a destinée pour notre gloire, qu'aucun des princes de ce siècle n'a connue ; car s'ils l'avaient connue, ils n'auraient jamais crucifié le Seigneur de gloire[f]. »

2. Argumentation analogue : « A entendre : ' Tu as été le sceau de la ressemblance et une couronne d'honneur dans les délices du paradis de Dieu (*Éz.* 28, 11) ', ou ' Depuis le jour où tu as été créé avec les Chérubins, je t'ai placé sur la montagne sainte de Dieu (*id.* 14) ', quel est celui qui pourrait en élargir le sens au point de conjecturer qu'il s'agit d'un homme ou d'un saint, pour ne pas dire du prince de Tyr ?... » *De princ.* 1, 5, 4, 200 s., *SC* 252, p. 186 s.

40 Et quia principes istius saeculi crucifixerunt Salvatorem et Dominum, prophetia testis est dicens : *Adstiterunt reges terrae et principes convenerunt in unum adversus Dominum, et adversus Christum eius*[g]. Unde et alibi in Psalmis scribitur : *Ego dixi : dii estis et filii* 45 *Excelsi omnes ; vos autem ut homines moriemini, et tamquam unus de principibus cadetis*[h]. Et est ibi sermo de nullo penitus principe corporali. Si igitur est quidam princeps regni Persarum, si est princeps Istrahelitarum Michael, consequenter et Tyri princeps est, et de his nunc 50 principibus propheticus sermo loquitur.

Quoniam autem et de Moyse testimonium polliciti sumus, ausculta quod sequitur : *Quando dividebat Altissimus gentes, cum disseminavit filios Adam, statuit fines gentium secundum numerum angelorum Dei* 55 — sive, ut melius habet, *secundum numerum filiorum Istrahel — et facta est pars Domini populus eius Iacob*[i]. Alii principi facta est pars Tyrus, alii Babylon, aliis

g. Ps. 2, 2 // h. Ps. 81, 6-7 // i. Deut. 32, 8-9

3. Traduction complète du texte hébreu : « ' Quand le Très-Haut faisait hériter les nations ' — (leur donnant un territoire) — ' quand il séparait les fils d'Adam, il dressa les bornes des peuples d'après le nombre des fils d'Israël ; car la part de Yahvé, c'est son peuple, Jacob est le lot de son héritage. » OSTY. Ici, dans la citation latine, la fin est légèrement abrégée ? Mais elle est complète dans la citation de l'*hom.* 4, 1, 125 s. : alors est bonnement donnée la leçon qui traduit le texte hébreu : « d'après le nombre des fils d'Israël ». Ici, elle est intercalée comme préférable : est-ce par le traducteur Jérôme ? Ce dernier, toutefois, cite, comme il vient de le faire, l'autre leçon, « d'après le nombre des anges de Dieu », à *In Luc. hom.* 35, 6, *SC* 87, p. 418 s. C'est précisément celle de la LXX : elle figure dans les textes grecs d'Origène (sauf un sur une demi-douzaine) et dans toutes les traductions de Rufin (une dizaine

Prophétie Et que les princes de ce siècle ont crucifié le Seigneur et Sauveur, la prophétie en témoigne : « Les rois de la terre se sont dressés et les princes ligués ensemble contre le Seigneur et contre son Christ[g]. » Par suite encore ailleurs, il est écrit dans les Psaumes : « Moi j'ai dit : Vous êtes des dieux, des fils du Très-Haut, vous tous ; eh bien, comme des hommes vous mourrez, comme l'un des princes vous tomberez[h]. » Et il n'est ici question d'absolument aucun prince corporel. Si donc il y a un prince du royaume des Perses, s'il y a un prince des Israélites, Michel, en conséquence il y a aussi un prince de Tyr, et de ces princes parle ici la parole prophétique.

Moïse Mais, comme on a promis encore le témoignage de Moïse[3], écoute la suite : « Quand le Très-haut divisait les nations, quand il dispersa les fils d'Adam, il fixa les territoires des nations d'après le nombre des anges de Dieu » — ou, ce qui est mieux : « d'après le nombre des fils d'Israël —, et devint la part du Seigneur, son peuple Jacob[i]. » Pour un autre prince Tyr devint la part, pour un autre Babylone, pour

---

de passage). — Sur ce point la liste exhaustive des références à la Bible, à Origène et à ses prédécesseurs, est donnée à propos du *De princ.* 1, 5, 2 fin, *SC* 252, p. 178 s., dans *SC* 253, p. 85 s., à la note 11.

Noter que la doctrine des « anges des nations », souvent évoquée par Origène était connue non seulement des apocryphes juifs, mais des philosophes grecs, cf. *CC* 5, 25, 9 s., *SC* 147, p. 74 s. ; voir J. DANIÉLOU, *Origène*, p. 224-235. Par ailleurs, on sait que l'angélologie d'Origène est fort développée : anges « ministres de l'économie céleste » (*hom.* 4, 2, 8), anges gardiens, anges des nations, anges des Églises, *In Num. hom.* 11, 4-5, *GCS* 7, p. 82-87 ; *SC* 29, tr. et notes de A. Méhat, p. 213-223 ; anges dépossédés dont il faut prendre la place dans le royaume de Dieu, anges (ou démons) puissances intérieures à l'âme et à ses vertus et ses vices, cf. A. JAUBERT, dans Origène : *Homélies sur Josué, Introduction*, appendice I, *SC* 71, p. 63-67.

aliae nationes, atque ita in hunc modum principes possederunt omnes fines gentium. Si quis autem putat legens in
60 Scripturis quasi de hominibus dictum, *intelligat* altius *spiritalis* et *a nullo diiudicatus*[j]. Dignoscuntur enim quaedam de Nabuchodonosor rege Assyriorum, quae non conveniunt personae eius. Dixit enim : *Fortitudine faciam, et sapientia intellectus auferam fines gentium,*
65 *et commovebo civitates inhabitatas, et orbem terrarum omnem comprehendam*[k] et *Adscendam super sidera caeli et nubes* et reliqua, et *Ero similis Altissimo*[l]. Haec Nabuchodonosor.

Sic et princeps Tyri et Pharao. Neque enim in tantum
70 agitatus est furiis verus et corporeus Pharao, ut diceret : *Mea sunt flumina, et ego feci ea*[m]. Hoc autem ante lectum est in prophetia quae est adversum Pharao ; neque umquam principem illum, id est corporeum Pharao, draconem nuncupasset, dicens : *Ecce, ego super Pharaonem*
75 *draconem qui sedet in medio fluminum Aegypti, qui dicit : mea sunt flumina, et ego feci ea*[n]. Verum hoc in loco proprio reservetur quod nunc idcirco adsumpsimus, ut per notionem Scripturarum manifestius fieret id quod videbatur occultum. Adversum hos principes est nobis
80 pugna. Et beati Apostoli qui missi fuerant ad praedicandum, quando ab his qui fines gentium possederant, homines abducebant, patiebantur insidias. Verbi gratia dictum sit : ingressi sunt Apostoli *Tyrum*[o], persecutus est eos *princeps Tyri* ; adscenderunt *Antiochiam*[p], impugnavit

j. Cf. I Cor. 2, 15 // k. Is. 10, 13-14 // l. Cf. Is. 14, 13-14 // m. Éz. 29, 3 // n. Éz. 29, 3 // o. Cf. Act. 21, 3 // p. Cf. Act. 11, 19

d'autres d'autres nations, et ainsi de cette manière les princes possédèrent tous les territoires des nations. Mais si l'on imagine en lisant que dans les Écritures la parole concernerait des hommes, qu'en ait une intelligence plus profonde « le spirituel, qui n'est jugé par personne[j] ». En effet, on reconnaît à Nabuchodonosor roi d'Assyrie des traits qui ne conviennent pas à son personnage. Car il a dit : « Par ma vigueur j'agirai, par la sagesse de mon intelligence je déplacerai les frontières des nations[4], j'ébranlerai les villes habitées, je saisirai tout le globe terrestre[k], et : « Je monterai au-dessus des nuages et des astres du ciel », etc., et : « Je serai semblable au Très-Haut[l]. » Voilà pour Nabuchodonosor.

Quel prince de Tyr ?

Et voici pour le prince de Tyr et Pharaon. Car le vrai Pharaon corporel n'est point agité de fureurs jusqu'à dire : « A moi sont les fleuves, c'est moi qui les ai faits[m]. » Mais on a lu cela auparavant dans la prophétie dirigée contre Pharaon ; et elle n'aurait jamais donné à ce prince, le Pharaon corporel, le nom de dragon, en disant : « Me voici au-dessus du dragon Pharaon qui réside au milieu des fleuves de l'Égypte, et dit : A moi sont les fleuves, c'est moi qui les ai faits[n]. » Mais à ce passage particulier est tenu en réserve ce que nous venons d'extraire pour rendre, par la signification des Écritures, plus clair ce qui paraissait obscur. Contre ces princes a lieu notre lutte. Et les bienheureux apôtres, envoyés prêcher, quand il arrachaient des hommes à ceux qui possédaient les territoires des nations, étaient victimes d'embûches. Qu'on dise, par exemple : les apôtres entrèrent « à Tyr[o] », « le prince de Tyr » les persécuta ; ils montèrent « à Antioche[p] », « le prince du royaume » de Syrie les combat-

4. Cf. *hom.* 9, 2, 29 et la note.

85 eos *princeps regni* Syriae ; iste erat qui bellabat adversum eos, non omnes qui putabantur, ut *Iudas proditor*[q].

Quomodo enim ille non principaliter prodidisse putandus est Salvatorem, sic etiam Apostolis omnibusque qui persecutionem passi sunt, alius fuit *princeps* persecutio-
90 nis. Scriptum est quippe de Iuda : *Et post buccellam introivit in illum Satanas*[r]. *Non est* enim *nobis pugna adversum carnem et sanguinem*[s], licet videantur ex carne et sanguine qui nos persequuntur. Non eos oderimus, quin potius diligamus, licet inimici nobis velint
95 permanere, misereamur eorum, daemonium habent, patiuntur insaniam. Non tam hi sunt adversum nos, qui nos persequuntur, quam illi qui corda eorum repleverunt. Verum Domini deprecemur auxilium, ut infirmos habeant conatus tanti adversarii contra humanam animam dimi-
100 cantes, et dicamus : *Nisi quia Dominus erat in nobis, in eo cum exsurgerent homines in nos, forsitan vivos deglutissent nos*[t].

Igitur est quidam *princeps Tyri* et prophetia non de *Hiram*[u] nos docet — hoc quippe nomen in tertio Regno-
105 rum libro scriptum est —, non de alio principe Tyri neque de quoquam homine non nos humana docent eloquia, divina sed quaedam ineffabilia et sacrata sub personis hominum. *Pharao* homo est ; aliud quiddam erudior intelligere Pharaonem. Et *Nabal Carmeli*[v] homo est et Hiram
110 homo, sed aliud sub eorum doceor effigie. Quis est tantus et talis qui a corporalibus conscendat, qui a visibilibus

q. Cf. Lc 6, 16 // r. Jn 13, 27 // s. Cf. Ephés. 6, 12 // t. Ps. 123, 1-3 // u. Cf. III Rois 7, 13 // v. Cf. I Sam. 25, 3 s.

5. « Pharaon était bien un homme vrai, roi de cette Égypte qui borde le fleuve du Nil, et à cette époque, il frappait les Israélites et étouffait leurs enfants. Mais il figurait le diable ; et chaque roi semblable à lui qu'on mentionne figure une puissance du diable ou de l'apostat. C'est ce

tit : c'était lui, non tous ceux qu'on croyait, qui leur faisait la guerre, comme « le traître Judas[q] ».

De même que celui-ci ne doit point passer pour la cause principale de la trahison du Sauveur, de même aussi pour les apôtres et tous ceux qui subirent la persécution, un autre fut « le prince » de la persécution. Car il est écrit de Judas : « Et après la bouchée, entra en lui Satan[r]. » Car « notre lutte n'est pas contre la chair et le sang[s] », bien que semblent de chair et de sang ceux qui nous persécutent. Nous ne les haïrons pas, bien plutôt aimons-les, quoiqu'ils veuillent rester nos ennemis, ayons pitié d'eux, ils ont un démon, ils sont atteints de déraison. Car ceux qui nous persécutent ne sont pas contre nous autant que ceux qui ont rempli leurs cœurs. Mais demandons le secours du Seigneur pour que soient impuissants les efforts de tant d'adversaires qui luttent contre l'âme humaine, et disons : « Si le Seigneur n'avait été pour nous, quand les hommes se dressèrent contre nous, peut-être nous auraient-ils avalés vivants[t]. »

Il s'agit donc d'un « prince de Tyr » : la prophétie ne nous instruit ni sur « Hiram[u] » — car ce nom est écrit dans le troisième livre des Rois —, ni sur un autre prince de Tyr, ni sur un homme quelconque ; les oracles ne nous enseignent pas des choses humaines mais, sous des personnages d'hommes, des réalités divines, ineffables et mystérieuses. Pharaon est un homme ; je suis formé à comprendre Pharaon comme autre chose[5]. Et « Nabal de Karmel[v] » est un homme, et Hiram est un homme, mais je suis instruit d'autre chose par leur portrait. Qui est assez qualifié pour s'élever des choses corporelles, pour

---

qu'indique la parole : ' Me voici contre toi, grand dragon qui résides au milieu du fleuve d'Égypte, etc. '. » Il n'y a pas de raison pour que cela soit dit au sens littéral (aisthètôs) de l'homme. » *Sel. in Éz.* 29, 3, *PG* 13, 821 CD.

invisibilia contempletur et possit unumquodque horum secundum Dei intelligere voluntatem ?

2. Quis est ergo princeps iste, discamus, ut cognoscentes lamentationem, etiam quod nunc super ea dicitur, evitemus. *Plangitur princeps Tyri*[a]. Quam bonus Deus, qui etiam eos qui se negaverunt, deflet ! Et hoc venit ex
5 amoris affectu. Nemo quippe plangit quem odit ; et qui plangitur, plangitur quidem ut mortuus, verum quasi adhuc quaeratur, quasi vivis desiderio sit, diligitur. Et Hierusalem quando plangitur, scriptum est : *Et factum est postquam captus est Istrahel, et desolata est Hie-*
10 *rusalem, sedit Hieremias flens et lamentans lamentationem istam super Hierusalem et ait : Quomodo sedet sola civitas quae abundabat populis ? Facta est ut vidua, quae multiplicata erat in nationibus, princeps in regionibus facta est in tributum*[b]. Plangitur et
15 Nabuchodonosor. Ubi sunt haereses ? Ubi sunt qui aiunt istos in perditionem creatos esse ? Criminantur Creatorem, ut se criminibus absolvant. *Accipe lamentationem istam super regem Babylonis, et dices : Quomodo cessavit qui repetebat, quomodo quievit qui exigebat*[c] ? In
20 regem Babylonis ista dicuntur : *Quomodo cecidit de caelo Lucifer, qui mane oriebatur ? contritus est in terram*[d].

---

2 a. Cf. Éz. 28, 11 // b. Lam. 1, 1 // c. Is. 14, 4 // d. Is. 14, 12

---

1. Cf. *hom.* 1, 3, 74 s. Origène rapproche volontiers la prophétie contre le prince de Tyr, *Éz.* 28, et celle contre le roi de Babylone, *Is.* 14 : deux figures de Lucifer, évoquant sa perfection originelle et sa chute. Et cela, à peu près depuis le début jusqu'à la fin de son œuvre. Voir, d'une part, *De princ.* 1, 5, 4-5, *SC* 252, p. 184-195, cf. *SC* 253, p. 63, les notes 24-25 ; et d'autre part ; « Mais l'adversaire au sens propre, c'est le premier de tous les êtres menant une vie pacifique et heureuse, qui a

contempler à partir des choses visibles les réalités invisibles et pouvoir comprendre chacune d'entre elles selon l'intention de Dieu ?

Complainte

2. Quel est donc ce prince, apprenons-le afin d'éviter, sachant la complainte, ce qu'on dit encore à son sujet ici : « Le prince de Tyr[a] » est l'objet d'une complainte. Que Dieu est bon de pleurer même sur ceux qui l'ont renié ! Et cela vient d'un sentiment d'amour. Car personne ne plaint celui qu'il hait ; et celui qu'on plaint est certes plaint comme mort, mais comme s'il était encore cherché, comme s'il était désiré par les vivants, il est aimé. Et quand Jérusalem est l'objet d'une plainte, il est écrit : « Et il advint, après que fut emmené en captivité Israël et laissée déserte Jérusalem, que Jérémie s'assit en pleurant, et fit cette lamentation sur Jérusalem : Comment est-elle assise solitaire la ville populeuse ? La voici comme une veuve celle qui s'était multipliée parmi les nations, la princesse parmi les provinces est réduite à la corvée[b]. » Objet d'une complainte aussi est Nabuchodonosor[1]. Où sont les hérésies ? Où sont-ils ceux qui disent ces gens créés pour leur perte ? Ils accusent le Créateur pour s'absoudre d'accusations. « Entonne cette complainte sur le roi de Babylone, et tu diras : Comment a fini l'oppresseur, comment a cessé l'exacteur[c] ? » Contre le roi de Babylone on dit : « Comment est-il tombé du ciel, Lucifer, fils de l'aurore ? Il fut jeté sur la terre[d]. » Celui-ci « est tombé du ciel » aussi

---

perdu ses ailes et est tombé de son état bienheureux... », à preuve, la prophétie d'Ézéchiel..., *CC* 6, 66, 32-35, *SC* 147, p. 288 s. L'interprétation s'inspire du passage évangélique : « Je voyais Satan tomber du ciel comme la foudre. » *Lc* 10, 18, cf. *infra* 23, et déjà *hom.* 1, 3, 85 s. — Autres passages : *In Ps.* 4, 6, dans *Philocalie* 26, 7, 35 s., *SC* 226, p. 260 s., et les notes 2 et 3 du tr. É. Junod ; *In Jo.* 1, 1, 1, 12, 78, *SC* 120, p. 98 s. et la note 1 de C. Blanc. *In Num. hom.* 11, 4, *GCS* 7, p. 83, 20 s. ; *SC* 29, p. 214 s. *In Jos. hom.* 1, 6 ; *GCS* 7, p. 294, 9 s. ; *SC* 71, p. 108 s.

Et ille *de caelo cecidit* et iste *signaculum similitudinis, corona decoris, in paradiso deliciarum nutritus*[e].

Ecce, omnes *de caelo cecidisse,* non *descendisse* referuntur ; Dominus vero meus *de caelo descendit* et *qui descendit,* ipse est *Filius hominis*[f]. At non sic *Satanas* ; non enim descendit de caelo neque ei mali quicquam acciderat, si descendisset. Audi Iesum dicentem : *Videbam Satanam quasi fulgur de caelo cadentem*[g], non descendentem. Verum non solus Salvator *e caelo descendit ;* cotidie multitudo descendit et adscendit super Filium hominis. *Videbitis* enim *caelum apertum et angelos Dei adscendentes et descendentes super Filium hominis*[h]. Et tu exspecta adscensionem tuam. Tantum a ruina consurge et audi : *Exsurge Hierusalem*[i] a ruina tua, spera quia sis adscensurus in caelum, et cave ne tibi quoque dicatur : *Numquid qui cadit non resurget ? aut aversus non convertetur*[j] ? Vae, qui *convertuntur conversione*[k] pessima, dicit Dominus. Et iste itaque de his unus est qui ruerunt, et plangitur ab homine princeps, cum princeps hominem flere debuerit. Homo est Ezechiel et filius hominis[l] ; qui vero plangitur *Nabuchodonosor* est *rex Babylonis*[m]. Accipe et tu lamentationem tuam super regem Babylonis et dices : *Quomodo quievit, qui repetebat*[n] ?, et reliqua. Considera in quantam spem vocatus sis, o homo qui carne circumdatus dicis : *Quasi lac me emulsisti, coagulasti autem me ad similitudinem casei, cute et carnibus me vestisti, ossibus et nervis me contexisti*[o]. Tu ergo qui de conditione tua dicebas, ecce plangis, et ille qui carne non est indutus, a te plangitur

e. Cf. Éz. 28, 12 s. // f. Cf. Jn 3, 13 // g. Lc 10, 18 // h. Jn 1, 52 // i. Cf Is. 51, 17 // j. Jér. 8, 4 // k. Cf. Jér. 8, 5 // l. Cf. Éz. 2, 1... // m. Cf. Éz 29, 18 // n. Is. 14, 4 // o. Job 10, 10-11

bien que celui-là, « sceau de ressemblance, couronne d'honneur, élevé au paradis de délices[e] ».

Chute ou descente, ascension

Voici, on rapporte qu'ils sont tous deux tombés du ciel, et non descendus ; mais mon Seigneur est descendu du ciel, et celui qui descendit est « le Fils de l'homme[f] » en personne. Rien de tel pour « Satan » : car il n'est pas descendu du ciel, et rien de mal ne lui serait arrivé s'il était descendu. Écoute Jésus : « Je voyais Satan tomber du ciel comme la foudre[g] », et non pas « descendre ». En vérité, ce n'est pas seul que le Sauveur « est descendu du ciel » ; chaque jour une multitude descend et monte au-dessus du Fils de l'homme : « Vous verrez le ciel ouvert et les anges de Dieu monter et descendre au-dessus du Fils de l'homme[h]. » Toi aussi, attends ton ascension. Lève-toi seulement de ta ruine ; écoute : « Jérusalem, lève-toi[i] » de ta ruine, espère que tu vas monter au ciel ; prends garde qu'on ne dise de toi aussi : « Est-ce qu'on tombe sans se relever, se détourne-t-on sans retour[j] ? » Malheureux, qui « revenez d'un détour[k] » très funeste, dit le Seigneur. Ainsi donc, lui aussi est un de ceux qui sont tombés, et le prince est plaint par l'homme, quand le prince aurait dû pleurer l'homme. Homme et « fils d'homme[l] » est Ézéchiel, mais l'objet de la complainte est Nabuchodonosor, roi de Babylone[m] ». Toi aussi, entonne ta complainte sur le roi de Babylone, et tu diras : « Comment a fini l'oppresseur[n], etc. » Considère à quelle grande espérance tu es appelé, ô homme qui, enveloppé de chair, dis : « Tu m'as coulé comme le lait, tu m'as fait cailler comme le fromage, de peau et de chair tu m'as vêtu, d'os et de nerfs tu m'as tissé[o]. » Toi donc, qui parlais de ta condition, voici que tu plains, et celui qui ne fut pas vêtu de chair est plaint par toi ; car tu es appelé

vocatus es enim in eam spem de qua ille cecidit. *Peccato Istrahel salus gentibus*[p] subintravit.

Audebo aliquid sacratius dicere : in locum angelorum qui ruerunt, tu adscensurus es, et mysterium quod illis
55 aliquando creditum est tibi credendum erit, de quo dicitur : *Quomodo cecidit Lucifer, qui mane oriebatur*[q] ? Tu vero *lux* factus es *mundi*[r], tu pro illo factus es Lucifer ; unus de stellis erat Lucifer qui de caelo ruit, et tu, si tamen de semine es Abraham, inter stellas caeli computa-
60 beris. *Eduxit* enim *Abraham foras, et dixit ei Deus : Respice, sic erit semen tuum*[s]. Hoc autem tunc erit, quando *stellae cadent ut folia de caelo*[t] et erit *alia gloria solis, et alia gloria lunae, alia gloria stellarum ; stella enim ab stella differt in claritate ; sic et*
65 *resurrectio mortuorum*[u]. Verum *noli gloriari adversum istiusmodi ramos,* qui *infidelitate* ceciderunt et *fracti sunt*[v] ; tu, quia *fide stas,* fide et adscendes. Et per hoc quod plangis principem Tyri et ea cum lamentatione deploras quae superius interposuimus, edocere, ne forte
70 in his bonis repertus quae princeps Tyri habuit, etiam tu incipias ruere, si paululum fueris gloriatus, et non *custodieris omni custodia cor tuum*[w].

Vide quippe quid dicat ad principem Tyri : *Tu signaculum similitudinis*[x]. Volo nosse quid fuerit ut signaculum
75 similitudinis nuncupatus sit. Cum profeceris, accepisti signaculum, quoniam Deus vere huius est Pater quem

---

p. Cf. Rom. 11, 11 // q. Is. 14, 12 // r. Cf. Matth. 5, 14 // s. Cf. Gen. 15, 5 // t. Cf. Matth. 24, 29 et Is. 34, 4 // u. I Cor. 15, 41.42 // v. Cf. Rom. 11, 18 s. // w. Cf. Prov. 4, 23 // x. Éz. 28, 12

à cette espérance d'où il est tombé. « Par la faute d'Israël » est arrivé « le salut aux nations[p]. »

J'oserai dire quelque chose de plus mystérieux : à la place des anges qui tombèrent, tu vas monter, et le mystère qui leur fut confié jadis devra être confié à toi ; il en est dit : « Comment est-il tombé, Lucifer, fils de l'aurore[q] ? » Mais toi, tu as été fait « lumière du monde[r] », toi à sa place tu as été fait Lucifer : une des étoiles était Lucifer qui tomba du ciel, et toi, si toutefois tu es de la descendance d'Abraham, tu seras compté parmi les étoiles du ciel. En effet, « Dieu fit sortir Abraham dehors et lui dit : Regarde, ainsi sera ta descendance[s] ». Mais ce sera au temps où « les étoiles tomberont du ciel comme des feuilles[t] » et sera autre « l'éclat du soleil, autre l'éclat de la lune, autre l'éclat des étoiles ; car une étoile diffère en clarté d'une étoile ; ainsi en est-il de la résurrection des morts[u]. » Mais « ne te vante pas aux dépens des branches de cette sorte » qui « par infidélité » tombèrent et « se brisèrent[v] » ; toi, parce que c'est « par la foi que tu tiens debout », par la foi aussi tu monteras. Et par ce fait que tu plains le prince de Tyr, et déplores avec une complainte ce qu'on a intercalé plus haut, sois instruit, de peur que d'aventure, trouvé dans ces biens qu'eut le prince de Tyr, toi aussi tu ne commences à tomber, si tu t'es un peu vanté et si « en toute vigilance tu n'as point gardé ton cœur[w] ».

Sceau et image Car vois ce qui est dit au prince de Tyr : « Tu es un sceau de ressemblance[x]. » Je veux savoir quelle raison y eut-il pour qu'il fût appelé « sceau de ressemblance ». Quand tu as progressé, tu as reçu un sceau, parce que Dieu est véritablement le

signavit[y] et misit, et ideo semper credentes signantur a Domino. Iam autem et in commune proverbium venit, ut dicamus : ille et ille non accepit signaculum, ille et ille
80 signaculum habet. Quis habet signaculum ? Ille quem signavit Deus. Audebo aliquid dicere, quia signaculo isto ille signatus est qui *baptizat in Spiritu sancto et igne*[z], ille qui largitur *imaginem caelestis*, qui format te ad superiora ut ultra non *portes imaginem terrestris*[aa].
85 Cave, homo, ne saeculum istud egrediens signaculo diaboli sis impressus ; habet quippe ille signaculum : *Sicuti portavimus imaginem terrestris*[ab]. Unde vel quando ? vel qui signavit hoc signo, ut portaverimus imaginem terrestris ? *Circuit diabolus*[ac] et lustrat omnia volens et
90 ipse signare subiectos sibi. Signat autem singulorum corda considerans et imprimit in eis figuram terreni per peccata, per vitia, ut portent imaginem terrestris.

Audi Iesum, quid respondeat, quando *imaginem et inscriptionem Caesaris*[ad] postulatur. *Qui habet aures*
95 *audiendi, audiat*[ae], nam quia non habebat eam imaginem quam petebatur, neque ipse neque discipulus suus, docet ubi valeat repperiri imago quae quaeritur : *Vade,* inquit, *ad mare et mitte hamum, et primum piscem qui adscenderit tolle, et aperies os eius et, cum inveneris*
100 *staterem, tolle illum, et dabis pro me et te*[af]. Neque ego habeo hanc imaginem et superscriptionem neque tu, si tamen vere discipulus meus es, si *portae inferorum non praevalent adversum te*[ag]. Ergo Iesus aliter dat pro se imaginem de mari illam accipiens, quae in pisce fuerat
105 inclusa simili his piscibus de quibus hodie lectum est, qui *adhaerent in squamis draconis qui sedet super flu-*

y. Cf. II Cor. 1, 22 // z. Cf. Lc 3, 16 // aa. Cf. I Cor. 15, 49 // ab. I Cor. 15, 49 // ac. I Pierre 5, 8 // ad. Cf. Mc 12, 16 ; Lc 20, 24 et Matth. 17, 24 s. // ae. Cf. Matth. 11, 15... // af. Matth. 17, 27 // ag. Cf. Matth. 16, 18

Père de celui qu'il « a marqué d'un sceau[y] » et envoyé, et c'est pourquoi toujours les croyants sont marqués d'un sceau par le Seigneur. D'autre part il est passé en commun proverbe de dire : tel et tel n'ont pas reçu le sceau, tel et tel ont le sceau. Qui a le sceau ? Celui que Dieu en a marqué. J'oserai ajouter que celui-là est marqué de ce sceau qui « baptise dans l'Esprit-Saint et le feu[z] », celui qui accorde « l'image du céleste », qui te forme à ce qui est supérieur pour que « tu ne portes plus l'image du terrestre[aa] ». Prends garde, homme, à ne pas être en quittant ce siècle marqué du sceau du diable ! Car il a un sceau : « Comme nous avons porté l'image du terrestre[ab]. » Où, quand ? Qui marque de ce signe, pour que nous portions l'image du terrestre ? « Le diable rôde[ac] » et passe tout en revue, voulant lui aussi marquer des sujets pour lui. En examinant il marque d'un sceau le cœur de chacun, il y imprime la figure du terrestre par les péchés, par les vices, pour qu'il porte l'image du terrestre.

Écoute ce que répond Jésus quand on l'interroge sur « l'image et l'inscription de César[ad] ». « Qui a des oreilles pour entendre, qu'il entende[ae] », parce que, comme si ni lui ni son disciple n'avaient cette image qu'on lui demandait, il enseigne où peut être trouvée cette image que l'on cherche : « Va à la mer, jette l'hameçon, et le premier poisson qui montera, saisis-le, tu lui ouvriras la bouche et, quand tu trouveras un statère, prends-le et tu le donneras pour moi et pour toi[af]. » Ni moi je n'ai cette image et cette inscription, ni toi, si toutefois tu es véritablement mon disciple, si « les portes de l'enfer ne prévalent pas contre toi[ag] ». D'une autre manière donc Jésus donne pour lui cette image qu'il prend de la mer, image qui était enfermée dans un poisson semblable à ces poissons qui, d'après la lecture d'aujourd'hui, « adhèrent aux écailles du dragon qui réside au milieu des fleuves de

mina Aegypti[ah], vere quippe istiusmodi pisces ibi adhaerent. Quanti et hodie pisces sunt quorum rex est iste qui in aquis regnat ? Scriptum est quippe de invisibili dracone
110 quia *ipse sit rex omnium quae sunt in aquis*[ai], verum tu non es in aquis, sed in ea terra quae tibi repromittitur.

Et haec dicta sunt, ut diligentius ventilaremus quod sit signaculum similitudinis. Quam beatus fuit in illo tempore quo signaculum similitudinis erat ! Tibi adhuc deest ut
115 similitudo signaculi fias, et procul es ab eiusmodi munere. Dixit quidem Deus : *Faciamus hominem ad imaginem et similitudinem nostram*[aj], attamen necdum consecutus es similitudinem ; fecit quippe Deus hominem, ad imaginem Dei fecit : ubi est similitudo ? *Cum apparuerit*
120 *similes ei erimus, quoniam videbimus eum sicuti est*[ak]. Ego sic accipio et hoc quod dicitur a propheta : *Deus quis similis tibi*[al] ?, quasi illud : *Quis, putas, fidelis et sapiens dispensator*[am] ?, sicuti et hoc : *Si enim apparuerit, similes ei erimus*[an]. Quis est qui
125 assimiletur ei ? Pauci admodum qui receperint similitudinem, ut Apostoli.

Faciamus hominem ad imaginem et similitudinem nostram. Iste ergo qui nunc plangitur, *signaculum* erat et *plenus sapientia,* quem et tu planges, si factus fueris
130 Ezechiel. Nescio autem si et tu sapienta plenus fueris ; interim iste qui plangitur plenus erat sapientia, et erat *decoris corona*[ao]. Considera qualis fuerit qui fuit corona decoris. Non simpliciter decor nec gloria erat in eo, sed

ah. Cf. Éz. 29, 4 et 3 // ai. Cf. Job 41, 25 // aj. Gen. 1, 26 s. // ak. I Jn 3, 2 // al. Ps. 70, 19 // am. Lc 12, 42 // an. I Jn 3, 2 // ao. Cf. Éz. 28, 12

l'Égypte[ah] », car vraiment ici adhérent des poissons de cette sorte. Combien aujourd'hui encore y a-t-il de poissons ayant pour roi celui qui règne parmi les eaux ? Car il est écrit du dragon invisible ; « Il est le roi de tout ce qu'il y a dans les eaux[ai]. » Mais toi, tu n'es pas dans ces eaux, tu es sur cette terre qui t'est promise.

Cela dit pour nous faire scruter avec soin ce qu'est le sceau de la ressemblance. Qu'il fut heureux au temps où il était le sceau de la ressemblance ! A toi il manque encore de devenir la ressemblance du sceau et tu es loin d'un don de cet ordre. Dieu a bien dit : « Faisons l'homme à notre image et ressemblance[aj]. » Et pourtant tu n'as pas encore obtenu la ressemblance. Car Dieu a fait l'homme, il l'a fait à l'image de Dieu : où est la ressemblance ? « Lorsqu'il paraîtra, nous lui serons semblables parce que nous le verrons comme il est[ak]. » Pour moi, ce que dit le prophète : « O Dieu qui est semblable à toi[al] ? », je le prends dans le même sens que : « Quel est, penses-tu, l'intendant fidèle et prudent[am] ? » et aussi que : « Lorsqu'il paraîtra nous lui serons semblables[an]. » Quel est celui qui lui est rendu semblable ? En bien petit nombre sont ceux qui ont reçu la ressemblance comme les apôtres.

Beauté

« Faisons l'homme à notre image et ressemblance. » Donc, celui qui est ici objet de la complainte était « sceau » et « plein de sagesse », et toi aussi tu le plaindras, si tu es devenu Ézéchiel. Mais j'ignore si toi aussi tu es plein de sagesse ; cependant, celui qui est l'objet de la complainte était plein de sagesse[2], et il était « une couronne de beauté[ao] ». Examine la qualité de celui qui fut « une couronne de beauté ». Étaient en lui non simplement la beauté et la gloire, mais

2. « La vérité est le sceau et la couronne de la beauté. » *Sel. in Éz.* 28, 4, *PG* 13, 821 B.

corona gloriae. Hunc autem decorem noli extra te quae-
135 rere, sed circa animae re[li]gionem ubi cogitatorium, ubi intellectuale consistit, ubi vera est pulchritudo. Quodsi volueris ibi quaerere decorem ubi est caro et sanguis, humor et venae, ubi materia corporalis, non poteris invenire ; siquidem verus decor in Salvatore est et ita ab illo
140 iuxta largitionem et misericordiam eius in cunctorum divisus est animas. *Accingere gladium tuum circa femur, potentissime, specie tua et decore tuo*[ap] : est igitur aliquis decor in principali cordis nostri et in anima. Quia autem istiusmodi decor etiam animam pertingat huma-
145 nam, prophetes te doceat, dicens : *Audi filia, et vide et inclina aurem tuam, et obliviscere populi, et domus patris tui, quia concupivit rex decorem tuum*[aq], id est sponsus. Quis ita habet pulchram animam, quis tantum possidet decorem, quis ita ab omni est extraneus foedi-
150 tate, ut possit ei dici : *Concupivit rex decorem tuum*[ar] ?

Et tu quidem adhuc istum quaeris decorem et niteris ad placendum, iste vero a decore quem habuit in turpitudinem concidit. Et quomodo in corporibus saepe videmus accidere ut mulier speciosa et pulchra facie ab aegrota-
155 tione decorem suum perdat et per senectutem splendorem vultus amittat, eodem modo et anima, quae pulchra erat, per infirmitatem amittit decorem et per senectutem deformis efficitur. Cum enim susceperit *veterem hominem cum actibus suis*[as], senectute eius pristinum perdit
160 decorem.

Venit Iesus ut transferat nos a veteri homine et senectutis insignibus ; ruga quippe senectutis indicium est, ut Apostolus ait : *Ut exhibeat sibi gloriosam Ecclesiam non habentem maculam neque rugam aut aliquid*
165 *istiusmodi, verum ut sit sancta et immaculata*[at]. Licet

---

ap. Ps. 44, 4 // aq. Ps. 44, 11.12 // ar. Ps. 44, 12 // as. Cf. Col. 3, 9 // at. Ephés. 5, 27

« une couronne de gloire ». Or cette beauté ne va pas la chercher hors de toi, mais dans la région de l'âme où le siège de la pensée, où la faculté intellectuelle existent, où est la véritable beauté. Que si tu veux chercher la beauté là où sont la chair et le sang, les humeurs et les veines, où est la matière corporelle, tu ne pourras la trouver : puisque la véritable beauté est dans le Sauveur, de même aussi par lui selon sa largesse et sa miséricorde elle est répartie dans les âmes de tous. « Ceins ton épée à ta cuisse, ô très puissant, pour ta splendeur et ta beauté[ap]. » Il y a donc une beauté dans la faculté maîtresse de notre cœur et dans notre âme. Or que la beauté de cet ordre s'étend jusqu'à l'âme humaine, que le prophète te l'enseigne : « Écoute ma fille, vois et tends l'oreille, oublie ton peuple et la maison de ton père, car de ta beauté s'est épris le roi[aq] », c'est-à-dire l'époux. Qui a une âme si belle, qui possède une si grande beauté, qui est si étranger à toute laideur, qu'on puisse lui dire : « Le roi est épris de ta beauté[ar] » ?

Toi aussi, tu cherches encore cette beauté et tu t'efforces de plaire, mais lui, de la beauté qu'il eut, est tombé dans la honte. Et de même que dans l'ordre des corps, on voit qu'il arrive souvent qu'une jolie femme au beau visage perd sa beauté du fait de la maladie, et par suite de la vieillesse perd l'éclat de son visage, de la même manière aussi l'âme qui était belle, par suite d'infirmité perd sa beauté, par suite de vieillesse devient défigurée. Car lorsqu'elle accueille « le vieil homme avec ses pratiques[as] », par la vieillesse elle perd sa beauté d'autrefois.

Vint Jésus pour nous arracher au vieil homme et aux stigmates de la vieillesse ; car la ride est une marque de la vieillesse, comme dit l'Apôtre : « Il a voulu se présenter à lui-même une Église glorieuse, sans tache, ni ride, ni rien de tel, mais qu'elle soit sainte et immaculée[at]. » Il est donc

igitur a senectute et ruga ad iuventam transcendere et hoc est in hac parte mirabile, quod corpus ab adulescentia pergit ad senium, anima vero si venerit ad perfectum, a senecta in adulescentiam transmutatur. Idcirco *Etiamsi*
170 *exterior homo noster corrumpitur, sed interior renovatur de die in diem*[au]. Oportuit te nosse decorem quem rex concupiscit, oportuit te scire eum qui aliquando fuit decoris corona ; et tu, cum fueris consecutus hanc gloriam, cave ne corruas, siquidem et iste, qui corruit,
175 signaculum erat similitudinis, plenus sapientia et decoris corona.

In deliciis paradisi Dei tui iniquinatus es[av]. Non ait simpliciter in paradiso, sed *in paradiso deliciarum.* Quaero utrum sint quaedam paradisi differentiae et, cum
180 quis in paradiso Dei fuerit, tamen non sit in paradiso deliciarum, sicut *latro* ille *prima hora* cum Iesu ingressus est *paradisum*[aw]. Si a te rogem : putasne in paradisum introgressus est, an non ?, non dubium quin eum respondeas introgressum. Deinde si rursum a te quae-
185 ram : quid ergo, introgressus paradisum, statimne deliciarum loco exceptus est ?, dicas forsitan : quia prima hora ingressus sit, in paradiso deliciarum Dei factus non est. Sin autem iam videris eum accipientem de *ligno*

au. II Cor. 4, 16 // av. Éz. 28, 13 // aw. Cf. Lc 23, 39.43 s.

3. « Ailleurs est en vue un seul lieu paradisiaque : là où est ' l'arbre de vie ', là où il y a le jardin (paradis) de Dieu ', là où il y a un Dieu jardinier (cf. *Gen.* 3, 24), là où sont les bienheureux, élus et saints de Dieu », *In I Sam. hom.* 5, 9 fin, *SC* 328, p. 206, lieu où mystérieusement fusionnent paradis terrestre et paradis céleste, inaccessible « avant la venue de mon Seigneur Jésus ». Mais l'expression du prophète, « paradis de délices », ne dit-elle pas une différence ? Et « le paradis » que Jésus promet au malfaiteur n'est sans doute pas encore « le paradis de

possible de passer de la vieillesse ridée à la jeunesse, et ce qu'il y a ici d'admirable, est que le corps continue d'aller de la jeunesse au grand âge, mais l'âme, si elle vient à l'état parfait, est changée de la vieillesse à la jeunesse. C'est pourquoi, « même si en nous l'homme extérieur se détériore, l'homme intérieur au contraire se renouvelle de jour en jour[au]. » Il importait que tu connaisses la beauté dont le roi est épris, il importait que tu saches celui qui fut jadis une couronne de beauté ; toi aussi, quand tu auras obtenu cette gloire, garde-toi de tomber, puisque lui aussi, qui est tombé, était un sceau de la ressemblance, plein de sagesse et couronne de la beauté.

Paradis de délices

« Dans les délices du paradis de ton Dieu tu as commis l'injustice[av]. » Il ne dit pas sans plus « au paradis », mais « au paradis de délices »[3]. Je cherche s'il y a des différences de paradis, et si, alors qu'on est déjà dans le paradis de Dieu, on n'est pourtant pas dans le paradis de délices, comme ce « malfaiteur » est avec Jésus entré « à la première heure au paradis[aw] ». Si je te demandais : penses-tu qu'il est entré ou non au paradis, nul doute que tu ne répondes qu'il est entré. Puis de nouveau, si je te demandais : quoi donc, entré au paradis, fut-il accueilli d'emblée dans un lieu de délices, tu dirais sans doute : à la première heure, il est entré, il n'est pas représenté au paradis de délices de Dieu. Si au contraire déjà tu le vois prendre des

délices ». Le prédicateur sans insister, pense à un délai, à une distance. La question l'avait arrêté jadis. La distance suppose un itinéraire, un progrès par étapes, ou plutôt une ascension par degrés, peut-être une montée aérienne à travers les orbites des planètes, depuis la sortie de notre vie terrestre, jusqu'aux « demeures du Père » : ce qu'il a développé dans *De princ.* II, 3, 7, 337 s., et 11, 6, 114, *SC* 252, p. 272, et 408 s. Cf. en particulier *SC* 253, la longue note 43, et p. 167, la note 46 aux nombreuses références.

vitae[ax] et de cunctis arboribus quas non interdixit Deus,
190 ita ut de omni ligno paradisi vescentem [si] adspexeris eum et illius ligni et omnium quae tunc prohibita non sint, cibum edere, et a te rogem : putasne iste non solum in paradiso factus est, verum etiam in paradiso deliciarum Dei ?, quid mihi aliud responsurus es nisi eum in paradisi
195 deliciis constitutum ? Ad hanc beatitudinem tu festinas, qui videris plangere. Iste vero qui plangitur fuit quondam in deliciis Dei.

3. *Omnem lapidem bonum indutus est, sardium et carbunculum, sapphirum et beryllum et hyacinthum et iaspin* et reliquos duodecim *lapides*[a]. Difficilis est et ultra nostras vires naturamque huius loci se expositio
5 sustollit. Quis enim potest naturam uniuscuiusque lapidis exponere et describere sive colorem sive vim eius, ut sic valeat reperire quare lapides isti assumpti sunt ? Attamen licet non simus tales qui cuncta intelligere possimus, pauca videamus quomodo duodecim istis lapidibus indu-
10 tus fuerit.

Si cui divinae litterae curae sunt — ad quam rem saepe exhortamur adulescentes, sed ut video, nihil proficimus tantummodo tempora consumentes ; non enim potuimus aliquos eorum ad id perducere ut sacris voluminibus
15 insisterent —, et duodecim istos lapides et cetera requirat in Scripturis, inveniet et in Apocalypsi eodem modo atque ordine nuncupatos. Qui ibi primus et hic primus est positus, qui secundus secundus, qui tertius tertius, qui quartus quartus, atque ita usque ad duodecimum lapidem
20 ordo servatus est[b]. Cur ergo et super quo lapides isti in

---

ax. Cf. Apoc. 2, 7.

3 a. Cf. Éz. 28, 13 // b. Cf. Apoc. 21, 10 s.

fruits « à l'arbre de vie[ax] » et à tous les arbres que Dieu n'a pas interdits, en sorte que tu le perçois mangeant de tout arbre du paradis, et prenant de la nourriture à cet arbre et à tous ceux qui alors ne sont pas défendus, et que je te demande : penses-tu que celui-là fut non seulement au paradis, mais encore au paradis de délices de Dieu ?, que vas-tu me répondre d'autre sinon qu'il fut établi dans les délices du paradis ? Vers cette béatitude tu te hâtes, toi qui sembles plaindre. Mais celui qui est plaint fut autrefois dans les délices de Dieu.

Pierres précieuses

3. « Il était couvert de pierres précieuses de toute sorte : sardoine, escarboucle, saphir, béryl, jaspe » et le reste des douze « pierres[a] ». Difficile et au-delà de nos forces et de notre nature est l'explication de ce passage. En effet, qui peut expliquer la nature de chaque pierre, en déterminer la couleur, la propriété, afin de pouvoir découvrir pourquoi ces pierres ont été choisies. Cependant, bien que nous ne soyons pas en mesure de tout comprendre, voyons en quelques mots comment il a été couvert de ces douze pierres.

Si on s'applique aux divines lettres — tâche à laquelle nous avons souvent exhorté les jeunes gens, mais, à ce que je vois, sans autre effet qu'une pure perte de temps : car nous n'avons pu en amener quelques-uns à s'adonner aux livres sacrés —, et qu'on cherche ces douze pierres et le reste dans les Écritures, on les trouvera nommées encore dans l'Apocalypse de la même manière et dans le même ordre. Celle qui là est la première est de même ici placée la première, celle qui est la seconde, la seconde, celle qui est la troisième, la troisième, celle qui est la quatrième, la quatrième, et l'ordre est ainsi gardé jusqu'à la douzième pierre[b]. Pourquoi donc et à quel propos ces

Apocalypsi nuncupati sunt ? Utique super *portas Hierusalem caelestis*[c]. Ibique dicitur quia *prima* porta *topazium* sit : *secunda smaragdus, tertia carbunculus, quarta sapphirus,* atque ita in hunc modum in singulas 25 *portas* singuli *lapides* distribuuntur[d]. Si intellexeris *portas* Hierusalem et *portas filiae Sion,* ubi oportet et te canere Deo — *Cantabo* quippe, ait, *omnes laudes tuas in portis filiae Sion*[e] —, si animadverteris quomodo indutus sit aliquis duodecim lapidibus et ingressus Hierusalem 30 et per alias portas ingressus, conspicies virgines duodecim.

In libro Pastoris, in quo angelus paenitentiam docet, duodecim virgines habent nomina sua, fides, continentia et cetera. Potestis quippe legere, si vultis. Deinde quando 35 turris aedificatur, cum assumpseris fortitudines virginum, pariter accipies et id quod de portis dicitur ; ornamentum quippe tibi est unaquaeque virtus. Atque ita in hunc modum *superaedificant fundamento Christi,* non solum *aurum et argentum* verum et *lapides pretiosos* ; 40 prohibitum autem est *aedificare ligna, fenum et stipulam*[f]. Intus est igitur iste duodecimus lapis.

---

c. Cf. Hébr. 12, 22 // d. Cf. Apoc. 21, 19 s. // e. Cf. Ps. 9, 15 // f. Cf. I Cor. 3, 10 s.

---

1. « La première c'est la Foi, la seconde la Tempérance, la troisième la Force, la quatrième la Patience ; les autres, placées entre les premières, ont comme noms : Simplicité, Sainteté, Gaîté, Vérité, Intelligence, Concorde, Charité. Celui qui porte ces noms et celui de Fils de Dieu pourra entrer dans le Royaume de Dieu. » HERMAS, *Le Pasteur, Similitude IX,* 92 (15), *SC* 53 *bis,* p. 324 s., tr. R. Joly. Au passage, le traducteur observe : « Il faut remarquer que parmi les quatre vertus principales, Hermas ne mentionne qu'une des trois vertus théologales, la foi. La charité vient à la fin de la seconde série ; l'espérance n'est pas nommée », *Ibid.,* p. 325, n. 2.

Et sur l'œuvre : « Signalons que *le Pasteur* a été tenu pour Écriture inspirée par Irénée, Clément d'Alexandrie, Tertullien et Origène... »

pierres sont-elles nommées dans l'Apocalypse ? Évidemment à propos des portes de « la Jérusalem céleste[c] ». Il y est dit que « la première » porte est « de topaze », « la seconde d'émeraude », « la troisième d'escarboucle, la quatrième de saphir », et ainsi de cette manière à chacune des portes chacune des pierres est répartie[d]. Si tu comprends « les portes » de Jérusalem, et « les portes de la fille de Sion » — où il faut toi aussi chanter Dieu — « Je chanterai toutes tes louanges aux portes de la fille de Sion[e] » —, si tu constates que quelqu'un est couvert de douze pierres et entré à Jérusalem, et entré par les autres portes, tu penseras à douze vierges.

Dans le livre du Pasteur, où l'ange enseigne la pénitence, douze vierges ont leurs noms Foi, Continence, etc. Vous pouvez le lire si vous voulez[1]. Ensuite quand est bâtie la tour, quand tu prendras les forces morales des vierges, en même temps tu recevras aussi ce qui est dit des portes ; car pour toi chaque vertu est une parure. Et ainsi de cette manière « elles bâtissent sur le fondement du Christ », non seulement « avec de l'or et de l'argent », mais encore « des pierres précieuses » ; mais il est interdit de « bâtir avec du bois, du foin ou de la paille[f] ». A l'intérieur est donc cette douzième pierre.

Ibid. Introd., p. 30, n. 1. — En fait, Origène hésite, et le cite ou y renvoie : tantôt bonnement comme ici : *De princ.* I, 3, 5, 64 s. ; II, 1, 5, 163 s. ; III, 2, 4, 256 s. : *SC* 252, p. 146 s., p. 244 s. ; et *SC* 268, p. 170 s. ; tantôt avec réserve : *Sel. in Ps., hom.* 1 *in Ps.* 37, *PG* 12, 1372 B ; *In Num. hom.* 8, 1, *GCS* 7, p. 51, 9 s., *SC* 29, p. 157 ; *In Matth.* 14, 21, *GCS* 10, p. 335, 29 s., *PG* 13, 1239 C ; *In Matth. ser.* 53, *GCS* 11, p. 119, 13, 11683 A ; tantôt avec éloge : « Quae scriptura valde mihi utilis videtur, et ut puto divinitus inspirata », *In Epist. ad Rom.* 10, 31, *PG* 14, 125. Voir une liste des enseignements qu'Origène en retire — encore n'est-elle pas exhaustive, notre passage n'y figurant pas — dans *J. Daniélou, Message évangélique et Culture hellénistique aux IIe et IIIe siècles*, Tournai (Belgium) 1961, p. 456.

4. Et nobis adhuc imperatum est ut dicamus de Tyro, et Sidone, et Pharao. Angustia temporis neque superiora quae coepimus implere permisit, et haec quae volumus enarrare quasi commenti more perstringenda sunt breviter. Comminatio est in Sidonem, quae interpretatur venatores. *Anima nostra sicut passer erepta est de laqueo venantium*[a] ; si hebraice legis, habes : *de laqueo Sidoniorum.* Igitur Sidonii venatores sunt, et comminatio quae fit in eos propter te fit, quoniam volunt te capere, et diligenter observant quomodo incipientes abripiant a fide, quomodo auditores Scripturarum de Ecclesia avellant, quomodo de finibus Iudaeae ad fines Sidonis transferant ; verum tu *omni custodia serva cor tuum*[b] et disce quia comminatio in venatores tui causa fit.

De *Pharao* vero iam aliqua sermo memoravit, affirmans eum *draconem sedentem in medio fluminum atque dicentem : Mea sunt flumina, et ego feci illa*[c]. Novi ego differentias fluminum et scio flumina in quibus draco sedeat, super quae flumina hi qui de Istrahel capti fuerant, sedentes cum carmen Sion canere non possent, flebant, secundum id quod in psalmis scriptum est : *Super flumina Babylonis ibi sedimus, et flevimus*[d]. Et scio aliud flumen, cuius impetus laetificat civitatem Dei, iuxta Psalmistae vocem dicentis : *Fluminis impetus laetificat civitatem Dei*[e]. Vis audire quis est iste fluvius cuius impetus laetificat civitatem Dei ? Iesus Christus Dominus noster est fluvius cuius impetus laetificat Eccle-

4 a. Cf. Ps. 123, 7 // b. Cf. Prov. 4, 23 // c. Cf. Éz. 29, 3 // d. Ps. 136, 1 // e. Ps. 45, 5

Sidon

4. Il nous est encore prescrit de parler de Tyr, de Sidon, de Pharaon. Et le court laps de temps n'a point permis d'achever ce que nous avons commencé, et ce que nous voulons expliquer en guise de commentaire doit être brièvement résumé. La menace est contre Sidon, qui veut dire chasseurs[1]. « Notre âme comme un passereau s'est échappée du filet des chasseurs[a] » ; à lire en hébreu on a : « du filet des Sidoniens ». Donc les Sidoniens sont des chasseurs, et la menace qui est faite contre eux est faite à ton sujet, parce qu'ils veulent te prendre, et parce qu'ils épient avec soin l'occasion d'arracher les commençants à la foi, de ravir à l'Église les auditeurs des Écritures, de transporter du territoire de la Judée à celui de Sidon. Mais toi, « en toute vigilance garde ton cœur[b] » et apprends que la menace contre les chasseurs, est faite dans ton intérêt.

Pharaon

De Pharaon, l'homélie a déjà fait mention, affirmant que c'est « le dragon qui réside au milieu des fleuves et dit : A moi sont les fleuves, c'est moi qui les ai faits[c] ». Moi je connais les différences des fleuves, je sais les fleuves où réside le dragon, près de quels fleuves ceux d'Israël qui avaient été emmenés captifs, étant assis, parce qu'ils ne pouvaient chanter le cantique de Sion, pleuraient, d'après ce qui est écrit dans les Psaumes : « Au bord des fleuves de Babylone, là nous étions assis et nous pleurions[d]. » Et je sais un autre fleuve dont le cours impétueux réjouit la cité de Dieu, au dire du Psalmiste : « Le cours impétueux du fleuve réjouit la cité de Dieu[e]. » Veux-tu apprendre quel est ce fleuve dont le cours impétueux réjouit la cité de Dieu ? Jésus-Christ notre Seigneur est le fleuve dont le

1. « Sidon veut dire chasseresse ou chasseurs », *In Jos. hom.* 14, 2, *GCS* 7, p. 379 ; *SC* 71, p. 322 s. Cf. Wutz, 146.570.

siam civitatem Dei. Iste est qui ait per Isaiam : *Ecce, ego declino in vos quasi fluvius pacis*[f]. Scio ego quosdam
30 esse fluvios repromissos qui ex hoc fluvio manant. *Omnis* enim *qui biberit ex aqua ista, sitiet rursum ; qui autem biberit ex aqua quam ego dedero, non sitiet in aeternum, sed erit fluvius in eo fons aquae salientis in vitam aeternam*[g] et : *Flumina de ventre eius egre-*
35 *dientur*[h]. Habes igitur fluvios sanctos ; a quibus procul est draco. Quomodo enim *Tria sunt impossibilia mihi ad intelligendum, via serpentis super petram*[i] — *petra autem erat Christus*[j] et non est via serpentis ubi est Iesus —, sic non possum in his fluminibus draconis inve-
40 nire vestigia. Est autem quidam fluvius quem draco fecit ; dicit quippe draco (et comminatur Deus tam draconi quam fluviis in quibus est draco) : *Mea sunt flumina, et ego feci illa*[k]. Audi haereticum cum omni versutia et ingenio praedicantem necdum venisse Iesum Christum ;
45 ista sunt flumina in quibus versatur draco, et ipse fecit ea, et dicit draco : *Mea sunt flumina, et ego feci ea.* Idcirco diligenter attende, cum *aquam biberis,* ne forte de illo *fluvio bibas* in quo *sedit draco,* sed *bibe ex aqua viva* et de eo *fluvio* in quo est Sermo Dei, in quo Dominus
50 noster Iesus Christus, *cui est gloria et imperium in saecula saeculorum. Amen*[l] !

---

f. Cf. Is. 66, 12 // g. Jn 4, 13.14 // h. Jn 7, 38 // i. Cf. Prov. 30, 18.19 // j. Cf. I Cor. 10, 4 // k. Éz. 29, 3 // l. Cf. I Pierre 4, 11.

cours impétueux réjouit l'Église, cité de Dieu. C'est lui qui assure par Isaïe : « Voici que moi, je dirige vers vous comme un fleuve de paix[f]. » Je sais, moi, qu'il y a des fleuves promis, qui dérivent de ce fleuve. En effet, « quiconque boira de cette eau aura encore soif ; mais qui boira de l'eau que moi je donnerai n'aura plus jamais soif : il y aura en lui une source d'eau jaillissant une vie éternelle[g]. » Et : « De son sein couleront des fleuves[h]. » Donc tu as des fleuves saints ; fleuves dont est loin le dragon. De même en effet qu'il « y a trois choses qu'il m'est impossible de comprendre : le chemin du serpent sur le rocher...[i] » — « Or le rocher était le Christ[j] », et il n'est pas de chemin du serpent là où est Jésus —, ainsi je ne peux dans ces fleuves trouver des traces du dragon. Mais il est un fleuve que le dragon a fait ; car le dragon dit (et Dieu menace tant le dragon que les fleuves où est le dragon) : « A moi sont les fleuves, c'est moi qui les ai faits[k]. » Entends l'hérétique proclamer en toute ruse et fourberie que Jésus-Christ n'est pas encore venu : voilà les fleuves où demeure le dragon, et c'est lui qui les a faits ; et le dragon dit : « A moi sont les fleuves, c'est moi qui les ai faits. » C'est pourquoi fais bien attention, quand tu boiras de l'eau, de ne point d'aventure « boire » de ce « fleuve où réside le dragon », mais bois de « l'eau vive » et de ce fleuve où est la Parole de Dieu, où est notre Seigneur Jésus-Christ, « à qui sont gloire et puissance pour les siècles des siècles. Amen[l] ».

HOMÉLIE XIV

LA PORTE FERMÉE
(*Éz.* 44, 1-3)

1. La porte fermée, c'est « la porte extérieure du sanctuaire, tournée vers l'Orient, toujours fermée », et parce que « le Seigneur Dieu d'Israël entrera et sortira par elle », et parce que « le prince va s'y asseoir pour manger le pain devant le Seigneur ». 2 : Autre explication..., il y a une clé de la science d'après les Évangiles ; ailleurs le sens des Écritures est dit un livre scellé. Mais, dit l'Apocalypse, « ... Il a vaincu le lion de la tribu de Juda... pour ouvrir le livre et en rompre les sceaux. » Avant la venue de mon Seigneur, fermée était la Loi, fermée la parole prophétique, voilé le texte de l'Ancien Testament, et un voile était placé sur le cœur des Juifs. Pour les convertis le voile est ôté ; mais leur connaissance est inégale, et il y a des réalités que le Christ seul comprend. Il y a donc une porte, une seule, qui est fermée et par laquelle personne ne passe. Elle ouvre sur les réalités hors du monde, incorporelles, immatérielles. Porte extérieure du sanctuaire : « fermée parce que le Seigneur Dieu d'Israël seul entre et sort par elle ». Il sort « pour être connu par le prince » près de la porte fermée « le Sauveur qui mange le pain, qui ferme la porte avec le Père... », afin que personne ne voit le Grand Prêtre mangeant dans le Saint des saints ». 3 : Aux prêtres sont réservés des sacrifices et des aliments que le prêtre mange seul, dans le lieu saint, le Saint des saints. Ainsi en est-il de mon Sauveur. Il y a bien un lieu où il mange et m'attire... Mais il y a une nourriture dont il s'alimente seul. Car « sa nature, supérieure à toute créature, séparée de toutes, fait qu'il mange ' le pain quotidien ' de la nature de son Père ». Chacun de nous demande « le pain quotidien », et le reçoit selon ses dispositions. Mais que le Seigneur « juge de tous », nous donne « le pain vivant » !

HOMILIA XIV.

1. *Et ait Dominus ad eum : Porta haec clausa erit, non aperietur, et nemo per eam transibit, quia Dominus Deus Istrahel transibit per eam et egredietur, et erit clausa*[a]. Portas plures templi describit specialiter 5 filius hominis[b] Ezechiel, et quid de singulis descripserit portis, nunc rursus exponit his *qui habent aures ad audiendum*[c], de *porta sanctorum exteriore quae respicit contra orientem, et clausa sit semper*[d]. *Et ait Dominus ad eum : Porta haec clausa erit, non aperie-* 10 *tur, et nemo per eam transibit, quia Dominus Deus Istrahel ingredietur per eam et egredietur, et erit clausa*[e]. Et aliam causam addit cur clausa sit porta, non solum quia Dominus Deus transibit per eam, sed quia et *dux sedebit in ea ut comedat panem coram Dominum* 15 *secundum viam Eloam,* quod interpretatur vestibulum portae. *Et ingredietur secundum viam eius et egredietur*[f]. Dominus Deus universitatis conditor per aliquam portam quae ex sensibili materia est atque clausa semper, ingreditur et egreditur, et eius causa qui *caelum terram-* 20 *que fundavit*[g] ingredientis et egredientis, numquam porta reserabitur.

1 a. Éz. 44, 2 // b. Cf. Éz. 44, 3 s. // c. Cf. Matth. 11, 15... // d. Cf. Éz. 44, 1 // e. Éz. 44, 2 // f. Cf. Éz. 44, 3 // g. Cf. Gen. 1, 1.

1. « Manger du pain », c'est-à-dire prendre un de ces repas qui accompagnent les sacrifices de paix, cf. *Lév.* 7, 15 ; *Deut.* 12, 7.18 ; 27, 7. » OSTY.

HOMÉLIE XIV

Quelle porte ? **1.** « Le Seigneur lui dit : Cette porte sera fermée, on ne l'ouvrira pas ; personne ne passera par elle, car le Seigneur Dieu d'Israël entrera et sortira par elle et elle sera fermée[a]. » Ézéchiel, « fils d'homme[b] », décrira spécialement plusieurs portes du temple, et sa description de chaque porte, il l'expose encore ici à ceux « qui ont des oreilles pour entendre[c] », pour « la porte extérieure du sanctuaire tournée vers l'Orient, qui est toujours fermée[d] ». « Le Seigneur lui dit : Cette porte sera fermée, on ne l'ouvrira pas, et personne n'y passera, car le Seigneur Dieu d'Israël entrera et sortira par elle et elle sera fermée[e]. » Et il ajoute une autre raison de sa fermeture : c'est non seulement que le Seigneur Dieu d'Israël y passera, mais aussi que « le prince va s'y asseoir pour manger du pain[1] devant le Seigneur, après le chemin d'Éloa[2] », qui veut dire : vestibule de la porte. « Il entrera et sortira par son chemin[f]. » Le Seigneur Dieu Créateur de l'univers entre et sort par une porte, faite d'une matière sensible et toujours fermée, et à cause de celui « qui créa le ciel et la terre[g] », qui entre et sort, jamais la porte ne sera ouverte.

---

2. Cf. WUTZ, 592. Tr. de l'hébreu : « par le chemin du vestibule (du portique, 1re éd.) du porche, CRAMPON ; « par le vestibule du porche » *BJ* ; « par l'itinéraire du vestibule de la porte », DHORME ; « par le vestibule de la porte... » TOB ; « par le chemin du vestibule de la porte » OSTY.

2. Verum alia ratio est *portae exterioris* et *secundum viam sanctorum.* Quae est ergo alia ratio ut clausa permaneat ? Supra dictus dux ibi sedet ut nemo eum videat edentem panem in conspectu Domini. Qui haec
5 observate legit nonne quodammodo Scripturam audit loquentem : *Surge qui dormis*[a] ? Nonne stimulatur ut *exsurgat a mortuis*[b], et ea quae clausa sunt quaerat ? Ego audenter dicam sacratiora quaeque clausa esse, et manifestoria reserata et *non* esse clausa. Aperientes ea
10 quae clausa sunt, haec nos dicimus, sed Evangelia testantur : *Vae vobis, scribae et pharisaei hypocritae, et vobis legis doctoribus vae, quia tulistis clavem scientiae et ipsi non intrastis et ingredientes prohibuistis*[c] ! Est igitur quaedam *clavis scientiae* ad ea quae sunt
15 *clausa* reseranda, et sunt plurimi neque ipsi *ingredientes* neque eos permittentes qui *ingredi* volunt. Et in alio loco sensus Scripturarum *liber* dicitur esse *signatus : Et erunt sermones libri istius quasi sermones libri signati ; quem si dederint homini litteras nescienti*
20 *dicentes ei : Lege, et dicet : Nescio litteras, et dabunt eum homini scienti litteras, dicentes ei : Lege, et*

2 a. Ephés. 5, 14 // b. Cf. Matth. 17, 9... // c. Lc 11, 52

1. Que l'Écriture est un livre fermé et scellé dont le Christ est la clé, voilà un thème constant. Dès les premiers mots de ce qu'il présente comme le premier ouvrage qu'il ait osé dicter sur l'Écriture, le *Commentaire des Psaumes 1-25,* c'est comme un prélude à toute l'interprétation origénienne ; et avec les trois mêmes passages scripturaires que, dans un autre ordre, va citer notre Homélie :

« Fermées et scellées sont les divines Écritures — les paroles divines l'affirment —, fermées et scellées par « la Clé de David » (*Apoc.* 3, 7) et peut-être aussi par le Sceau dont il est dit : « Empreinte du Sceau, chose sainte du Seigneur » (*Ex.* 28, 36), c'est-à-dire par la puissance de Dieu qui les a données, Puissance signifiée par le Sceau. Qu'elles sont fermées et scellées, Jean l'enseigne dans l'Apocalypse (cit. de *Apoc.* 3, 7-8 et 5,

Autre explication

2. Mais il y a une autre explication pour « la porte extérieure » et « après le chemin du sanctuaire ». Quelle est donc l'autre raison pour qu'elle reste fermée ? Le prince susdit s'assied là, pour que personne ne le voie mangeant du pain devant le Seigneur. A une lecture soigneuse, est-ce qu'on n'entend pas en quelque sorte l'Écriture dire : « Toi qui dors, éveille-toi[a] ! » N'est-on pas incité à « se lever d'entre les morts[b] » et à chercher ce qui est fermé ? Pour moi, je dirai hardiment que tout ce qui est mystérieux est fermé, ce qui est manifeste est ouvert et non fermé. Qu'on ouvre ce qui est fermé, nous le disons, mais les Évangiles l'attestent : « Malheur à vous, scribes et pharisiens hypocrites, et malheur à vous, docteurs de la Loi, parce que vous avez enlevé la clé de la science et vous-mêmes n'êtes pas entrés, et ceux qui voulaient entrer, vous les en avez empêchés[c]. » Il y a donc une clé de la science pour ouvrir ce qui est fermé, et ils sont beaucoup à ne pas entrer eux-mêmes et à ne pas le permettre à ceux qui veulent entrer. Et dans un autre passage, le sens des Écritures est dit un livre scellé[1] : « Les paroles de ce livre seront comme des paroles d'un livre scellé : on le donne à un homme qui ne sait pas lire, en lui disant : Lis ; il dira : Je ne sais pas lire ; on le donne à un

---

1-5)... En parlant seulement du Sceau, Isaïe dit (cit. d'*Is.* 29, 11-12)... Il faut penser que ces paroles ne concernent pas seulement l'Apocalypse de Jean et le Livre d'Isaïe, mais l'Écriture sainte tout entière. Même pour les gens capables d'entendre un peu les paroles divines, elle est, de l'aveu général, remplie d'énigmes et de paraboles, de paroles peu claires, et de diverses autres sortes d'obscurités difficiles à saisir pour la nature humaine. C'est bien ce que le Sauveur aussi voulait nous apprendre, quand, voyant que la clé était chez les Scribes et les Pharisiens et qu'ils ne faisaient pas l'effort de trouver la méthode pour ouvrir, il disait (cit. de *Lc* 11, 52). », P. NAUTIN, *Origène*, p. 263-264. Voir aussi, dans *Philocalie* 2, 1-3, *SC* 302, sur le *Ps.* 1, le texte, la traduction, et le commentaire de M. Harl, p. 239 s.

dicet : Non possum legere, signatus est enim[d]. Manifestius autem voluntatem huius exempli Apocalypsis Iohannis continet memorans : *Circuivit angelus dicens : quis*
25 *dignus aperire signacula et solvere ea et legere quae scripta sunt ? Et nemo inventus est neque in caelo neque in terra neque sub terra, qui possit aperire signacula et legere quae scripta erant in libro. Sed flebam, et venit quidam ad me et dixit mihi : noli*
30 *flere. Ecce, vicit leo ex tribu Iuda, radix et genus David, aperire librum, et solvere signacula eius*[e]. Et *aperuit* qui erat *de tribu Iuda,* et manifestavit quae erant scripta.

Quamdiu non venit Dominus meus, *clausa* erat lex,
35 *clausus* sermo propheticus, velata *lectio Veteris Testamenti* et *Usque ad hanc diem, quando legitur Moyses, velamentum in corde Iudaeorum positum est*[f]. Sunt autem quidam qui amant *velamentum* et oderunt eos qui de velamine interpretantur, sed nos *convertamur ad*
40 *Dominum,* ut *ablato velamine* dicamus : *Nos autem omnes revelata facie gloriam Domini speculantes in eandem imaginem transfiguramur a gloria in gloriam*[g].

Verum est quaedam *porta* et una et *clausa, per* quam
45 *nemo transit.* Sunt quippe quaedam universae creaturae incognita et uni tantummodo nota ; neque enim quidquid novit Filius, hoc mundo aperuit. Non capit creatura quod capit Deus, et, ut ad minora veniam, non capiunt signa aequaliter cognitionem. Plus erat in Paulo quam in Timo-
50 theo, cum esset *vas electionis*[h]. Et vere magnum *in domo*

---

d. Is. 29, 11-12 // e. Apoc. 5, 2-5 // f. Cf. II Cor. 3, 14.15 // g. Cf. II Cor. 3, 16 et 18 // h. Cf. Act. 9, 15

homme qui sait lire, en lui disant : Lis ; il dira : Je ne peux lire, car le livre est scellé[d]. » Mais l'Apocalypse de Jean contient plus clairement le sens de cette figure, quand elle raconte : « Un ange passa tout autour en disant : Qui est digne d'ouvrir les sceaux, de les rompre, et de lire ce qui est écrit ? Et il ne se trouva personne ni au ciel, ni sur la terre, ni sous la terre, capable d'ouvrir les sceaux et de lire ce qui était écrit dans le livre. Je pleurais..., et quelqu'un vint à moi et me dit : Ne pleure pas. Voici, il a vaincu, le lion de la tribu de Juda, racine et rejeton de David, pour ouvrir le livre et en rompre les sceaux[e]. » Et celui qui était de la tribu de Juda ouvrit et manifesta ce qui était écrit.

Tant que n'est pas venu mon Seigneur, fermée était la Loi, fermée la parole prophétique, voilé le texte de l'Ancien Testament, et « jusqu'à ce jour, quand on lit Moïse, un voile est placé sur le cœur des Juifs[f] ». Or il y en a qui aiment le voile et haïssent ceux qui en donnent l'interprétation ; nous, par contre, convertissons-nous au Seigneur, afin que, « le voile enlevé » nous puissions dire : « Mais nous tous, le visage dévoilé, contemplant la gloire du Seigneur, nous sommes transformés en cette même image de gloire en gloire[g]. »

La porte fermée

Mais il est une porte, une seule, qui est fermée et par laquelle personne ne passe. Car il y a des réalités inconnues à toute créature et uniquement connues d'un seul ; car tout ce que connaît le Fils, il ne l'a pas découvert à ce monde. La créature ne comprend pas ce que Dieu comprend, et pour en venir à un rang plus humble, les signes ne comportent pas un même niveau de connaissance. Il y en avait davantage dans Paul que dans Timothée, puisqu'il était « un vase d'élection[h] ». Et Timothée,

vas[i] Timotheus rursum capit quae ego capere non possum. Et est forsitan aliquis qui etiam me minus capiat ; sunt quaedam quae solus Christus capit ; et idcirco *clausa* est *ianua*[j] templi Dei.

55 Quae enim ista, obsecro ? *Exterior* quae extramundanas res et incorporeas et, ut ita dicam, immateriales aperit ; neque enim frustra positum est exteriorem ianuam semper esse clausam. Quae est ista *exterior* ? *Sanctorum.* Quare *clausa* ? Quia *Dominus Deus Istra-*
60 *hel* solus *ingreditur et egreditur per eam.* Quare *egreditur* ? Ut cognoscatur. A quo ? A *duce.* Qui ad *clausam portam dux*[k] iste ? Salvator est qui *panem comedit,* qui *portam* cum Patre *claudit,* qui spiritali pascitur *cibo, meus cibus est* dicens *ut faciam voluntatem eius qui*
65 *me misit, ut perficiam opus eius*[l]. Clausa est itaque ianua, ut nemo videat magnum sacerdotem panem in sanctis sanctorum comedentem.

3. Ad haec autem probanda quae diximus, qui Leviticum legit, *ablato ex corde suo velamine,* poterit agnoscere mysterium sacerdotum. Ibi quippe de sacrificiis et cibis quos soli *sacerdotes comedunt,* refertur. Sunt qui-
5 dam cibi sacerdotales quos non *comedit sacerdos* in domo sua, non cum filiis licet sacerdotales sint, non cum uxore licet legitime ei nupserit, sed *in loco sancto comedit* ea et *comedit* ibi escam *in sanctis sanctorum*[a].

---

i. II Tim. 2, 21 // j. Cf. Éz. 44, 2 // k. Cf. Éz. 44, 3 // l. Jn 4, 34.
3 a. Cf. Lév. 6, 26 (19)

---

2. Sur la fameuse description du temple dans la conclusion de la prophétie d'Ézéchiel (40-48), d'interprétation combien difficile et divergente, pour un aperçu des courants de la Tradition, d'Origène aux contemporains, voir H. de Lubac, *EM.*, 2e partie, t. I (1961), p. 387-403.

véritablement grand « vase dans la maison[i] », comprend à son tour ce que moi je ne peux comprendre. Et il y a quelqu'un peut-être qui comprend même moins que moi. Il est des réalités que seul le Christ comprend ; pour cette raison est « fermée la porte[j] » du temple de Dieu.

Quelle est-elle, je te prie ? La porte « extérieure » qui ouvre les réalités hors du monde, incorporelles et pour ainsi dire immatérielles ; car ce n'est pas en vain qu'on a exposé que la porte extérieure est toujours fermée. Quelle est cette porte extérieure ? Celle du sanctuaire. Pourquoi fermée ? Parce que « le Seigneur Dieu d'Israël » seul « entre et sort par elle. » Pourquoi sort-il ? Pour être connu. Par qui ? Par le prince. Qui est ce « prince près de la porte fermée[k] » ? C'est le Sauveur, qui mange le pain, qui ferme la porte avec le Père, qui s'alimente d'une nourriture spirituelle, disant : « Ma nourriture, c'est de faire la volonté de Celui qui m'a envoyé, d'accomplir son œuvre[l]. » Fermée donc est la porte, afin que personne ne voie le Grand Prêtre mangeant le pain dans le Saint des saints[2].

Les prêtres

3. Comme preuve de ce qu'on a dit, le lecteur du Lévitique, « une fois enlevé de son cœur le voile », pourra connaître le rite des prêtres. Car on y traite des sacrifices et des aliments que seuls mangent les prêtres. Il y a des aliments sacerdotaux que le prêtre ne mange pas dans sa maison, ni avec ses fils, fussent-ils prêtres, ni avec son épouse, lui fût-elle légitimement mariée, mais il les mange dans un lieu saint », et là, « il mange » sa nourriture « dans le Saint des saints[a] ».

— Sur le thème du Temple dans l'Écriture inspirée, on trouve une grande richesse d'information et de théologie biblique et spirituelle dans I.J.-M. CONGAR, *Le Mystère du Temple, ou L'Économie de la Présence de Dieu à sa Créature de la Genèse à l'Apocalypse* (Lectio divina 22), 1958 ; 2e éd. 1963.

Quomodo *sacerdos* non *comedit* escam in domo sua aut
10 in alio quoquam loco, sed *in sanctis sanctorum,* sic
Salvator meus solus *comedit panem,* nullo valente *comedere* cum eo. Est autem quidam locus in quo *comedens* et
me secum attrahit ad vescendum. *Ecce enim,* inquit, *sto
et pulso ; si quis mihi aperuerit, ingrediar ad eum et*
15 *cenabo cum eo et ipse mecum*[b]. Ex quo apparet et alium
posse *cenare cum eo.* Porro quaedam esca est qua solus
tantummodo vescitur. Excellens quippe ab universa
conditione natura eius et ab omnibus segregata facit eum
cotidianum panem de Patris natura comedere.

20 Unusquisque nostrum petit *panem cotidianum*[c] et
petens *cotidianum panem* non eundem nec eiusdem
mensuram accipit, verum semper in orationibus puris et
munda conscientia, in factis iustitiae, *cotidianum comedimus panem ;* si quis vero minus purus est, alio modo
25 *cotidianum vescitur panem.* Dominus autem, qui *omnium iudex*[d] est, det nobis *panem viventem*[e], ut cibati
eo et corroborati possimus in caelum iter facere glorificantes Deum omnipotentem per Christum Iesum, *cui est
gloria et imperium in saecula saeculorum. Amen*[f] !

b. Apoc. 3, 20 // c. Cf. Matth. 6, 11 // d. Cf. Hébr. 12, 23 // e. Cf. Jn 6, 51 // f. Cf. I Pierre 4, 11.

Le Sauveur Comme le prêtre ne mange pas sa nourriture dans sa maison ou dans un autre lieu quelconque, mais dans le Saint des saints, de même seul mon Sauveur mange le pain, personne ne pouvant manger avec lui. Il est toutefois un lieu où il mange et m'attire pour me nourrir avec lui[1]. « Voici que je me tiens à la porte et je frappe ; si quelqu'un m'ouvre, j'entrerai chez lui, je dînerai avec lui et lui avec moi[b]. » D'où il apparaît qu'un autre aussi peut dîner avec lui. En outre, il y a une nourriture dont il s'alimente uniquement seul. Car sa nature supérieure à toute créature, séparée de toutes, fait qu'il mange « le pain quotidien » de la nature de son Père.

Chacun de nous Chacun de nous demande « le pain quotidien[c] » et, à sa demande du pain quotidien, il ne reçoit ni le même pain, ni une mesure du même ; mais sans cesse grâce aux prières pures, à la conscience intègre, grâce aux actes de justice, nous mangeons le pain quotidien ; et si l'on est moins pur, on se nourrit d'une autre manière du pain quotidien. Mais que le Seigneur, « juge de tous[d] », nous donne « le pain vivant[e] », afin que, nourris et fortifiés par lui, nous puissions faire route vers le ciel, glorifiant Dieu tout-puissant par le Christ Jésus, « à qui sont gloire et puissance pour les siècles des siècles. Amen[f] ».

1. Cf. *De or.* 27, 11, *GCS* 2, p. 370, 23 s.

NOTES COMPLÉMENTAIRES

1. Autres points de repère
(*Introd.*, p. 6)

Les références d'une homélie à l'autre indiquent une succession chronologique. Soit, suivant la même catégorie de livres de l'Ancien Testament, à l'intérieur d'une même série d'homélies. Soit, passant de l'une à l'autre des trois catégories de ces livres, trois séries successives d'homélies ; sapientielle, prophétique, historique. C'est une conclusion de l'étude de la périodicité et de la chronologie des homélies, par P. NAUTIN, *Origène*, p. 389 s., et, croyons-nous, elle s'impose. Il en est une autre, tirée elle aussi de l'examen des références, concernant la date respective de l'activité origénienne de prédication, et de la rédaction du *Commentaire sur le Cantique*. La rédaction serait postérieure à la prédication ; car les renvois de l'œuvre visent tous la troisième série des homélies, la série historique, et jusqu'à l'une des dernières, *sur les Juges*. La question déborde notre sujet, mais parce qu'elle le touche, l'on se doit évidemment d'en connaître le dossier.

Le Commentaire sur le Cantique présente, vers la fin de son *Prologue,* quatre renvois. D'abord deux, expressément aux Homélies (*tractatibus*) sur l'Exode et sur les Nombres. — Sur l'Exode, *Prol.* 4, 2 (Bae. 79, 26), pour la différence entre « le Saint » et « le Saint des saints » (*Ex.* 30, 29) : en fait, à *In Ex. hom.* 9, 4, 114-119, *SC* 321, p. 302 s., *GCS* 6, p. 243, 25 s. — Sur les Nombres, *Prol.* 4, 2 (Bae. 79, 24 et 80, 1), pour la différence entre « les œuvres » et « les œuvres des œuvres » (*Nombr.* 4, 47) ; en fait, à *In Num. hom.* 5, 2, *SC* 29, p. 114 s., *GCS* 7, p. 27 s.

Ensuite, deux renvois à des exposés plus complets (*plenius*), à propos des Nombres et des Juges. Des Nombres, *Prol.* 4, 7 (Bae. 81, 13 s.), sur « les princes » et « les puits qu'ont creusés les princes et forés les rois » (*Nombr.* 21, 18) ; en fait, à *In Num. hom.* 12, 2, *SC* 29, p. 114 s., *GCS* 7, p. 99, 2 s.) — Des Juges,

Prol. 4, 9 (Bae. 82, 7 s.), à propos de Débora et de Barac (*Jug.* 5, 12) : renvoi à *his plenius in illis oratiunculis*... données sur le petit livre des Juges ; en fait, bien qu'il n'y ait pas d'homélie traitant directement de *Jud.* 5, 12, qui ait été conservée, il est question de Débora et de Barac autour de l'explication de leurs noms dans *In Jud. hom.* 5, 2, 10 et 4, 2, *GCS* 7, p. 493, 1, et 494, 2 ; et l'homélie suivante est consacrée au cantique de Débora.

Mais, à ces quatre points de repère fournis par quelques pages du *Prologue* s'en ajoutent trois autres que n'a point signalés P. NAUTIN, *o.c.*, p. 404 et n. 112 ; renvois encore à des exposés plus complets (*plenius*), à propos, l'un du Lévitique, les deux autres, des Nombres. — Du Lévitique, *In Cant.* I, 2, 5 (Bae. 93, 23), au sujet de « la poitrine séparée » dans les sacrifices (*Lév.* 10, 14-15) ; en fait, à *In Lev. hom.* 7, 3, 9 s., *SC* 286, p. 322 s., *GCS* 6, p. 380, 21. — Des Nombres, par deux fois. La première, *In Cant.* II, 1, 23 (Bae. 118, 16), sur le mariage de Moïse avec l'Éthiopienne (*Nombr.* 12, l. 6-8) ; en fait, à *In Num. hom.* 7, 2, *SC* 29, p. 137, *GCS* 7, p. 39, 9 s. La seconde, *In Cant.* II, 8, 31 (Bae. 163, 16 s.), sur la signification de Gog (*Nombr.* 24, 7) ; en fait, à *In Num. hom.* 17, 5, *SC* 29, p. 355, *GCS* 7, p. 164, 11. Ainsi l'inspection minutieuse des références ne permet-elle pas de conclure ? S'il est vrai que la série historique des homélies fut la dernière, et que *le Commentaire sur le Cantique* ne renferme pas moins de sept références à cette série, comment ne point admettre que la rédaction du Commentaire fut postérieure à l'activité origénienne de prédication ?

A l'objection qu'il pourrait s'agir de renvois, non point à des Homélies, mais à des Extraits, il y a, semble-t-il, de quoi répondre. D'abord, pour deux cas, et même trois, sont expressément nommées les Homélies (*tractatibus, oratiunculis*). Ensuite, au dernier exemple cité, à l'expression du Commentaire « exaltabitur Gog, id est *super tecta* », correspond bien celle de l'homélie, *In Num. hom.* 17, 5 : « Gog *super tecta* interpretatur », mais non celle d'un extrait connu de *Sel. in Num.* 24, 7 : « regnum Gog interpretatur *munera* », cité dans Migne, *PG* 12, 582 C. Enfin, Exode, Lévitique, Nombres n'ayant pas de commentaires, des *Excerpta* y suppléaient, cf. P. NAUTIN, *o.c.*, p. 374. Mais les notations présentées par ce genre d'opuscules étaient en général concises. Les cinq renvois à des exposés obstinément qualifiés de plus complets (*plenius*) ne viseraient-ils pas plutôt des développements homilétiques ? Il va sans dire qu'en ces matières de chronologie, les conclusions rigoureuses ne sont pas toujours possibles. Dans un vaste domaine de recherche on n'a jamais assez de points de repère. Érudits et spécialistes continueront à en débattre. Précisément, il a paru honnête et indispensable de prendre en considération l'état actuel de la question avec le renouveau qu'y apporte le dernier examen critique de P. Nautin. Il reste à enrichir le dossier, peut-être à retoucher l'esquisse. L'auteur a commencé à le faire, on se devra de poursuivre.

Avec son édition des *Homélies sur Samuel, SC* 328 (1986), s'offre l'occasion d'un nouvel examen. A *I Sam. hom.* 5, 6, 35 s., le prédicateur renvoie à une explication donnée jadis d'un verset du *Ps.* 21, 13-14 : soit de la série historique, par-dessus la série prophétique, à la série sapientielle. La gradation est conforme à l'ordre précédemment reconnu et ne pose pas de question pour notre tableau d'ensemble. Mais pour l'intérieur de la série historique, on s'interroge. Car *In Jos. hom.* 3, 3, *SC* 71, p. 138 s., *GCS* 7, p. 304, 5 s. rappelle un ancien exposé au sujet des deux courtisanes jugées par Salomon (*3 Rois,* 3, 16 s.) dans une homélie antérieure, qui est perdue. Or, selon l'ordre biblique *3 Rois* est postérieur à *Josué,* et la succession des homélies suit généralement cet ordre. Y aurait-il là une exception, à l'intérieur de la même série historique une inversion dans le déroulement habituel de la prédication ? Le conclure serait sans doute prématuré. Lisons mieux. Origène n'en appelle pas au souvenir de ses auditeurs actuels, mais à un souvenir personnel : « Scio me aliquando... » et à une explication qu'il a donnée « in quadam ecclesia », dans une certaine église, donc autre que celle où il parlait. Pourquoi pas à Jérusalem ? Ainsi, le nœud coulant de l'objection se desserre.

Allant plus loin, l'auteur pense l'écarter, en recourant toutefois à une part d'*hypothèse*. D'abord, Origène parle à Césarée d'une explication donnée à Jérusalem. Normalement dans chaque église on suivait l'ordre biblique des lectures. Mais d'une église à l'autre un décalage est sans doute concevable. L'une pouvait en être déjà au *3e livre des Rois,* avant que l'autre n'ait encore atteint *Josué.* Dès lors, une référence d'une homélie sur Josué était possible à une homélie sur le 3e livre des Rois, antérieure dans une autre église. Ainsi, l'ordre chronologique à l'intérieur de la série historique ne serait pas remis en question. De plus, allant de Césarée à Jérusalem, la référence montre qu'eut lieu, non point après, mais au cours du cycle de Césarée la prédication de Jérusalem. Et comme celle-ci comprit plusieurs homélies, on doit s'interroger « sur les circonstances qui ont amené Origène à interrompre pendant aussi longtemps ses prédications à Césarée pour prêcher à Jérusalem » — ainsi que sur la fin de son activité de prédicateur habituel. Cf. P. NAUTIN, *Origène,* p. 405 ; *In Jer hom., Introd., SC* 232, p. 21 ; *In Sam. hom., Introd., SC* 238, p. 57-60, et p. 59, n. 1.

De nouvelles pièces sont ainsi versées au dossier des points de repère chronologiques : ce dernier exemple tiré des homélies sur Samuel, après les trois nouveaux exemples relevés dans le Commentaire sur le Cantique. En existe-t-il d'autres dans le reste de l'œuvre origénienne ? Probablement, car voici ce qui pourrait bien en être un dans nos Homélies. *In Ez. hom.* 9, 4, 13 s. : le prédicateur renvoie à « id quod ante multos dies lectum est » ; lecture et prédication ? Quel laps de temps indique la tournure, on ne sait. Et quelle œuvre ? Avec un emprunt à *Luc* 16, 19, « le riche vêtu de lin fin et de pourpre festoyant chaque jour », etc., n'est-ce point un rappel d'un autre cycle, celui du Nouveau Testament ? Origène songerait-il à ses *Homélies sur Luc* ? Le passage ne figure pas dans l'œuvre conservée — il est absent des index scripturaires — mais bel et bien dans un fragment *Lc. cat.* 222, *GCS* 9, p. 329. S'il en était ainsi, nous aurions là un nouveau témoignage que la prédication portait simultanément sur le cycle de l'Ancien Testament et sur celui du Nouveau, une confirmation de ce que l'auteur montre, *Origène,* p. 406. Et il faudrait seulement que « ces nombreux jours » aient commencé l'année précédente, pour que l'ordre puisse être gardé dans la deuxième colonne du tableau récapitulatif, p. 411.

2. Le Fils de l'homme (I, 4, 9)

Origène saute de l'Ancien au Nouveau Testament, voit un même sens au titre de « Fils d'homme » tel que Dieu le donne au prophète, et tel que Jésus se le donne à lui-même : c'est pour lui l'affirmation sans ambages de l'humanité du Christ, de sa nature humaine. Il ne pouvait prévoir les tâtonnements de la critique jusqu'à nos jours.

L'araméen *bar nasha'* et l'hébreu *ben'adam* (où adam a un sens collectif) désigne un fils, un membre de l'humanité, un homme. Employé dans les textes poétiques, il est parallèle et synonyme du pronom personnel... Dans Ézéchiel il est donné par Dieu au prophète près de 90 fois : pour souligner « la distance entre Dieu et l'homme », tout le monde en convient. Il en va autrement pour son unique emploi dans *Daniel* 1, 13, où semble mystérieusement dépassée la condition humaine : « ... avec les nuées venait comme un Fils d'homme ». Avait-il alors le sens personnel, qui paraît obvie, est retenu par « les anciens textes juifs apocryphes inspirés par le passage, *Hénok* et *IV Esdras*, et selon l'interprétation rabbinique la plus constante, et surtout l'usage qu'en fait Jésus en se l'appliquant à lui-même (cf. *Matth.* 8, 20). » ? Ou est-ce un sens collectif en vertu de l'expression qui lui est substituée ensuite celle des « saints du Très-Haut », v. 12.22.27 ? « Mais le sens collectif (également messianique) prolonge le sens personnel, le Fils d'homme étant à la fois le chef, le représentant et le modèle du peuple des saints. C'est ainsi que saint Éphrem pensait que la prophétie vise en premier les Juifs (les Maccabées), puis au-delà et d'une manière parfaite, Jésus. » Cf. *BJ*, à *Dan.* 7, 13.

Dans le Nouveau Testament, en dehors de *Act.* 7, 56 ; *Apoc.* 1, 13 ; 14, 14, les Évangélistes seuls le présentent près de 80 fois, toujours employé par Jésus ; « tantôt pour décrire ses abaissements, *Matth.* 8, 20 ; 11, 19 ; 20, 28 ; notamment ceux de la Passion 17, 22, etc. ; tantôt pour annoncer son triomphe eschatologique de résurrection, 17, 9, de retour glorieux, 24, 30, et de jugement 25, 31... Il suggérait, « de façon mystérieuse mais suffisamment claire, cf. *Mc* 1, 34 ; *Matth.* 13, 13..., le vrai caractère de son messianisme. La déclaration explicite devant le Sanhédrin, 26, 64, devait d'ailleurs dissiper toute équivoque. » Cf. *BJ.* à *Matth.* 8, 19. — Tout résumé simplifie. La critique affine encore l'analyse du sens authentique du texte de Daniel et de ceux des Évangiles. Cf. entre autres, S. Légasse, « Jésus historique et le Fils de l'homme », dans « *Apocalypses et théologie de l'espérance* (Lectio divina 95) Paris 1977, p. 271-298 ; C. Perrot, *Jésus et l'histoire* (Jésus et Jésus-Christ 11) Paris 1979, p. 241-272.

3. **Les quatre éléments** (I, 4, 51)

« Il y a, explique (Origène), quatre éléments connus des philosophes et des médecins, dont toutes choses, y compris les corps humains, sont composées : la terre, l'eau, l'air et le feu. On reconnaît la terre dans les chairs, l'air dans le souffle, l'eau dans les humeurs, le feu dans la chaleur... » JÉRÔME, *Contra Ioan. Hier.* 25, traduit par P. NAUTIN, *Origène*, p. 298. Fréquentes en effet dans toute son œuvre sont les références à la fameuse théorie, les unes allusives, les autres explicites. En passant, il l'indique pour exprimer une homologie. Soit entre le tabernacle, le monde et chacun de nous, à partir du symbolisme des quatre étoffes qui servent à confectionner les habits du pontife..., et des couleurs correspondantes, *In Ex. hom.* 13, 3 fin, et 6, 10, cf. *hom.* 9, 4, 2 s. : *SC* 321, p. 386 s. et p. 396 s. Soit entre le corps du Christ et le monde. Ou bien à partir du symbolisme des quatre baumes qui doivent composer l'onction sainte... : « Ils figuraient l'Incarnation du Verbe de Dieu qui a pris un corps formé en joignant les quatre éléments du monde. » *In Cant.* I, 3, 6, *GCS* 8, p. 99, 5-7. Ou bien à partir du symbolisme des quatre mois : « le quatrième mois » dont il est question pour le baptême de Jésus, comme ici. Dans un autre contexte, les quatre mois qui précèdent la moisson (*Jn* 4, 35), occasionnent une plus ample explication, et une prise de position par Origène. On a plus de chance de mieux le suivre en situant sa discussion dans l'évolution de la théorie.

On connaît l'extraordinaire fortune de cette théorie des quatre éléments partout vulgarisée à travers les siècles et jusqu'à nos jours, sous bien des formes et en de multiples domaines : astrologie, magie, chimie, médecine, caractérologie..., sans oublier le symbolisme poétique : voir les volumes que lui a consacrés G. Bachelard, et par exemple, M. MANSUY, *G. Bachelard et les éléments*, Paris 1967. Elle remonte à l'aube de la philosophie grecque, et peut-être au mythe des origines, si l'on en croit HÉSIODE dans sa *Théogonie*. « A l'origine du monde, il y a le *Chaos*, vide indifférencié, béance sans fond, sans direction, où rien n'arrête l'errance d'un corps qui tombe. S'opposant à Chaos, *Gaia* : la stabilité. Dès que Gaia apparaît, quelque chose a pris forme ; l'espace a trouvé un début d'orientation. Gaia n'est pas seulement le stable ; elle est la Mère universelle, qui engendre tout ce qui existe, tout ce qui a forme. Gaia commence à créer à partir d'elle-même, sans le secours d'*Erôs,* c'est-à-dire en dehors de toute union sexuelle, son contraire masculin Ouranos, le ciel mâle... » J.-P. VERNANT et P. VIDAL-NAQUET, *Mythe et Tragédie en Grèce ancienne*, t. I, Paris 1972, p. 85. Ainsi on imagine Gaia, la terre, à l'origine de tout, puis comme substance primordiale d'où émane tout le reste.

Or à cet élément premier, les penseurs d'Ionie tour à tour ont substitué les trois autres. Ce furent :
— l'eau, d'après Thalès : « L'eau est le principe de toutes choses... La terre flotte sur l'eau. » Cf. ARISTOTE, *Métaphysique* A, E, 983 *b* 6 s. et 31 ;
— l'air, d'après Anaximène : « Le monde est un vivant et l'air lui est aussi nécessaire qu'à l'homme qui respire... De même que notre âme étant air (*aèr*) nous soutient, de même un souffle (*pneuma*) et un air enveloppent le monde tout entier. » *Ibid.,* 13 A 5, et 13 B 2 ;
— le feu, d'après Héraclite : « Le feu, sous l'effet du Logos divin gouvernant toutes choses, se transforme à travers l'air en humidité, germe de toute l'ordonnance de l'univers et qu'il appelle mer. De celle-ci naissent à nouveau la terre, le ciel et tout ce qu'ils contiennent... », *fragment* 31. DIELS-KRANZ, p. 158.
— les quatre éléments, d'après Empédocle, qui aux trois précédents ajoute la terre : il est le premier à les envisager dans une synergie. Ils constituent « les racines de toute réalité » (rizômata pantôn) ; non plus comme principes ni composants de l'ensemble, mais dans un incessant passage de l'un à l'autre ; immuables, homogènes, ils ne se modifient pas au cours des combinaisons auxquelles ils participent, formant des composés qui ne demeurent pas un instant identiques à eux-mêmes : sous l'action de l'Amour qui les unit et de la Haine qui les sépare, *frag.* 6, 26. DIELS-KRANZ, p. 311 s., 322 s. — Pour l'esquisse de cette évolution, voir par exemple, J. BURNET, *L'aurore de la philosophie grecque,* éd. fr. par A. REYMOND, Paris 1919, pp. 48 s., 78 s., 163, 259 s. ; ou dans l'*Histoire de la philosophie* (Encyclopédie de la Pléiade), Paris 1969, le ch. sur les Présocratiques par G. RAMNOUX, pp. 410 s., 40.

Les thèmes de la philosophie ancienne furent diversement incorporés par la philosophie classique. Et c'est là que les rencontre Origène. Platon ne les ignore pas (*Timée* 56 d s.) ; il les transforme et y ajoute. Soit un seul point : d'après *Phédon* 109 b, l'éther est la région du ciel la plus pure, d'après *Timée*

58 d, la variété la plus lumineuse de l'air. Mais avec *Epinomis* 981 *c*, c'est un élément qui s'ajoute aux autres, et la disposition concentrique des régions où chacun domine est modifiée : autour de la terre, successivement l'eau, l'air, l'éther et le feu. Cf. J. MOREAU, *L'âme du monde de Platon aux Stoïciens*, Paris 1939, p. 102. — Aristote avec ses disciples, ne pouvant expliquer à partir des éléments connus les activités de la vie et surtout de la pensée, en admet un cinquième, appelé « entéléchie » pour l'âme, et conçoit une quintessence plus subtile et mobile, constitutive : des âmes et des dieux, d'après CICÉRON, *Tuscul.* I, 10, 22 et 26, 65 ; des astres et des intelligences, *Acad. post.* I, 7, 29 ; et déjà d'après les doxographes *Doxographi graeci*, p. 288, 362, 430 s. — La thèse est combattue dans l'ancien stoïcisme : Zénon maintient le feu comme élément des âmes, CICÉRON, *Acad. post.* I, 7, 39 ; *De fin.* IV, 5, 12. Elle l'est aussi dans le moyen platonisme, cf. Atticos, d'après EUSÈBE, *Préd. Évang.* XV, 7 ; *SVF.* I, 134. Elle l'est encore par Origène[1].

D'abord, à propos de la constitution du corps humain. « La foi de l'Église ne reçoit pas ce que disent certains philosophes grecs, que, outre ce corps-ci qui est composé de quatre éléments, il y a un autre cinquième corps, entièrement distinct et différent du nôtre. » *De princ.* 3, 6, 6, 196 s., *SC* 268, p. 248 s. ; cf. *SC* 269, p. 143, n. 38. Et ailleurs il distingue les écoles, soupçonne Celse de se rallier à certaines, en appelle à d'autres, exprime le même refus. « A moins qu'ici, devant la difficulté, Celse ne s'éloigne de Platon qui fait sortir l'âme d'un certain cratère (*Tim.* 41 d-e) et ne se réfugie vers Aristote et les Péripatéticiens, qui affirment que l'éther est immatériel et d'une cinquième nature, autre que les quatre éléments : doctrine à laquelle les Platoniciens et les Stoïciens (Atticos, Zénon ?) se sont noblement opposés. Et nous aussi, malgré le mépris de Celse, nous nous opposerons à elle, puisqu'on nous demande d'exposer et de prouver ce qui est dit en ces termes chez le prophète : « Les cieux périront... (*Ps.* 101, 26 s. », *CC* 4, 56, 15 s., *SC* 136, p. 328 s., et notre note 3).

---

1. Il distance Philon se bornant à noter que ces quatre éléments du monde étaient employés et symbolisés : « dans les matériaux du temple », *Mos.* II, 88 ; dans la confection de « la robe du Grand Prêtre », *ibid.* 117 s. ; *Spec.* 85 s. ; dans la composition « du parfum sacré », *Her.* 197.

L'opposition s'explicite à la question du sens de l'expression « les quatre mois », dans *In Jo.* 13, 40, 260-270, *SC* 222, p. 170 s. « Encore quatre mois, et la moisson vient (*Jn* 4, 35). » Quelle était la pensée de Jésus quand il attribuait le propos à ses disciples ? Évidemment dans le même sens que la suite : « Voici que je vous dis : Levez les yeux et voyez les campagnes : elles sont blanches pour la moisson. » Or, « qui ne conviendrait que la parole est spirituelle, et d'un spirituel dénué de signification sensible (gumnos aisthètôn) ? » Sur ce plan quel sens avait la constatation des disciples, sinon à peu près ceci : il est difficile à la nature humaine d'atteindre la vérité. C'est quand, « après avoir été de la même espèce que les quatre éléments », on les aura dépassés, qu'alors on connaîtra la vérité. « Donc, d'après la parole du Seigneur, les disciples disent de cette moisson, qui est la consommation des œuvres de la vie réunies toutes ensemble, qu'après la tétrade actuelle elle arrive. » (262-263). Ou peut-être veulent-ils dire : « Il y a pour les quatre éléments quatre sphères placées sous la nature éthérée : au milieu et tout en bas, celle de la terre, autour d'elle celle de l'eau, la troisième celle de l'air, la quatrième celle du feu, après elle, celle de la lune et la suite. » Une fois parvenu à l'essence la plus pure et, de ce fait, rendu capable, pour autant qu'on aura pu traverser la sphère même du feu, on saisira la vérité (266-267). On pense à l'esquisse aristotélicienne, *Meteor.* 354 b, 23-25 et 341 b, 13-20... Mais la position d'Aristote, on l'a vu, a été rejetée, et si telle est l'opinion des disciples, ils se trompent.

Origène, qui la leur attribue, la rejette à deux points de vue, semble-t-il. D'abord, celui de la théorie des quatre éléments elle-même. La tétrade étant inscrite dans un cercle, les éléments sont simultanés et non successifs. On ne peut croire que l'homme va s'affranchir de sa condition en rompant le cercle, et en disposant linéairement les quatre éléments pour en faire les étapes d'un progrès, l'homme se métamorphosant de l'un dans l'autre jusqu'à devenir, par-delà la quintessence, corps glorieux. Ensuite, du point de vue chrétien. La rédemption ne s'effectue pas dans le parcours successif de quatre étapes, et le mystère de la glorification ne saurait trouver son élucidation ni dans la quintessence, ni au-delà d'elle. Le souci d'orthodoxie amène paradoxalement ici Origène à suivre dans sa stricte logique la théorie empédocléenne des quatre éléments ; c'est-à-dire à refuser, comme elle, de les considérer en dehors de leur simultanéité et de leur circularité. Si le passage de la terre à l'eau, à l'air et au feu est incessant et alternatif, il est aberrant de supposer une progression de l'un à l'autre qui, linéairement considérée, devrait permettre à l'homme d'échapper à sa condition. Le refus de cet amalgame est caractéristique de l'effort d'Origène pour échapper à l'hellénisation possible du christianisme. Il connaît, certes, les thèses des systèmes philosophiques, tour à tour il les repousse ou les utilise, il ne s'inféode à aucune. Une telle hellénisation dénature la conversion et la glorification, pour les transposer dans les formes mêmes d'une initiation qui n'est pas chrétienne.

4. **Sermo, Verbum** (I, 9, 3)

On notera la densité christologique de ces passages qui unissent et entremêlent les points de vue de « l'économie » et de « la théologie », répètent les associations et martèlent les identifications. — « Le Sermo Domini » qui advint à Ézéchiel est le « Sermo Domini qui était dans le Principe auprès du Père le Verbe Dieu », « le Sermo Dei » qui des croyants fait « des dieux », *hom.* 1, 9, 1 s. — « Le Sermo Domini qui advint à Ézéchiel » est une expression de sens allégorique et s'entend « du Sauveur ». Le Sermo Dei vint à celui qui allait naître de la Vierge c'est-à-dire à l'homme, Sermo demeurant toujours dans le Père : pour que l'une et l'autre réalités deviennent une seule, et que l'homme qu'il avait revêtu pour la religion (sacramentum) et le salut de l'humanité entière, soit associé à sa divinité et à sa nature de Fils unique de Dieu. » *id.*, 10, 1 s. — « Le Verbe de Dieu et Homme Dieu doit proclamer ce qui est pour le salut de l'auditeur... », *hom.* 3, 3, 18. — Il faut boire « de l'eau vive », de ce fleuve « in quo est Sermo Dei, in quo Dominus Jesus Christus », *hom.* 13, 4 fin.

Sermo et Verbum alternaient ainsi aux premiers siècles du christianisme pour traduire le terme grec de *logos* employé dans l'Écriture et les commentaires qu'elle inspire. Tertullien encore les emploie tous les deux, cherchant à leur découvrir un sens technique, mais finit par donner la préférence à Sermo. Voir J. MOINGT, *Théologie trinitaire de Tertullien,* 4 t. (Théologie 68, 69, 70 et 75), 1965 et 1969 : en particulier leur emploi chez Tertullien, t. I, p. 69-72 ; leur introduction dans la théologie à partir de l'Écriture, non seulement par Tertullien, mais par ses devanciers : Justin, Athénagore, Théophile, Hippolyte, t. I, p. 242-264 ; et pour le sens de Sermo, t. II, p. 331, 339-367 ; sur Ratio et Sermo, t. III, p. 1019 s., 1042 s., etc.

Dans les traductions latines d'Origène, Sermo figure parfois expressément parmi d'autres « aspects » qui désignent la seconde Personne divine : « ... Christum, Sermonem atque Sapientiam, id est Filium Dei », « Sermo et Sapientia Dei », *In Luc hom.* 19, 5 et 21, 7, *SC* 87, p. 276 s. et 296 s. La traduction rappelle en note : « Pour Origène, la Sagesse est l'*epinoia* première du Christ, antérieure à l'*epinoia Logos.* Cela, à cause de deux textes : *Prov.* 8, 22 : « Le Seigneur m'a créée comme Principe dans ses voies », et *Jn* 1, 1 : « Dans le Principe était le Logos. » Le Fils est Sagesse en tant que monde intelligible des idées archétypes de la Création, et en tant que Logos, il est l'agent de la Création, la cause instrumentale du Père ; cf. *In Jo.* I, 17-20 *passim, GCS* 4, p. 21 s. ; *SC* 120, p. 108 s. », *SC* 87, p. 299, n. 1. Songe-t-il à la distinction stoïcienne entre le logos intérieur et le logos proféré ?

Du terme grec *logos,* on sait les deux acceptions principales : parole et raison. La première naturellement prévaut dans les citations scripturaires : parole dite, parole personnifiée, Personne divine chez Jean. *Verbum,* quand il alterne avec *Sermo,* comme dans le *Commentaire sur le Cantique,* est pris dans sa première acception. Mais la seconde en émerge parfois, à tel point que le traducteur Rufin l'explicite : « ... virtutem Verbi ac Rationis », *In Cant.* II, 8, 14 (*GCS* 8, p. 159, 19 s.) ; ou la suggère : « indicia... spiritalis Verbi et interpretationis rationabilis », *id.* II, 8, 24 (... p. 161, 17) ; « rationabiliter cuncta agere et secundum Verbum Dei », *id.* III, 7, 8 (... p. 187, 12).

Pour un aperçu d'ensemble, sur la connaturalité entre l'Écriture, où le Logos apparaît comme Parole, et l'âme où le Logos apparaît comme Raison, on peut voir H. DE LUBAC, *HE,* p. 346-385 ; pour l'interprétation « théologique et trinitaire » de la citation « Le Verbe était dans le Principe, (c'est-à-dire) dans la Sagesse », *In Jo.* I, 19, 109 s., *SC* 120, p. 118 s. et les notes ; sur l'Incarnation, assomption par le Verbe d'une âme humaine (et d'un corps), les longues pages de *De princ.* II, 6, 1-7, *SC* 252, p. 308-325, cf. *SC* 253, les notes, p. 171-186. Pour l'ensemble de la Christologie d'Origène, voir H. CROUZEL, *Origène,* p. 243-257.

5. **L'âme tripartite** (I, 16, 7)

L'âme tripartite est, comme on sait, un thème platonicien : voir entre autres *Rép.* 436 a-b, *Tim.* 69 c s. Le thème est repris par des auteurs chrétiens. Parfois, dans un simple rappel : « Platon, réservant à Dieu seul le rationnel, distingue du rationnel deux genres, l'irascible (indignativum) qu'on appelle *thumikon,* le concupiscible (concupiscentivum), qu'on nomme *epithumètikon* ; de cette manière, celui-là nous est commun avec les lions, celui-ci avec les mouches, et le rationnel avec Dieu. » *Tertullien, De anima* 16, *PL* 2, 673 A. Parfois, dans un exposé, justement à propos de la vision d'Ézéchiel « La plupart, suivant Platon, rapportent le rationnel, l'irascible (*irascentivum*) et le concupiscible (*concupiscentivum*) de l'âme — qu'il appelle *logikon,* et *thumikon,* et *epithumètikon* — respectivement à l'homme, au lion et au taureau : ils disposent la raison, la pensée, l'intelligence, la volonté réfléchie, et la vertu qui est la sagesse même, au sommet du cerveau ; dans le lion, la cruauté, la colère et la violence, qui tiennent à la bile ; enfin la passion, la luxure, le désir de toutes les voluptés dans le foie, par conséquent dans le taureau qui adhère aux œuvres de la terre ; ils présentent une quatrième partie qui est au-dessus et à l'extérieur de ces trois, et que les Grecs appellent *suneidèsin...* qu'ils attribuent spécialement à l'aigle, laquelle ne se mélange pas aux trois, mais corrige les trois quand elles errent, et qui dans les Écritures est parfois nommée, lisons-nous, esprit (*spiritum*) (cit. de *Rom.* 8, 20 et *I Cor.* 2, 11, allusion à *I Thess.* 5, 23). » Autre interprétation de la vision : « Il y en a qui croient simplement que dans les quatre vivants, suivant l'opinion d'Hippocrate, sont manifestés les quatre éléments dont tout est composé : le feu, l'air, l'eau, la terre... » JÉRÔME, *In Ez.* I, 1, 6-8, *CCSL* 75, p. 11-12, 209 s., 238 s... — Mais comment traduire le nom de ce quatrième élément ? Dans notre texte, on a « fortitudo », « spiritus qui praesidet ad auxiliandum », « spiritus praesidens animae ». Dans un passage correspondant, on lit en grec *boèthousa dunamis,* que la traduction latine rend par *virtus auxiliatrix*.

Mais les rapprochements avec l'Écriture ne doivent pas induire en erreur. Différente de la tripartition platonicienne de l'*âme* était déjà la trichotomie paulinienne de l'*homme* : « ... que tout votre être — esprit, âme et corps — soit gardé irréprochable... » *I Thess.* 5, 23 (cité à *hom.* 7, 10 fin). Chez Platon, *noûs,* l'intelligence, *thymos*, la colère, *epithumia*, la convoitise. Ici, *pneûma*, l'esprit, *psukhè*, l'âme, *sôma*, le corps. Origène s'en inspire. Il parle de *pneûma*, *spiritus*, terme prégnant qui évoque l'Esprit de Dieu et son action, et dans l'homme une participation créée. Il distingue dans l'âme une partie ou fonction supérieure, et une inférieure... L'élément supérieur, il le nomme d'un terme platonicien, *noûs*, *mens*, à traduire plutôt par « intelligence » ou « pensée », pour éviter une confusion avec « esprit » ; ou d'un terme stoïcien, l'*hègémonikon*, traduit en latin *principale cordis*, ou *mentis*, ou *animae*, hégémonique, faculté maîtresse ou principale du cœur, de l'intelligence ou de l'âme ; ou il le nomme d'un terme biblique *kardia*, *cor*, cœur... Pour cette anthropologie trichotomique, cf. H. CROUZEL, *Origène*, p. 123-130. Et déjà, pour l'expression paulinienne, A. J. FESTUGIÈRE, *L'idéal religieux des Grecs et l'Évangile, Excursus B, La division corps-âme-esprit de I Thess. 5, 23, et la philosophie grecque*, p. 196-220.

Et, pour les textes origéniens, J. DUPUIS, « *L'esprit de l'homme* », Étude sur l'antropologie d'Origène (Museum Lessianum, sect. theol. n° 62) Desclée de Brouwer 1967, p. 62-89.

6. Les hérétiques (II, 2, 31)

Origène parsème ses œuvres d'attaques contre les hérétiques, même nos Homélies. Tantôt il dénonce tel point de doctrine ou de morale, qu'il arrache à tout contexte, bien qu'il en dise parfois la source. Il semble l'attribuer à une foule anonyme : « Ils réduisent la nativité du Christ à une illusion,... ils méprisent le Créateur. » *hom.* 1, 4, 12 et 38 ; cf. déjà *hom.* 1, 1, 27. Ils prétendent rattacher aux Évangiles et aux apôtres « les fables de leurs éons. » *hom.* 2, 2, 38. Tantôt il accumule les notations péjoratives. Ces gens ne diffèrent pas de ceux qui enseignent dans les Églises contre la vérité, contre l'intention du Saint-Esprit qui a parlé dans les apôtres, contre la pensée du Christ, cf. *hom.* 2, 2, 24 s. Prédication d'une doctrine impie, schismes contre l'Église de Dieu, prétention d'être en possession de la doctrine des apôtres, en accord avec la pensée des prophètes, d'avoir la doctrine du Seigneur, alors qu'ils n'ont pas été envoyés : telle est la conduite générale de ce genre de contestataires, *hom.* 2, 5, 1 s.

Même s'il avance un ou quelques noms, le prédicateur ne détaille et ne précise guère des opinions subversives. C'est plutôt leur attitude qu'il continue de blâmer. De Marcion, nommé à part, il déclare souhaiter détruire ce qu'il a bâti et planté, *hom.* 1, 12, 27. Car son œuvre a fait tache d'huile et il a eu des imitateurs : « Les Marcionites disent que sont vraies les paroles de leur maître ; ils disent aussi très vigoureuse la secte de Valentin, ceux qui admettent les fictions de ses fables. » *hom.* 2, 5, 42 s. Et les paroles des hérétiques séduisent par leur mollesse : ainsi des disciples de Valentin, et des sectateurs de Basilide, lequel est accusé par surcroît de refuser le martyre, cf. *Hom.* 3, 4, 1 s. Il les envisage même comme des sortes d'idolâtres. A l'image de ceux qu'invective le prophète, on peut détourner les bienfaits divins, « prendre les pains de la vérité, et les placer devant les idoles » qu'on a forgées. « Marcion a fait une idole et lui a présenté le pain des Écritures ; Valentin, Basilide, tous les hérétiques ont fait de même. » *hom.* 7, 4 fin. Et plus que faux prêtres d'un faux autel, ils se font promoteurs d'une sorte de contre-Église, ou mieux, de plusieurs. « Les gens d'Église qui sont les maîtres dans l'Église rendent pures tant leurs mœurs que celles des leurs », édifiant ainsi « la maison de Dieu qu'est l'Église ». Les hérétiques construisent « un haut lieu sur chaque chemin : par exemple, le maître de l'officine de Valentin, le maître de la troupe de Basilide, le maître de la boutique de Marcion et de tous les autres hérétiques édifient une maison pour la prostituée », *hom.* 8, 2, 7 s. Tel est le refrain polémique stéréotypé qui revient, sans beaucoup plus de précision, dans toute son œuvre.

— Sur Marcion (et la tentation marcionite permanente), voir l'exposé concis — inspiré du grand ouvrage de A. VON HARNACK : *Marcion, das Evangelium vom Fremden Gott,* 2e éd. Leipzig 1925 ; et illustré de l'auteur *latin,* TERTULLIEN, *Adversus Marcionem* — dans le livre, déjà cité à *hom.* 1, 2, 44 note 3 : J.-L. CHRÉTIEN, *Lueur du secret,* p. 65-85. — Pour l'ensemble, consulter, grâce à l'Index des Noms propres, IRÉNÉE, *Contre les hérésies,* tr. par A. Rousseau, éd. du Cerf, Paris 1984. Et surtout, le relevé exhaustif des données fournies au fur et à mesure de leurs œuvres par chacun des Pères *grecs,* de Justin à Origène, dans l'étude fouillée de A. LE BOULLUEC, *La notion d'hérésie dans la littérature grecque II-IIIe siècles* (Études Augustiniennes) 2 vol., Paris 1985 : l'œuvre d'Origène, p. 439-545 ; sa prédication,

p. 460-488 : les erreurs des hérétiques, p. 507-542... Un grand livre.

Sévère ! Pour des passages ayant justement trait aux « sectes » une demi-douzaine d'expressions employées dans ma traduction du *Contre Celse,* groupées dans deux paragraphes et deux autres isolées sur des sujets différents, sont rejetées par lui. Mais, avec plus ou moins de raison. Prenons le texte à rebours.

— *CC* 5, 61, 25 : Oui, « les disciples de Jésus » est une tournure impropre « Ceux qui appartiennent à la succession issue de Jésus », dit l'auteur, p. 453 et n. 56. Il faut du moins rendre par « succession » le terme technique de *diadokhè,* utilisé par les philosophes, repris par les auteurs chrétiens, p. 40 et *passim.*

— *CC* 3, 12, 2 : Oui, *epônumous,* mal rendu par le terme vague « patronnées par » est à traduire « nommées d'après », le nom du fondateur étant incorporé à celui de la secte : Marcion, Marcionites, p. 446, n. 29.

— *CC* 3, 12, 5 : Oui, corriger « ils s'anathématisent », p. 364 et n. 7 ; terme qui serait anachronique : écrire « ils se réfutent » ; c'est chose faite dans les *errata, SC* 227, p. 528. Origène, le libelle sous les yeux, comprend que son auteur vise les sectes, et il le dit deux fois, cf. lignes 2 et 10 ; mais il est vrai que le fragment qu'il cite ne contient pas le terme.

— *CC* 3, 12, 30-32 : *Logos* aurait le sens de « parole » au pluriel et au singulier, p. 445 et n. 23. Non, non. Ni au pluriel : huit lignes plus haut sont mentionnés « *les écrits* de Moïse et les discours des prophètes » ; et huit lignes plus bas, « *les livres* sacrés de Moïse et des prophètes » (22 et 38) : voilà « *les Écritures* divines ». Ni au singulier. La première ligne du paragraphe annonce une accusation contre « la doctrine ». Pourquoi le terme changerait-il de sens au cours du développement ? Il s'agit bien pour Origène de « l'origine de la doctrine », qu'il voit précisément dans les textes sacrés trois fois nommés. Telle est « la cohérence » du passage.

— *CC* 3, 12, 28. Ma traduction « les mystères du christianisme ne correspond pas au texte », p. 444, n. 20. Mais ce caractère spécifique chrétien, en face de la médecine (questions débattues, manière variée de soigner les corps), et de la philosophie (quête de la vérité, de la connaissance, de la manière de se conduire la meilleure et la plus utile), qu'est-ce donc autre chose que la doctrine (et ce qu'elle implique de pratique, culturelle, sacramentelle, et morale) ? Voilà ce que les lettrés s'efforçaient de comprendre, d'identifier d'après les Écritures. Et comme dans le judaïsme, la divergence dans l'interprétation des écrits est à l'origine des sectes (21 s.), ainsi dans le christianisme. Or, pendant des siècles on a parlé de « mystères de la foi, de la religion » ; calquée sur ces tournures, avec le même sens large, celle de « mystères du christianisme » est peut-être une expression vieillotte : elle répond à tout le contexte, et donc au texte.

— *CC* 3, 13, 10 s. Pour la troisième fois, la médecine et la philosophie sont rapprochées (du judaïsme et) du christianisme (cf. 12, 10 s. et 16 s ; 12, 34 et 35 ; 13, 5 et 8). Triple répétition, procédé rhétorique ; trois tournures semblables, l'article avec un participe passé, expriment une antériorité. Le sens du passage est clair : le seul moyen d'*exceller* dans la médecine, ou la philosophie, ou le christianisme est une connaissance préalable approfondie des écoles, ou des systèmes, ou des sectes juives et chrétiennes. Le « il faut » avec l'infinitif passé trois fois répété veut rendre et le mouvement du passage et l'antériorité qu'exprime la triple tournure grecque au participe. Pourquoi isoler le troisième membre et dire qu'alors le « il faut » oratoire « force le sens du passage en faisant de la connaissance des sectes la condition de l'accès à la sagesse », p. 447 et n. 33 ? Il s'agit moins d'accès que d'excellence, moins de sagesse (sinon chrétienne), que « d'une science très profonde », selon du reste notre traduction commune !

— *CC* 2, 16, 19-20. Soit ! Trop présente à ma pensée, l'opposition classique apparence-réalité, visée par les lignes suivantes au sujet de la mort et de la résurrection de Jésus, m'aura empêché de voir exprimées par la même tournure de l'article avec l'infinitif (to dokeîn, toû patheîn), d'une part, « une notion », de l'autre « une réalité ». Sinon ma traduction eût sans doute été plus exacte et plus coulante ; et plus proche de celle de l'auteur, p. 451, n. 49 : à ceci près que, l'expression « appliquer une notion » me surprenant, j'aurais probablement écrit : « Nous n'appliquons pas la qualification d'apparence à sa souffrance. »

7. Divination, oracles et prophétie
(II, 5, 18)

La divination, comme la magie, est une réalité reconnue par l'Écriture, mais interdite au peuple de Dieu : « Dans les divines Écritures la prophétie est une chose, la divination en est une autre : ' Il n'y aura point d'art augural (auguratio) en Jacob, ni de divination en Israël. En temps voulu sera dit à Jacob et à Israël ce que Dieu va faire ' (*Nombr.* 23, 23). La divination est donc absolument répudiée : elle s'exerce... par l'entremise des démons. » *In Num. hom.* 13, 6, *GCS* 7, p. 116, 2, 12 s ; *SC* 29, p. 273 s. Voir l'interdiction répétée : *Ex.* 22, 17 ; *Lév.* 19, 26. 31 ; 20, 6. 27 ; *Deut.* 18, 10-11 ; *Is.* 2, 6 ; 8, 19 s. ; *Jér.* 27, 7. 9. Origène prédicateur redit l'interdiction et jette une condamnation sans appel sur la divination comme sur la magie. Le peuple de Dieu ancien et nouveau n'a rien à voir avec elles. Il a mieux ; car leur correspondent, sur le plan autrement attesté et significatif de l'histoire sainte et de la parole de Dieu, et la prophétie et le miracle.

Origène apologète, sans transiger d'avantage sur la défense faite aux chrétiens, est plus nuancé sur chacun de ces arts cultivés dans le paganisme. Certes, il y dénonce encore une influence diabolique. Mais il n'ignore pas les règles d'une saine critique et les rappelle. Avec la thèse sceptique des écoles de Démocrite, d'Épicure et même d'Aristote, on doit se tenir en garde contre les mystificateurs et les gens crédules, pour n'envisager que les cas sérieusement attestés. Avec la thèse stoïcienne, on fera preuve de sagesse : « la prévision de l'avenir et même la faculté divinatoire, ainsi que l'art de guérir les corps, sont de soi choses indifférentes » : dons naturels ou techniques acquises, elles sont neutres en elles-mêmes, et seule leur mise en œuvre « permet de porter un jugement sur la valeur morale de l'acte et de l'agent ». Judaïsme et christianisme n'ont rien à craindre d'une comparaison avec le paganisme en la matière, tant leur supériorité paraît vite éclatante. Pour les nombreux passages du *Contre Celse* où est reprise la question, voir *SC* 227, p. 222.

Le prophétisme appelait la comparaison avec les oracles, la divination et la magie. D'autant plus que des auteurs païens l'abordaient. C'est entre autres un thème que Celse développe contre le judéochristianisme. Il use de son procédé rhétorique favori du croisement de l'éloge et de l'invective. Il loue sans réserve les oracles fixes de la Pythie et d'autres, au renom universel, aux effets notoires sur la vie des individus et des cités, *CC* 7, 3 et 8, 45, *SC* 150, p. 18 s. et p. 270 s. Par contre, il caricature à plaisir des prédictions extravagantes « à la manière juive » dont il prétend avoir été témoin, évoque une lignée prophétique et ses messages au contenu obscur, immoral, contradictoire, *CC*, 7, 3-18, *SC* 150, p. 16-55. Point par point, Origène décortique ces propos. D'une part, il relativise cette prétendue réputation, insiste sur l'inconscience des vaticinations, met en doute la moralité de leurs auteurs. De l'autre et surtout, il fait ressortir deux traits, suscités ou renforcés par le don de la grâce et la réponse du libre arbitre : la lucidité d'esprit et l'intrépidité ; la conduite vertueuse des prophètes, et en outre l'efficacité de leurs messages pour l'orientation de l'histoire sainte : longues pages où des critiques l'ont amené à dégager de la Bible les éléments de tout un traité *ex professo*. Pour l'ensemble, voir *CC* 2, 51, 30-fin ; 4, 96-99 ; 5, 42, 31 s ; 7, de 3, 6 à

26 fin ; 8, de 45, 30 à 47-fin : *SC* 132, p. 404 s. : 136, p. 420 s. ; 147, p. 126 s. ; 150, p. 20-75 et 272-279 ; voir *SC* 227, p. 214-221. Autres ébauches, par exemple *De princ.* 3. 3, 3, 123 s., *SC* 268, p. 190 s. ; *In Jo.* 6, 4, 21-22, SC 157, p. 144 s., etc. — Pour la pensée d'Origène sur l'extase, cf. H. CROUZEL, *Connaissance,* p. 197-209.

8. **Homme homme** (III, 8, 6)

Le même redoublement *homo homo, Éz.* 14, 4 s., se trouve déjà à *Lév.* 17, 8 et à *Nombr.* 30, 3. Le redoublement du terme correspond à un hébraïsme, que l'on traduit « tout homme, un homme ». Mais il allait intriguer, on pensa qu'il signifiait non pas l'homme « composé d'un corps et d'une âme, mais l'homme qui pratique la vertu », PHILON, *Gig.* 33.

Origène l'insère dans un contexte personnel. Il comprend le terme d'homme au sens plein d'après le récit de la création, *Gen.* 1, 27 : « celui qui est fait à l'image et à la ressemblance de Dieu », ou qui tend à le reproduire : « tout être fait selon l'image de Dieu, ou tout être spirituel (*logikos*) », *In Jo.* 10, 45 (29), 316, *SC* 157, p. 576 s. ; cf. *supra, hom.* 1, 16, 12, et la note. Ce n'est pas l'homme corporel que Dieu « façonna du limon de la terre », *Gen.* 2, 7 ; c'est « en nous l'homme intérieur, invisible, incorruptible et immortel », comme il l'explique, *In Gen. hom.* 1, 13, 6 s., *SC* 7 *bis,* p. 56 s. Il peut alors distinguer *homo,* non seulement de *corpus,* mais encore d'*anima*. Ainsi, à propos d'une prescription de *Lév.* 2, 1, ayant lu « si homo munus offeret », qu'il interprète au sens noble qu'on vient de dire, il trouve « si vero *anima* offeret » : traduction d'un terme qui signifiait « toute personne » ; mais il l'identifie à l'*animalis homo* de Paul, *I Cor.* 2, 14, traduction par la Vulgate de « *psukhikos anthropos* ». Bref, il y a pour lui, d'une part, *homo,* l'homme spirituel, de l'autre, *anima,* l'homme animal, dépourvu de vie spirituelle, cf. *In Lev. hom.* 2, 2, *SC* 286, p. 94 s.

Mais avec le terme redoublé *homo homo,* s'opère un glissement de sens. *Homo homo* a le sens fort d'homme spirituel. Il est identifié à « l'homme intérieur » de Paul, *II Cor.* 4, 16 (créé en nous par le baptême et qui ne cesse de grandir par la grâce et l'habitation de l'Esprit, OSTY) ; donc il est distinct de « l'homme extérieur » (c'est le corps passible, et mortel, *id.*), qu'Origène assimile volontiers à l'*animalis homo.* D'où, par exemple, ce développement, à propos de *Nombr.* 30, 3, qui annonce le nôtre : « Quand on ne cultive pas ' l'homme intérieur ', qu'on ne prend pas soin de lui, qu'on ne l'orne pas de vertus, ne le pare point de bonnes mœurs, ne l'entraîne pas aux enseignements divins, qu'on ne cherche point la Sagesse de Dieu, ne s'applique point à la science des Écritures, on ne peut être dit ' homme homme ', mais seulement ' homme ' et ' homme animal ', car ' l'homme intérieur ', à qui revient, plus vrai et plus noble, le nom d'homme, est en nous engourdi par les vices de la chair, accablé des soucis et inquiétudes de ce monde, au point qu'on ne peut même pas être appelé de ce nom. » *In Num. hom.* 24, 2, *GCS* 7, p. 228, 13 s.

Ici, on le voit, le commentaire de *Lév.* 17, 8 accentue l'écart entre les deux termes, accolant à l'un symboliquement un nom d'animal que d'autres textes lui joignent ou lui substituent : homme serpent, homme cheval, etc. Voir un rassemblement de ces textes dans H. CROUZEL, *L'image*, p. 189-191-193. Sur l'anthropologie d'Origène qui n'est pas simple, cf. *supra*, la note complémentaire 5, fin ; et encore *SC* 286 et 287, notes complémentaires 13, 14 et 24.

9. Trois hommes justes (IV, 1, 6)

Sur ce passage d'Ézéchiel, on hésite. Non sur l'identification des personnages, tenus, en fait, pour des exemples de la vie vertueuse : Noé et Job, célébrés dans la tradition israélite, Danel, connu par les écrits de Ras-Chamra, au nom vocalisé Daniel, par correspondance à celui du prophète. Mais sur l'interprétation.

DHORME. « Dans la légende phénicienne, Danel se distingue par sa vertu, sa sagesse et, en outre, par son malheur : il perd son fils, de même que le vertueux Job perdit ses enfants... C'est précisément ce point qui importe dans le discours d'Ézéchiel (v. 16). La descendance du juste, si elle est coupable, ne saurait bénéficier de ses liens avec ce dernier ; à plus forte raison le pays, considéré dans son ensemble, est-il exclu d'une semblable participation aux mérites d'autrui. Ce point de vue ne s'oppose pas absolument à celui qui s'exprime dans *Gen.* 18, 25 s. et *Is.* 53, 11. Il faut noter, en effet, que le discours des versets 14 s. est moins l'énoncé d'un principe théorique, qu'une allusion à la culpabilité exceptionnelle de Jérusalem vis-à-vis de Yahvé, à ce moment de son histoire. Elle est parvenue au point où même une influence bénéfique de justes illustres serait vaine... »

Osty. « Ce morceau (14, 12-23) n'est pas destiné à exposer la doctrine de la responsabilité individuelle (comme 18, et 33, 12-30), mais à justifier l'inexorable jugement de Yahvé sur Jérusalem : sa culpabilité est telle que rien ne peut la sauver, pas même la présence de quelques justes insignes (v. 12-28). Si quelques habitants échappent au désastre (v. 21 s.), c'est à la seule fin d'apporter aux exilés de Babylone un témoignage en faveur de la justice de Yahvé. »

La *BJ* dit, au contraire : « Ce texte, avec 18 et 33, 10-20, marque un progrès décisif dans le développement de la doctrine morale de l'Ancien Testament. » Et elle donne un résumé fort substantiel de cette doctrine scripturaire de la responsabilité personnelle.

De cette interprétation, celle d'Origène se rapproche. La preuve matérielle en est qu'il va citer lui aussi *Éz.* 18, 20... Mais au terme d'un développement complexe où textes et considérations se pressent. Il ne s'arrête ni au contexte historique des personnages, ni à la culpabilité de Jérusalem. Il passe vite des expressions et des faits à ce qu'il estime être leur vrai sens : une terre, trois hommes.

Une terre. Il part de la métaphore qu'il file et qu'il décode. Terre géographique sans doute, puisqu'elle est frappée de quatre fléaux matériels. Mais surtout, terre symbolique, terre pécheresse : personne vivante stérile que Dieu interpelle, accuse, menace, qui tremble aux paroles de Dieu, profanée par sa complaisance pour ses sabbats, passible du jugement de Dieu comme toute créature : véritable mère, capable d'actes bons ou mauvais, qui lui valent louange ou peine, mère coupable. Image aussi de l'âme, pareille à la terre qui subit les quatre fléaux (1-2).

Trois hommes. On en connaît les noms, l'histoire. Comment les réunir, séparés qu'ils sont dans le temps et l'espace ? Peut-on surmonter les limites et les différences d'époques et de lieux, et voir dans le passage prophétique une portée universelle ? Origène s'y efforce, et son explication échappe à l'équivoque, si l'on garde les conceptions organiques des Hébreux et spirituelles de la foi. Du héros éponyme de l'histoire, individus et peuple partageaient le nom, la race, la descendance charnelle. Mais déjà, en elle, existait une division, entre les tribus et à l'intérieur de chacune. Ce que Paul manifeste à l'évidence pour la tribu de Benjamin. C'est, à l'intérieur et à l'extérieur de l'autre, la descendance spirituelle. Elle échappe au monde charnel de la race et de l'héritage. Elle relève de la ressemblance et de l'imitation vertueuses. Dans cet ordre, toute limite empirique s'efface. Et pour les trois justes aux noms réunis, on peut parler de simultanéité, de coexistence et, on notera l'expression, de contemporanéité : « in eodem tempore possunt repperiri » (4 fin).

Et comprendre de quelle filiation il s'agit : « Ils ne sauveront ni fils, ni filles, eux seuls seront sauvés » (*Éz.* 14, 18). « Ni fils, ni filles », selon la chair, puisque Daniel fut eunuque... ; donc, selon l'imitation et la ressemblance, dans l'ordre spirituel. « Eux seuls » : mais dans cet ordre, on s'identifie à eux, comme à tous les saints, même à Paul ; et on peut être fils de l'Apôtre, du Christ, du Père : imitant les saints, on devient fils de Dieu. Le juste s'évertue à devenir fils de Daniel, de Job, de Noé, d'Abraham, pour obtenir, grâce à l'adoption divine, au-dessus de titres humains, celui de fils de Dieu. Dès lors vaine est l'objection que seuls trois hommes sont nommés. A un seul Noé ou Daniel ou Job sont réduits tous les Noé, Daniel ou Job ; conséquence de la vérité qui vient d'être rappelée : toute multitude d'êtres semblables ne forme qu'un seul... Une multitude de membres forme le seul corps du Christ (6).

Le prédicateur, avant un excursus final de l'homélie sur « les trois »..., va conclure. « A cause de leur justice, eux seront sauvés » (7, 1 s.) ; sauvés des pires bêtes, non seulement selon « la lettre », comme le rapporte « l'histoire », mais « dans un sens plus élevé » ce qu'elles figurent, « les bêtes spirituelles et invisibles ». « Eux seuls... » (8, 1 s.). La responsabilité personnelle, jusqu'à présent supposée par l'engagement exigé, est directement affirmée par la citation d'*Éz.* 18, 20.24.22... : elle est telle qu'aucune influence ne peut l'infléchir, pas même la vertu des autres, proches (père, mère, frères), ancêtre (fut-ce Abraham), et saints. On doit seulement « se fier au Seigneur », « espérer en Dieu ».

10. Le nom de Dieu (IV, 7, 2)

A la mention du nom de Dieu, Origène s'arrête un instant. Parmi les dix noms donnés à Dieu chez les Hébreux, est celui d'*Adonaï,* et parfois celui de *Iaè,* que l'on traduit *Kurios* chez les Grecs (*Dominus* chez les Latins)... « Il y a encore chez eux un tétragramme imprononçable, qui est aussi inscrit sur la lame d'or du grand prêtre : on l'exprime par la dénomination Adonaï, ce qui n'est pas écrit dans le tétragramme ; chez les Grecs, on la prononce Kurios. « *Sel. in Ps.* 2, 2, *PG* 12, 1104 AB ».

« En lettres hébraïques Dieu — Dieu ou le Seigneur — s'écrit de plusieurs façons ; il s'écrit tantôt pour n'importe quel Dieu, tantôt pour Dieu lui-même, celui dont il est dit ; « Écoute, Israël, le Seigneur ton Dieu est le Dieu unique (*Deut.* 6, 4) ! Donc le nom de ce Dieu d'Israël, unique Dieu et Créateur de toutes choses, s'écrit par un signe formé de quatre lettres, dit chez eux tétragramme. Quand donc le nom de ce Dieu est écrit sous cette forme dans les Écritures, nul doute qu'il ne s'agisse du Dieu véritable et Créateur du monde. Mais quand il est écrit avec d'autres lettres, les lettres ordinaires, on ne sait pas s'il s'agit du Dieu véritable ou de l'un de ceux dont Paul dit : ' Bien qu'il y ait de prétendus dieux soit au ciel, soit sur la terre — et de fait, il y a plusieurs dieux et plusieurs seigneurs —, pour nous du moins, il n'y a qu'un seul Dieu, le Père, de qui tout vient et par qui nous sommes (*I Cor.* 8, 5-6) '... » *In Num. hom.* 14, 1, *GCS* 7, p. 121, 2 s., *SC* 29, p. 281 s.

On rappelle, pour complément : 1) Chez les Hébreux, on évitait par respect de prononcer le nom propre de Dieu, désigné par le tétragramme *YHWH* ; on lui substituait dans la lecture le terme *Adonaï,* le Seigneur ; terme dont les voyelles, des siècles plus tard, allaient être *écrites* sous les consonnes de YHWH. Les traducteurs grecs alexandrins des IIIe et IIe siècles avaient employé le titre *Kurios.* Voir A.-M. BESNARD, *Le Mystère du Nom* (lectio divine 35) Paris 1962, p. 90-91. Pour l'usage chez les chrétiens, cf. « les Kurios des chrétiens », *ibid.,* p. 153-158. 2) Paul constate simplement un fait. Les dieux sont ' les êtres fictifs de l'Olympe, les corps sidéraux ; les seigneurs, c'est toute la phalange des hommes divinisés (Allo) '. » OSTY. Voir le *Ps.* 82, 6 : « Vous êtes des dieux », que cite Origène, *hom.* 1, 9, 8, et *hom.* 13, 1, 44 s. : « Titre d'excellence conféré aux grands et aux princes : *2 Sam.* 14, 17 ; *Ps.* 45, 7 ; 58, 2. Le distique est cité par Jésus dans sa polémique avec les Juifs (*Jn* 10, 34). » *Ibid.*

11. Le martyre (IV, 8, 12)

Honorer la noblesse spirituelle de sa famille par le témoignage suprême de la même foi fut une des aspirations d'Origène : une manière d'attester, par l'imitation filiale, la reconnaissance due aux parents dont il allait si bien parler, *In Lev. hom.* 11, 3, *SC* 287, p. 158-163. Ce zèle l'animait dès le martyre de son père, alors qu'il l'encourageait de son mieux avec le désir affiché d'en partager le sort ; et plus tard, lors des supplices d'autres personnes connues ou non, ou de certains de ses disciples, EUSÈBE, *HE* VI, 2, 5-6 ; 3, 3-6 ; 4, 1-3. Il rappellera de telles époques héroïques, vécues par des fidèles, même des catéchumènes, même des femmes et des vierges, *In Jer. hom.* 4, 15 s., *SC* 232, p. 264 s. ; *In Jud. hom.* 9, 1, *GCS* 7, p. 518. De cette épreuve décisive, à l'adresse de son mécène Ambroïse et du prêtre Protoctète, qui en étaient menacés, il dira les motifs et les beautés, dans son *Exhortation au martyre*.

Il sait avoir des accents passionnés qui émeuvent. Après l'évocation de l'âme, de l'homme intérieur où réside l'être « selon l'image », il commente le mot de Paul : « Mieux vaut partir et être avec le Christ (*Phil.* 1, 23) » en une belle envolée, un défi, un appel : « Dès lors, je suis disposé à mourir pour la vérité ; dès lors, face à la mort, je la méprise ; dès lors, que viennent les bêtes féroces, que viennent les croix, que viennent les tortures ; je sais que sitôt expiré, je sors de mon corps, je repose avec le Christ. Pour cela, combattons ; pour cela, luttons. Gémissons d'être dans le corps, persuadés, non pas que bientôt dans nos tombes nous serons derechef dans le corps, mais que nous serons libérés, et que nous échangerons notre corps pour une condition plus spirituelle. Destinés à partir et à être avec le Christ, combien nous gémissons, nous qui sommes dans le corps ! », *Entretien avec Héraclide* 24, 7-17, tr. J. Scherer, *SC* 67, p. 102 s.

Jamais toutefois il ne préconise le fanatisme. Il réprouve au contraire la provocation à divers titres : qu'il rappelle l'exemple de Jésus se dérobant à ses adversaires parce que son heure n'était pas venue (cf. *Jn* 7, 30.44 ; 11, 54), ou qu'il redise l'ordre de fuir la persécution dans une autre ville (*Matth.* 10, 23). Ordre doublement justifiable. D'une part, l'essentiel est de ne pas renier celui qu'on a confessé ; or, fuir pour n'avoir pas la faiblesse de renier le Christ, c'est le confesser, *In Jud. hom.* 9, 1, *GCS* 7, p. 519, 2 s. *PG* 12, 988 B. De l'autre, c'est un acte de charité pour les ennemis de la foi que de leur éviter l'occasion de commettre un crime, cf. *CC* 1, 65, 1 s., *SC* 132, p. 256 s., outre que c'est « se garder libre pour aider au salut des autres », *CC* 8, 44 fin, *SC* 150, p. 270.

Quant à lui, il était prêt. Emprisonné sous Dèce (250), jeté dans le cachot le plus profond, les pieds écartelés dans les ceps jusqu'au quatrième trou, plusieurs fois mis à la question, il résista ; et il survécut à Dèce. Mais « le lieu et la date précise de sa mort nous échappent », P. NAUTIN, Origène, p. 441. Cf. H. CROUZEL, *Origène,* p. 59-61 ; « Origène », dans le *Dictionnaire de spiritualité,* p. 950 s.

12. L'intrépidité du prophète (VI, 1, 1)

Le prophète a une vive conscience de son inspiration : elle ne vient ni de lui-même, ni du peuple, mais de Dieu. De cette conviction vient son intrépidité. Deux auteurs ont bien mis en relief cette caractéristique. « La révélation est la communication par Dieu à l'humanité créée d'une information, d'une série d'informations ou de messages. Cette communication s'effectue ou se réalise par l'intermédiaire d'un homme... un prophète. Le prophète est un homme créé par Dieu pour cet office, la communication à l'humanité, en cette cellule germinale ou embryonnaire qui est le peuple hébreu, de l'information créatrice qui vient de Dieu. » C. TRESMONTANT, *Le prophétisme hébreu,* Paris 1982, p. 19. Et l'auteur de montrer, nombreux textes à l'appui, la vocation inattendue, la résistance de la volonté humaine, la prévalence de la volonté divine ; et la communication d'un message, d'une connaissance, d'une information, par la communication de l'Esprit de Dieu, p. 19-32 ; ensuite, l'indépendance superbe du prophète par rapport au pouvoir politique, p. 33-42 ; enfin l'opposition au message communiqué qui va à contre-courant des idées reçues, p. 43-58 — Sur Ézéchiel, p. 119-144.

Dans une foi inconfusible s'enracine cette intrépidité dont s'émerveille Origène. Consacré au service de son message, le rappel de l'ordre divin, de l'alliance, le prophète se distingue de tout réformateur. « D'un côté, une affirmation superbe de l'individu, le désir farouche d'imposer une idée, la passion enivrante de lutter pour une cause dont on se sait l'artisan et le forgeron. De l'autre, un effacement, la certitude que la leçon s'imposera d'elle-même, la conscience de lutter pour une cause dépassant l'organe qu'elle a élu pour la servir. D'un côté, l'orgueil de Prométhée ; de l'autre, la modestie, l'*anawa* du *nâbi*. Telle nous paraît être une première et fondamentale différence entre le prophète et le démagogue. Celui-ci crie : écoutez-moi ! Celui-là : écoutez Dieu ! Celui-ci porte en lui-même l'infinitude de sa mission : il est d'autant plus fier qu'il n'en doit l'inspiration qu'à son propre moi. Celui-là ressent l'infinitude de son message comme un prêt : il est d'autant plus étonné qu'il se sent modestement indigne d'en être l'interprète. Le démagogue expérimente l'abstrait et essaie de le réaliser dans la vie. La vie du prophète est l'expérience même brûlante et concrète. » A. NEHER, *Amos, Contribution à l'étude du prophétisme,* 1950 ; 2e éd. Paris 1981, p. 158.

13. « Lettre, histoire, allégorie »

Les expressions figurées se trouvent à profusion dans la Bible (et dans toutes les langues, avant toute écriture). Elles sollicitent le discernement des auditeurs de jadis, des lecteurs de toujours, des commentateurs. Elles conduisent à la distinction *des* sens de l'Écriture.. Chez Origène, on sait la richesse des termes qui les désignent, et la souplesse de leur emploi, variable d'une œuvre à l'autre, et à l'intérieur d'une même œuvre[1]. Nos

---

1. Consulter maintenant : H. CROUZEL, *Origène,* le chapitre sur l'interprétation de l'Écriture, p. 91-120 ; surtout, « multiplicité des sens et essais de classement », p. 112 s. Et encore et toujours — où trouverait-on l'équivalent ? — l'important dossier naguère établi et revu par H. DE LUBAC, *HE,* p. 92-124 ; *EM,* Ire p., t. I, p. 198 s., et *passim* ; voir un résumé dans *SC* 286, p. 20-32, 357-359 ; et dans *SC* 287, p. 351-352, à l'index analytique, *s. v.* « Écriture sainte », une copieuse liste de termes... Il y a donc deux faits bien établis : l'existence chez Origène, d'une double division des sens de l'Écriture, une division binaire, partout reconnaissable entre le sens littéral et le sens non littéral, diverse-

Homélies piquent l'attention en plusieurs occurrences. On le voit en rapprochant deux exemples : « D'après l'histoire, c'était le prophète ; d'après l'allégorie, le Christ. », cf. *hom.* 1, 5, 2 s. « Si l'on regarde la seule lettre..., mais si l'on s'élève au sens spirituel », *hom.* 9, 4, 6 s. Une coupe verticale du parallèle dégage deux plans : à droite, celui où s'apparentent et s'identifient partiellement sens spirituel et allégorie : l'*allègoria* est partie du *sensus spiritalis* ; à gauche, celui où histoire et lettre voisinent, mais dans un rapport à déterminer : car dans la ligne horizontale, l'histoire est opposée à l'allégorie. Parcourant les Homélies, il convient de déterminer ce double rapport de « l'histoire » avec « la lettre », et de « l'histoire » avec « le sens spirituel » ou « l'allégorie ». Autrement dit, quand le mot histoire désigne une histoire fictive, ou une histoire réelle.

Histoire fictive. On peut donner ce nom aux créations littéraires ayant la forme d'un récit historique. On en a deux exemples nets dans Ézéchiel : le portrait de la jeune fille et la parabole des deux aigles (*Éz.* 16-17). Le premier est interprété dans cinq homélies (*hom.* de 6 à 10) ; la seconde, dans deux (*hom.* 11-12). Le sens alors donné à histoire s'éclaire par la comparaison avec une création littéraire plus importante, le *Commentaire sur le Cantique*.

Du poème biblique, Origène répète qu'il est composé comme une pièce de théâtre, avec personnages, dialogues, scènes, *actes* qui s'enchaînent, et où émergent les deux principaux acteurs : l'Épouse et l'Époux. C'est un premier ordre, qu'il appelle : *ordo*

---

ment nommés ; une division ternaire plus nettement présentée dans l'une ou l'autre de deux séquences : sens littéral, sens moral, sens mystique, ou bien sens littéral, sens mystique, sens moral... On notera que cette division ternaire n'est pas exploitée dans nos Homélies. L'expression « sens moral » paraît seulement deux fois : énuméré avec « sens mystique », « le pur lait spirituel ' est le sens moral (moralis locus) ', ' l'aliment solide ', le sens mystique (mysticus intellectus », *hom.* 7, 10, 30.32) — il n'annonce aucun développement ; aucun non plus quand il est isolé, *hom.* 8, 2, 51. Dans cette œuvre, c'est la division binaire qui est partout présente. Mais la prophétie d'Ézéchiel et l'interprétation d'Origène permettent une précision : le terme « histoire » souvent synonyme de « lettre », le sens dit « historique », souvent identique au sens littéral, ont ici le même sens spécifique, on va le voir, que de nos jours.

dramatis et historiae textus, In Cant. III, 11, 9 (Bae. p. 201, 2) ; mais d'abord : *drama, fabula, Prol.* 1, 3 (Bae. p. 61, 20 ; *drama, historica expositio, historiae species,* I, 1, 1-3 (Bae. p. 89, 6 s.) ; *historiae drama,* I, 2, 1 (Bae. p. 92, 15 s.). A chaque verset cité fait suite une brève explication des termes, comme un seuil de quelques lignes montant à une porte qui s'ouvre aux vastes développements du second ordre ; l'*intelligentia spiritalis (et mystica),* I, 1, 2, cf. 3, 13 (Bae. p. 89, 10, cf. p. 100, 13) : l'efflorescence du sens figuré, symbolique, aux détails de chaque objet, chaque geste, chaque parole, chaque sentiment supposé, et l'orientation constante vers la relation de l'Église au Christ, l'union de l'âme au Verbe. Du poème de l'amour humain au mystère de l'amour divin. D'une création littéraire à son interprétation mystique. Bref, « on s'élève », « on progresse de la lettre à l'esprit », *Prol.* 2, 23, et III, 14, 22 (Bae. p. 69, 7 et p. 220, 23).

D'un côté, on a un premier ordre, où la coïncidence est parfaite entre *historia* et *littera*. De l'autre, l'ordre de « l'esprit » ; or, sinon dans cette œuvre où le terme ne figure pas, du moins dans d'autres, et dans nos Homélies, comme on vient de le voir, *sensus spiritalis* a pour synonyme *allègoria*. D'où la différence paradoxale entre *cet usage* d'Origène et le nôtre, à quoi il faut être attentif sous peine de mésinterpréter sa pensée. Pour nous l'histoire concerne le passé digne de mémoire. Pour lui, l'histoire est synonyme de la lettre, comme elle, dit-il, tout autre que « sens plus élevé », « mystère », « sens mystique ». Pour nous, l'allégorie est une fiction qui présente une chose pour une autre (Larousse). Pour lui, l'allégorie est tout autre, dit-il, que : « histoire », « lettre », « sens commun », dès lors, identifiée au « sens spirituel ». Pour nous, l'allégorie figure l'histoire. Pour lui, « l'histoire » figure « l'allégorie » (voir à l'index analytique, « les sens de l'Écriture »).

Histoire réelle. Le prophète a en vue l'histoire qui lui est contemporaine, et il la juge au nom de Dieu. A sa suite, Origène laisse une place à l'histoire au sens moderne : récit d'événements, événements eux-mêmes. Mais il est prédicateur, non historien. Il insiste beaucoup moins sur *les faits* réels que sur *leur sens*. Ses développements sont fort inégaux. Les considérations spirituelles remplissent presque toute l'œuvre ; les constatations historiques seulement quelques pages, et ici ou là, quelques lignes. Elles suffisent néanmoins à le laver du reproche de négliger l'histoire. Il veut faire voir que « c'est en raison de ses péchés que le peuple d'Israël fut emmené captif », *hom.* 1, 1 fin. Or son point de départ est l'histoire de la captivité. D'après le témoignage biblique, jamais mis en doute, il la redit authentique. Elle fut semblable à d'autres, comme « la descente de Joseph en Égypte » et ce qui a suivi ; à d'autres captivités où se trouvèrent aussi des prophètes ; bref, à « beaucoup d'histoires » qu'on pourrait rappeler, *hom.* 1, 1, 34 s. « La captivité du peuple est réellement arrivée », il faut le croire « sur la foi de l'histoire », *id.*, 3, 75. D'autres faits sont attestés, consignés dans cette histoire. Telle parole, d'après l'histoire est du prophète, *id.* 5, 3. Tel passage, sans autre signification, « pour les simples n'est qu'un récit d'histoire », *ibid.* 32. « Comme l'histoire le rapporte » : des lions et des ours furent envoyés au genre humain, *hom.* 4, 7, 11.22 ; et il y eut une captivité chez les Assyriens, *hom.* 7, 8, 22 s. « L'histoire de David » est connue, *hom.* 9, 5, 59 s. Le sujet « de l'histoire » peut être obscur, *hom.* 11, 2, 52. « L'histoire de celui qui prophétise » est à expliquer ; mais il ne faut pas être « fixé à la lettre, (ni) rivé à l'histoire » ; car ces événements, comme au dire de Paul ceux du désert, furent à la fois réels et figuratifs (*I Cor.* 10, 11) *hom.* 12, 2, 5 s. Autant de faits du passé, historiques et connus par l'histoire. Origène le dit. Sans le dire, il pense de même pour d'autres faits, on le verra, qu'il mentionne en passant, et d'autres dont il a été le témoin.

Trois thèmes prophétiques. Le prédicateur annonce le message du prophète : « On présente, avec un sens allégorique, Jérusalem comme une jeune fille... mais ce qui est dit de Jérusalem... concerne tous les hommes qui sont dans l'Église. » *hom.* 6, 4, 3 s. Trois sujets : la jeune fille, Jérusalem, les hommes. Ils sont traités *de la sixième à la dixième homélie.* On s'attendrait à une division nette : sens littéral, la lettre du motif littéraire ; « histoire » réelle, les personnes et les événements ; « allégorie », le vrai sens spirituel à découvrir. Origène a bien la triple distinction dans sa pensée ; il ne la suit pas méthodiquement. Les thèmes s'entremêlent. Le premier vite s'estompe, absorbé par le second ; le personnage s'efface devant la ville ; dès les reproches sur les origines, Jérusalem est accusée, et on parle de la liste de ses péchés, *hom.* 6, 3, 3 s., *hom.* 7, 1, 1 s. Et le troisième empiète sur les autres. Figurée par la jeune fille, Jérusalem figure le peuple et tous les hommes ; les tribulations qui ébranlèrent la ville sont les images des épreuves qui troublent les âmes, ses luttes pour la liberté, celles du combat spirituel, dira-t-il. Mais cet ordre de considérations religieuses reflue, il compénètre tout, et la présentation de l'infortunée, et les allusions à l'histoire de l'Église.

Le portrait brossé par le prophète, de la jeune fille, misérable dès l'enfance, puis divinement comblée et adoptée, néanmoins infidèle, le prédicateur l'évoque trait pour trait. Il dit le sens propre des termes de la lettre et même ici ou là le précise : « ... cordon, seins, lavage, langes, temps des séducteurs, toilette et parure ». Mais au fur et à mesure, il indique plus longuement les réalités religieuses qu'il y voit figurées : « la puissance contraire, les pensées et l'intelligence, le baptême, etc. » Le jeu au clavier de l'allégorie (cf. *hom.* 7, 2, 9) entrecoupe le jeu au clavier de la lettre, et lui succède avec l'ampleur envahissante qu'on a dite, défiant l'analyse. Par intervalles le recours au clavier de l'histoire intervient encore. On a vu les références expresses à « l'histoire ». Ajoutons, sans l'emploi du terme, des allusions à des faits.

Quand *la ville* est en cause, des rappels du passé : usage liturgique des ustensiles sacrés que mentionne Moïse dans les Nombres, *hom.* 7, 2, 5 s. ; place de Jérusalem au milieu de ses deux sœurs, Samarie et Sodome, abominations de la première, péchés des deux autres, images de l'hérésie et du paganisme, *hom.* 9, 1, 72 s. ; séparation des dix tribus, *hom.* 10, 3, 31. Chemin faisant, dénonciation de pratiques touchant la vie ecclésiale contemporaine. « Idoles de pièces cousues » : le dépècement des textes scripturaires par les hérétiques, pour en réunir les morceaux à leur guise, et en revêtir leurs fausses doctrines : à quoi peut être tenté le prédicateur, *hom.* 6, 11, 17 s., *hom.* 7, 1, 12 s. « La frénésie » : celle qui écarte de l'Église, des prêtres, des diacres, des frères, *hom.* 8, 1 fin. « Hauts lieux, tertres, cadeaux » : signes d'hérésie, de paganisme, de prostitution, *hom.* 8, 2-3. « Orgueil » : celui entre autres des prêtres, *hom.* 9, 2, 41 s. « Séparation » : de l'Église, et dans l'Église, du banc de la prêtrise, du rang du diaconat, *hom.* 10, 1, 50 s. On avait ainsi des références et des allusions à l'histoire. Qu'en est-il d'une histoire suivie, l'histoire contemporaine du prophète ?

La parabole des deux aigles, du cèdre, du cep de vigne, et son interprétation historique remplissent les deux moitiés d'un même chapitre du prophète (*Éz.* 17, 1-10 ; 11 s.). Le prédicateur, ajoutant son interprétation spirituelle, leur consacre *deux homélies : la onzième et la douzième.*

Homélie 11. Il s'interroge sur le genre littéraire qui s'offre : « récit et parabole » écrit le prophète ; les traducteurs grecs hésitent : « récit, question, énigme » ; il retient : « parabole ». Et il s'engage à la suite du prophète. Le prophète crée la lettre de la fable, l'interprète par l'histoire contemporaine. Le prédicateur présente le texte prophétique en entier, ce qui l'amène à traiter fidèlement de l'interprétation historique. Il le complète et montre émergeant de la lettre et de l'histoire le sens supérieur, spirituel, qu'il appelle encore allégorie. Entre ses deux créations littéraires, les figures, et la réalité de l'histoire, le prophète ménage des correspondances. Il le fait plus nettement pour la fable que pour le portrait, ce qu'il faut rappeler.

Le portrait illustre toute l'histoire d'Israël. L'image est animée. Dans la vie de la jeune fille, on distingue des moments et des dates : naissance, puberté, fiançailles, prostitution... (*Éz.* 16, 4.7.8.15-35). Quelles époques de l'histoire rappellent-ils ? On le voit mal dans le survol prophétique indigné qui suit : étalement de fautes, de châtiments et de misère, heureusement terminé par la promesse du retour, du rétablissement, d'une reprise de l'alliance en une alliance perpétuelle, (*id.* de 35 à la fin). Le réquisitoire contre Israël, quatre chapitres plus loin précise : séjour en Égypte, Exode (*Éz.* 20, 5-9) ; traversée du désert (10-17) ; refus d'observer « les observances, les règles et les sabbats » (après le Sinaï), (18-28) entrée dans la terre sainte, où se prolongent l'infidélité des pères et l'idolâtrie de toujours (27 s.). Mais entre ces deux explications s'interpose la parabole.

Chez le prophète, la poésie de la fable est suivie de la prose de l'histoire. D'une part, se présentent et s'animent des éléments du règne animal et du règne végétal : deux aigles, cèdre et rameaux, vigne et racines : personnages du drame littéraire, avec son *action,* ses péripéties. De l'autre, rois et peuple, alliance, guerres, captivités ; personnes, événements, vicissitudes du drame historique. Ici, la narration prophétique se borne à l'essentiel : le triomphe du roi de Babel, envahisseur du pays, qui déporte en captivité le roi et l'élite de Jérusalem ; le vain espoir que le (nouveau) roi (d'Israël, installé par le vainqueur) met dans le roi d'Égypte, trop faible pour résister à celui de Babel, de qui viendront encore défaite, représailles et déportation. Mais comme celle du précédent, la fin du chapitre ouvre vers l'avenir : sur la sombre peinture se lève, en arc-en-ciel, la promesse du glorieux avenir de la dynastie davidique.

On devait le dire, car Origène répète d'abord fidèlement (2). Ensuite il interprète d'après ses distinctions de sens. « L'énoncé de *l'histoire* elle-même exige un éclaircissement »... Voilà l'explication de « la parabole *selon la lettre* », et « de ce qui est écrit » (apparemment, écrit par le prophète, selon l'histoire). Puis il annonce pour cette « seconde prophétie » (la seconde page du prophète), « une interprétation » plus ardue concernant « le véritable Nabuchodonosor... », « *selon l'allégorie* », *hom.* 11, 2, 52 s., 95-fin. Après un excursus trop long sur les animaux purs et impurs (3), il l'aborde. Il assimile les êtres et les événements historiques à ceux d'un autre ordre, suggère que « la vigne » représente l'Église, l'âme... Il veut savoir le sens mystérieux (sacramentum) que recèlent faits et paroles... Il identifie ce Liban, l'Église ; le véritable Nabuchodonosor, le diable ; le transfert des princes à Babylone, celui des princes de l'Église : du Liban à la terre de Canaan, celle du péché (4-5).

Homélie 12. Reste à expliquer le message de la prophétie dite avec un sens figuré (figurata) (1, 4), le récit imagé, la fable. Pour « l'histoire » dite par le prophète, les faits connus par l'homélie précédente, un rappel de quatre lignes suffit. Il faut se hâter de dépasser et la lettre, et l'histoire... Le prophète interprétait les faits contemporains à la lumière de la foi. La terrible épreuve qui frappait tout Israël avait ses causes. Non seulement un manque de réflexion, d'information peut-être, et plus grave, la désobéissance au conseil inspiré qu'il donne en vain. Mais surtout, le manque de foi, de reconnaissance, la rupture de l'alliance, tous les péchés qu'entraînent l'infidélité et l'idolâtrie ; mais la conversion était possible. Origène explicite ce message, le transpose à la situation chrétienne et le développe. C'est en fonction d'elle qu'il identifie le premier aigle, le cèdre, ses plus hauts rameaux, le second aigle, le changement d'orientation de la vigne de l'un vers l'autre... (de 2, 11 à 5 fin.). Histoire fictive ou littéraire, histoire réelle, histoire spirituelle.

Ainsi, le parcours des homélies centrales impose une conclusion. Le terme *historia* n'a point la même acception que dans le *Commentaire sur le Cantique*. Il n'est pas synonyme de la lettre. Il désigne, entre celui de la lettre et celui de l'allégorie un ordre propre, autonome et consistant : comme pour nous, un récit de faits réels ou ces faits eux-mêmes. La positivité des faits n'est point sacrifiée, ni occultée. Au contraire, elle est mise en vedette dans la mesure où elle fonde le message prophétique sur la gravité de la situation politique et sociale, qui manifeste la misère de la situation religieuse et morale. Le drame historique manifeste le drame spirituel. Drame contemporain, pour le prophète. Origène l'accepte, mais il ouvre une autre perspective. Comme si les faits avaient non seulement une réalité et une valeur d'enseignement temporaire et locale, mais une valeur de vérité qui les dépasse, et une sorte d'ubiquité qui transcende l'espace et le temps. La Bible est en quelque sorte deux fois histoire : elle relate des événements réels qui eux-mêmes annoncent d'autres événements futurs. Origène, à ce titre, appelle ces faits des signes et des figures. *Des signes,* dit-il, en donnant trois exemples. La captivité historique : « Elle est véritablement arrivée »... « mais elle s'est produite d'avance, et elle a présagé un mystère qui allait suivre, *hom.* 1, 3, 75 s., cf. *hom.* 7, 8 fin, avait-il dit : l'histoire de la rédemption. Il ajoute ici deux cas. « Sodome n'est pas encore rétablie, non cette Sodome qui est présentée en signe et en énigme, mais celle qui est clairement perçue en raison de la vérité », *hom.* 10, 3, 12. Et, à propos de Samarie : « Sera rétabli ce qui a précédé en signe... Quand le seras-tu, âme samaritaine et hérétique..., âme infortunée... ? Alors que ton modèle (exemplum tui) est rétabli après tant de siècles ? » *id.*, 3, 34 s. *Des figures,* selon le principe transmis par Paul : les événements réels certes jadis au désert, étaient porteurs d'une signification qui vaut pour toujours et pour tous : un sens figuré : « in figura contingebant », traduit-on Paul (*I Cor.* 10, 11, cf. 6) et Origène : « figuraliter » : sens dans lequel ils ont été mis par écrit pour nous instruire, nous auxquels est parvenue la fin des temps », l'ère messianique, *hom.* 12, 2, 13 s. La création littéraire, l'histoire fictive, *la lettre* figure *l'histoire* réelle ; l'histoire figure « *l'allégorie* ». On devine les développements qu'ouvre la perspective. Une brève formule peut les annoncer : Ézéchiel aux bords des fleuves de Babylone préfigurait le Christ près du Jourdain... « D'après l'histoire, c'était le prophète ; d'après l'allégorie, le Christ. » cf. *hom.* 1, 4, 2 ; 5, 2 s. — Pour une époque ultérieure, à partir de Luther, cf. P. MAGNARD, « L'antinomie du fait et du sens », dans *Archives de Philosophie,* 49, 1986, p. 603-618.

14. Le symbolisme conjugal

« Des chapitres entiers de la Bible font un emploi systématique du symbolisme conjugal et tracent, à l'aide (de ce thème, l'histoire de) l'amour de Dieu et d'Israël, depuis les origines jusqu'au dénouement apaisant ou tragique. C'est le cas notamment du 16e chapitre de la prophétie d'Ézéchiel. La narration, s'attachant à décrire l'infidélité d'Israël envers Dieu, suit, étapes par étapes, l'évolution de l'amour chez la femme depuis la naissance jusqu'à la mort. » A. NEHER, *L'essence du prophétisme* (Épiméthée) 1955 ; (Diaspora) nouv. éd. augm. d'une préface, Paris 1983, p. 224. Tous en conviennent. Voir, par exemple, A. FEUILLET, *Le Cantique des cantiques* (Lectio divina 10), Paris 1953, p. 140-193 (Ézéchiel, p. 167-179). OSTY : « Ézéchiel reprend le thème de Yahvé époux d'Israël, inauguré par Osée (2, 4-25) adopté par Isaïe (1, 21.26), et développé par Jérémie (2, 2 ; 3, 1.6-13 ; 31, 22), etc.

A première vue, la verdeur du langage d'Ézéchiel est frappante. Elle résulte de l'observation de l'état religieux du pays, chez lui comme chez d'autres. « C'est en effet pour avoir pris conscience de la valeur *historique* de leur époque que les prophètes du VIIIe siècle ont recours au symbolisme conjugal. Comme ces prophètes le dirent eux-mêmes, *l'infidélité* d'Israël s'étalait alors au grand jour. Elle était criante et concrète. Sur toutes les montagnes, sur toutes les collines, sous toutes les frondaisons, dans tous les sanctuaires, Baal remplaçait l'Éternel (*Jér.* 2 ; *Éz.* 16). Substitution suffisamment éloquente pour évoquer l'abandon et la trahison. Mais le caractère même du culte de Baal précisait davantage encore les symboles. Car ce culte se déroulait dans une ambiance collective de sexualité. Le caractère institutionnel de la prostitution sacrée introduisait dans le culte de Baal toutes sortes d'exercices sexuels, et les Israélites qui s'y adonnaient étaient au sens le plus strict des mots des ' sexués ', et des ' prostitués ' (*Os.* 4, 12, 9, 1 ; *Am.* 2, 7). Du culte, la débauche gagnait les familles, et les cas ' d'infidélité ' et ' d'adultère ' se multipliaient. Le prophète Osée a vécu personnellement une crise familiale de ce genre (*Os.* 1). Nous avons là un exemple typique de la manière dont le symbolisme conjugal s'est imposé à la conscience des prophètes. Il était pour eux, tout d'abord, un moyen de décrire, dans une synonymie presque parfaite, l'histoire dont ils étaient les témoins. » A. NE-

HER, « Le symbolisme conjugal, expression de l'histoire de l'Ancien Testament », dans *Rev. d'Hist. et de Phil. rel.*, 34, 1954, p. 39-40. Sombre et sévère est cette présentation d'une société et d'une nature même saturées d'idolâtrie et de luxure.

La prophétie d'Ézéchiel sur l'époque contemporaine ne l'est pas moins, avec le réalisme brutal des descriptions dont elle illustre, et la crudité d'expressions dont elle parsème les diatribes lancées à la jeune fille et aux deux sœurs, (*Éz.* 16 et 23) ; sans parler des menaces de châtiments terribles. Mais peut-on bien juger du présent si on ne le compare au passé et à l'avenir ? De l'époque actuelle qui déchaîne sa prédication véhémente, le prophète jette un regard sur les autres.

L'évocation du passé devrait se lire en filigrane à la page du portrait de la jeune fille. L'impression d'ensemble est nette. Les détails des soins constants, puis des cadeaux multiples, comme des cadeaux de fiançailles et une corbeille de mariage, s'accumulent pour mieux noircir, par contraste, l'élue, depuis sa misère native de bâtarde et d'abandonnée, jusqu'au luxe qui la comble, mais la laisse insensible, indifférente et infidèle. Mais contrairement à ce qu'il fait après la parabole, qu'il explique par un bref récit historique, le prophète s'abstient ici d'indications précises et d'esquisse récapitulative. On retiendra cette caractéristique : nulle réponse de reconnaissance, de foi, de fidélité n'est enregistrée chez le peuple protégé et sauvé, nulle trace de réciprocité. Dès la première époque de l'histoire d'Israël, la générosité de Dieu se heurte à l'infidélité de son peuple.

Mais la perspective d'un avenir meilleur s'entrouvre. Cette victime et ce témoin du désastre national, ce juste passionné de zèle pour les vouloirs de Dieu et de colère pour ceux qui les dédaignent, provoquant tout ce malheur, bénéficie à deux reprises d'une vue de foi et d'une ferveur d'espoir en une future époque heureuse. Que la maison d'Israël rejette l'idolâtrie et se convertisse, et Dieu s'engage : « Car c'est sur ma montagne sainte, sur une haute montagne d'Israël — oracle du Seigneur Yahvé —, c'est là que me servira la maison d'Israël tout entière, dans le pays... Et vous saurez que je suis Yahvé, quand j'agirai en votre faveur à cause de mon nom... » (*Éz.* 20, 40.44). Ces paroles figurent dans la conclusion des longs reproches pour l'histoire passée. Elles sont l'écho de la promesse qui suivait l'annonce des châtiments pour la rupture des fiançailles : « Mais je me souviendrai, moi, de mon alliance avec toi aux jours de ta jeunesse, et j'établirai pour toi une alliance perpétuelle... Tu te souviendras de ta conduite et tu seras confuse... J'établirai, moi, mon alliance avec toi ; et tu sauras que je suis Yahvé... » (*id.*, 16, 60-62).

Les autres prophètes, s'arrachant eux aussi un instant au fond d'ombre et de nuit de l'histoire présente, esquissent de la première et de la troisième époques deux images idylliques. Dans un même passage elles voisinent, s'entremêlent, se superposent, bien que distinctes : l'une dans une douce lumière d'aurore, où perce néanmoins la nostalgie d'un amour et d'un bonheur perdus, l'autre dans le poudroiement d'or d'un avenir radieux. « D'un amour éternel, je t'ai aimée... Je te rebâtirai et tu seras rebâtie, vierge d'Israël. » (*Jér.* 31, 3.4). « Ton créateur est ton époux... La femme de sa jeunesse, pourrait-on l'abandonner... Dans un amour éternel, j'ai pitié de toi. (*Is.* 54, 5.6.8). « Comme un jeune homme épouse une vierge, ton bâtisseur t'épousera, et comme l'épousée fait l'allégresse de l'époux, tu feras l'allégresse de ton Dieu. » (*id.*, 62, 5). Mais les ressemblances qu'offrent les successeurs ont-elles la tendresse d'accent du devancier ? Avant eux, il pleure et condamne le présent : « Il n'y a ni loyauté, ni fidélité, ni connaissance de Dieu dans le pays ; on se parjure, on ment, on assassine, on vole, on commet l'adultère... » (*Os.* 4, 1-2 ; cf. *Jér.* 7, 9). Mais il chante mieux que personne le passé et le futur. « Comme des raisins dans le désert j'avais trouvé Israël, comme une primeur sur un figuier à sa frondaison j'avais regardé vos pères. » (*Os.* 9, 10). L'époux gratifiait son épouse d'étrennes : froment, vin nouveau, huile fraîche, argent et or, laine et lin (*id.*, 2, 10.11). L'épouse alors savait « répondre » (cf. 2, 17), manifester sa joie par la célébration des fêtes de l'année, du mois, de la semaine (cf. 2, 13).

L'avenir sera encore plus beau, la foi et l'inspiration des prophètes l'assurent. Ils exhortent à s'y préparer par leurs appels à la conversion. Ézéchiel, entre les deux évocations d'un bonheur final citées, combat la doctrine traditionnelle de la rétribution collective et héréditaire qu'il remplace par celle de la rétribution individuelle sanctionnant l'usage du libre-arbitre (*Éz.* 18). Jérémie fait de même (*Jér.* 31, 29-30), mais va plus loin et annonce une alliance divine intériorisée : « Voici venir des jours... où je concluerai une alliance nouvelle, non pas comme l'alliance que j'ai conclue avec leurs pères..., mon alliance qu'eux ont rompue. Mais voici l'alliance que je concluerai avec la maison d'Israël... Je mettrai ma Loi au-dedans d'eux, et sur leur cœur je l'écrirai ; je serai leur Dieu et ils seront mon peuple. » (*Ibid.*, 31 s.) Plus persuasif Osée, non seulement prédit l'œuvre divine à venir, mais dévoile l'intimité d'où elle procède et qu'elle exprime. « Voici que je vais la séduire, je l'emmènerai au désert et je lui parlerait au cœur... Il adviendra en ce jour-là... que tu m'appelleras ' Mon mari '. Je concluerai pour eux une alliance ... Je te fiancerai à moi pour toujours, je te fiancerai dans la justice et dans le droit, dans la fidélité et la miséricorde, je te fiancerai à moi dans la sincérité, et tu connaîtras Yahvé. » (*Os.* 2, 18.21.22). Tel est le message prophétique lancé pour toujours à Israël et au monde : que Dieu les aime. Peut-il leur parvenir ?

Ces beaux extraits vont-ils prévaloir contre tant de pages de bruit et de fureur ? Tant de chapitres où les prophètes réagissent violemment à un tourbillon de faits, que les spécialistes identifient peut-être et retiennent avec la doctrine éparse qui les entoure, mais qui laissent confondu le lecteur. La captivité lui est mieux connue, surtout grâce aux deux thèmes littéraires qu'invente Ézéchiel : le portrait de la jeune fille, et la parabole des aigles, qu'il explique peu ou prou (*Éz.* 16-17)... Origène, du bref résumé qu'il en donne, prend son essor vers le ciel familier de l'interprétation spirituelle. Mais il n'élude pas sa responsabilité d'homme et de prédicateur. Dès l'abord, il prépare ses auditeurs. Ayant à revoir une épreuve cruciale du peuple élu, et une critique prophétique des plus violentes, il veut qu'on juge à la lumière de la foi traditionnelle, de l'histoire sainte, de l'expérience humaine.

La foi et l'histoire. Car la foi en l'existence de Dieu n'est pas mise en doute, mais la foi en sa qualité de Dieu bon, puisqu'il abandonne et châtie. Comment disculper Dieu ? Redire les titres de Dieu traditionnellement tenus pour authentiques. Et les voici proclamés, adjectifs ou substantifs, une vingtaine de fois en quatre pages : bienveillant, bon, clément doux, miséricordieux, ami des hommes, père... Même l'histoire des épreuves les atteste. La captivité, qu'adoucit la présence, au milieu de la foule pécheresse, d'une élite de justes pour consoler les exilés, ranimer la foi et l'espérance, et ainsi préparer le retour. La famine, qui a poussé Joseph en Égypte, permettant le rôle que l'on sait, qui évita une grande famine aux Égyptiens et aux Israélites. Plusieurs autres captivités qui retinrent elles aussi des prophètes... Où donc le prédicateur a-t-il ainsi réuni tant d'expressions de piété envers Dieu ?

La foi et l'expérience. Car un sentiment humain fait mieux comprendre la disposition divine. Plus loin, le terme prophétique de « compassion » pour Israël conduit à méditer sur « la compassion » de Dieu pour les hommes et suscite la plus émouvante demi-page qu'Origène ait écrite. Jouant sur le sens des termes « passio » et « patior », le texte a tout son impact dans la langue latine et ne peut être traduit avec rigueur. Mais il dit en substance : un homme à qui on demande d'avoir pitié, s'il est sensible, peut s'émouvoir. « Le Sauveur eut pitié du genre humain. Éprouvant nos passions, il descendit prendre notre chair, partager la vie humaine et souffrir la croix. Il a souffert pour nous la passion de la charité. Et le Père, Dieu de l'univers, plein d'indulgence, de miséricorde et de pitié, en quelque manière souffre ; car s'occupant des affaires humaines, il prend sur lui nos manières d'être, comme le Fils de Dieu porte nos passions. Le Père lui-même n'est pas impassible..., il éprouve une passion de charité, il se met dans une disposition incompatible avec la grandeur de sa nature, pour nous il endure des passions humaines ». Cf. *hom.* 6, 6 fin.

Entre autres analogies, est critiquée l'expression « la colère de Dieu », mais pourrait être admise celle de sévérité divine. On parle de la colère de Dieu. Mais la colère est une passion humaine, d'ailleurs inspirée par le diable, *hom.* 6, 11, 12 : *hom.* 10, 2, 68 s. Comment Dieu l'éprouverait-il ? On dit que sa colère vient, fond sur les hommes, *hom.* 11, 5 fin, et 2 fin ; qu'il l'envoie : c'est donc une chose autre que lui, non pas innée en lui. Dieu n'a pas de colère, *id.* 2, 64 s. Sans pertinence au sens propre, une attribution est possible au sens figuré : il s'agit d'une méthode indispensable de correction et d'éducation, d'un procédé pédagogique, *hom.* 1, 2, 44 ; voir le développement de *CC* 4, 71-72, *SC* 136, p. 358-365. On est proche du sens de sévérité. Ce terme, s'il n'est pas ici employé pour Dieu, l'est une fois pour « magister », *hom.* 1, 2, 29. Précisément, Dieu est dit médecin, père, maître, *id.* 2, 64 et plus loin le Verbe, époux de l'âme, *hom.* 8, 3, 27, comme Dieu même ailleurs... quatre modèles humains auxquels, on le répète, Origène revient sans cesse, cf. *hom.* 1, 2, 44, et la note 3 fin. Or chez eux, la sévérité ne veut et ne procure que le bien, et Origène le montre. Sévères sont médecins et chirurgiens pour la guérison et la santé des patients ; pédagogues, pour l'instruction et la formation progressive des élèves ; pères, pour l'éducation des enfants et leur épanouissement jusqu'à l'âge d'homme ; maris, pour la dignité, la vertu, le vrai bonheur de l'épouse. Si Dieu revendique ses droits, c'est pour que l'on accueille avec foi l'exercice de sa bonté. La sévérité divine veut et procure le bien véritable : elle est acte d'amour.

A leur manière les prophètes l'annoncent. Vers l'horizon où miroite l'idéal du retour, le plus dur est le chemin sans lequel il reste hors d'atteinte : chemin où Dieu précède et accompagne, mais où il dépend du libre arbitre humain de s'engager. De là le message repris en une sorte de refrain, de la part de Dieu, où la promesse précède l'appel : « Je vous rassemblerai d'entre les peuples, je vous réunirai... Je leur donnerai un autre cœur, je mettrai au-dedans d'eux un esprit nouveau ; j'ôterai de leur chair le cœur de pierre, et je leur donnerai un cœur de chair, afin qu'ils suivent mes ordonnances... Alors, ils seront mon peuple, et moi, je serai leur Dieu. » *Éz.* 11, 17.17. 19-20 ; cf. 36, 26 ; cf. *Jér.* 31, 31-34. Or le don exige l'accueil. « Est-ce que ce ne sont pas vos voies qui ne sont pas droites... ? Convertissez-vous et détournez-vous de tous vos crimes... Faites-vous un cœur nouveau et un esprit nouveau... Convertissez-vous et vivez ! » *Éz.* 18, 29-32. Le retour au pays, à la vraie vie, est assuré par la conversion : changement de cœur, d'esprit, de voies.

L'œuvre est commune, les pronoms alternés l'attestent. L'exhortation suppose un obstacle. Ce ne peut être le fait de Dieu. Comme le montre Ézéchiel, la politique imprudente, déconseillée par inspiration divine, a conduit Israël au désastre. « Dieu ne crée pas les peines..., nous nous les préparons », *hom.* 3, 7 fin. « Dieu ne crée pas la malice ; il a confié à l'ange et à l'homme, pour tout, le libre arbitre », grâce auquel « les uns s'élèvent à la cime des biens, les autres se ravalent jusqu'à l'abîme de la malice ». Qu'on le mette donc en œuvre pour devenir la cause du salut ! *hom.* 1, 3 fin. Alors disparaît l'obstacle qu'élève la partenaire humaine. Alors est accessible le seul vrai bien, l'union à Dieu, la vie divine. Dieu le veut pour sa créature. Lui n'a ni manque, ni besoin, ni désir. Son amour n'a point de repli sur lui-même, pas d'égoïsme. S'il veut qu'on l'aime, c'est parce que le salut, le vrai bonheur est uniquement dans cet amour qu'on lui porte. A cette condition se réalise, sur un autre plan, l'idéal que l'auteur latin proposait de l'amitié par son néologisme : « amare, *redamare* », (CICÉRON, *De amicitia* 14, 19) : amour donné, amour reçu et rendu, amour réciproque.

Dieu sévère ? Mais les revendications obstinées — par les prophètes — de ses titres méconnus et oubliés de créateur, seigneur, rédempteur, père, époux, jointes aux expressions motivées d'irritation, de jalousie et de menaces, ont pour but de ranimer la foi traditionnelle, raviver l'adoration et le respect, entretenir la crainte filiale de l'infidèle. Et les épreuves et les fléaux, celui de lui faire prendre conscience de sa rupture de l'alliance, de sa misère morale au fond de sa misère matérielle. Bref, de la faire s'engager, par son libre arbitre, sur la voie de son bonheur. « Qu'elle écarte... ses prostitutions, ... ses adultères. » *Os.*, 2, 4. Épouse prodigue, qu'elle préfigure l'enfant inoubliable du modèle évangélique ! qu'elle se remémore le passé, se décide pour l'avenir : « Je veux retourner vers mon premier mari, car j'étais plus heureuse alors que maintenant. » (*id.* 2, 9). La sévérité divine ramène à l'amour.

Le survol des prophéties longues, complexes, datées, nous parle-t-il encore ? N'autorise-t-il pas une double conclusion théologique ? Le symbolisme conjugal, on l'a vu, illustre l'histoire empirique d'Israël. Mais dans la pensée prophétique, c'est aussi l'histoire telle qu'elle se réalise dans le dessein de l'amour de Dieu. Le passé : car l'Épouse, sans valeur propre ni mérite, a été choisie, appelée d'Égypte, adoptée, formée au désert, choyée, aimée de Dieu qui se l'est unie par une alliance d'amour que rien, pas même la trahison, ne pourra rompre. Le présent : car l'Épouse tentée, pactisant avec l'étranger, l'idolâtrie et la luxure, devenue infidèle pour un temps, victime des tribulations qu'elle a provoquées, éprouve la nostalgie du bonheur des fiançailles, se résout au repentir et au retour. L'avenir : car son amour d'Épouse, jamais totalement perdu mais couvant sous la cendre, va en jaillir renouvelé à l'époque future : où, divinement prédite, promise et préparée, sera célébrée la réconciliation définitive. Davantage. Cantilène, complainte ou hymne triomphal, le chant des prophètes, plus que de l'amour spirituel de son peuple, est révélateur de l'amour de Dieu. Du passé, du présent, de l'avenir, Dieu a l'initiative, la maîtrise, la victoire. Jamais il n'est soumis à ce qu'il aime, l'objet de son amour, dont il reste le créateur (cf. *Os.* 8, 14, etc.). Toujours il se soumet, s'identifie à son amour, à la loi de son être, qui est d'aimer. Ce ne sont pas encore les formules, c'est déjà l'esprit de Paul, de Luc et de Jean.

I. INDEX SCRIPTURAIRE

Les chiffres de droite renvoient aux pages. Les numéros de pages en caractères droits indiquent des citations littérales, complètes ou importantes.

ANCIEN TESTAMENT

Proverbes

Ecclésiaste

Cantique

Sagesse

Sagesse de Sirach

Isaïe

Jérémie

Lamentations

Ézéchiel

II. INDEX DES NOMS PROPRES (ET ASSIMILÉS)

Les chiffres renvoient aux numéros des homélies (chiffres romains), des paragraphes et des lignes ; les chiffres en italique, à des mots inclus dans une citation.

III. INDEX ANALYTIQUE

Les chiffres renvoient aux pages de la traduction.

SECTATEURS de Basilide 135.

SECTE perverse 85 ; de Valentin 119.

SÉCULIER affaires 289 ; gloire 305 ; soucis 141.

SEMENCE 155 ; royale 367 ; (de Dieu) 167 ; d'Abraham 173 ; d'homme 61 ; de Paul 177 ; de la terre 353. *Pl.*, humaines 223 ; des amants de l'âme 281 ; des hérétiques 85.

SENS de l'homme (du corps) (qui charme le s. ou la sensibilité) 137 ; *Pl.*, (des organes) 351 ; les sens charnels 267 ; s. humains (de Jésus) 63 ; les s. de l'âme 351.

SENS DES ÉCRITURES. Pour comprendre on a besoin du secours de Dieu, du Saint-Esprit, de prières, cf. 79, 275, 353, 357... Le sens qui est dans les Écritures est un livre scellé 437 ; ne pas le détourner en un autre sens, contraire à la vérité 252. Une douzaine d'emplois introduisent une citation...

DEUX SENS. A. Sens littéral : – la lettre 127, 129, 179, 315, 383 ; selon la l. 399 ; le sens de la l. 183 – L'histoire : authentique, événements réels, récits véridiques ; elle constitue un ordre, comme celui de la lettre, s'opposant à celui de l'esprit : à mystère 53 ; à allégorie 65 ; à sens mystique pour qui entend spirituellement 67 ; l'h. pour suivre la l. en nous écartant d'un sens plus élevé, du jugement du spirituel 179 ; l'h. de la captivité du peuple écrite à cause de notre captivité due aux Assyriens spirituels 289 ; l'h. de David, mise en garde contre l'orgueil suscité même par des dons spirituels 321, 323 ; D'où le parallélisme des termes : « Ne soyons pas fixés à la l., rivés à l'h. » 383. Et quand il s'agit d'histoire fictive, de création littéraire, les deux termes sont synonymes : « l'énoncé de l'h. » des aigles, « parabole selon la lettre », vise les acteurs « véritables » d'un autre drame, et la parabole suivante sera expliquée « selon l'allégorie » 359 – Sens charnel 315 ; sens commun 127 ; sens simple 103, cf. 181 – Voile : à la lecture de l'Ancien Testament 439 ; (*pl.*) recouvrant les mystères de Dieu 53.

B. Sens spirituel : *Intelligentia* (sacrata) 313 s. ; (-tior) 159 ; à « suivre simplement la lettre » s'oppose « l'occasion de comprendre » 401 – *Intellectus* divin 79 ; spirituel 315 ; mystique 273 ; (*pl.*) *sacrati* 239 ; *sacri* 243 ; sens plus élevé 179 ; de la vérité 117 ; (cf. en ombre et en vérité 159 ; en signe et en énigme, en raison de la vérité 339) – *Sacramentum* : mystère ce qui est dit en énigme par Daniel 55 ; sens mystérieux ou mystique 135, 179, cf. 365, 371 ; dire... *sacrate* 67, *sacratim* 41, *sacratius* 415, *sacratiora* 373 – Entendre spirituellement 67 – Allégorie : l'a. a son sens 77 ; selon l'a., opposé à selon l'histoire 65, selon la lettre 359, selon le sens commun 252 ; allégoriquement 221, cf. 235 – Figure 91, 129, 235, 339, (*pl.*) 339 ; *prophetia figurata* 379 – *Figuraliter* 77, 91, 301.

TABLE DES MATIÈRES

Notes complémentaires

Tables

SOURCES CHRÉTIENNES

Dans la liste qui suit, dite « liste alphabétique », tous les ouvrages sont rangés par nom d'auteur ancien, les numéros précisant pour chacun l'ordre de parution depuis le début de la collection. Pour une information plus complète, on peut se procurer deux autres listes au secrétariat de « Sources Chrétiennes »
29, rue du Plat, 69002 Lyon (France) – Tél. : 78.37.27.08 :

1. la « liste numérique », qui présente les volumes et leurs auteurs actuels d'après les dates de publication ; elle indique les réimpressions et les ouvrages momentanément épuisés ou dont la réédition est préparée.
2. la « liste thématique », qui présente les volumes d'après les centres d'intérêt et les genres littéraires : exégèse, dogme, histoire, correspondance, apologétique, etc.

LISTE ALPHABÉTIQUE (1-352)

SOUS PRESSE

Les Conciles mérovingiens. J. Gaudemet, B. Basdevant. Tome I, II.

BASILE DE CÉSARÉE : **Sur le Baptême.** J. Ducatillon.

GRÉGOIRE DE NAZIANZE : **Discours** 38-41. P. Gallay, C. Moreschini.

NICOLAS CABASILAS : **La vie en Christ.** Tomes I et II. M.-H. Congourdeau.

ÉVAGRE LE PONTIQUE : **Gnostique.** A. Guillaumont.

PROCHAINES PUBLICATIONS

Les Apophtegmes des Pères. Tome I. J.-C. Guy.

BASILE DE CÉSARÉE : **Homélies morales.** Tome I. E. Rouillard, M.-L. Guillaumin.

BERNARD DE CLAIRVAUX : **Vie de S. Malachie, Éloge de la Nouvelle Milice.** P.-Y. Émery.

CÉSAIRE D'ARLES : **Œuvres monastiques.** Tome II : **Œuvres pour les moines.** A. de Vogüé, J. Courreau.

GRÉGOIRE LE GRAND : **Lettres.** Tome I. P. Minard (†).

JEAN CHRYSOSTOME : **Sur Babylas.** M. Schatkin.

APHRAATE LE SAGE PERSAN : **Exposés.** Tome II. M.-J. Pierre.

Également aux Éditions du Cerf :

LES ŒUVRES DE PHILON D'ALEXANDRIE

publiées sous la direction de

R. ARNALDEZ, C. MONDÉSERT, J. POUILLOUX.

Texte original et traduction française.

1. **Introduction générale, De opificio mundi.** R. Arnaldez (1961).
2. **Legum allegoriae.** C. Mondésert (1962).
3. **De cherubim.** J. Gorez (1963).
4. **De sacrificiis Abelis et Caini.** A. Méasson (1966).
5. **Quod deterius potiori insidiari soleat.** I. Feuer (1965).
6. **De posteritate Caini.** R. Arnaldez (1972).

7-8. **De gigantibus. Quod Deus sit immutabilis.** A. Mosès (1963).

9. **De agricultura.** J. Pouilloux (1961).
10. **De plantatione.** J. Pouilloux (1963).

11-12 **De ebrietate. De sobrietate.** J. Gorez (1962).

13. **De confusione linguarum.** J.-G. Kahn (1963).
14. **De migratione Abrahami.** J. Cazeaux (1965).
15. **Quis rerum divinarum heres sit.** M. Harl (1966).
16. **De congressu eruditionis gratia.** M. Alexandre (1967).
17. **De fuga.** E. Starobinsky-Safran (1970).
18. **De mutatione nominum.** R. Arnaldez (1964).
19. **De somniis.** P. Savinel (1962).
20. **De Abrahamo.** J. Gorez (1966).
21. **De Iosepho.** J. Laporte (1964).
22. **De vita Mosis.** R. Arnaldez, C. Mondésert, J. Pouilloux, P. Savinel (1967).
23. **De Decalogo.** V. Nikiprowetzky (1965).
24. **De specialibus legibus.** Livres I-II. S. Daniel (1975).
25. **De specialibus legibus.** Livres III-IV. A. Mosès (1970).
26. **De virtutibus.** R. Arnaldez, A.-M. Vérilhac, M.-R. Servel, P. Delobre (1962).
27. **De praemiis et poenis. De exsecrationibus.** A. Beckaert (1961).
28. **Quod omnis probus liber sit.** M. Petit (1974).
29. **De vita contemplativa.** F. Daumas et P. Miquel (1964).
30. **De aeternitate mundi.** R. Arnaldez et J. Pouilloux (1969).
31. **In Flaccum.** A. Pelletier (1967).
32. **Legatio ad Caium.** A. Pelletier (1972).
33. **Quaestiones in Genesim et in Exodum. Fragmenta greca.** F. Petit (1978).

34 A. **Quaestiones in Genesim,** I-II (e vers. armen.). C. Mercier (1979).

34 B. **Quaestiones in Genesim,** III-IV (e vers. armen.). Ch. Mercier et F. Petit (1984).

34 C. **Quaestiones in Exodum,** I-II (e vers. armen.) (en préparation).

35. **De Providentia,** I-II. M. Hadas-Lebel (1973).
36. **Alexander (De animalibus).** A. Terian (1988).
37. **Hypothetica.** M. Petit (en préparation).